O Cantar de Roldão

COLEÇÃO CLÁSSICOS COMENTADOS
Dirigida por João Angelo Oliva Neto

Ateliê Editorial
Trinta Anos

UFU Universidade Federal de Uberlândia

EDUFU

O Cantar de Roldão

CHANSON DE ROLAND

RONALD COSTA
Transcrição, tradução, textos e notas

JOÃO ANGELO OLIVA NETO
Apresentação

ANTONI ROSSELL e FREDERICO GARCIA FERNANDES
Prefácios

Edição bilíngue

Ateliê Editorial

EDUFU

Dados Internacionais de Catalogação na Publicação (CIP)
(Câmara Brasileira do Livro, SP, Brasil)

O Cantar de Roldão = Chanson de Roland / transcrição, tradução, textos e notas Ronald Costa; apresentação João Angelo Oliva Neto; prefácios Antoni Rossell e Frederico Garcia Fernandes. – Cotia, SP: Ateliê Editorial; Uberlândia, MG: Editora da Universidade Federal de Uberlândia (EDUFU), 2025. – (Coleção Clássicos Comentados / dirigida por João Angelo Oliva Neto)

Edição bilíngue: francês / português

ISBN 978-65-5580-163-7 (Ateliê Editorial)
ISBN 978-65-88055-26-7 (EDUFU)

1. Poesia épica 2. Poesia francesa. I. Costa, Ronald. II. Oliva Neto, João Angelo. III. Rossell, Antoni. IV. Fernandes, Frederico Garcia. V. Título: *Chanson de Roland*. VI. Série.

25-257181 CDD-841

Índices para catálogo sistemático:

1. Poesia: Literatura francesa 841

Eliane de Freitas Leite – Bibliotecária – CRB-8/8415

ATELIÊ EDITORIAL
Estrada da Aldeia de Carapicuíba, 897
06709-300 – Cotia – SP – Brasil
www.atelie.com.br
contato@atelie.com.br
instagram.com/atelie_editorial
facebook.com/atelieeditorial | blog.atelie.com.br

EDITORA DA UNIVERSIDADE FEDERAL DE UBERLÂNDIA – Edufu
Av. João Naves de Ávila, 2121, Bloco 1S
Campus Santa Mônica
Cep 38.400-902 – Uberlândia, MG
Te.: (34) 3239-4293
www.edufu.ufu.br / edufu@ufu.br

2025

Printed in Brazil
Foi feito o depósito legal

Enredado – mas não vestia meias, ela disse.

Para
Marcela

Sumário

O Cantar de Roldão

CHANSON DE ROLAND

Abreviaturas e Caracteres mais Comuns no Manuscrito

AND – *Anglo-Norman Dictionary*
fl. – fólio
n. – nota
p. – página
pp. – páginas
r. – recto (frente)
s. – série
ss. – séries
trad. lit. – tradução literal
v. – verso
vv. – versos

ă – am
ƀ – ber
carlł – Charles
d'ʃ – Deus
.ĕ. – est
ĕ – em / en
ḿ – men
nrĕ – nostre
ŏ – om / on
oliů – Oliver
þ – pre / pri
ꝑ – per- / pro-
ʃ – -s-
Rolł – Rolland
vrĕ – vostre
∻ – est

Apresentação

JOÃO ANGELO OLIVA NETO[1]

Tem em mãos o leitor *O Cantar de Roldão*, a *Chanson de Roland*, poema épico anônimo de 4002 versos, composto no século XI da era cristã. O poema narra a derrota que Roldão, sobrinho de Carlos Magno (742--814), sofreu diante dos mouros na Batalha de Roncesvales em 776, nos confins da França com a Espanha. Como se trata de poesia, será secundário lembrar que o combate histórico se deu em boa verdade entre franceses e vascões (ancestrais dos bascos) que habitavam aquela região dos Pireneus: foram substituídos no poema pelos mouros por causa do maior apelo que os "infiéis" produziam na imaginação do público cristão na época das Cruzadas. Em outras palavras, saiba já o leitor que sobre o fato histórico, auferível nas fontes historiográficas, prepondera a dimensão poética da narrativa que era oral, que hoje, porém, queira-se ou não, na forma de livro integra a literatura (a bem dizer nesse caso a grande literatura) e está à disposição do público lusófono. Mais próprio do que dizer que *O Cantar de Roldão* é poema épico será dizer que é "canção de gesta", sendo "gesta" (em francês *geste*, que significa "ação notável") o nome com que o gêne-

1. Livre-docente em Letras Clássicas desde 2013 pela Universidade de São Paulo, onde obteve o título de Doutor (1999) e Mestre (1993) ambos em Letras Clássicas. Formou-se em Letras (Latim e Grego em 1988, e Inglês e Português em 1982) na Universidade de São Paulo, onde é professor-associado 1 na Graduação em Língua e Literatura Latina e na Pós-Graduação em Letras Clássicas. Atua principalmente nas seguintes linhas de pesquisa: gêneros da poesia antiga, tradução poética do grego e do latim e estudos de história da tradução de poesia greco-latina em português.

ro, contendo cerca de oitenta poemas, nos chegou. Porém, curiosa e, poderíamos dizer, tragicamente neste poema, ao contrário do que ocorre naqueles em que o herói é vencedor, como por exemplo Vasco da Gama em *Os Lusíadas*, Roldão é derrotado e vem a morrer em defesa da retaguarda francesa e da fé cristã.

O destino de Roldão depois da morte e o destino de outras personagens, o que são as canções de gesta e seu singular decassílabo original e enfim a própria gesta que perfez o tradutor para vertê-lo poeticamente em português há de saber-se com a leitura do poema e dos ensaios que compõem o volume, mas, restringindo-nos às epopeias, cabe dizer agora que a coleção Clássicos Comentados – se contava com poemas da Antiguidade Clássica, como a *Ilíada*, de Homero, e a *Eneida*, de Virgílio; se contava com a épica renascentista que é *Orlando Furioso*, de Ludovico Ariosto – entre seus títulos não dispunha ainda de uma canção de gesta medieval. É, portanto, com grande orgulho que a Ateliê Editorial e a Editora da Universidade Federal de Uberlândia oferecem ao público em edição bilíngue *O Cantar de Roldão*, traduzido integralmente verso a verso pelo professor Ronald Costa.

Prefácio[1]

ANTONI ROSSELL[2]

No final de 1955, Irénée Cluzel informou a Martín de Riquer que Monsieur Nizet o encarregara de traduzir para o francês *Los Cantares de Gesta Franceses (Su Relación con España)*, um estudo sobre a épica românica em francês antigo publicado em espanhol em 1952, como volume nº 8 da coleção Biblioteca Románica Hispánica, Estudios y Ensayos. O livro recebeu inúmeros elogios, de Menéndez Pidal, Jean Frappier, Pierre Le Gentil a Dámaso Alonso, e foi Le Gentil quem convenceu o editor-livreiro Nizet de que a obra deveria ser traduzida para o francês.

Cluzel possuía qualidades hoje raras na cultura acadêmica ocidental, mas nada incomuns, tanto na Idade Média como em algumas culturas orientais: competência no domínio da filologia e na arte da guerra. Nascido em Paris em 1911, Cluzel foi um militar de carreira e doutor em letras, que trabalhou no Hospital Val-de-Grâce, em Paris, na Direction de l'École d'Application du Service de Santé Militaire et des Hôpitaux Militaires d'Instruction. Cluzel estudou literatura occitana medieval com Jean Boutière, que foi o editor, junto com A. H.

1. Tradução de Ronald Costa.
2. Professor titular de Filologia Românica na Universidade Autônoma de Barcelona (UAB) e diretor do Arxiu Occità (Instituto de Estudos Medievais, UAB). É membro associado do Centre Interuniversitaire d'Histoire et d'Archéologie Médiévales (CIHAM) da École Normale Supérieure de Lyon e atualmente colabora com a Universidade Nova de Lisboa na música da tradição oral hispânica. Publicou inúmeros livros, artigos e gravações, principalmente dedicados à poesia, ao romance e à música da Idade Média. É intérprete de música medieval e diretor do C. Courtly Music Consort.

Schutz, das biografias dos trovadores occitanos, publicadas por Nizet[3], inclusive colaborando com eles neste trabalho. O militar e filólogo havia investigado a obra dos trovadores Jaufré Rudel, o *princep de Blaia*; Guilhem de Berguedà, o famoso trovador catalão, assassino e canalha; Cerverí de Girona, o trovador que escreveu uma poesia em seis línguas, também catalão; e outros trovadores medievais occitanos. A sensibilidade e a competência filológica do militar e filólogo francês motivaram a proposta de Riquer, em 1957, para que fosse nomeado "correspondente" da Real Academia de Buenas Letras de Barcelona. Nesse mesmo ano, um artigo seu sobre os reis poetas da coroa catalã-aragonesa[4] apareceu no *Boletim* da referida academia. Cluzel faleceu em 1975[5].

A obra de Martín de Riquer sobre as canções de gesta francesas[6] marcou um antes e um depois nos estudos da épica medieval franco-românica, e sua tradução para o francês por Cluzel consagrou seu autor como um dos mais importantes medievalistas do século XX. É no mínimo curioso que esta obra, publicada novamente em espanhol em 2009, seja na verdade uma tradução da edição francesa de 1957 e não do original em espanhol, já que Riquer refez e acrescentou materiais e bibliografia à obra original para desenvolver a épica francesa em seu âmbito cultural românico francês, posto que a intenção original era conectar o repertório épico gaulês com a literatura e documentação medieval hispânica.

De Cluzel pode-se pensar que a sua condição de militar pode ter repercutido positivamente no estudo das obras épicas medievais, mas, sem dúvida, o que mais exerceu influência em seu trabalho foi a sua cultura pan-românica, ou seja, o fato de que seu campo de estudo – tal como o de Martín de Riquer – não teria se concentrado em um único gênero ou em uma única língua, mas havia estudado e aprofundado os repertórios líricos occitanos e catalães, além daqueles do gênero épico e dos *fabliaux* em outras línguas românicas como o francês antigo – tudo isto lhe permitiu uma perspectiva claramente românica e medieval.

3. J. Boutière, A. H. Schutz, I.-M. Cluzel, *Biographies des Troubadours: Textes Provençaux des XIIIe et XIVe Siècles*, 2e édition, Paris, Nizet, 1973.
4. I.-M. Cluzel, "Princes et Troubadours de la Maison Royale de Barcelone-Aragon", *Boletín de la Real Academia de Buenas Letras de Barcelona*, XXVII, 1957-1958, pp. 321-373.
5. Para uma informação mais extensa e detalhada, vide Isabel de Riquer, "Los Cantares de Gesta Franceses y Les Chansons de Geste Françaises", prólogo à edição espanhola de Martín de Riquer, *Los Cantares de Gesta Franceses*, Madrid, Biblioteca Románica Hispánica/Nueva Biblioteca Románica Hispánica, Editorial Gredos, 2009, pp. 24-25.
6. M. de Riquer, *Les Chansons de Geste Françaises*, trad. Irénée Cluzel, Paris, Nizet, 1957.

O CANTAR DE ROLDÃO: GÊNERO LITERÁRIO E HISTÓRIA

Lembro-me de meus primeiros contatos com a épica francesa pelas mãos do Dr. Martín de Riquer e de meu professor Francesc Noy. Riquer nos deixou maravilhados com sua capacidade de relacionar o gênero épico francês e seus conhecimentos da história medieval – lembro que tínhamos que memorizar os nomes dos cavalos e das espadas dos cavaleiros que apareciam nos textos épicos carolíngios –. Francesc Noy, com uma memória prodigiosa como a de Riquer, por sua vez, ensinou-me a analisar o texto linguística e literariamente, valorizando uma composição de tradição oral numa perspectiva mais próxima à beleza. De ambos aprendi que é obrigatório configurar tanto um enfoque interpretativo (literário, linguístico, histórico...) como geográfico para uma correta leitura do texto épico. As fronteiras são-nos fornecidas pelo próprio texto, pela língua em que está escrito, pelo que nos diz, pelo que insinua e até pelo que nos esconde. Aprendi a fugir das categorizações positivistas, a descartar o entrincheiramento genérico a fim de passar do conceito de "irregularidade", defendido pela velha guarda, para o conceito de "variabilidade", que nós, oralistas, defendemos, pois consideramos que todos os textos orais foram cantados[7]. E por isso a categorização genérica teve que ser questionada em inúmeros casos, pois, longe de ser uma confortável fronteira propedêutica, torna-se um espartilho, muitas vezes epistemologicamente sufocante.

Nunca deixei de me perguntar – e não tenho uma única resposta – qual é a verdadeira intenção do autor/compilador de *O Cantar de Roldão*, e qual é o objetivo da obra. Para Duggan, é um gênero multifuncional no qual intervêm vários elementos contextuais e cronológicos:

> A épica medieval é um gênero multifuncional. A distância entre nossos horizontes mentais e os dos jograis, escribas e autores é enorme e, como resultado, algumas das funções que eles pretendiam, sem dúvida, nunca nos ocorrem. Outras, no entanto, são bem atestadas. Vou me concentrar no que considero mais importante, ou seja, entretenimento, informação, sanção de conduta, preservação da consciência do passado e fornecimento de modelos para imitação. Vou abordá-los nessa ordem, acrescentando algumas observações sobre as motivações econômicas para a performance do épico[8].

7. A. Rossell, *Poesia i Música a l'Edat Mitjana: La Cançò Èpica*, Barcelona, Edit. Dínsic, 2004.
8. "The medieval epic is a multifunctional genre. The distance between our mental horizons and those

O Cantar de Roldão canta um trauma coletivo, um luto. Na realidade, trata-se da invenção de um passado que deve ser não só reinterpretado, mas também modificado. E isso tem a ver com quem nos conta a história e que história nos conta. Numa perspectiva transversal, é essencial estabelecer conexões entre literatura e história, e – embora esta relação esteja abordada tanto no prólogo quanto na tradução de Ronald Costa – também é necessário contextualizá-la na história literária, para a qual, *O Cantar de Roldão* não é uma obra singular e isolada, uma *rara avis*, mas faz parte de um conjunto literário de diferentes tradições culturais e linguísticas que coexistiam na época de sua criação, das quais conservamos apenas uma ínfima porcentagem do total produzido e, para o desespero dos filólogos e amantes da literatura e música medievais, desapareceu.

Já foi afirmado que a natureza de *O Cantar de Roldão* é estritamente poética e não histórica[9], entretanto, o conteúdo histórico desta obra se refere a Carlos Magno, personagem de grande bagagem e protagonismo histórico, sendo que o cantar de gesta pertence ao "ciclo épico do rei Carlos Magno"[10]. É surpreendente que os protagonistas sejam Roldão e Oliveiros, personagens mais fictícias do que históricas. No entanto, para a cultura e sociedade medievais, esses textos eram considerados históricos, como ilustra Jean Bodel na segunda metade do século XII, início do século XIII na *Chanson de Saisnes*:

> São, a qualquer entendedor, três matérias:
> Da Bretanha, da França, e da Grande Roma;
> E não há, entre as três, qualquer semelhança.
> Banais e amenos, são os contos da Bretanha;

of the jongleurs, scribes, and authors is enormous, and as a result some of the functions they intended undoubtedly never occur to us. Others, however, are well attested. I will concentrate on what I consider to be the most important, namely entertainment, information, sanction of conduct, preserving awareness of the past, and providing models for imitation. I will take them up in that order, adding a few remarks on economic motivations for the performance of epic" (Joseph Duggan, "Social Functions of the Medieval Epic in the Romance Literatures", *Oral Tradition*, nº 1/3 (1986) The Milman Parry Lectures on Oral Tradition for 1985, pp. 728-66; cita à p. 730).

9. D. Buschinger e P. Hvilshøj Andersen-Vinilandicus (ed.), *Charlemagne dans la Réalité Historique et la Littérature*, Actes du Colloque de Saint-Riquier (13 et 14 décembre 2003), coll. Medievales nº 36, Amiens, Presses du Centre d'Études Médiévales, 2004; João Vicente Ganzarolli de Oliveira, "*Chanson de Roland*: A Beleza como Paradigma da Moralidade na Idade Média", em Gabriel Bianciotto e Claudio Galderisi (ed.), *L'Épopée Romane* [Actes du XVe Congrès International Rencesvals tenu à Poitiers du 21 au 27 oût 2000], Poitiers, Centre d'Études Supérieures de Civilisation Médiévale, 2002, pp. 527-540.
10. Gèste du Roi i ciclo Rolandiano o Carolíngeo: *La Chanson de Roland* (c. 1100); *Pèlerinage de Charlemagne* (século XII); *Chanson des Saisnes*, de Jean Bodel d'Arras (entre 1165-1210); *Fierabras* (final do século XII).

e os de Roma são dos sábios, os *exempla*.
Só canções verdadeiras são os da França[11].

Este texto é um exemplo da concepção medieval genérica, em que as obras se distinguem por *matières* (matérias) ao contrário da nossa concepção mais formal (prosa, poesia, teatro, ...): várias obras são descritas pertencentes a diferentes gêneros, de acordo com a opinião moderna, mas são pertencentes à mesma matéria, ou seja, "conteúdos". Jean Bodel estabelece uma gradação temática em que a matéria de Roma é instrutiva e exemplar, a matéria da França é histórica, e a da Bretanha ou artúrica é banal e lúdica. E à canção épica, a que chama de *matière de France*, atribui-lhe a matéria da veracidade histórica: *Cil de France sont voir chascun jor apparant*. Essas "matérias" incluem tanto a esfera novelesca do *roman*, quanto a da épica, bem como a das formas narrativas breves, como o *lai* bretão. Nossa concepção genérica contrasta, portanto, com a dos medievais – lembremos que Chrétien de Troyes também utiliza o termo *matière* para qualificar o conteúdo de suas novelas[12]. Para compreender a questão dos gêneros textuais, é preciso atentar para o objetivo do texto, sua transmissão e divulgação. Seguindo Zumthor[13], colocaremos a épica românica num contexto oral. É curiosa a unanimidade com que os textos heroicos são categorizados sob o título de "épico", chegando a um consenso "universal" que reúne textos tão díspares quanto distantes em suas línguas e culturas ao redor do mundo: o *Cantar de Mio Cid* (tradição românica), o *Ramayana* (tradição indiana), a *Eneida* (tradição latina), o *Herói da Trança Negra* (tradição russa/mongol), a epopeia *Ge-Sar* (tradição tibetana), os *mvet* (tradição africana espalhada por uma ampla região entre Camarões, Gabão, Guiné Equatorial, norte da República do Congo e oeste da República Centro-Africana), os *pansori* (tradição coreana), o *Kalevala* (tradição finlandesa), os *rimur* (tradição islandesa), e um longo e infinito *et cetera*. Os ora-

11. "Ne sont que trois matieres a nul home antandant: / De France et de Bretaigne et de Rome la Grant; / Et de ces trois matieres n'i a nule semblant. / Li contes de Bretaigne son si vain et plaisant; / Cil de Rome sont sage et de san aprenant. / Cil de France sont voir chascun jor apparant" (Jean Bodel, *La Chanson des Saisnes*, ed. Annette Brasseur, Genève, Droz , 2 vols., vol. 1, vv. 8-11, 1989, cita à p. 2; Fritz Menzel and Edmund Stengel, *Jean Bodels Sachsenlied*, vol. 1: *Ausgaben und Abhandlungen aus dem Gebiete der Romanischen Philologie*, nº 99, Marburg, Elwert'sche Verlagsbuchhandlung, 1906, pp. 6-11).

12. W. A.Nitze, "*Sans* et *matière* dans les Œuvres de Chrétien de Troyes", *Romania*, nº 173, 1915, pp. 14-36. Micheline de Combarieu du Grès, "*Matière, san et conjointure: De la chevalerie dans Deux Versions du Conte de la Charrette* (Chrétien de Troyes et *Lancelot* en Prose)", em Danielle Quéruel, "Amour et Chevalerie dans les Romans de Chrétien de Troyes", *Littéraires* nº 5, Université de Besançon, Les Belles Lettres, 1955, pp. 261-278.

13. P. Zumthor, *Introduction à la Poèsie Orale*, Paris, Seuil, 1991.

listas – desde a antropologia, à psicologia e os sistemas cognitivos – defendemos algumas características textuais, musicais, de conteúdo, e de *performance*, universais[14] que justificam o método comparativo. Jeff Opland[15], por exemplo, propunha uma comparação entre a épica bantu na África do Sul com a épica medieval, baseado em questões e paralelos sociais, culturais e socioeconômicos. A oralidade referida à épica (e aqui me refiro especificamente ao aspecto musical) deve ser compreendida no âmbito da transmissão. Hult questionava-se como um texto oral deveria ser lido, opondo-se a outros estudiosos como Guiette, Rychner, Jauss ou Zumthor, que tentaram *lire, interpreter et comprendre* o texto medieval, enquanto Hult perseguia um ideal extra filológico:

> No entanto, o verdadeiro problema não se coloca apenas ao nível dos códigos que permitem decifrar um determinado sentido, seja literal ou figurado, mas mais radicalmente ao próprio nível dos meios de comunicação e de sua relação com o conteúdo da obra[16].

O que verdadeiramente define se um texto é oral ou escrito (e, portanto, seu gênero) não é a origem no momento de sua criação, mas no momento de sua transmissão, sendo essa forma "oral" a que normalmente foi utilizada. Não vamos descartar a possibilidade de que um texto criado literariamente por escrito tenha sido estrutural e literariamente transformado para ser transmitido oralmente, o que cairia no âmbito da "alteridade", segundo Hult, seguindo Zumthor: "Ainda assim, para os textos modernos, permanece a ilusão de uma comunicação possível, enquanto o desafio lançado pelo texto medieval nos obriga a considerar o caráter de sua alteridade"[17].

E é a oralidade que configuraria uma marca de "identidade", tanto na antiguidade homérica, quanto na modernidade da épica *peule* africana:

14. N. Revel, *Kudaman: Une Épopée Palawan Chantée par Usuj*, Paris, Cahiers de l'Homme, 1983. N. Revel, "Pour une Anthropologie Globale", em Simba aROM (éd.), *La Science Sauvage. Des Savoirs Populaires Ethnosciences*, Paris, Inédit Sciences, 1993, pp. 202-211.
15. J. Opland, *Anglo-Saxon Oral Poetry. A Study of the Traditions*, London, New Haven and Yale University Press, 1980.
16. "Or le vrai problème se pose non pas simplement au niveau des codes qui permettent de déchifrer un certain sens qu'il soit littéral ou figuré, mais plus radicalement au niveau même du moyen de communication et de sa relation avec le contenu de l'oeuvre" (David F. Hult, "Vers la Société de l'Écriture. *Le Roman de la Rose*", *Poétique*, Seuil, vol. 50, abril 1982, pp. 155-172, cita à p. 156).
17. "Toujours est-il que pour les textes modernes l'illusion d'une communication *éventuelle* reste, tandis que le défi lancé par le texte médiéval nous force à considérer le caractère de son alterité" (David F. Hult, *op. cit.*, p. 158).

Porque a epopeia é o gênero que concentra o máximo de dados culturais por ordená-los de forma precisa, respondendo a uma vocação ao mesmo tempo semântica e pragmática: a de simbolizar uma identidade e a de chamá-la à vida no seio dessa comunidade que ela define[18].

Identidade que literariamente se manifestaria também em um recurso tradicionalmente épico como é o uso da hipérbole: uma marca característica da *performance* épica segundo Mélanie Bourlet: "Ao mesmo tempo, este projeto se assenta nas próprias características do gênero épico: A oralidade do texto e a sua propensão a engrandecer a História para despertar um sentimento identitário"[19].

No entanto, *O Cantar de Roldão* é um texto verdadeiramente oral? Não há dúvida de que se utiliza de um sistema "oral" que forma um andaime formal a partir de recursos orais como fórmulas e repetições[20], além de uma métrica adequada para cantar textos longos, e típica de cantares de gesta[21], o que confere ao texto eficiência literário-poética. A composição em sistema oral de *O Cantar de Roldão* é inegável, porém, sua regularidade métrica em decassílabos regulares dos versos de suas estrofes (*laisses*) nos leva a várias considerações: um texto épico de criação verdadeiramente oral seria heterométrico, como encontramos em outros poemas épicos francesas, como *La Chanson de Guillaume*, ou em poemas espanhóis como o *Cantar de Mio Cid*, ou o *Poema de Fernán González* em sua versão do manuscrito do Escorial, e não nas edições de todos aqueles que tentam "normalizá-lo" e regularizá-lo. *O Cantar de Roldão* pertence a uma fase em que a fórmula e as repetições são necessárias, seja para uma identificação genérico-medieval, seja como elemento indispensável para uma transmissão oral eficiente sujeita a recursos que garantam a recepção, assimilação e memorização do texto pelo público espectador. Porém, a meu ver, a presença das fórmulas

18. "Car l'épopée est le genre qui focalise le maximum de données culturelles pour les ordonner dans une forme précise répondant à une vocation à la fois sémantique et pragmatique: celle de symboliser une identité et celle d'appeler à vivre cette identité au sein de la communauté qu'elle definit" (C. Seydou, "Comment Définir le Genre Épique? Un Exemple: l'Épopée Africaine", *Journal of the Anthroplogical Society of Oxford*, vol. XIII, nº 1, Hilary, 1982, pp. 84-98, cita à p. 86).

19. "En Même temps, ce projet s'appuie sur les caractéristiques mêmes du genre épique: L'oralité du texte et sa propension à magnifiquer l'Histoire pour susciter un sentiment identitaire" (M. Bourlet, "Entre Écriture et Oralité *Silaamaka* et *Pullooru* de Yero Dooro Jallo", em Ursula Baumgardt e Jean Derive, *Paroles Nomades: Écrits d'Ethnolinguistique Africaine en Hommage à Christiane Seydou*, Paris, Karthala, 2005, pp. 207-220).

20. J. Rychner, *La Chanson de Geste: Essai sur l'Art Épique des Jongleurs*, Genève, Droz; Lille, Giard, Publications Romanes et Françaises, nº 53, 1955, p. 174.

21. *Cahiers d'Études Hispaniques Médiévales, Le Cid Chanté par Antoni Rossell*, Carlos Heusch, ENS Éditions, École Normale Supérieure de Lyon, Lyon, 2017.

não significaria necessariamente uma composição oral, mas estaria mais próxima da hipótese de Michael Nagler sobre o *pre-verbal speech act* e o conceito de fórmula:

> [...] cada frase no grupo poderia ser considerada um amorfo, não de qualquer outra frase existente, mas de alguma *Gestalt* central – por falta de um termo melhor – que é o modelo mental real subjacente à produção de todas essas frases. A própria *Gestalt*, em nosso caso, parece existir em um nível pré-verbal da mente do poeta, uma vez que achamos impossível defini-la a não ser como uma lista abrangente de todos os amorfos que por acaso existem no corpus registrado[22].

Por isso, não creio que se possa falar em ato criativo "oral"; é possível que o papel de Turoldus não fosse outro senão recompor uma estrutura geral e equilibrá-la, bem como formalizar um texto no número de seus versos e na natureza de suas rimas, daí o *declinet* do v. 4002 ("Ci falt la geste que Turoldus declinet"). No entanto, devemos lembrar que o conceito medieval de "autoria" não é o mesmo que o atual. Basta compreender o rei Afonso X, o Sábio, quando diz:

> O rei faz um livro não porque escreva com suas próprias mãos, mas porque compõe os argumentos dele e os conecta, assente e direciona e mostra o caminho de como se deve fazer; além disso, os escreve [os argumentos] quem ele manda, mas nós dizemos – por esta razão – que o rei faz o livro[23].

Não porque seja desconhecido, nem por causa do nosso conceito moderno de "criação original", devemos subestimar esse "autor" Turoldus que organiza, declina e compila o texto. Se ele mesmo assina o último verso, está se responsabilizando pela forma e pelo conteúdo da obra, e a ele devemos a denominação do

22. M. N. Nagler, "Towards a Generative View of the Oral Formula", *Transactions and Proceedings of the American Philological Association*, The Johns Hopkins University Press, vol. XCVIII, 1967, pp. 269--311, cita à p. 281. Vide também M. N. Nagler, *Spontaneity and Tradition: A Study in the Oral Art of Homer*, Berkeley, University of California Press, 1974. Sobre o repertório de fórmulas, vide J. J. Duggan, *The Song of Roland: Formulaic Style and Poetic Craft*, Publications of the Center for Medieval and Renaissance Studies, nº 6, University of California, Los Angeles, Berkeley, University of California Press, 1973.
23. "El rei faze un libro non porque el escriba con sus manos mas porque compone las razones d'el e las enmienda, e yegua e endereza e muestra la manera de cómo se deben fazer, dezi escribelas qui el manda, pero dezimos – por esta razón – que el rei faze el libro" (Alfonso X, *Edición Completa de la General Estoria de Alfonso X el Sabio*, ed. Sánchez-Pietro Borja, Inés Fernández Ordoñez *et al.*, Madrid, Fundação José Antonio de Castro, 2011, I, f. 216r).

cantar como *geste* ou gesta, referindo-se à história das façanhas de um grupo em coesão familiar, política e bélica.

Voltando à questão histórica, é preciso ressaltar que o conceito de verdade não é o mesmo na Idade Média e na atualidade, e os fatos narrados nas canções épicas nem sempre coincidem com os fatos históricos tal como os entendemos, e como afirma Duggan:

> O histórico Carlos Magno e seu filho Luís, o Piedoso, por exemplo, nunca conquistaram um reino sarraceno nem foram para a Terra Santa, ao contrário do que nos contam a *Pélerinage de Charlemagne* e outros textos épicos; no entanto, quando o Papa Urbano II anunciou a Primeira Cruzada para o Oriente, em Clermont em 1095, o cronista Roberto de Rheims (III: 728) disse ter exortado os cavaleiros então presentes da seguinte forma: *Moveant vos et incitent animos vestros ad virilitatem gesta praedecessorum vestrorum, probitas et magnitudo Karoli Magni regis, et Ludovici filii ejus aliorumque regum vestrorum, qui regna paganorum destruxerunt et in eis fines sanctae Ecclesiae dilataverunt.* [Que os feitos de seus predecessores, a probidade e a grandeza do rei Carlos Magno, e de seu filho Luís, e de seus outros reis, os movam e incitem seus corações à valentia, pois destruíram os reinos dos pagãos e neles estenderam as fronteiras da Santa Igreja], movem-lhe, além dos cantares de gesta sobre a suposta viagem de Carlos Magno a Jerusalém e Constantinopla, outras fontes. O fato de Urbano invocar a derrota dos reis sarracenos tanto do grande imperador quanto de seu filho Luís e chamá-los de gesta me leva a suspeitar que ele estava, em Clermont, confiando no conhecimento de seu público acerca da história preservada no cantar de gesta. Em muitos casos, os escritores incorporaram a história que encontraram na épica presente em seus tratados latinos e histórias vernáculas, geralmente de maneira acrítica: na Itália, Godofredo de Viterbo; nas áreas francófonas, Alberic de Trois-Fontaines, Philippe Mousket, Girart d'Amiens, Jean d'Outremeuse e David Aubert; e na Espanha, o rei Afonso X de Castela e seus sucessores... Encontram-se também exemplos de heróis épicos incorporados a escrituras, forjados como supostas testemunhas[24].

24. "The historical Charlemagne and his son Louis the Pious, for example, never conquered a Saracen kingdom nor went to the Holy Land, contrary to what the *Pélerinage de Charlemagne* and other epics tell us; nevertheless, when Pope Urban II preached the First Crusade to the Orient at Clermont in 1095, he is said by the chronicler Robert of Rheims (III: 728) to have exhorted the knights who were present as follows: *Moveant vos et incitent animos vestros ad virilitatem gesta praedecessorum vestrorum, probitas et magnitudo Karoli Magni regis, et Ludovici filii ejus aliorumque regum vestrorum, qui regna paganorum destruxerunt et in eis fines sanctae Ecclesiae dilataverunt.* [Let the deeds of your predecessors, the prowess and greatness of King Charles the Great and of his son Louis and others of your kings, who destroyed pagan kingdoms and extended into them the boundaries of Holy Church, move you]. Sources other than chansons de geste told of Charlemagne's supposed trip to Jerusalem and Constantinople, the fact that Urban invokes the defeat of Saracen kings by both the

Devemos também nos perguntar – devido a filtros ideológicos e políticos – até que ponto esse texto épico "obedece a" ou foi, em sua época, um texto considerado "literário" como entendemos hoje a literatura. Por que não nos perguntarmos se não estamos perante um texto político (identitário, com intenção ideológica e objetivo político), que se veicula através de um sistema oral, não porque o autor queira escrever uma canção épica, mas porque é o modo mais idôneo de transmissão e recepção para um público analfabeto? Ou seja, a forma é, sem dúvida, literária, mas a intenção não é apenas literária, mas transcende o que hoje entendemos por literatura. E é preciso abordar a forma na perspectiva da variabilidade do gênero literário. A seu tempo, são inúmeros os exemplos que Munk Olsen[25] apresentou de textos que na tradição clássica eram considerados literários e que a Idade Média considerava como históricos, ou seja, estamos diante de uma "flutuação" de gênero baseada nos interesses de cada época. Portanto, reputar como "literatura" o que em seu tempo foi uma exaltação identitária e histórica deveria nos levar novamente a uma reflexão epistemológica. É preciso contextualizar as obras de sociedades de tradição oral, pois muitas vezes a função dos textos épicos é exemplar, ideológica e propedêutica, mas por serem escritos em formato literário, os consideramos literatura. O mesmo acontece com as *Vidas de Santos*, que na Idade Média românica partilham a mesma forma métrica e estilo formular da épica, mas cuja verdadeira função era religiosa, embora hoje as consideremos apenas como textos literários e tenham perdido a sua função paralitúrgica[26]. A menção ao repertório das *Vidas de Santos* leva-nos a interrogar sobre o modelo literário no qual o autor medieval pôde ter se inspirado para escrever os textos épicos, ou seja, a

great emperor and his son Louis and calls them gesta leads me to suspect that he was relying at Clermont on his audience's knowledge of history as preserved in the chanson de geste. In many cases writers incorporated the history that they found in epics into their Latin treatises and vernacular histories, usually in an uncritical manner: in Italy, Godfrey of Viterbo; in French-speaking areas Alberic of Trois-Fontaines, Philippe Mousket, Girart d'Amiens, Jean d'Outremeuse, and David Aubert; and in Spain King Alfonso x of Castile and his successors... One also finds examples of epic heroes incorporated into forged charters as supposed witnesses" (Joseph J. Duggan, "Social Functions of the Medieval Epic in the Romance Literatures", *The Milman Parry Lectures on Oral Tradition for 1985*, Oral Tradition, nº 1/3, 1986, pp. 740-774).

25. Birger Munk Olsen, *La Reception de La Litterature Classique au Moyen Âge: Choix d'Articles Publié par des Ollègues à l'Occasion de son Soixantième Anniversaire,* Copenhague, Museum Tusculanum Press, Université de Copenhague, 1995.

26. Á. Alonso, "Épica y Hagiografía: El Martirio de los Santos Mártires de Cartuxa", em Natalia Fernández Rodríguez e María Fernández Ferreiro (coord.), *Literatura Medieval y Renacentista en Españalíneas y Pautas*, Universidad de Salamanca, Sociedad de Estudios Medievales y Renacentistas (SEMYR), 2012, pp. 341-347; Johannes Wilhelmus Bonaventura Zaal, *A Lei Francesca: (Sainte Foy, vol. 20); Étude sur les Chansons de Saints Gallo-Romanes du XIe Siècle,* Leude, Brill, 1962.

indagar sobre a tradição literária dos cantares de gesta românicos. Sabemos que houve uma épica latina medieval de modelo clássico na qual o texto em francês antigo poderia ter sido inspirado. Giuseppe Chiri apresentou um conjunto de documentos com as inegáveis relações literárias, tanto formais como de conteúdo e documentação[27] e a que Madeleine Tyssens alude quando afirma: "Desse modo, vidas de santos, poemas circunstanciais (*planctus*, epístolas, panegíricos) têm, como narrativas de guerra, as cores da épica"[28], e, como bem aponta a pesquisadora belga, encontramos produtos escolares e artificiais a partir de uma reflexão literária épica dos quais "podemos limitar-nos a apontar, a título de exemplos, narrativas hagiográficas e narrativas históricas que seguem, na sua maioria, a métrica da epopeia, cujo estilo está, mais ou menos, amplamente marcado"[29].

É possível isolar uma dezena de poemas que mostram uma clara relação entre a épica francesa e alemã dos séculos VIII ao X. Posteriormente, a literatura alemã importou conteúdo carolíngio para interesses dinásticos e sucessórios. Nesses poemas, Carlos Magno goza, em boa medida, do protagonismo. Devemos também levar em conta os *vulgaria carmina* – que não foram preservados –, os quais Carlos Magno teria mandado compor para que fossem cantados pelo povo, segundo Eginhardo: "Além disso, ele mandou que fossem escritas antigas canções bárbaras para que ficassem na memória, nas quais se cantavam as façanhas e as guerras dos reis de outrora"[30].

Estes testemunhos reforçam a hipótese de alguns modelos, tanto latinos quanto em língua germânica, terem configurado a tradição épica românica, sendo tanto as cantilenas como os vestígios épicos da Alta Idade Média os precedentes de *O Cantar de Roldão*. Em suma, verificamos que os textos épicos mantêm vasos comunicantes com outros gêneros literários em sua origem medieval, mas

27. G. Chiri, *L'Epica Latina Medioevale e la* Chanson de Roland, Ginebra (Suiça), Slatkine, 1974.

28. "C'est ainsi que des vies de saints, des poèmes de circonstances (planctus, *épîtres*, panégyriques) ont, à l'égal des récits guerriers, les couleurs de l'épopée" (M. Tyssens, "L'Épopée Latine", em R. Boyer, D. Buschinger, A. Crepin, J. Flori, J. M. Paquette, F. Suard, M. Tyssens, J. Victorio, *L'Épopée. Typologie des Sources du Moyen Âge Occidental*, vol. 49 BOOK SERIES Turnhout, 1987, pp. 39-52, cita à p. 39). Vide também Francesno Benozzo, "La *Vita Sancti Faronis*. Le Origini delle Chansons de Geste e le Ballate delle Isole Faroe", em *Quaderni Di Filologia Romanza*, vol. 26-27 (n. s. 5-6), 2019, pp. 13-24.

29. "On peut se borner à signaler, à titre d'esemples, des récits hagiographiques et des récits historiques qui adopten pour la plupart le metre de l'épopée et dont le style en plus ou moins largement marqué par elle" (M. Tyssens, *op. cit.* 1987, p. 40).

30. "Item barbara et antiquissima carmina, quibus veterum regnum actus et bella canebatur, scripsit memoriaeque mandavit" (Eginhard, *Vie de Charlemagne*, Editée et traduite par Louis Halphen. Quatrième édition, revue et corrige, Coll. Les Classiques de l'Histoire de France au Moyen Âge, Paris, 1923, reed. Les Belles Lettres, Paris, 1967.

também em épocas posteriores, o que nos leva novamente à consideração do gênero literário: a transferência de gênero literário da matéria épica para a novela medieval pressupõe uma questão interessante do ponto de vista histórico, pois o conteúdo do que era considerado o gênero da veracidade segundo Bodel (a matéria da França ou canção épica carolíngia), passa para o gênero narrativo por excelência, o romance, tradicionalmente de conteúdo ficcional. Assim, a personagem de Ferrabrás, juntamente com Carlos Magno e os Doze Pares, passam de heróis épicos a protagonistas novelescos, transformando a história, as personagens e qualquer referência histórica original[31]: no século XV, Jean Baignon[32] realizou uma prosificação novelesca, *Le Roman de Fierabrás*, do cantar francês do século XII, impressa em Genebra em 1478, que foi traduzido alguns anos depois, no contexto hispânico, por Nicolás de Piamonte sob o título *Historia del Emperador Carlomagno y de los Doce Pares de Francia*[33]. Essa mudança de gênero traz consigo uma transformação ideológica entre a obra adaptada e seu modelo, bem como uma manipulação com objetivos políticos, religiosos e ideológicos. Estamos diante de uma "necessidade poética", de sociedades em que o poder político e religioso exige equiparar o seu presente histórico à ficção, a fim de manipular a população através de elementos heroicos, ou instruí-la através da exemplaridade destes textos à sua conveniência. A sobrevivência dessa matéria carolíngia não se

31. "Il y eut celui qui chanta les exploits d'un inconnu, Roland *à* Roncevaux, avec un tel succès qu'il l'imposa aux annalistes et aux fabricants de faux diplômes. Il y a eu celui qui chanta la longue lutte d'un vassal rebelle contre l'empereur son suzerain et qui, pour seconder ce vassal, inventa le personnage d'Olivier; il y eut celui qui fit passer Roland et Olivier des bords du Rhône à ceux de l'Ebre et à Roncevaux; il y eut celui qui pour el plus grande gloire de Roland, magnifia le personnage d'Aude. Il y eut sans aucun doute d'autres, qui tous inconnus apportèrent tous leur contribution au poème qui devait trouver sa parfaite expression dans le Roland d'Oxford. La *Chanson de Roland*, du lointain IXe siècle jusqu'à la fin du XIe, a *été* une longue succession de créations, d'innovations, d'adjonctions, d'emprunts, de recréations, que nous ne pouvons que deviner par l'examen minutieux des chartes, des textes d'annales, des résumés trop succincts, quelque précieux qu'ils soient, que nous conservent la *Nota Emilianense* ou la *Karlamagnús Saga*" (Paul Aebischer, "Trois Personnages en Quête d'Auteurs: Roland, Olivier, Aude", *Festschrift Walter Baetke. Dargebracht zu seinem 80. Geburtstag am 28. März 1964*, herausgegeben von K. Rudolph, R. Heller und E. Walter, Weimar, pp. 17-45, cf. Carlos Alvar, "Oliver: The Rise and Decline of a Hero", 2014, *Summa*, n. 4 (Autumn), pp. 120-150, 1966.

32. J. Baignon, *La Conqueste du Grand Roy Charlemaine des Espaignes* (Genebra, 1478, também *Fier a Bras* na edição de Lyon, 1497).

33. N. de Piamonte, *Historia del Emperador Carlomagno y de los Doce Pares de Francia*, Sevilla, Jacobo Cromberger, 1521, com sucessivas impressões (Nicolas de Piamonte, "Historia del Emperador Carlomagno", *Historias Caballerescas del Siglo XVI*, Madrid, Biblioteca Castro, ed. Nieves Baranda, 1995, vol. 2, pp. 431-617; Francisco Márquez Villanueva, "El Sondable Misterio de Nicolás de Piamonte (Problemas del Fierabrás Español)", *Relecciones de Literatura Medieval*, Sevilla, Universidad de Sevilla, 1977, pp. 95-134). Sobre a tradução de Piamonte, impressão e difusão do livro, vide Pedro Cátedra, "Lectura Profunda de Ficción Caballeresca en Tiempos de Quijano", *Historias Fingidas*, nº 4, pp. 21-39, especificamente da página 25 à 28, 2016.

limitou exclusivamente ao gênero narrativo, pois no âmbito hispânico preservamos romances e baladas com temas carolíngios:

> A epopeia espanhola também cantou Carlos Magno, e como restos do poema espanhol de Roncesvales, ou de outros semelhantes, imitados dos *Cantares de Gesta Franceses*, uma infinidade de episódios carolíngios são preservados nos romanceiros: Carlos Magno cercado por seus paladinos; Roldão, que em excesso de arrogância se recusa a encher com o som de seu corno os vales dos Pireneus por onde lhe poderia chegar o socorro do Imperador; o rei mouro Marsín, fugitivo numa zebra, manchando a relva do campo com o seu rastro de sangue; a infeliz esposa de Roldão acordando apavorada no meio da corte de suas trezentas damas, que tecem ouro para ela e tocam tão doces instrumentos; a bela Melisende, cuja carne leitosa e lábios de coral tremem no mais violento frenesi amoroso...[34]

Além da tradição portuguesa e, claro, da brasileira com o magnífico repertório ao vivo e oral de cordel[35].

Victor Millet já havia proposto uma ligação entre a épica e o romanceiro para além da esfera românica, havendo inclusive argumentado acerca da possível existência de um romanceiro cidiano anterior às canções de gesta, questão que nos interessa particularmente sob o ponto de vista da música, visto que supõe a existência de uma lírica de um tema romanesco anterior e inspiradora do gênero épico. Além disso, o estudioso catalão conectou a épica hispânica com a épica germânica medieval, o que nos remete à hiperconexão com a literatura germânica da Alta Idade Média, neste caso, a partir do conteúdo literário[36].

No *Roman de Tristan* de Thomas (século XII), o autor se pergunta qual dos protagonistas da obra é mais infeliz: Tristão, seu tio Marcos, Isolda dos cabelos loiros, ou Isolda das mãos brancas? Sem querer responder por Thomas, mas seguindo seu exemplo, haveríamos de nos perguntarmos qual dos heróis da *Chanson de Roland* fica mais prejudicado. Lendo o texto de *O Cantar de Roldão*, no verso 370 e seguintes, surge uma dúvida, a de Carlos Magno descrito como *merveilus* na boca de seu inimigo Blancandrín:

34. R.Menéndez Pidal, *Flor Nueva de Romances Viejos*, Madrid, Espasa-Calpe, 1938, reed. 1991, p. 13.
35. Jerusa Pires Ferreira, *Cavalaria em Cordel*, São Paulo, Hucitec, 1993.
36. V. Millet, *El Cid y la Germanística. Algunas Consideraciones Iconoclastas, en Sonando van sus Nuevas Allent Parte del Mar.* El Cantar de Mío Cid *y el Mundo de la Épica*, Toulouse, ed. Alberto Montaner Frutos, 2013, pp. 285-296 e "Tradición y Epopeya. Ensayo Metodológico sobre la Poesía Épica Castellana", *Cultura Neolatina*, nº 54, pp. 125-160, 1994.

Dist Blancandrins: "Merveilus hom est Charles,

Martín de Riquer traduz: "Hombre temible es Carlos"[37], enquanto Moignet traduz como "Charles est un homme merveilleux"[38]. Na verdade, não concordo com nenhuma das duas traduções. A palavra *merveille* ou *merveilus* em francês antigo tem um sentido de "estranho", e se não quisermos adjetivar pejorativamente o monarca, conservando, porém, um ponto de dúvida, poderíamos traduzir o verso como "Carlos é um homem particular"[39]. Podemos afirmar que Carlos Magno não é o mais prejudicado na história lendária, pois é o único que se salva (física e lendariamente), pois tanto Roldão quanto Oliveiros morrem em Roncesvales, enquanto Galalão é condenado e executado. No entanto, se voltarmos ao que os nobres medievais davam mais importância – a fama – é possível que essa consideração esteja errada. Roldão, assim como Carlos Magno, é uma personagem controversa: valente, imprudente, violento, ousado, e capaz de criar perturbações orientadas pela honra pessoal e familiar. Lembremos que Roldão não quis tocar o olifante por medo de que fossem cantadas gestas que lhe atribuíssem covardia, e sua família se sentisse prejudicada com isso, portanto, temeroso da crítica social. Compare essa atitude com o epíteto que o cantar atribui a ele em contraste com Oliveiros: "Rotlans es pros, Oliviers es sages"[40] (v. 1093). Galalão, no início de *O Cantar de Roldão* não é uma personagem negativa. Mas em sua incursão ao mundo sarraceno ocorre uma metamorfose, e ele se torna um traidor e um personagem abominável e desprezível. A vingança e a traição de Galalão, padrasto de Roldão, é compreendida pela inimizade da família com seu enteado: ele considera que a decisão de Carlos Magno de mandá-lo para a entrevista com Marsílio pode levar à sua morte, e a isso se deve acrescentar a atitude desdenhosa, quase ofensiva de Roldão. A vingança é totalmente justificada se considerarmos exclusivamente uma reação humana e passional. O texto épico tenta estabelecer normas éticas e morais, mas para ser exemplar precisa dar exemplos de condutas reprováveis, seja a de Galalão, seja, possivelmente também, a de Carlos Magno.

Muitas vezes consideramos que a épica românica medieval pressupõe uma exaltação das monarquias medievais. No entanto, se lermos bem os textos e re-

37. *Chanson de Roland. Cantar de Roldán y el Roncesvalles Navarro*, por Martín de Riquer, Editorial *Quaderns Crema. El Festín de Esopo*, 1983.
38. Gérard Moignet, *La Chanson de Roland,* Paris, Bordas, 1971.
39. A tradução proposta para este verso na presente obra é "Blancandrim disse: 'Carlos me admira". Vide nota ao v. 370 (N. do T.)
40. "É Roldão valente, é sábio Oliveiro"

fletirmos sobre seu conteúdo, nada poderia estar mais distante da verdade. Já no *Cantar de Mio Cid* e em sua lenda, a monarquia age de forma iníqua, favorecendo a alta nobreza e provocando as ações violentas dos Infantes de Carrión contra suas esposas, Dona Elvira e Dona Sol, filhas de El Cid. Mas a figura de Carlos Magno também é marcada pela dúvida, tanto em textos históricos como em diferentes textos literários românicos[41].

Não é minha intenção teorizar sobre isso, mas apresentar uma série de reflexões sobre o que podemos considerar paradoxal, como o aparecimento e desaparecimento de uma das protagonistas de *O Cantar de Roldão* como Olivier (Oliveiros), ou a consideração literária de um monarca, cuja valorização e importância variam ao longo do tempo dependendo da ideologia de cada século. A figura de Oliveiros é controversa, uma vez que é uma personagem da tradição occitana, ligada a uma tradição épica meridional. Segundo Carlos Alvar, Oliveiros é uma personagem preterida na tradição hispânica, sendo Bernardo del Carpio e Reinaldos de Montalbán[42] quem exercem sua função[43]. Oliveiro depois perde todo o destaque que tinha em *O Cantar de Roldão*, o que é mais um argumento para reivindicar um cantar de gesta occitano como o reivindicado por Aebischer ou Lafont, entre outros[44].

Não seria arriscado sugerir que a presença de Oliveiros é o elemento necessário para contrapor a personagem principal, Roldão. Ambos formam um par literário tal como encontramos em diferentes cantares de gesta[45]. Sem dúvida,

41. A. Fassò, "Roland est Sage et Charlemagne Injuste", *L'Épopée Romane*, Actes du XVe Congrès International Rencesvals (Poitiers, 2000), G. Bianciotto - C. Galderisi (eds.), Poitiers, Université de Poitiers - Centre d'Études Supérieures de Civilisation Médiévale, 2002, pp. 499-507.

42. F. Gómez Redondo, *Renaldos de Montalbán (Libros I-II). Guía de Lectura*, Alcaláde Henares, Centro de Estudios Cervantinos, 2011.

43. C. Alvar, "Oliveros: Auge y Ocaso de un Héroe", SVMMA, *Revista de Cultures Medievals*, nº 4, pp. 7-38, 2012.

44. R. Lafont, C. Anatole, *Història de la Literatura Occitana*, Barcelona, Dopesa, 1973; Lucia Lazzerini, *Letteratura Medievale in Lingua d'Oc*, Roma, Mucchi, 2001, pp. 200 e ss.; Joseph Salvat, "*Daurel e Beton*" a *Dictionnaire des Lettres Françaises: Le Moyen Âge*, ed. Geneviève Hasenohr i Michel Zink, Paris, Fayard (La Pochothèque), 1994, pp. 371-372; Paul Meyered, *Daurel et Beton. Chanson de Geste Provençale, Publiée pour la Première Fois d'après le Manuscrit Unique Appartenant à M. A. Didot*. Paris, Didot, 1880; Arthur S. Kimmel (ed.), *Daurel et Beton. A Critical Edition of the Old Provençal Epic ... with Notes and Prolegomena*, Chapel Hill, University of North Carolina, 1971.

45. P. Aebischer, "Les Trois Mentions plus Anciennes du Couple Roland et Olivier", *Revue Belge de Philologie et d'Histoire*, nº 30, pp. 657-675, 1952; "Deux Cas Italiens de Frères Dénommés Rolandus et Uliverius à la Fin du XIIe Siècle", *Studi Medievali*, nº 18, pp. 325-331, 1952; Rita Lejeune, "La Naissance du Couple Littéraire Roland et Olivier", *Annuaire de l'Institut de Philologie et d'Histoire Orientales et Slaves*, nº 10, pp. 375-401, 1950. Sobre os pares de heróis épicos medievais em diferentes culturas, ver Albrecht Classen, "Friends and Friendship in Heroic Epics: With a Focus on *Beowulf*, *Chanson de Roland*, the *Nibelungenlied*, and *Njal's Saga*", *Neohelicon*, nº 38/1, pp. 121-139, 2011.

os protagonistas de *O Cantar de Roldão* são o par literário Roldão e Oliveiros, porém, relendo a obra, acometem-me algumas dúvidas: Carlos Magno, como veremos adiante, é uma figura desconcertante, enquanto Galalão, longe de ser apresentado como um vilão traidor, é positivamente descrito:

Vairs out [les oilz] e mult fier lu visage,
Gent out le cors e les costez out larges;
Tant par fut bels tuit si per l'en esguardent[46].

Embora seu ódio e traição transitem entre uma vingança familiar e um crime feudal.

Carlos Magno foi canonizado em 29 de dezembro de 1165, o que demonstra a consideração que o poder político e religioso de quatro séculos ulteriores professava por ele. A fama de Carlos Magno oscila entre o *miles Christi*, a desejável projeção mítica de um monarca e imperador a quem corresponde a unificação dos territórios cristãos românicos através de uma cruzada contra os infiéis, as campanhas bélicas, e a do homem histórico cuja obra política e moral fora questionada em seu tempo. As projeções literárias da personagem, não só não puderam ser apagadas, como mantiveram uma crítica que perdurou ao longo do tempo. Assim, ambos os registros éticos coexistiram, e é possível que o público os tenha recebido sem ter que se posicionar quanto a qualquer um deles, pois a representação da personagem não mais correspondia à exaltação da figura histórica de Carlos Magno, mas sim a uma propedêutica projeção que exemplificou tanto as virtudes do bom monarca representante do cristianismo, quanto os defeitos do homem que encarnava esse monarca. Ambos deveriam ser modelos éticos e morais que o homem medieval, necessariamente, deveria aceitar de seus líderes, combinando a exaltação do heroísmo e de uma missão transcendente – por um lado –, com a realidade humana de vícios, defeitos e virtudes. Como exemplo literário do comportamento negativo do imperador, poderíamos citar sua vingança contra os filhos de Aimon ou Eanud de Montaubán: o imperador não hesita em usar de engano ou traição para conseguir a morte dos quatro filhos[47]. Em outros

46. *Chanson de Roland*, vv. 284-286. A tradução proposta para esses versos na presente obra é: "Brilham verdes seus olhos, rosto altivo / largos ombros, esplêndido indivíduo / os seus Pares o fitavam, tão bonito" (N. do T.).

47. S. Baudelle-Michels, "Les Morts de Maugis d'Aigremont", em Sébastien Douchet, Marie-Pascale Halary, Sylvie Lefèvre (ed.), *De la Pensée de l'Histoire au Jeu Littéraire, Études Médiévales en l'Honneur de Dominique Boutet,* Paris, Nouvelle Bibliotèque du Moyen Âge, nº 127, pp. 305-314, 2019.

textos, Carlos Magno não é um tirano vingativo, mas fraco e facilmente manipulável pelos traidores no *Renaut de Montauban* ou no *Couronnement de Louis*, ou na paródia dos cantares de gesta da *Geste Francor*, em que Carlos Magno é pejorativamente caracterizado, tanto na sua pessoa como na sua atividade política[48].

Carlos Magno acrescentou aos títulos de *Rex Francorum et Longobardorum*, o título de *Patricius Romanorum*, conferido pelo papa Estevão II a Pipino e seus filhos. Título que, no ano 800, após ser proclamado imperador, mudaria para "Imperador Augusto que Governa o Império Romano". No entanto, o título de Imperador foi fruto de uma hábil política de apoio ao débil papa Leão III perante seus inimigos, mas não teve reconhecimento geral[49].

A estratégia de Carlos Magno buscava reforçar a autoridade imperial em detrimento do papado e da Igreja, pois o "modelo romano" de imperador precisava reunir em sua pessoa tanto a autoridade política quanto a ética, acima da autoridade papal. Essa estratégia política se utilizou dos intelectuais carolíngios, que tentaram impor ao Estado eclesiástico a imagem de um rei mais ético do que político. Miethke[50] ainda propõe que o espelho dos príncipes carolíngios seja concebido como um veículo para a transmissão das doutrinas políticas. Se olharmos para os textos literários medievais, este objetivo não é alcançado, resultando numa representação literária negativa de Carlos Magno que encontraremos a partir do século XI no cantar de gesta e na sua tradição escrita, além de, sem dúvida antes, na tradição oral ou em textos anteriores que não foram preservados. É de presumir que a Igreja desempenhou um papel importante na imagem negativa do imperador, visto que muitas obras literárias foram produzidas (tanto no sentido ideológico da composição das obras, como na sua escrita material e na sua divulgação) nos *scriptoria* religiosos e monásticos.

Não é estranho, portanto, a caracterização de Carlos Magno na canção de gesta francesa, especialmente na gesta *Pèlerinage de Charlemagne*, apresentando-o como um monarca caprichoso, que organiza uma expedição à Terra Santa e Constantinopla por uma simples discussão matrimonial. Nesta mesma obra,

48. P. E. Bennet, Aye d'Avignon, "Laisses I-III: Problèmes Posés par des Allusions Intertextuelles et leur Importance pour l'Interpretation du Caractere de Charlemagne", *Uns Clers ait Dit que Chanson en Ferait. Mélanges de Langue, d'Histoire et de Littérature Offerts à Jean-Charles Herbin*, Études réunies par M-G. Grossel, J-P. Martin, O. Nys, Muriel et Suard François, *Valenciennes, Textes en Context*, nº 6, 2 vol. l, pp. 71-82, 2019, Presses Universitaires de Valenciennes. Chloé Lelong, "La Désacralisation de Charlemagne dans les Épopées Franc-italiennes de la Matière d'Espagne", *La Chanson de Geste et le Sacré*, ed. N. Bragantini-Maillard, É. Goudeau, Fr. Laurent, Cl. Roussel, N. Viet, Clermont-Ferrand, Presses Universitaires Blaise Pascal, 2019, pp. 179-190.

49. L. Halpen, *Carlomagno y el Imperio Carolingio*, Akal, Madrid, 1992, Ed. Albin Michel, 1968.

50. J. Miethke, *Las Ideas Políticas de la Edad Media*, Buenos Aires, Biblos, 1993.

Carlos Magno recebe ajuda divina para colocar em prática os *gabs* (fanfarronices) que seus companheiros proferiram nesciamente. A imagem do imperador e sua aliança com a Igreja ficam verdadeiramente prejudicadas, demonstrando uma atitude social contrária à sua tática político-religiosa.

A estratégia de unidade linguística de Carlos Magno em favor do latim sobre a rústica língua romana, ou *roman* (as incipientes línguas românicas) ameaçava qualquer promoção de identidades não latinas. É precisamente nas regiões onde ocorre o maior desmembramento do poder carolíngio (norte da Aquitânia ou área franco-provençal) que aparecem os primeiros textos em língua vulgar. Apesar da importância que a língua latina continuou a ter nos âmbitos cultural e religioso, a tentativa de fazer dessa língua um monopólio da comunicação foi frustrada pela ascensão das novas línguas românicas, que surgiram num ambiente plural, de línguas e culturas. O desenvolvimento de novos veículos de expressão permitiu à nova aristocracia arbitrar estratégias ideológicas, sendo uma das mais óbvias, o confronto da nobreza occitana com a Igreja católica através de desvios heterodoxos do catolicismo a nível europeu, como a doutrina – ou heresia – cátara. No campo da literatura occitana temos um bom exemplo de descaso com os heróis carolíngios e seu imperador no *planh* do trovador catalão Guillem de Berguedà para com seu vizinho Ponç de Mataplana, *Cousiros Chan e Planh e Plor* (1180). É um *pranto*[51] irônico no qual o defunto Ponç de Mataplana[52] é ridicularizado. Na última estrofe da composição, o trovador coloca Ponç no Paraíso, na companhia do bom rei da França, que parece ser, segundo Riquer, Carlos Magno, junto a Roldão e Oliveiros:

> No empíreo, o melhor local,
> onde está o bom rei da França,
> com Roldão está a alma
> do Marquês de Maltaplana;
> de Ripollès, meu jogral,
> e também o meu Sabata,
> estão com mui gentis damas
> sob flores em alfombras,
> e Oliveiros de Lausana.[53]

51. *Pranto* é um gênero ou forma musical, seja na forma de *pranto elegíaco*, seja como *pranto de escárnio*, que os trovadores cantavam por ocasião da morte de alguém (N. do T.).
52. A. Rossell, *Els Trobadors Catalans*, Barcelona, Edit. Dínsic, 2007.
53. "E paradis el luoc melhor, / lai o·l bon rei de Fransa es, / prop de Rolan, sai qe l'arm'es / de Mon Mar-

A citação de Carlos Magno no *planh* deve ser interpretada de forma negativa, mas é necessário que também interpretemos os outras personagens que acompanham Ponç de Mataplana no Paraíso, como Roldão, que encontramos citado pejorativamente em outra composição degradante a Ponç de Mataplana (*Bibliografie der Troubadours* 210, 1), colocando-o em Saragoça:

III Não deves se gabar nem presumir mais dos torneios
de que nunca valeu tanto Roldão em Saragoça[54].

quando é notório e bem sabido que em *O Cantar de Roldão* nem Carlos Magno nem Roldão apresentaram batalha nesta cidade. Além disso, os outros companheiros do monarca, de Roldão e de Ponç de Mataplana não são senão os jograis do trovador (*e mon joglar de Ripoles, e mon Sabata eisamens*), a quem, por seu ofício, a Igreja os condenou ao inferno. Se acrescentarmos a isso a descrição do Paraíso de Guillermo de Bergueda (vv. 37-38):

estão com mui gentis damas
sob flores em alfombras,

percebemos que a descrição não é a do paraíso cristão presidido por Deus, mas a do paraíso muçulmano, onde quem chega tem a companhia de belas mulheres e todo tipo de luxos. E, como corolário, acrescenta outro herói de *O Cantar de Roldão*, Oliveiros (*Josta Oliver de Lausanne*), mas, relacionado com Carlos Magno e com todo o supramencionado, chegaríamos antes à referência da *Pèlerinage de Charlemagne*, em que Oliveiros é apresentado como a personagem que propõe o luxurioso *gab* sexual e, portanto, condenável sob a perspectiva da religião católica.

Se a crítica de Carlos Magno vinha do universo aristocrático occitano, neste mesmo âmbito linguístico temos mais dois exemplos literários do aviltamento do monarca. O primeiro é o romance occitano erótico-cortês *El Roman de Flamenca* da segunda metade do século XIII, e o outro é o cantar de gesta occitano *Daurel e Beton* do primeiro quarto do século XIII. O primeiro apresenta o ciúme

qes de Mataplana; / e mon joglar de Ripoles, / e mon Sabata eisamens, / estan ab las domnas gensors, / sobr'u pali cobert de flors; / josta N'Olivier de Lausana" (M. de Riquer, *Guillem de Berguedà: I Estudios Histórico, Literario y Lingüístico; II, Edició Crítica, Traducción, Notas y Glosario*, Abadía de Poblet, 1971, [ed. Guillem de Berguedà XII, 196-204]).

54. "Ja del tornei no·us cal gabar ni feigner / c'anc non valc tant Rotlans a Serragosa" (M. de Riquer, *Les Poesies del Trobador Guillem de Berguedà*, Barcelona, Quaderns Crema, 1996 [1971], XII 196-204).

do marido e os motivos e efeitos da infidelidade feminina, a defesa ferrenha – ainda que com grande ironia – das relações adúlteras e do processo de sedução de uma mulher casada. O gatilho para o ciúme do marido de Flamenca, D. Archimbaut, é a excessiva familiaridade com que o Rei se comporta com Flamenca. Isso seria anedótico se o texto não trouxesse uma alusão intertextual – típica do código dos *entendedors*, ou "entendedores" – ao cômico cantar de gesta francês, a *Pèlerinage de Charlemagne*:

> Naquele dia armou-se o rei;
> vos asseguro, não há três
> que *o faça melhor que ele.*
> Uma prenda, de quem não sei,
> tinha à ponta da lança atada:
> a rainha não demonstrava
> desagrado e sabe, porém
> que a prenda não é por *presunção,*
> mas signo de mútua afeição[55].

Através da referência intertextual comprovamos que o rei não é outro senão Carlos Magno, e a rainha, que é quem adverte D. Archimbaut da "excessiva familiaridade", e por isso a causadora do ciúme do marido de Flamenca, recorda-nos a insensata esposa de Carlos Magno, que no cantar de gesta francês ousa duvidar da sua capacidade estética, provocando não só uma peregrinação à Terra Santa, mas uma "excursão" a Constantinopla em busca daquele que "supostamente" usa a coroa melhor que Carlos Magno. Mas o *Roman de Flamenca* afeta tanto a parte imprudente da rainha quanto os episódios sexuais do cantar de gesta, e é a citação no verso 810 da palavra *gab* que nos dá a chave léxica intertextual. Como o *Roman de Flamenca* é uma novela erótica, não podemos deixar de pensar no famoso *gab* ou bravata de Oliveiro, que afirmava ser capaz de fazer amor com a filha do rei cem vezes em uma única noite. Lembremos que os francos cumprem os *gabs* com a ajuda divina, sob o pressuposto de que os franceses representam o cristianismo, e nessas "provas" estava em jogo a supremacia dos cristãos sobre os

55. "Cel jorn portet armas le reis; / e dic vos ben non foron treis / que mieilz las portesson de lui. / Una marcha de non sai cui / ac lassat el som de la lanza: / li reïna non fes semblanza / que mal li fos, pero ben sap / que la manega no i es <per> gab / car senhals es de drudaria" (Anônimo (ed. 1976) *Le Roman de Flamenca: Nouvelle Occitane du XIIIe Siècle*, texte Établi et Commenté par Ulrich Gschwind, Berne, Francke, Romanica Helvetica LXXXVI).

pagãos. Não podemos deixar de, a partir deste exemplo, interpretar esta citação da *Pèlerinage* numa perspectiva política, em que são evidentes as tensões entre a monarquia e a nobreza[56]. *Flamenca* exemplifica o confronto entre a monarquia e a nobreza, mas também a ideologia cortês frente à descortesia, representada por D. Archimbaut. O elemento religioso também não sai muito bem no romance, já que os ministros da Igreja se prestam a receber subornos dissimulados e, acima de tudo, lembremos que a sedução de Flamenca por Guillermo se dá no arco de vários meses durante a celebração da Santa Missa, às vistas do marido, do padre e de toda a paróquia.

Se com o *Roman de Flamenca* o confronto entre a pequena nobreza occitana e a monarquia francesa se desenvolveu no campo da novela occitana em verso, com *Daurel e Betón* passamos para o campo épico-oral. Neste cantar de gesta occitano com enredo e personagens novelescas, a personagem principal, Daurel, é um jogral apresentado como um herói[57]. Se acrescentarmos a isso a caracterização de Carlos Magno nesta gesta occitana que o autor nos apresenta, a mensagem continua na mesma linha de consideração pejorativa do monarca. O imperador Carlos trai sua própria irmã, Ermengarda, por dinheiro e riquezas, e é capaz de forçá-la a se casar com o assassino de seu falecido marido, apesar de ela clamar pela ajuda de seu irmão e por vingança pelo assassinato. Além disso, o assassino ainda nega credibilidade a Ermengarda por ser mulher, atitude que não condiz com a ideologia cortês. A personagem de Daurel, o jogral, representa a reivindicação da condição e do ofício de jogral, e é encarregada da educação do filho de Ermengarda e de seu falecido marido, representando a memória, necessária e garantidora da identidade[58], e mantenedora da vingança contra Carlos Magno[59]. O jogral não é apenas aquele que educa o pequeno e indefeso nobre Beton, mas também se torna seu protetor.

O heroísmo dos protagonistas de *O Cantar de Roldão* não pode ser compreendido em termos absolutos. Nem de Carlos Magno nem de Oliveiros temos boa impressão nas obras occitanas, na *Pèlerinage de Charlemagne* (nem os outros "pares", protagonistas dos *gabs*) Carlos Magno por ser iracun-

56. M. Gosman, "La Propagande Politique dans le *Voyage de Charlemagne à Jérusalem et à Constantinople*. Encore une fois le Problème de l'Unité", *Zeitschrift für Romanische Philologie*, nº 102, 1986, pp. 53-66.
57. *Idem*, pp. 53-66.
58. R. Corradini, R. Means, C. Pössen, S. Philip (Hg.), *Texts and Identities in the Early Middle Ages*, Viena, Austrian Academy of Sciences Press, 2006; Véronique Gazeau, Pierre Bauduin, y Yves Modéran (dir.), *Identité et Ethnicité. Concepts, Débats Historiographiques, Exemples (IIIe-XIIe Siècle)*, Paris, Publications du CRAHM, nº 3, 2008.
59. J. Rodríguez Velasco, *Castigos para Celosos, Consejos para Juglares*, Madrid, Gredos, 1999, pp. 41-47.

do, pretensioso e imprudente (além de ignorante), Oliveiros – numa perspectiva contemporânea – para o episódio sexual (embora nossa sociedade amplie a questão sexual), na realidade o que a *Pèlerinage de Charlemagne* está dizendo é que Oliveiros não é tão *sages* como afirma o texto de *O Cantar de Roldão*. A descrição do imperador e de seus dois pares nos mostra que esses textos (e tantos outros textos épicos, novelescos ou líricos) refletem uma tensão entre a sociedade e seus dirigentes, pois, além da crítica política, descobrimos "questões éticas" e até morais. Depois destas páginas nas quais se mostra a visão negativa de Carlos Magno, pode-se perguntar de onde vem a imagem positiva que temos dele hoje – seguramente de uma construção política e ideológica.

A comparação literária de Carlos Magno com o rei Hugo na *Pèlerinage de Charlemagne* marca a diferença entre a imagem de Hugo, um monarca trabalhador e típico de histórias e lendas, que contrasta e estabelece Carlos Magno como rei político[60]. No entanto, estamos diante de uma realidade histórica e outra lendária[61] sem que a primeira necessariamente obedeça à realidade de Carlos Magno em seu tempo, mas sim a uma construção intelectual bem projetada com intenções ideológicas e políticas. Mas nem tudo é tão positivo para o monarca carolíngio. Na figura de Carlos Magno e dos Doze Pares na *Pèlerinage de Charlemagne*, em relação à figura de Hugo, o Forte, Carlos Magno só é superior devido à coragem de seus cavaleiros e à ajuda de Deus. No confronto entre os dois mundos, o cristão e o bizantino, são os cavaleiros franceses que precisam demonstrar suas virtudes pelas cenas que protagonizaram na noite dos *gabs*. A superioridade, portanto, do imperador, reside em um fator estético e na ajuda divina, e não em sua riqueza ou em seu refinamento[62].

60. A. Corbellari, "Le Roi Leboreur. Enquête sur un Motif Indo-européen", *Uns Clers ait Dit que Chanson en Ferait. Mélanges de Langue, d'Histoire et de Littérature Offers à Jean-Charles Herbin*, Études réunies par, M.-G. Grossel, J.-P. Martin, L. Nys, Muriel Ott, et F. Suard, *Valenciennes, Textes en Contexte*, nº 6, pp. 243-251, 2019, Presses Universitaires de Valenciennes.

61. D. Boutet, *Charlemagne entre Vérité Historique et Verité Poétique: Philippe Mousket, Jean d'Outremeuse et quelques Autres, Uns Clers ait dit que Chanson en Ferait. Mélanges de Langue, d'Histoire et de Littérature Offerts à Jean-Charles Herbin*, ed. M-G. Grossel, J-P. Martin, Ludovic Nys, Muriel Ott et François Suard, *Valenciennes*, Presses Universitaires de Valenciennes, *Textes en Context*, nº 6, pp. 91-102, 2019. Vide: "Métamorphoses Historiographiques", pp. 319-419, em Dominique Boutet, *L'Épique au Moyen Âge. D'une Poétique de l'Histoire à l'Historiographie*, Paris, Honoré Champion, 2019, col. Essais sur le Moyen Âge.

62. E. V. Vitz, "Performance and Competition of Kingship and Court", "*Le Voyage de Charlemagne à Jerusalem et à Constantinople*: Real and Imaginary Encounters between the Medieval West and the Middle East", em Maurice Pomeranz, Evelyne Virge Vitz, *In the Presence of the Pre-Modern Middle East*, 2017.

A imagem literária das personagens carolíngias nas literaturas românicas contrasta, por um lado, com a construção de um mito e com a elaboração de "uma" história e, por outro lado, com a imagem literária negativa, alternativa e pejorativa da monarquia carolíngia, que é o que teria justificado tal manobra de propaganda de poder[63]. Carlos Magno foi o modelo escolhido numa perspectiva de projeto político, que ao mesmo tempo implicava um revisionismo literário. François-Louis Ganshof havia levantado a fraqueza da monarquia carolíngia e seu projeto político, mas na segunda metade do século XX a identidade nacional e a etnicidade do projeto carolíngio foram afetadas[64]. Segundo Rodríguez: "Hoje assistimos a uma nova ideia do Império Carolíngio, baseada na tensão entre o universal e o local e na importância do cristianismo na construção do Império"[65], de modo que esta construção é realizada:

> Nos casos de Ermoldo, Eginardo, Thegan, o Astrônomo, Nitardo e Notker, esse novo modelo sustenta e difunde uma "liturgia da autoridade" que, embora com nuances e variações, permite combinar a tradição franca do *Rex francorum* com a tradição romana do imperador Augusto, com a tradição cristã do *imperium Christianum* e com a novidade do alto-medievo da *gratia Dei rex*[66].

Todas essas "narrativas históricas", segundo Rodríguez, têm uma função social, pois constituem uma certa visão de mundo, condicionada pela estratégia de

63. D. Iogna-Prat, *La Construction Biographique du Souverain Carolingien. À la Recherche de Légitimités Chrétiennes. Représentations de l'Espace et du Temps dans l'Espagne Médiévale (IXe-XIIIe Siècles)*, em P. Henriet (dir.), Madrid, Casa de Velázquez, Annexes del CLCHM, vol. 15, 2003, pp. 197-224.
64. Cf. G. Rodríguez, *La Historiografía Carolingia de Ermoldo a Notker: Estado de la Cuestión. Medievalismo. Boletín de la Sociedad Española de Estudios Medievales*, 2014, pp. 353-369. Reproduzimos, sobre estes conteúdos, a bibliografia da nota 18 deste interessante artigo: Richard Corradini, Rob Meens, Christina Pössel, Philip Shaw (Hg.), "Texts and Identities in the Early Middle Ages", Viena, Austrian Academy of Sciences Press, 2006; Véronique Gazeau, Pierre Bauduin, Yves Modéran (dir.), *Identité et Ethnicité. Concepts, Débats Historiographiques, Exemples (IIIe - XIIe Siècles)*, Paris, Publications du CRAHM, nº 3, 2008.
65. "Asistimos hoy a una nueva idea de Imperio carolingio, basada en la tensión entre lo universal y lo local y en la importancia del cristianismo en la construcción del Imperio". G. Rodríguez, "La Historiografía Carolingia de Ermoldo a Notker: Estado de la Cuestión" (*Medievalismo. Boletín de la Sociedad Española de Estudios Medievales*, 2014, pp. 353-369).
66. "En los casos de Ermoldo, Eginardo, Thegan, el Astrónomo, Nitardo y Notker, este nuevo modelo sostiene y difunde una "liturgia de la autoridad" que, aunque con matices y variantes, permite aunar la tradición franca del *Rex francorum* con la romana de *imperator Augustus*, la cristiana de *imperium Christianum* y la novedad alto medieval de *gratia Dei rex*" (G. Rodríguez, "La Historiografía Carolingia de Ermoldo a Notker: Estado de la Cuestión", *Medievalismo. Boletín de la Sociedad Española de Estudios Medievales*, 2014, pp. 353-369, cita à p. 359).

quem conta a história[67]. Este trabalho de propaganda política e identitária teve os resultados desejados nas adaptações literárias dos textos franceses em âmbito não românico, assim, na cultura escandinava, Carlos Magno representa o virtuoso e exemplar monarca das adaptações do ciclo carolíngio em línguas escandinavas orientais, especificamente *O Cantar de Roldão* e a *Pèlerinage de Charlemagne* na *Karlamagnús Saga* (meados do século XIII), tradução escandinava de diferentes canções épicas francesas[68].

Talvez devêssemos nos perguntar por que a literatura carolíngia e a figura de Carlos Magno receberam maior interesse e popularidade do que o rei Artur e a literatura bretã, tanto na história da literatura quanto na adaptação de suas lendas pelas tradições folclóricas e populares[69]. Não temos dúvidas de que esta não é uma adaptação inocente. Na realidade, a implantação dos heróis carolíngios obedeceu a uma manobra orquestrada tanto pelo poder político quanto pela Igreja em sua ânsia de colonização ética, moral, religiosa, mas também política[70].

A NECESSIDADE POÉTICA

A *Chanson de Roland* como a conhecemos hoje está impregnada de tradições românicas e germânicas, e tem sido utilizada desde a Idade Média até os dias atuais com objetivos ideológicos, religiosos e nacionalistas. No ano de 1870, no conflito franco-prussiano, ocorreu a Batalha de Sedan, na qual o imperador Napoleão III foi capturado. Foi uma dura derrota para o povo francês. Anos antes, em 1837, Francisque Michel publicara pela primeira vez *O Cantar de Roldão*, texto que, em missão científica à Inglaterra e à Escócia, descobrira no antigo fragmento de Oxford, hoje conhecido como Manuscrito de Oxford, e atualmente preservado na Biblioteca Bodleiana (MS. Digby 23). Este texto foi usado naquela época – século XIX – como uma exaltação do nacionalismo fran-

67. Gabrielle Spiegel, *Romancing the Past. The Rise of Vernacular Prose Historiography in Thirteenth-Century France*, Berkeley, University of California Press, 1993.

68. D. W. Lacroix, *La Saga de Charlemagne*, trad. française des dix branches de la *Karlamagnús Saga Norroise*, Paris, Le Livre de Poche, 2000.

69. D. Boutet, *Charlemagne et Arthur ou le Roi Imaginaire*, Paris, Champion, 1992, Nouvelle Bibliothèque du Moyen Âge, nº 20.

70. J. Maurice, "La *Chanson de Roland* dans le *Lagarde et Michard*", *De la Pensée de l'Histoire au Jeu Littéraire. Études Médiévales en l'Honneur de Dominique Boutet*, études réunies par S. Duchet, M. P. Halary, S. Lefèvre, P. Moran et J. R. Valette, Paris, Honoré Champion, nº 127, 2019, pp. 286-294, 2019, Nouvelle Bibliothèque du Moyen Âge.

cês, tanto por políticos como por intelectuais e filólogos como Leon Gautier que lhe deu uma função nacionalista e religiosa[71].

O texto de *O Cantar de Roldão* goza de tamanha eficiência poética que Ronald Costa, em pleno século XXI, apresenta esta tradução e publicação em terras brasileiras. Neste país, os heróis carolíngios são protagonistas da tradição oral, e a matéria carolíngia e seus heróis já fazem parte do patrimônio folclórico, inclusive poderíamos afirmar, literário. A "necessidade poética" vai além dos interesses ideológicos ou políticos, e a tradição envolve essas lendas em uma aura poética que fascina e fideliza o público. Na verdade, é um espelho não apenas dos imaginários coletivos, mas também de um desejo histórico ficcional, que, embora a Igreja a tenha utilizado em suas manobras evangelizadoras e os europeus em suas campanhas colonizadoras, a *matière* carolíngia se tornou uma mercadoria líquida, ao estilo de Bauman, que não pertence mais aos seus mediadores, mas caiu em solo fértil, gera novos frutos e é patrimônio das novas terras e de seus indivíduos.

Este texto medieval continua vivo. A sua bagagem histórica, literária e ficcional moldou a identidade e a cultura de diversos povos, para além da pequena Europa, pois está presente nos relatos, nas festas, nas representações teatrais e nos repertórios orais de países de todo o mundo. Bagagem da qual lançaram mão Madeleine Tyssens, Aurelio Roncaglia, Menéndez Pidal, Martín de Riquer, Paul Zumthor, ..., ou os mais jovens como Pablo Justel no âmbito hispânico, ou Beate Langenbruch na implantação do material carolíngio no Brasil, ou o autor deste livro, Ronald Costa.

Todos esses acadêmicos não teriam se aprofundado no estudo da épica medieval senão por um fascínio poético, pela beleza de um texto que – doze séculos depois – continua a emocionar, gerando comentários, estudos, polêmicas e, claro, o grande prazer em lê-lo e ouvi-lo.

Banyoles (Girona), janeiro de 2023.

71. T. Van Hemelryck, "La *Chanson de Roland* aux XIXe, XXe et XXIe Siècles. De la Glorification Nationale à l'Instrumentalisation Idéologique", *Interférences Littéraires,* nouvelle série, nº 3, *Les Écrivains et le Discours de la Guerre*, s. dir. F. X. La Venne, O. Odaert, novembro, 2009, pp. 27-35.

O Sensível Sonoro: Uma Leitura com o Corpo

Frederico Garcia Fernandes[1]

A definição de um objeto retangular paginado não cabe ao livro. Há na relação que estabelecemos com seu projeto gráfico um certo encantamento. Ele desperta fascínio nas pessoas na mesma proporção em que as sereias seduzem os argonautas. Ao menos em mim, o livro sempre exerceu algum tipo de atração e, não pouco ansioso, fico folheando-o nas bancas de livreiros espalhadas nos eventos, nas livrarias, sebos, nas suas disposições nas estantes, nos títulos das lombadas... nos vários lugares onde me deparo com ele, o livro exige que eu o toque. Ao passo que confesso esta paixão um tanto quanto irracional pelo livro, não faço ideia das causas que levaram você, que está me lendo agora, a escolher *O Cantar de Roldão* em meio a milhares de títulos disponíveis. A comunicação escrita impossibilita compartilharmos nossa experiência quando ela está acontecendo. Diferente seria numa apresentação musical em que os aplausos e as reações corporais transcorreriam num mesmo contexto de enunciação, em que poderíamos tomar parte de uma experiência única e simultânea, mesmo sem haver entre nós uma comunicação direta.

1. Frederico Garcia Fernandes é professor de teoria literária na Universidade Estadual de Londrina (UEL), é curador do Londrix, Festival Literário de Londrina e produtor e apresentador da coluna Literatura Viva da Rádio UEL. Pesquisador das vanguardas traduziu e editou os livros *As Razões da Voz* e *Polipoesia*, ambos de Enzo Minarelli. Autor de *Entre Histórias e Tererés* e *A Voz e o Sentido*, ambos pela Edunesp.

A leitura não transpõe a barreira da experiência do leitor em sua singularidade. Mesmo quando em voz alta e para um grupo, o livro não prescinde da relação com o sujeito que o lê. Por conta disso, também, as circunstâncias em que você tomou contato com este exemplar, as sensações despertas em você ao vê-lo e o que poderia tê-lo levado a ler este prefácio até aqui, por exemplo, constituem uma vivência individual. Mesmo que a curiosidade possa ser tomada como uma causa comum nos nossos encontros com livros, a ação visual orientada pela leitura está no projeto gráfico, enquanto numa performance ela se dispersa nos objetos circundantes.

Se você ainda não desistiu deste texto, é porque deve ter alguma curiosidade em saber qual é a importância de saber sobre o "sensível sonoro" para a leitura desta obra, ou ainda o que quer dizer esta experiência de "ler com o corpo". Como não tenho o ardil de uma Sheherazade, vou direto ao assunto.

O livro é um objeto inerte até que mãos o toquem. Ao abri-lo, estabelecemos um vínculo energético com a obra. A leitura é um processo da ordem dos desejos, pois nos insere numa cadeia contínua de situações culturais, recombinando elementos da própria experiência com o campo ficcional e de representações, sendo que à medida que avançamos as linhas do texto impresso, impõe-se um movimento súbito e impulsivo do que está sendo apreendido. Este movimento impulsivo da leitura faz vibrar em nosso corpo a energia de uma presença. A questão que desejo colocar para este prefácio é que a leitura de um livro é uma experiência corporal, mas a leitura de um texto embebido na tradição oral, como este que se apresenta aqui, possibilita uma experiência diversa de sentido, em relação a um texto produzido e circulado numa cultura escrita.

O título, as ilustrações, as pautas musicais e outras paratextualidades presentes neste livro alimentam a ideia de se tratar de uma canção. O ato de ler uma canção, num formato impresso, conduz o fluxo de leitura para uma ampliação e diversidade de sentidos. Impõe-se uma fina percepção que vai além das circunstâncias de letramento, de decodificação e interpretação, já sacramentadas pela estética da recepção e outras escolas de corrente hermenêutica voltadas diretamente para o texto, como, por exemplo, o *close reading*. Esta mudança de chave interpretativa, a que me refiro e que me parece determinante no projeto do trabalho de Ronald Costa, sintetiza-se na observação de que *a palavra escrita está sendo atravessada pelo sensível sonoro*. Não se trata da sonoridade manifesta a partir da ficção, como, por exemplo, na passagem em que Roldão sopra seu olifante, extraindo dele o potente som que lhe estourará as têmporas, hipérbole catalisadora de valores como honra, lealdade e coragem, típicas do contexto medieval.

O sensível sonoro para o qual chamo atenção pode ser, inicialmente, percebido pela composição rítmica do poema, uma organização de fonemas face à duração temporal na cadeia de palavras que vai constituir sua força épica, revelar sua coloração cancioneira. Além disso, a percepção do sonoro no ato de ler implica a tomada da leitura como uma performance ausente-presente, numa alternância entre a ordem do desejo, manifesta na relação entre o leitor e a obra, e a sensação de uma realidade provada, em que a leitura impregna-se do barulho da voz, convocando o corpo para a partilha dos pulsos ritmados do cantar. Esse ritmo, decorrente do arranjo das letras impressas por meio das quais se desenvolve o "cantar" de Roldão, recupera uma energia vocal da palavra, denunciando os rastros de uma performance, de uma presença, de um corpo pelo qual o canto se fez e, ainda, se faz ouvido.

Não existe uma palavra ritmada sem que se realize a conexão entre um ouvinte com o emissor num espaço e tempo específico de enunciação. O som, por esta perspectiva, constitui-se como uma presença. E mais: trata-se da presença do intérprete que dá sentido ao texto narrado por meio de sua voz. Aqui cabe um parêntese: numa sociedade tecnológica como a que vivemos, a sonoridade nos atravessa por diferentes mídias, com a capacidade de reproduzir gravações de cantos. Mas, como bem observou Paul Zumthor:

> [...] a mídia, por meio da qual nos chega a voz na contemporaneidade (e penso em Tik Tok, YouTube e outras plataformas que poluem nosso sensível sonoro), não traz a presença daquele que emprega a voz, e cria, com isso, um espaço artificialmente composto de circulação da sonoridade[2].

Esta modalidade receptiva apresentaria a mesma artificialidade caso se tratasse de um *audiobook*. O sensível sonoro, identificado neste livro e em toda literatura que apresenta uma relação de proximidade com a oralidade, possui um grande trunfo em relação às mídias digitais: o receptor não é colocado na passividade da escuta, ao contrário, a leitura do sensível sonoro lhe demanda uma escuta cola-

2. Paul Zumthor afirma que meios eletrônicos, auditivos e audiovisuais são comparáveis à escrita porque a "sequência de manipulações que os sistemas de registro permitem hoje, os *media* tendem a apagar as referências espaciais da voz viva: o espaço em que se desenrola a voz mediatizada torna-se ou pode se tornar um espaço artificialmente" (Paul Zumthor, *Performance, Recepção, Leitura*, 2. ed., trad. Jerusa Pires Ferreira e Sueli Fenerich, São Paulo, Cosac Naify, 2007, p. 14). Em *Escritura e Nomadismo*, o autor voltará a fazer a crítica às mídias, afirmando que elas "retiraram da *performance* [...] seu elemento de tatilidade!" (Paul Zumthor, *Escritura e Nomadismo*, trad. Jerusa Pires Ferreira e Sônia Queiroz, São Paulo, Ateliê Editorial, 2005. p. 70).

borativa, a qual consiste em: a) perceber e sensibilizar-se com uma voz, que se lança na cena do narrado; b) captar seu fluxo rítmico; c) trazê-la para a zona de tensão corporal, isto é, envolver os músculos como resposta ao estímulo sonoro desencadeado pelo movimento da leitura; e d) usufruir da ação poética proposta pelo tradutor que atualiza a historicidade do poema.

Isso não quer dizer que o leitor esteja colocado numa situação de performance pura, no sentido de que lhe cabe o mesmo papel de ouvinte colaborativo, aquele passível de interagir, a ponto de provocar situações capazes de alterar o roteiro do intérprete. A leitura, no caso aqui proposto, situa-nos num campo colaborativo em que o leitor encontra-se em contato com a energia performática, pois, uma vez que os mecanismos de percepção estão ampliados, o processo de leitura não se restringe à energia ocular, mas convida o leitor para uma implicação forte de seu corpo, em decorrência do pulsar rítmico do texto.

Inúmeros poetas tentaram recuperar essa energia vocal no poema escrito. Há uma longa tradição de vanguardistas que vai do *zaum* de Velimir Khlébnikov, passando pela poesia optofonética de Hugo Ball, os cantos de Ezra Pound, o bruitismo de Luigi Russollo, o letrismo de Isodore Isou, a poesia sonora de Henri Chopin, a poesia concreta dos irmãos Campos e de Décio Pignatari, a polipoesia de Enzo Minarelli, isso para citar alguns dos mais importantes nomes do experimentalismo ocidental. Uma leitura dos livros destes poetas e, no caso de Minarelli, de seus esquemas de execução, leva a entender que o processo criativo do poema encontra-se em sintonia com uma vocalidade latente a qual, *mutatis mutandis*, é perceptível, também, em edições de *Ilíada* e *Odisseia* e em boa parte das antologias do cancioneiro medieval.

Nesta perspectiva, o poema é sempre uma reminiscência do canto e, sendo assim, denuncia a presença de uma voz. Não é por acaso que, como lembra Eric Havelock, a poesia é metro, trata-se de uma unidade de espaço, uma presença física; a poesia é pé, membro do corpo que se movimenta conforme a batida musical, ao mesmo tempo em que faz referência a um passo de dança, assinala o ritmo do poema; a poesia é estrofe, palavra que significa "volta" e assinala o movimento do intérprete ou do coro no espaço cênico do teatro[3]. Tais denominações demarcam, ao menos no âmbito semântico da estrutura do poema, a poesia como um produto da voz e do canto.

3. A este respeito, ver Alfred Havelock, *A Revolução da Escrita na Grécia Antiga e suas Consequências Culturais*, trad. Ordep José Serra, São Paulo/Rio de Janeiro, Edunesp/Paz e Terra, 1996. A referência aos termos ligados ao corpo e espaço aplicados à poesia são apresentadas no capítulo "A Antiga Arte da Poesia Oral".

Paul Zumthor, em sua pedagogia da voz e da poesia oral, ensina em *A Letra e a Voz*, a obra que introduz seu pensamento no Brasil, a auscultar o cancioneiro medieval. Sendo um dos principais teóricos da *performance* e da voz do século passado, o pesquisador genebrino afirmava que os textos medievais apresentam índices de oralidade, constituindo-se como uma voz *in praesentia*[4]. Tais índices apontam, de modo genérico, qualquer forma de intervenção da voz humana no interior de um texto. Em outras palavras, na materialidade de sua memória escrita, o texto apresenta rastros do que foi sua circulação oral, tornando-se pulsante e vivo. Índices de oralidade são marcações que convidam o leitor a ouvir o texto e a interagir, seja batendo palmas ou cantando junto. Constituem-se por meio de notações musicais e/ou duplicação de frases. É possível pinçar de *O Cantar de Roldão* inúmeras passagens em que marcas de uma presença oral se faz presente, como quando o trovador/jogral exorta a ouvir o choro e lamento de Roldão:

> O barão Roldão o chora e o lamenta,
> não ouvireis mais dolente homem na terra! (vv. 2023-2024)

Ou na interação direta com seus ouvintes, em que faz uso da sua autoridade de bardo para afirmar que o público se encontra diante de um feito digno de registro:

> Vão na sétima os de Samuel, profeta,
> na oitava e nona, eslavos e os da Prússia.
> São da décima os niceus, da deserta,
> é uma gente que nosso Deus não ama,
> *ouvireis falar jamais* de outra mais falsa. (vv. 3244-3248)

Mas é o canto a presença inconteste do índice de oralidade neste livro, atestado nas várias passagens em que as personagens mencionam tratar-se de um feito para ser cantado.

> Por Deus, eu rogo não sejais vós fugidios,
> que ninguém, digno, cante um mau canto; (vv. 1516-1517)

e

4. A este respeito, ver Paul Zumthor, *A Letra e a Voz: A Literatura Medieval*, trad. Jerusa Pires Ferreira e Amálio Pinheiro, São Paulo, Companhia das Letras, 1993.

Nossos homens são bravos – diz Roldão –
sob o céu, quais homens os superarão?
Da gesta franca o escrito cantarão,
que o nosso Imperador é um durão! (vv. 1441-1444)

Cantar e lembrar tornam-se palavras semanticamente correlatas neste épico. Os índices de oralidade são também indicadores de como o texto existiu na atenção e na memória de um determinado grupo social. A memória aqui merece um ponto de destaque, já que lembrar um texto não significa fixá-lo no tempo. Pelo contrário, a memória investe-se de um processo dinâmico, demonstrando como um texto medieval coaduna com a ideia de trânsito. Um texto percebido dentro desta dinâmica sugere que intérpretes e ouvintes não escamoteiam uma ação apropriadora daquilo que ouviram, deixando marcas que revelarão tensões de ordem individuais e de grupo. Por isso, também, determinar a autoria torna-se um exercício complexo, que coloca o pesquisador de frente com fontes difusas. Qual dos três Turoldus seria o autor de *O Cantar de Roldão*: Turoldus de Coulombs; Turoldus de Envermeu, o bispo de Bayeux; ou Turoldus de Fécamp, o abade guerreiro? A aposta do tradutor e comentador deste livro no último é motivada pela análise minuciosa que faz da tapeçaria de Bayeux do século XI e por documentos históricos que atestam a presença do abade no campo de batalha. Porém, devemos concordar com Ronald Costa e com especialistas do cancioneiro do ciclo carolíngio que não se pode fechar a possibilidade de *O Cantar de Roldão* ter sido atravessado pelas vozes de inúmeros outros trovadores e jograis.

Nesse sentido, a repercussão do ciclo carolíngio no cordel brasileiro atesta a movência das aventuras de Roldão e dos Doze Pares de França em outras culturas. Luís da Câmara Cascudo coletou inúmeras passagens que demonstram a presença desta narrativa na poesia sertaneja do Nordeste brasileiro. Mas o trabalho que melhor se aprofundou nessa presença medieval na cultura popular brasileira foi o de Jerusa Pires Ferreira, em sua obra *Cavalaria em Cordel: O Passo das Águas Mortas*. Nela, a pesquisadora demonstra como o mecanismo de incorporação da narrativa carolíngia consiste em transpor a história para o ritmo de domínio do cantador, para a estrutura dialogada como forma de inserir as personagens na cena nordestina, seguido pela adaptação geográfica[5].

5. A respeito, ver Jerusa Pires Ferreira, *Cavalaria de Cordel: O Passo das Águas Mortas*, 2. ed., São Paulo, Hucitec, 1993. Como ela observa sobre o processo de adaptação do cordelista: "Há momentos, em que se nota, que o poeta leu o texto matriz e não foi capaz de transmiti-lo, mas fez então da atividade de rimar a inspiração competente, o exercício de transmissão [...]" (p. 30).

Um projeto de tradução objetiva um percurso bastante distinto da criação cordelista, que quer ressignificar o texto, ambientando-o ao contexto de enunciação. A proximidade com o texto matricial encarna aqui o objetivo do tradutor, enquanto o cordelista opera na lógica da síntese de elementos culturais díspares, promovendo o sincretismo. No entanto, o projeto de tradução de Ronald Costa não é menos movente, já que traduz a narrativa da Batalha de Roncesvales num ritmo muito particular da cultura brasileira: o martelo agalopado ou alagoano. O tradutor tem na definição do ritmo o ponto de partida para recontar o feito de Roldão. O sensível sonoro coloca-se, desse modo, como uma espécie de pedra angular de todo este trabalho. O som é tema recorrente na teoria literária, acercando-se da tradução por meio da filologia e da própria teoria da tradução. No primeiro aspecto, cabem algumas observações de Wolfgang Kaiser, para quem "A análise do som prometia vir a ser de importância para a filologia, pois se esperava poder descobrir discordâncias em textos trazidos até nós pela tradição, interpolações de mão estranha, lacunas etc."[6] Porém, como observa o crítico, mesmo com a ausência de um método científico, o debate logrou chamar atenção para "o som vivo da língua e da poesia" (*idem*), ajudando a compreender particularidades da poesia falada e da fonologia.

É certamente o trabalho de Henri Meschonnic *Poética do Traduzir* que avança com maior profundidade nas questões entre métrica, ritmo e semântica. Há, desse modo, uma passagem, analisando a tradução dos pentâmetros iâmbicos de Shakespeare, que sintetiza seu pensamento sobre a relação som e sentido, afirma ele: "A intensidade rítmica, a intensidade semântica são uma só e mesma intensidade"[7]. O tradutor é desafiado a buscar um significado para o texto de origem, que será mais bem percebido no ritmo do que na semântica das palavras, pois se a escrita é capaz de inverter a linguagem que está no corpo, cabe ao tradutor recuperar o corpo na linguagem. Algo perceptível numa outra máxima do linguista "Traduzir não o que dizem as palavras, mas o que elas constroem"[8].

O martelo agalopado com acentos na terceira, sexta e décima sílabas, produz um ritmo peculiar à narrativa de *O Cantar de Roldão*. Ao longo do estudo introdutório de Ronald Costa, estas questões serão aprofundadas, sendo que cabe aqui assinalar como o tradutor equipara-se ao intérprete, por meio de uma tra-

6. Wolfgang Kayser, *Análise e Interpretação da Obra Literária*, trad. Paulo Quintela, Coimbra, Arménio Amado Editor, 1958, vol. 1, p. 150.
7. Henri Meschonic, *Poética do Traduzir*, trad. Jerusa Pires Ferreira e Suely Fenerich, São Paulo, Perspectiva, 2010. p. 127.
8. *Idem*, p. LXII.

dução renovada, pensante, em que o ritmo, ao mesmo tempo em que organiza a historicidade do texto, ajusta-se a uma sonoridade familiarizada ao leitor brasileiro, provocando identificações entre o Nordeste brasileiro e a gesta medieval.

Há na tradução desta obra uma sensibilidade sonora capaz de conectar o leitor ao espaço e ao tempo poético, dado pelo ritmo. O som, ao se fazer vibrar em nosso movimento de leitura silenciosa e solitária, lida com o corpo, já que olhos e ouvidos são fundamentais para seu fluxo, e nos aproxima do que seria atualizado do canto em outras batalhas iminentes; a presente tradução lida com o corpo, nos coloca diante de um trovador imaginário entoando o ritmo do texto.

O livro, um objeto retangular paginado, abre-se como uma espécie de portal, revelando sua dimensão performática. O fluxo rítmico envolve o corpo na ação poética do canto. Ler *O Cantar de Roldão* implica, afinal, a presença de um corpo.

Propósito desta Edição

O *Cantar de Roldão* é, consensualmente, o mais belo e o mais antigo dos cantares épicos preservados nas línguas românicas: "A mais antiga e também a mais bela [gesta]". Rememorando, outrossim, as palavras de Léon Gautier, este é o mais célebre dos cantares de gesta e o mais belo monumento da epopeia francesa. Apesar disso, no Brasil essa obra encontra escassa difusão, enquanto na Europa se mantém concebida como um texto de leitura necessária, destinado tanto aos estudos superiores de filologia românica como aos cursos secundários.

Não obstante a sua ausência nas nossas bibliotecas escolares e universitárias, é inconteste a afirmação de que *O Cantar de Roldão* inaugura a longa tradição carolíngia europeia que notoriamente também está enraizada, *suo modo*, em nossa cultura popular: na perene pugna entre mouros e cristãos nas pantomimas e festivais que têm lugar nos recônditos do Brasil, e na voz do cantador sertanejo, pois como percebeu o invulgar etnógrafo Luís da Câmara Cascudo, "não conhecer a *História de Carlos Magno* era ignorância indesculpável, indigna dos bardos sertanejos, mesmo analfabetos".

A dramática batalha que vitimou Roldão e toda a retaguarda francesa nos altos cumes do Pirineu navarro é o enredo do cantar que, em boa medida, repousa nas historiografias preservadas, ainda que nem sempre consensuais entre si; muitos outros aspectos, no entanto, pertencem à mais pura ficcionalidade.

Após a reflexão que segue acerca de quase dois séculos de estudos debruçados sobre o cantar e após a experiência com o próprio poema, aqui transcrito na língua original, traduzido ao português, anotado e comentado, confiamos que o leitor compartilhará desta impressão: a de que as mais poéticas e belas passagens que se destacam nos seus 4002 versos são protagonizadas pela ficção. As disputas entre Roldão e Oliveiro, o combate singular entre Carlos Magno e Balalão, a morte da Bela Alda, são exemplos disso.

Assim, não desmerecendo o valor histórico do poema, é inequívoco que o valor poético o fundamenta. Inerente à sua poeticidade, aliás, muito se discutiu ao longo do século XX sobre o que hoje está assentado como outra característica fundamental dos cantares de gesta, que é o seu pretendido caráter oral. Mais do que essa presunção inicial, já é comum serem apontados os índices de oralidade desses cantares, sobretudo a partir de sua evidente estrutura formular. Isso nos permite afirmar que uma leitura que passe por alto dessa dimensão oral e desses aspectos formais do gênero épico é um equívoco epistemológico.

Não é sem desalento que percebemos, contudo, que as mais canônicas edições e traduções de *O Cantar de Roldão*, desde o descobrimento do mais antigo manuscrito em 1832, operam por uma sorte de apagamento dessa dimensão, na medida em que prescindem de alguns traços de oralidade ainda passíveis de encontrar no texto, como a métrica, a rima e o ritmo.

Uma interessantíssima imagem desse fenômeno nos oferece Henri Meschonnic, quando compara a tradução com o barqueiro. Importa para ele menos o atravessar do que o estado em que chega aquele a quem atravessou; Caronte, conclui Meschonnic, atravessa os mortos que, no trajeto, perdem a memória. Aqui compartilhamos, pois, da tarefa que o linguista propõe: não traduzir o que dizem as palavras, mas o que elas constroem, recriar o sentido – posição que nos coloca um grande desafio, o desafio filológico ao qual se lança a personagem borgiana, no célebre conto *Pierre Menard, Autor del Quijote*: "Seguir siendo Pierre Menard y llegar al Quijote, a través de las experiencias de Pierre Menard", diante do que, sentencia a personagem tradutora: "Mi empresa no es difícil, esencialmente [...]. Me bastaría ser inmortal para llevarla a cabo".

Assim, ler hoje *O Cantar de Roldão* requer já uma operação filológica; traduzi-la, com este mínimo pressuposto, requer, *mutatis mutandis*, lançar mão ora de ressignificações oblíquas, ora de anacronismos, como veremos nestes estudos introdutórios; mas cantar, enfim, um canto épico requer emular o trovador que, revestido de espírito heroico, declinou as glórias do cavaleiro e sua espada e as legou à posteridade.

O sentido de *O Cantar de Roldão*, tenhamo-lo sempre em conta, escapa, portanto, ao manuscrito, um trabalho para jogral, sem adornos nem iluminuras e concebido para estudo. Se o que se preservou desta obra em específico foi apenas o registro textual de um copista, não é verdade que nenhuma expressão da oralidade da Europa medieval tenha se preservado na tradição ibérica, como nos revela a tese de Diego Catalán, *Siete Siglos de Romancero* (1969). Porém, a persistência do ciclo carolíngio nos cantos populares tornou-se notória já desde o século XVI no Brasil, assim como em boa parte do Novo Mundo, onde ainda hoje podemos testemunhar nesses autos e festividades tradicionais essa longeva tradição – fenômeno ao qual se dedicaram, mais celebremente, Luís da Câmara Cascudo e Jerusa Pires Ferreira.

Toda essa riqueza cultural que canta, ainda no Brasil, os séculos carolíngios e que, em muitos aspectos, perdura no nosso imaginário ético e estético contemporâneo nos move à busca de outro nível de significação do texto épico, para além da metáfrase. Assim, o desafio de traduzir hoje *O Cantar de Roldão* equivale a estender uma ponte por sobre dez séculos que separam a nossa própria tradição colonial de sua matriz mais primitiva, compreendê-la enfim; ler no Brasil contemporâneo *O Cantar de Roldão*, por sua vez, é lançar-se ao passo de seu cruzamento, por sobre o rio Lete, sem o auxílio de Caronte, o deslembrador.

Para tarefa tal, esta tradução cotejou algumas das mais conceituadas edições do *Cantar*, quais sejam: as edições em francês de Joseph Bédier e Gérard Moignet e a tradução para a língua espanhola do professor Martín de Riquer, todas em prosa – embora Moignet ensaie, em sua edição, uma forma versificada na apresentação de sua tradução, sem, contudo, atender à métrica ou integralmente à assonância. A partir desse cotejo, anotamos em rodapé todas as passagens que apresentam históricas divergências entre os editores e apontamos as nossas opções ou proposições de tradução.

Outrossim, de forma inédita no Brasil, além da tradução direta do idioma original, o anglo-normando, apresentamos um trabalho de paleografia, com a transcrição arqueológica do manuscrito, desde sua base digital, o que exigiu fazer algumas opções. Para o preenchimento das lacunas existentes no arquivo original, usou-se, o mais das vezes, consultar outras fontes do cantar, outros manuscritos; houve, ainda, edições que, não isentas da crítica contra seu suposto purismo, se prestaram aos espaços em branco e a sustar o sentido de alguns versos na tradução, o que facilmente poderia haver sido facilitado ao leitor. De nossa parte, restringimo-nos ao manuscrito de Oxford, o mais antigo, completo e, por isso, antonomástico manuscrito de *O Cantar de Roldão*, tanto para a tradução como para o trabalho paleográfico de transcrição, corrigindo alguns aspectos das edições até aqui propostas e isentando-nos das atualizações e normatizações mais comuns que nelas encontramos.

Mas porque não se quer nem se pode ignorar os canônicos trabalhos que a filologia europeia produziu em pouco mais de dois séculos de estudos, não prescindimos de referências às edições citadas. Essa proposta paleográfica, que foi realizada a partir do arquivo digital da Biblioteca Bodleiana de Oxford, segue integralmente sua apresentação original, inclusive nas abreviações e signos gráficos, sempre anotando as rasuras, lacunas e equívocos de copista, apresentando parenteticamente os trechos de legibilidade comprometida, para os quais lançamos mão de hipóteses de outros editores – sempre anotados em rodapé e remediados na tradução.

Esse trabalho arqueológico se presta, desse modo, a proporcionar ao leitor uma possível aproximação ao texto, tal qual apresenta o manuscrito em sua beleza e imperfeição. Com essa opção, confiamos oferecer uma interessante experiência mais próxima do manuscrito na transcrição e, ao mesmo tempo, mais plena de sentido, no lado da tradução – disposição que oferece uma interessante possibilidade de comparação entre a língua de origem e a língua de destino, pois o conteúdo de ambas está rigorosamente disposto em paralelo, verso a verso.

Se a presente tradução, por um lado, coteja e não ignora as anteriores já realizadas, ela apresenta, por outro lado, uma importante diferença daquelas ao se propor poética e carregada de matizes de uma oralidade performática possível. Desse modo, buscando respeitar a integralidade do manuscrito de Oxford em sua materialidade e finalidade original, mantivemos sempre em conta a gesta enquanto ato performático. Anotamos, assim, o que se afastou do literal, seja por obscurantismo de sentido, seja pelas imposições métrico-assonantais que nos levaram a determinadas escolhas no texto de destino.

E, finalmente, ainda sob esse aspecto, se aqui devemos reconhecer por verdade as flagrantes diferenças entre o ato performático original da obra e o ato de leitura moderno, reputamos não menos verdadeira a afirmação de Zumthor acerca da autoridade da voz, que coexiste no oral e no escrito e que, no movimento de uma dimensão a outra, não se degrada, nem se esteriliza. Para isso, acreditamos, basta uma tradução que, poética, tenha um ato performático por propósito, e basta uma leitura que, nela, o recorde.

A Épica e os Cantares de Gesta

A palavra gesta, em idioma anglo-normando, escrito na Inglaterra a partir do ano de 1066, é *geste.* Na tradução do professor Martín de Riquer, encontramos o termo *linaje.* Assim também traduz esse termo, numa passagem do *Cantar de Guillermo*, o professor Joaquim Rubio, que, em nota, ainda esclarece:

> O termo aparece muitas vezes na épica francesa com esse significado de "linhagem" ou "família cujas façanhas são famosas". [...] *Geste* é um termo com muitos significados e pode chegar a significar nação ou povo. *La geste francor* passa a significar os franceses e a *sarrazine geste*, a *paienne geste* ou a *geste Mahom* significa os sarracenos.

Partindo desse princípio, quando *la geste* aparece no genitivo de um cantar, *la chanson de geste*, a encontramos como um subgênero tardio da épica que celebra as façanhas de uma idade heroica e pretérita em que toda medida é extraordinária. Como uma "imitação metrificada de seres superiores", já definia Aristóteles a poesia épica, cuja fonte de tradição remonta a idade heroica da Grécia, entre os séculos xv e xii a.c., que inspiraria a *Ilíada* de Homero quatro séculos depois. A mitologia clássica, de que se constituía o argumento dessas narrativas épicas, na Idade Média será substituída por uma ética cristã sob a estrutura feudal em formação na dinastia carolíngia, a partir do século viii. Com esse pano de fundo e sob estruturas composicionais e de divulgação muito similares desenha-se assim uma das principais características dos cantares de gesta enquanto gênero épico medieval: a nobreza e as façanhas heroicas de um protagonista, pressuposta sua linhagem nobre, em descendência e/ou ascendência, de perspectiva consanguínea e/ou nacional.

No concernente ao *Leitmotiv* dos cantares de gesta, ou o que sejam seus temas narrativos, está bem ilustrado por Carlos García Gual, quando trata de comparar esse gênero épico com a novela medieval:

> Na épica, a batalha tem uma trágica seriedade. O herói combate paladinamente em defesa de sua pátria, por cumprir com o dever sagrado de vassalagem a Deus e a seu rei, contra os infiéis inimigos, ou por defender sua possessão feudal, e no combate ele perde sua honra e sua vida.

Os cantares de gesta ilustram, portanto, certo primitivismo de uma sociedade homogênea, rude e sem graves conflitos ideológicos, anterior aos refinamentos corteses e psicológicos que veremos já na novela medieval. Essa rudeza e austeridade são características de uma sociedade em que os valores correspondem à honra, à audácia e à destreza na batalha campal e, por essa razão, não poderiam ser cantados com estrutura menos austera do que aquela que os inspira. Nisso radica a simplicidade dos seus versos, praticamente desprovidos de toda ornamentação: acepção direta das palavras, emprego reto, sem virtuosismos semânticos e um vocabulário reduzido ao literalmente necessário são algumas de suas características estruturais predominantes, que já foram comparadas com a arte românica, cujas catedrais recordam *O Cantar de Roldão* no que elas têm de monumental, de austero e de sagrado; e cujos capitéis, arcos e abóbadas quebram, com seu detalhe, sua unidade fundamental.

Um pequeno adorno ali, ao irromper inesperado do maciço, surpreende e magnifica: quando o rei Carlos, retornado ao campo de batalha em Roncesvales, vê Roldão jazer sob uma conífera, tem a seguinte impressão: "Robusto é o corpo, a cor porém perdida, / olhos oblíquos, já postos tão em trevas". Comentando esses aspectos do poema, o professor Riquer afirma que ao traduzir o cantar se percebe que nossa linguagem coloquial e cotidiana é infinitamente mais figurada que a desse poema. Quando, por outro lado, nos deparamos com o corpo falecido de Roldão e ali vemos um desvio do sentido literal, como exceção que sejam os olhos oblíquos "postos tão em trevas", a passagem destaca-se enormemente na aridez do relato. Não por acaso a metáfora figura num episódio tão pateticamente significativo quanto o luto do rei Carlos diante do falecido sobrinho. É uma das raras e breves concessões que se faz o poeta para ilustrar a gravidade dessa passagem.

Na estrutura métrica típica dos cantares de gesta também se destaca uma rigidez predominante de versos octossílabos, decassílabos, dodecassílabos, ou mesmo anisossilábicos com rima consonantal para os cantares mais tardios, a partir do século XII, ou com assonância vocálica para os mais primitivos, como *O Cantar de Roldão*. Geralmente com cesura intermediária formando dois hemistíquios, esses versos agrupam-se em *laisses* – termo frequentemente traduzido por "tiradas" ou "séries" – com número de versos variável. Via de regra, as séries mantêm uma unidade argumental e, supostamente, melódica, mas, num manuscrito, os indícios mais claros de que se acaba uma série e se inicia a outra é a alteração do padrão da assonância ou rima e a presença da letra capitular, a exemplo do manuscrito de Oxford; a maioria das edições modernas vem com essas séries numeradas, divisão que não se apresenta no manuscrito.

Acerca da natureza desses cantares, ainda se insistíssemos em falar da épica em lato sentido, por um lado no plano de conteúdo e por outro no de técnicas narrativas, não faríamos justiça aos matizes que cobram uns e outros cantares comparados. Ou seja, o que há de comum entre *Roldão*, *Cid*, *Willaume*, *Vivien*, *et al.*, quando todos transitam na mesma representação ético-estética do herói épico – a *etopeia* de que fala Alberto Montaner em sua admirável edição do *Cantar de Mio Cid* – não ajuda a desvelar o detalhe, o específico. Essa mesma etopeia, acrescida dos ideais de *fine amor* e de cortesia, também não deixa de se fazer presente nas novelas de cavalaria a partir de Chrétien de Troyes (1130-1191), na segunda metade do século XII, até Miguel de Cervantes (1547-1616), por exemplo, apesar de a técnica narrativa ali ser completamente outra. Isso nos revela a necessidade de, saindo da compreensão generalista de uma etopeia prevalente, considerar, no plano do conteúdo, uma subdivisão entre modalidades épicas dentro do contexto de produção medieval.

A primeira diferença é marcada entre a épica do interior e a épica do exterior. A primeira modalidade, intestina, narra conflitos internos de uma sociedade, seja como uma vingança pessoal, seja como um vassalo rebelde que se opõe ao poder estabelecido, como a gesta occitana *Daurel et Beton*. A épica do exterior, por outro lado, é nacionalista e xenofóbica, apontando como inimigo um externo não nacional. Por antonomásia, na épica românica medieval, esse inimigo externo é o infiel "pagão", o sarraceno, ou muçulmano, mas essa última modalidade pode ter ainda outros dois matizes. Quando o cantar, em seu *Leitmotiv* e seus termos de enfrentamento, cobra ares de guerra santa, é qualificado como épica de cruzada, com um marcado maniqueísmo entre o bem e o mal, como ocorre hegemonicamente na épica francesa – a começar pelo *Cantar de Roldão*, cujo narrador sentencia num verso lapidar: "Têm pagãos o mal, cristãos têm a justiça".

Quando, por outro lado, ainda que protagonizado pela mesma oposição religiosa, o cantar mostra um enfrentamento não tão radical, mas mais circunstancial no âmbito de uma ética própria das regiões limítrofes, é de uma épica de fronteira que estamos falando, na qual predomina uma visão muito mais realista do inimigo, sem a fabulação ideológica (muito mais do que mera estereotipia) de que são pintados os cantares na épica de cruzada. Esse realismo circunstancial permite um alto nível de compreensão do outro e até certa admiração, como vemos, por exemplo, no *Cantar de Mio Cid*.

No que concerne à recepção desses cantares, não é concebível imaginar uma relevante circulação deles vertidos em texto escrito fora dos muros monasteriais, como veremos ocorrer a partir do século XII nos grandes domínios feudais de Aquitânia, Bretanha, Normandia e Champanha com as primeiras novelas europeias. Em parte porque houve escassez dos papiros orientais nos domínios europeus, uma vez sustada grande parte das transações comerciais com o Oriente no período carolíngio, em parte porque essas gerações foram também caracterizadas pelo massivo analfabetismo, desde o próprio imperador Carlos Magno até sua vassalagem nobre. Nesse aspecto, além dos clérigos, a exceção estava praticamente restrita a um círculo profissional de escribas. Os anseios fabulares e lendários do homem feudal eram então supridos pelos jograis e trovadores, que, se também excepcionalmente letrados por ofício, repercutiam a matéria épica oralmente ante um público ávido por aventuras e heróis, por modelos éticos e novidades – auditório que deveria ter afinidade com os eventos históricos cantados, reconhecendo, além dos valores, os eventos, as personagens históricas e a topografia.

Nesse sentido, o idioma é o primeiro indicador geográfico. O anglo-normando que encontramos no Manuscrito de Oxford de *O Cantar de Roldão* não deixa lugar a dúvidas de que a gesta, nesse estado de evolução, deveria ser cantada em regiões muito distantes da Espanha, onde têm lugar os sucessos. Esses elementos explicam como é possível haver no cantar tantas inconsistências, como uma Saragoça no alto da montanha ou uma permanência do rei Carlos nas terras hispânicas extremamente dilatada no tempo, frente à brevíssima incursão histórica. Do contrário, em que se situe a divulgação da gesta mais proximamente no tempo e no espaço do evento histórico, como ocorre com o *Cantar de Mio Cid*, certamente o público advertiria o jogral e não aceitaria essa sorte de invenções.

É disso evidência o que documenta Luís da Câmara Cascudo, quando cita que

> [...] na *Historia de la Música Española*, Teófilo Braga lembra que "a voz *charlatanería* é derivada do nome francês *Charles*. Como os troveiros franceses naqueles tempos não cantavam além de suas canções desenvoltas senão de Carlos Magno. [...] entre nós *Charlatães*, foi sucessivamente aplicada aos que se entregam a coisas semelhantes".

Desse modo, diante de tantas inconsistências e desconhecimento relativos ao inimigo sarraceno, tão presente na Península Ibérica, bem como à sua geografia e história, é fácil compreender a pouca aceitação de *O Cantar de Roldão* no ambiente peninsular e a necessidade e a natureza das adaptações que a matéria carolíngia sofrera naquela região em busca de heróis nacionais, como o surgimento de Bernardo del Carpio no combate de Roncesvales. É, portanto, nesse aspecto épico-histórico, em seu contexto de produção, em suas características narrativas e seu modo de difusão, intrinsecamente interligados, que repousa a íntima natureza dos cantares de gesta.

A Origem dos Cantares de Gesta

"A épica canta os heróis de um passado glorioso. Nesse sentido, é essencial sua vinculação com a história". Esse caráter épico-histórico dos cantares de gesta fora também propalado pelo professor Gérard Moignet, editor e tradutor da reconhecida versão francesa da *Chanson de Roland* (1985), quem deixou assentado nos estudos da filologia românica que qualquer evento ou figura histórica da época carolíngia poderia ser objeto de recitações lendárias que constituem a matéria da épica até a sua formulação literária nos cantares de gesta. É assim que a vida de Rodrigo Díaz ou o desastre com a retaguarda do rei Carlos em Roncesvales dão origem ao *Cantar de Mio Cid* e ao *Cantar de Roldão*, respectivamente. A diferença entre ambos os cantares reside no que Martín de Riquer chamou de um caso aberrante, dentro do panorama da epopeia universal, referindo-se ao *Cantar de Mio Cid*, por este distar apenas meio século das façanhas do Cid histórico, figurando no mesmo estado de evolução linguística o castelhano medieval falado por Rodrigo Díaz e o cantado nos versos da gesta.

Já o anglo-normando de *O Cantar de Roldão*, que dista três séculos da Batalha de Roncesvales de 778, por outro lado, pouco tem a ver com a língua germânica que falavam o rei Carlos e Roldão que, mais apropriadamente, deveriam chamar-se Karel e Hrodlandus à época do evento histórico, ao invés de Charles e Rollant que encontramos no Manuscrito de Oxford. Em qualquer caso, a origem dos cantares de gesta é sempre histórica e, ressalvada a exceção do *Cantar de Mio Cid*, a regra é uma lacuna de cerca de três séculos entre algum evento histórico notável e seu manuscrito épico, o que Joseph Bédier chamou de "o silêncio dos séculos".

A questão que se impõe e de que se ocuparam três gerações da filologia europeia é: O que haverá ocorrido nesse intervalo entre o surgimento da dinastia carolíngia e o final do século XI, quando se inicia a floração da épica medieval europeia? Em tela de juízo temos, por um lado, eventos históricos pouco, precária e, às vezes, contraditoriamente documentados e, por outro, um material poético esmeradamente elaborado, com intrigas e peripécias extraordinárias. A esta questão, diferentes épocas deram diferentes respostas, às vezes complementares, às vezes discrepantes. No conjunto e em diferentes medidas, não obstante, todas as hipóteses deixaram alguma contribuição à matéria. Uma visão sumária parece, portanto, imprescindível a qualquer reflexão posterior.

A teoria romântica ou teoria das cantilenas elaborava-se no sucessivo a 1832, quando foi descoberto o manuscrito de *O Cantar de Roldão*, catalogado como número 23 do fundo Digby da Biblioteca de Bodleian de Oxford. Esses primeiros estudos históricos se debruçaram sobre um novo objeto, mas sua compreensão predominante não diferia daquela então vigente na Alemanha acerca da epopeia em geral, a que propugnavam, entre outros estudiosos, os irmãos Grimm. Era a visão romântica de que a poesia épica surge anônima e coletivamente do gênio popular. Nessa perspectiva, também a épica francesa seria um produto espontâneo da alma germânica que, na época carolíngia, havia invadido as terras francas, havendo dominado também sua produção cultural.

Essa primeira abordagem é o que Martín de Riquer qualificou como uma "magnífica intuição", a de que importantes eventos históricos haveriam suscitado um determinado número de cantos populares, concisos e rústicos, em que cada um retratava um episódio específico de um mesmo fato, originalmente na voz das próprias personagens ou testemunhas diretas. Esses cantos, de caráter épico-lírico, teriam sido difundidos através dos tempos na memória popular, desde aqueles coetâneos aos fatos e às gentes até os já muito avançados no tempo e nos elementos alterados do original, segundo o sabor das épocas. Todo esse percurso do canto épico-lírico haveria sido traçado paralelamente à tradição culta, eclesiástica e historiográfica do latim e vivia, portanto, na oralidade da língua romance, dada sua origem popular, o que explica o hiato de três séculos entre o evento histórico e os mais antigos manuscritos conservados.

De *O Cantar de Roldão*, podemos extrair alguns indícios dessa hipótese. Quando tem lugar a primeira divergência entre Roldão e Oliveiro, retornado este de cima da colina, havendo avistado o ingente exército inimigo, solicitando ao paladino que peça ajuda ao rei Carlos, Roldão justifica sua negativa: "que não cantem de nós canção maldosa"; e, do mesmo modo que os heróis, também as espadas, devem ser preservadas de má canção: "Delas, mau cantar jamais será cantado!" O medievalista francês Gaston de Paris, com a obra *Histoire Poétique de Charlemagne*, de 1865, difunde a hipótese dessas canções, já então denominadas cantilenas, como a primeira formulação teórico-filológica acerca do problema.

Em oposição a essa perspectiva de composição coletiva e popular, a teoria individualista foi concebida entre 1907 e 1914 por Joseph Bédier, com a publicação dos quatro volumes de sua canônica obra *Les Legendes Épiques*, com a qual defende um tardio surgimento da épica medieval, puramente francesa e não anterior ao século XI. Para elaborar sua muito consistente argumentação, Bédier quer localizar no tempo e no espaço as lendas que deram origem aos cantares de gesta. Para tanto, identifica com precisão as igrejas, monastérios e abadias onde estariam ou estiveram conservadas as relíquias dessas lendas, os sarcófagos dos heróis e seus objetos veneráveis.

O cantar também endossa essa hipótese, quando, depois de tomada a cidade de Saragoça, então guarnecida de gentes cristãs, e consumada sua vingança, o rei Carlos empreende o retorno a Aquisgrão, na França, e, no caminho:

A Bordéus chegam, famosa a cidade,
no altar de São Severino, o solene,
deixa, em ouro e mancusos, o olifante;
os peregrinos que vão ali o veem.

Como não sendo incomum que os poemas épicos precisassem esses lugares santos, o cerne da teoria de Joseph Bédier está em identificá-los geograficamente, havendo demonstrado que se situavam ao longo de rotas de peregrinação, por onde, além das relíquias e documentos históricos, sobretudo hagiográficos, esses locais também são mencionados:

diz a gesta e quem no campo houve também,
Barão São Gil, por quem Deus fez sua mercê,
que em Laon, quis sua carta escrever;
quem não sabe disso, pouco há de entender.

O que se postula com essa teoria é que haveria um interesse particular na divulgação dessas lendas então conservadas nos lugares santos. Esse interesse era cultivado pelos próprios monges e abades, para quem um grande fluxo de peregrinos interessados em cultuar as relíquias representava um importante acréscimo das oferendas. Fosse ou não aceita essa hipótese, o fato é que, terminada a primeira cruzada em 1099, houve um apogeu nas rotas de peregrinação. Essa haveria sido, então, a ocasião mais propícia para o surgimento das primeiras canções de gesta, segundo Bédier, para quem *O Cantar de Roldão* não haveria sido concebido antes de 1100.

Assim, diante de um velho olifante quebrado na Basílica de Bordéus, que haveria pertencido ao paladino do rei Carlos; diante de uma rocha fendida em Roncesvales, como obra de um golpe de espada de um Roldão moribundo; e diante de tantas lendas locais e documentos hagiográficos acerca do martírio dos Doze Pares de França, um inspirado poeta do século XI, em alguma medida doutrinado por clérigos não desinteressados, poderia haver extraído de tudo isso uma obra poética coerente, bem construída e de grande dramaticidade. Essa teoria individualista de Bédier, tão rigorosamente elaborada, anulava, desse modo, a possibilidade da existência de precedentes poéticos anteriores a *O Cantar de Roldão* e admitia, apenas a partir dela, o início do gênero épico medieval.

Muitos desses documentos que serviram de argumento para Bédier se mostraram, contudo, apócrifos. Outros, por outro lado, de validade consensual entre a comunidade histórica, que garantiriam soluções para as inconsistências geográficas e históricas presentes nas gestas, foram estranhamente ignorados nessas rotas, embora estivessem ali para qualquer jogral ou clérigo lançar mão deles. Toda essa refutação inconteste foi empreendida pelo historiador Ferdinand Lot. Ao admitir, porém, a ideia de autor único, essa perspectiva filológica de Bédier oferece um importante legado aos posteriores estudos da épica românica medieval. Pela primeira vez se considera a existência de um gênio criador para os cantares de gesta, em que uma consciência poética subjaz aos textos, e essa ideia já não poderá ser totalmente abandonada, havendo ou não admitidos os precedentes literários e de tradição popular.

Como contribuição ibérica à filologia europeia, a teoria neotradicionalista surge, por sua vez, de duas novas direções de pesquisa: a refutação que o professor Menéndez Pidal faz às proposições de Gaston de Paris, trazendo para a discussão o romance espanhol enquanto gênero descendente da épica, por um lado, e, por outro, a atenção dos filólogos em um novo objeto que lhes servirá de comparação fenomênica: a poesia épica ainda existente em algumas culturas do sudeste europeu, como Sérvia, Bósnia e Herzegovina. Com essa pauta de análise, Menéndez Pidal sustenta a tese de que o gênero épico, assim como o romance, vive de variantes, combinando as noções de abertura e conservadorismo.

Seguindo essa premissa, Diego Catalán afirma, na introdução de *Siete Siglos de Romancero*, que não se sabe o que admirar mais nessas obras, se – o que se compreende por "conservadorismo" – essa memória coletiva, capaz de reter durante séculos os pormenores de sucessos pretéritos em forma de canto, ou se – enquanto "abertura" – essa capacidade recriadora da tradição oral, que omite, acrescenta e modifica elementos a conferir uma eterna atualidade da tradição.

Não é a abertura, contudo, uma alteração radical, pois a mensagem herdada da tradição oral continua sendo sempre reconhecível.

Assim, fenômenos culturais de transmissão oral, como o romance na Península Ibérica e a épica contemporânea no sudeste europeu, encontraram significativos paralelos com os cantares de gesta. O que decorre dessa concepção é admitir que, como toda poesia oral tradicional, a épica românica é anônima por definição, ou seja, não porque não se saiba o nome do autor, mas por ser uma criação coletiva e contínua no período de sua *pervivencia*. Desse modo, Turoldus, que assina o *explicit* de *O Cantar de Roldão* (v. 4002), não se trataria de autor dessa obra, mas de um refundidor.

Essa concepção da autoria coletiva, como se percebe, parte do mesmo pressuposto da teoria tradicional das cantilenas. A diferença reside em que, pela perspectiva neotradicionalista, sendo esses cantares um devir da tradição, as cópias que nos chegaram preservadas em manuscritos representam um momento único dessa longa evolução, que haveria começado no imediato do sucesso histórico com canções de atualização. Seriam poemas cantados, de caráter informativo, que com o tempo foram ganhando nuances épico-heroicas, diferente, portanto, das prototípicas cantilenas épico-líricas defendidas por Gaston de Paris.

Para além dessas três principais correntes teóricas, importa mencionar duas outras vertentes que, se menores diante da tradição filológica das anteriores, resultaram em importantes aportes ao entendimento que se tem hoje da épica românica medieval. Trata-se da teoria dos historiadores e da mais recente teoria de síntese.

Na teoria dos historiadores, destacam-se: *1.* Ferdinand Lot, que se recusa a aceitar a hipótese de Bédier do "silêncio dos séculos", apontando documentos muito anteriores aos manuscritos então recém-descobertos, como o fragmento *La Haye*, um texto latino que corrobora a circulação de um núcleo lendário do ciclo de Guillaume anterior aos manuscritos mais antigos preservados; *2.* a historiadora belga Rita Lejeune, que se debruça sobre a importante questão onomástica, identificando pares de irmãos chamados Roland e Olivier já no princípio do século XI, o que revela ser célebre, antes da primeira cruzada, esse par épico, portanto, a lenda mesmo, pois, como demonstra o filólogo suíço Paul Aebischer, é totalmente quimérico supor um Olivier de precedência histórica.

A tese dos historiadores defende a ideia de que haveria uma circulação oral constituída de crônicas parcialmente realistas que, antecedentes às gestas que nos chegaram, não deixaram nelas nenhum rastro, pois, de ser assim, as gestas não conteriam tantos equívocos históricos e geográficos. Sua origem devia ser, portanto, gestas mais primitivas e não conservadas, de caráter fundamentalmente lendário. Nesse sentido, lemos os versos 1443 e 3742 de *O Cantar de Roldão* em que, entre uma e outra batalha contra as forças de Marsílio, quando saem a recolher seus mortos, Roldão tenta reavivar o ânimo das hostes francas:

> Nossos homens são bravos – diz Roldão –
> sob o céu, quais homens os superarão?
> Da gesta franca o escrito cantarão,
> que o nosso Imperador é um durão!

Mais adiante, já consumada a vitória de Carlos Magno, o Imperador dará início ao juízo de Galalão, para o que convoca os nobres de todo o reino: "Escrito está numa gesta tão antiga, / que o rei chamou barões de muitas terras".

Em ambos os casos, o argumento de autoridade é conferido pela "gesta" que, nesse contexto, se toma como verdade. Essa *anciene geste*, que se cita ainda em outros versos do cantar, poderia ser, conforme indica Riquer, a fonte de informação que em algum momento um dos copistas ou refundidores de *O Cantar de Roldão* utilizou até chegar à forma do Manuscrito de Oxford. Acredita-se que a antiga gesta seja um arquétipo do cantar em latim, que haveria chamado *Gesta Francorum*, mencionado no capítulo XVI da biografia de Eginhardo, *Vita Karoli*, texto historiográfico datado de 1050 que menciona gestas cantadas em francês pelo vulgo em forma de poema.

Já a teoria de síntese, que tem início na terceira geração da filologia europeia, na segunda metade do século XX, tem como principal nome o medievalista e filólogo romanista barcelonês Martín de Riquer. Diante do conturbado percurso da filologia na tentativa de oferecer diferentes explicações para os mesmos problemas do mesmo objeto, impunha-se perguntar se de fato todas as precedentes teorias eram irredutivelmente opostas. As conclusões são pela não oposição e pela complementaridade. Nesse sentido, apresenta-se como um evidente excesso a afirmação de que *O Cantar de Roldão*, por exemplo, seja fruto exclusivo do gênio criativo de Turoldus, sem nenhum precedente literário.

Por outro lado, se já não se pode negar a precedência da lenda, tampouco se pode negar a existência de uma inspirada pena que, diante de uma pujante tradição oral, fruto da sabedoria popular e coletiva, tenha operado literariamente para elaborar uma tão bela arquitetura textual de tamanha intensidade dramática, com plena consciência de sua arte. Assim, o Manuscrito de Oxford representaria apenas um momento privilegiado de uma evolução que começa muito antes, logo depois do sucesso histórico em estado informativo, que seguiu *pervivendo* e se moldando segundo épocas e lugares até chegar à própria forma de Oxford, passando por influências posteriores, até os dias de hoje – percurso que não anula a marca pessoal de Turoldus, criador-refundidor de uma obra-prima baseada na longa tradição oral de Roncesvales. A conclusão dessa teoria de síntese é que os individualistas, mais literários em sua concepção, e os tradicionalistas, de perspectiva mais histórica, já não se opõem, mas se complementam para formar o aparato teórico de que dispomos hoje.

A Matéria Carolíngia

Chama-se matéria da França, ou carolíngia, o núcleo narrativo dominante no século XII que canta as glórias da dinastia homônima surgida no século VIII. Sua influência transcende, contudo, fronteiras, fazendo-se presente em toda a Romània e, transcorridos os séculos, nas terras do além-mar, conforme atesta Jerusa Pires Ferreira, citando Edson Carneiro: "Carlos Magno e seus barões glorificados nas canções de gesta vivem no Brasil, onde chegaram não nas asas da poesia mas nas páginas de *História em Prosa*, que figura entre os poucos livros que o povo lê".

Retornando, porém, ao marco literário do século XII, perceberemos que há ciclos inteiros de cantares de gesta que seguem essa tradição histórica. Esses ciclos da épica francesa são divididos segundo a relação parental do protagonista com o rei Carlos, em quem se centra as diversas lendas dessa matéria. Desse modo, preservam-se cantares de três grandes ciclos, o do próprio rei, o do Conde Guilherme, leal ao rei Luís, sucessor de Carlos Magno, e o ciclo dos vassalos rebeldes. Para compreender o universo ético-estético que se canta nessas gestas, é preciso recordar alguns aspectos da ascensão de Carlos, primeiro ao trono do reino franco e, mais tarde, ao império cristão ocidental, e de sua governabilidade.

A consagração de Carlos Magno foi resultado de uma aproximação da nova dinastia pipinida com o papado, começando pela coroação de seu pai, Pepino, o Breve, como rei dos francos e *Patricius Romanorum.* Foi, contudo, seu sucessor, o primogênito Carlos, quem emprestou, pela sua importância histórica, o nome à dinastia – o que legou à coroa e ao império um compromisso inquebrantável com a Santa Sede, cuja relação, em nada desinteressada, se afirmava, por um lado, por ambição de poder e, por outro, por proteção territorial dos domínios da fé. Diferente da monarquia merovíngia que os antecedeu, a coroa carolíngia esteve sempre pautada pela moral cristã, e a natureza do seu exercício de poder consistia em imprimir essa moral por todos os seus domínios. A partir desse momento, caracterizou-se a ética espiritual dominante em toda a Idade Média europeia que foi idealmente cantada e impressa na sua literatura.

A dinastia carolíngia será também marcada por uma outra estrutura, transcendente à vigência do próprio império, surgida já nos tempos merovíngios. Sem outras garantias de subsistência do poder, os reis das gerações decadentes protegiam-se detrás dos prefeitos palacianos – cargo ocupado, por sucessivas gerações, pelos pipinidas – cujas forças bélicas eram mais expressivas. Essa força era constituída pelos *vassi*, soldados mercenários aos quais se entregava propriedades em troca de serviço militar. Assim, condes eram beneficiados com quantidade de terra proporcional ao tamanho de suas hostes e deviam render homenagem ao rei, um juramento de vassalagem. Esse sistema feudal, então nascente no século VIII, é a transfiguração da relação dos reis merovíngios com seus prefeitos e suas milícias. Desse modo, Carlos Magno já não teve súditos, mas vassalos, que, à diferença daqueles, gozavam de certa independência e de hereditariedade proprietária.

Dos últimos versos de *O Cantar de Roldão* podemos inferir boa ilustração dessa estrutura social. Terminada a batalha contra os sarracenos e feita a sua justiça, finalmente o rei Carlos descansa em sua alcova abobadada. Naquela noite, Carlos é surpreendido pelo anjo Gabriel que, da parte de Deus, lhe requer nova incursão contra os infiéis, em auxílio a Vivieno. Sua reação é a menos entusiasta:

> O Imperador, que acudir mais não queria,
> disse então: "Deus, penosa é minha vida!"
> Dos olhos chora, a barba branca tira.

Chamamento dos cristãos, solicitação divina e socorro do defensor da cristandade é o panorama ideal das gestas da matéria carolíngia. Podemos, contudo, reinterpretar os motivos literários à luz dos fatos históricos: O rei, não somente a propósito de Deus, mas da sua própria governabilidade, estava fadado às empresas militares, pois se o seu poder – ou a sua fragilidade – repousava nas relações de vassalagem que tinha, esse poder seria tão mais duradouro quanto mais mantivesse o ingresso da moeda de troca para firmar esses juramentos: as propriedades que distribuir. A gesta nos sugere essa constância bélica, apenas o motivo é parcialmente diverso no fato histórico.

Poderíamos assim convir que a belicosidade foi mais uma característica do *modus operandi* carolíngio no exercício do seu poder, mas ainda podemos apontar outros possíveis fatores que também possam haver contribuído para a caracterização de uma sociedade da que apenas nos restam "despojos do poder", na expressão de Duby, e idealismos cantados por essas gestas. Henri Pirenne defende a tese, já não consensual e integralmente aceita, de uma profunda decadência econômica da Europa Ocidental devida, em parte, ao isolamento comercial do Mediterrâneo com a invasão islâmica da Península Ibérica. Fosse ou não tão expressivamente hegemônico esse domínio marítimo e, esse mesmo, o fenômeno causador da anulação de qualquer comércio exterior do império carolíngio com o Oriente, um refreamento comercial nesse período parece consensual.

Por outro lado, seguindo a rudimentar estrutura administrativa dos últimos merovíngios e seu decadente sistema financeiro, a dinastia carolíngia já não dispunha de um sistema de impostos viável que sustentasse a coroa. Sem comércio pujante e sem um sistema de tributos eficiente, os únicos ingressos parecem haver sido os provenientes da renda das propriedades da coroa. Como essas fossem também sua moeda de troca, Carlos Magno, ao que parece, só poderia governar adicionando a essa precária estrutura econômica a pilhagem oriunda da guerra; esse haveria sido, em complementação à necessária conquista de territórios, um recurso de sobrevivência. Diremos portanto que, se a defesa da cristandade com a expulsão ou impedimento dos sarracenos não era mero pretexto à guerra pela riqueza e pelo poder, era um nobre motivo, mas apenas um deles. É, afinal, desse modo que a pilhagem se tornou uma norma ética aceita e não exclusiva das guerras religiosas, razão pela qual podemos afirmar que, na matéria carolíngia, a virtude é heroica, é rude, é bélica.

A Matéria Carolíngia no Brasil

Um célebre parágrafo de Luís da Câmara Cascudo, que encontrou reiterada citação entre os estudiosos posteriores do assunto, aponta para aquele que identificou ser um dos *Cinco Livros do Povo*:

> *A História de Carlos Magno e dos Doze Pares de França* foi, até poucos anos, o livro mais conhecido pelo povo brasileiro do interior. De escassa popularidade nos grandes centros urbanos, mantinha seu domínio nas fazendas de gado, engenhos de açúcar, residências de praia, sendo, às vezes, o único exemplar impresso existente em casa. Raríssima no sertão seria a casa sem a *História de Carlos Magno*, nas velhas edições portuguesas. Nenhum sertanejo ignorava as façanhas dos Pares ou a imponência do Imperador da barba florida.

Esse livro está composto a partir de três fontes originais: o historiográfico *Speculum Historiale*, de Vicente de Beauis; as crônicas de Pseudo-Turpino e o cantar de gesta *Fierabrás*; que, em meados do século XV, foi prosificado em francês e traduzido ao castelhano, quase um século depois, por Nicolás de Piemonte, para compor a *Historia del Emperador Carlomagno y de los Doze Pares de Francia, e de la Cruda Batalla que Hubo Oliveros con Fierabrás, Rey de Alexandría, Hijo del Grande Almirante Balán*. Sobre esta, Riquer menciona que "existe uma edição feita em Sevilha em 1525 e que se reimprimiu constantemente, até finais do século XIX, como livro de cordel", versão que popularizou a personagem Ferrabrás por toda a Espanha e Portugal.

Essa mesma versão castelhana de Piemonte foi impressa em Lisboa (1615) e em Coimbra (1732). No século XVIII, dois autores são responsáveis pela edição em português desse livro: Jerônimo Moreira de Carvalho, quem, ao traduzir, incluiu passagens do poema épico *Orlando Innamorato*, de Matteo Maria Boiardo (1441-1494), inconcluso e com aproximações à matéria da Bretanha, e, como continuação dele, a obra de Ludovico Ariosto (1474-1533), *Orlando Furioso*, para formar as duas partes da obra impressa em Lisboa; e o presbítero Caetano Gomes, quem dá à luz, também em Lisboa, à *Verdadeira Terceira Parte da História de Carlos Magno, em que se Escrevem as Gloriosas Ações e Vitórias de Bernardo de Carpio. E de como Venceu em Batalha os Doze Pares de França, com Algumas Particularidades dos Príncipes de Hispânia, seus Povoadores e seus Reis Primeiros* (1745).

Foi com a união dessas duas versões que o editor lisboeta Simão Judas Tadeu compilou em dois volumes a *História Completa de Carlos Magno etc.*, que tanto se reimprimiu em Portugal e no Brasil, embora tenham chegado nas bagagens colonizadoras exemplares de todas as edições mencionadas. A *História de Carlos Magno etc.*, conforme assim nos chegara, constituiu-se sempre, ao lado da Bíblia, como principal fonte de inspiração e material básico de formação letrada dos bons cordelistas-repentistas nos desafios de improviso ou nas décimas do cordel, como um "rudimento de erudição necessário aos artífices do verso popular".

Leandro Gomes de Barros (1865-1918), considerado o pai do cordel brasileiro, foi quem melhor e mais belamente verteu essa tradição aos folhetos, ao editar duas passagens da *História de Carlos Magno* em dois volumes de cordel, compostos em décimas de redondilha maior: *A Batalha de Oliveiros com Ferrabrás* e *A Prisão de Oliveiros e seus Companheiros*, inaugurando, com sua produção, o gênero épico na literatura de cordel. Além desses, alguns autores e estudiosos da literatura popular fazem referência a um ciclo carolíngio do cordel – posição de todo controversa entre os estudiosos –, do qual poderíamos ainda destacar os títulos: *O Cavaleiro Roldão*, de Antônio Eugênio da Silva; *Roldão no Leão de Ouro*, de João Melchíades Ferreira; e *A Morte dos Doze Pares de França*, de Marcos Sampaio.

Mas a matéria carolíngia, contudo, teria chegado ao Brasil não em romances em prosa da história de Carlos Magno, mas, muito mais provavelmente, em autos e festividades jesuíticas como estratégias de evangelização. Nesse sentido, os livros haveriam reafirmado valores já importados por tradição oral, pois, como demonstra Pedro Agostinho, essa tradição chega como a difusão do culto ao Divino Espírito Santo, em suas festividades tradicionais "talvez concomitante aos primeiros estabelecimentos na Costa, de onde se teria espalhado ao longo das principais vias de penetração e comunicação: daí viria a ampla distribuição do culto no interior"[1].

Desse modo, desde os primeiros tempos da colonização, registra-se no Brasil a tradição das cavalhadas que se celebram junto com a Festa do Divino, principalmente nos Estados do Rio Grande do Sul, Paraná e Goiás, onde se destaca a de Pirenópolis, impregnando nossa cultura religiosa, oral e performática da tradição carolíngia. Uma descrição precisa dessa pantomima de tradição carolíngia, encontramos também em Agostinho, quando descreve:

> Nas Cavalhadas Dramáticas, de Pirenópolis, Palmas, Curitiba e outros lugares [...] opõem-se dois grupos de doze cavaleiros, identificados como Mouros e Cristãos e distinguidos pela cor de suas roupas e ornamentos. Os Mouros, sempre, apresentam-se paramentados de vermelho, e os cristãos de azul [...] sendo nominalmente identificados com os Doze Pares de França, cavaleiros de Carlos Magno. O combate, numa sequência pré-determinada e não competitiva, remete à gesta carolíngia e, com mais insistência, à batalha de Oliveiros com Ferrabrás, ao socorro trazido por Rolando, e a Floripes, princesa muçulmana raptada e convertida.

Como capitalíssimas expressões das pesquisas sobre o tema da cavalaria medieval no Brasil e da matéria carolíngia aqui pervivente, por um lado, Jerusa Pires Ferreira afirma que "[no] caso do sertão brasileiro, do Nordeste ou de outras regiões isoladas, as histórias do rei ajustaram-se tão bem que se uniram aos componentes principais da épica popular do cangaço"; por outro lado, o professor catalão Antoni Rossell destaca-se em demonstrar como esta matéria, ao longo do processo de colonização, e posterior a ele, cumpriu uma "estratégia ideológica de evangelização com o objetivo da conversão, do respeito e do reconhecimento dos colonizadores como figuras necessárias de uma história atávica".

Mas nem só de desafios, folhetos volantes, festas populares e estratégias de evangelização se desdobrou essa tradição no Brasil. Nas fronteiras dos Estados do Paraná e Santa Catarina, um certo monge conhecido como José Maria inflamou muitos fanáticos contra as forças militares, com um grupo de elite denominado como seus Doze Pares de França – que totalizavam vinte e quatro – no que se tornou a Guerra do Contestado. Esses Doze Pares de França eram também co-

1. Pedro Agostinho, "Império e Cavalaria na Guerra do Contestado", *Ilha*, vol. 4, n. 2, pp. 25-49, 2002.

nhecidos como Apóstolos de São Sebastião, de quem se esperava auxílio sobrenatural, como tantos recebeu Carlos Magno na matéria épica-lendária.

Com forte apelo sebastianista e messiânico, o movimento do Contestado buscava a restauração do regime monárquico, compreendendo a monarquia como expressão do Divino e a República como um regime demoníaco, personificada nas forças militares nacionais, contra quem lutavam. Sobre isso, Macedo nos lembra que "a leitura da *História de Carlos Magno* não permaneceu desvinculada da experiência cotidiana dos homens e mulheres que a ouviram, mas estabeleceu com esta uma relação profunda e criativa. Valores e conhecimentos presentes na obra conjugaram-se a representações fundamentais existentes na região" – e, mais adiante, conclui que – "o Contestado nos prova que, em se tratando de nexos culturais, o distante pode estar muito próximo, por vezes dentro de nós mesmos".

Desse modo, podemos afirmar, junto com Cascudo, que todos os romances populares no Brasil que vieram de Portugal encontraram aqui seus modos de *pervivencia*: "creio que rapidamente passaram a acalantos, ninando os filhos, e não mais sendo cantados ou entoados em cantilena aos ouvidos de pessoas maiores". É como, afinal, sobre o Almirante de Alexandria, sempre ouvimos

Bão-balalão,
Senhor Capitão,
Em terras de mouro
Morreu seu irmão.

Além dessa mais afetiva, outras referências ainda há, em que se possa identificar a ambientação carolíngia ou rolandiana no Brasil: seja com um município no norte do Paraná, chamado Rolândia, seja com um distrito na região do Vale do Jaguaribe, no Ceará, chamado Roldão, a onomástica carolíngia sempre se fez presente entre nós.

Evidentemente, diante dessa "imagem poliédrica" que é a matéria carolíngia no Brasil, pouco se reconhece como tributária direta de *O Cantar de Roldão*, uma tradição olvidadamente literária frente à pujança pervivente de nossa tradição oral. Reconhecer, contudo, no *Cantar* o que ela tem de matricial em relação à própria matéria carolíngia que se refundiu em tantas e diversas formas até encontrar condições de permanência no Brasil solidifica nossas referências e explica mais sobre o Brasil e sobre nós mesmos.

O Manuscrito de Oxford

De um arquétipo perdido de um *Cantar de Roldão* primitivo, preserva-se o Manuscrito de Oxford, em pergaminho de escrita sóbria sem iluminuras, que é uma cópia do cantar prototípico, encadernado junto com uma tradução latina de *Timeo*, de Platão, sendo o cantar sua segunda parte denominada *part b*. Essa segunda parte, escrita em anglo-normando, apresenta letras capitulares em tinta vermelha para as iniciais de cada uma das 291 séries e predominante simetria no parágrafo esquerdo dos 4 002 versos, com um padronizado espaço entre a primeira letra e o corpo do texto. Sob o ponto de vista da escansão poética, os versos são predominantemente decassílabos com cesura que marca dois hemistíquios com rimas assonantes.

O estado geral de preservação do manuscrito é bom, apesar das intervenções de segunda mão, correções, raspagens e pontos com deteriorações do pergaminho e de legibilidade comprometida. O arquivo foi inventariado na Biblioteca de Oxford em 1622 com o fundo Digby 23, permanecendo exatos duzentos anos inadvertido. Em 1837, foi pela primeira vez publicado em Paris, sob os cuidados de Francisque Michel, já com o título *Chanson de Roland*, que não figura no manuscrito, mas se preservou para as publicações modernas. As hipóteses paleográficas mais aceitas datam essa cópia do segundo quarto do século XII, embora haja opiniões de fundamento linguístico que prefiram datá-la na segunda metade do mesmo século.

Além do fundo Digby 23, como cópia de um prototípico manuscrito, preservam-se outros arquivos mais amplamente aceitos como refundições que se afastam dele e, portanto, de sua hipotética protoforma. Ou seja, refundição difere de cópia pois esta objetiva a fidelidade ao modelo e aquela a atualização de uma matriz, preservando elementos e alterando outros.

Estabelecida essa diferença, a genealogia do cantar mais aceita é a hipótese de um arquétipo manuscrito de versos com rimas assonantes, do qual se fez uma cópia em princípios do século XII, o preservado Manuscrito de Oxford. Desse mesmo aquétipo foi realizada uma refundição, também assonante, cuja cópia preservada é o manuscrito IV da Biblioteca São Marcos de Veneza (V4), datado do século XIV em dialeto franco-italiano, com muitas semelhanças com o de Oxford e alguns episódios particulares. Essa primeira refundição assonante haveria sido modelo para uma segunda refundição, já rimada, que deu origem a mais cinco manuscritos e dois fragmentos. Essas versões originadas da segunda refundição de rimas consonantais são chamadas de *Roncesvaux*, enquanto as versões assonantes, Oxford e V4, porque mais primitivas, são intituladas *Chanson de Roland*. Desse modo, temos a seguinte genealogia:

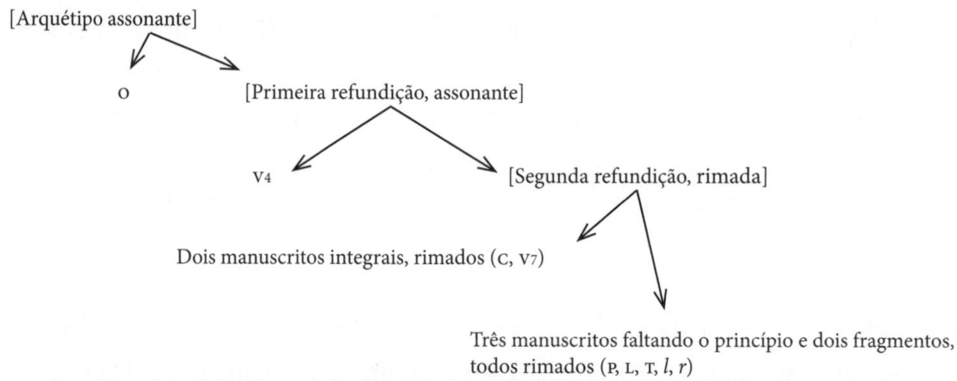

Figura 1. *Genealogia de Müller*[1].

Théodor Müller, primeiro editor crítico de *O Cantar de Roldão* (1878), estabelece com essa genealogia a superioridade do Manuscrito de Oxford. Corroborando a tese de Müller, Joseph Bédier, no prefácio de sua edição de *O Cantar de Roldão*, adverte que "[a] cópia de Oxford é única, é o nosso único bem tangível e real. Eu aceitei esse fato em sua plenitude"[2]. Dessa maneira, o editor e crítico

1. Genealogia do Manuscrito de Oxford, proposta por Théodor Müller em 1863 (*apud* Martín de Riquer, *Los Cantares de Gesta Franceses*, p. 89).
2. "La copie d'Oxford est unique, elle est notre seul bien tangible, réel. J'ai accepté ce fait en sa plenitude" (Joseph Bédier, *Chanson de Roland Commentée par Joseph Bédier*, pp. XI-XII).

opta por respeitar os usos do copista anglo-normando e as limitações daquele manuscrito. Por outro lado, usou-se também valorizar o manuscrito V4, de modo a lançar mão dele para preencher as lacunas, rasuras ou quaisquer outras dificuldades na leitura do Manuscrito de Oxford, como alternativa a apresentar ao leitor os espaços em branco ou preenchimentos, muitas vezes, os mais criativos.

Considerando, assim, o vasto *corpus* de alto valor filológico que se produziu acerca do cantar, como lastro científico às dificuldades inerentes à leitura do Manuscrito de Oxford, a leitura mediante o uso de luzes de raios ultravioleta pode revelar marcas que dilucidaram dúvidas do olho nu, sem comprometer o pergaminho com reagentes químicos, como ocorreu com o códice único do *Cantar de Mio Cid*. Lançando mão desses estudos[3], que em boa medida referendam as edições do cantar que aqui cotejamos, e da leitura fac-similar que o arquivo digital pode hoje facilitar ao estudioso interessado, o que se apresenta ao leitor é uma obra que ao cotejar, ora acata, ora prescinde de uma ou outra hipótese de leitura, traçando assim uma própria, atual, que não se furta à apresentação, em nota, das outras principais hipóteses aventadas.

3. Seguimos as publicações de Charles Samaran ("Lectures sous les Rayons Ultra-Violets: *Chanson de Roland*, Manuscrit d'Oxford", *Romania*, t. 55, n. 219-220, pp. 401-410, 1929) e Waters (Waters, E. G. R. "Gleanings from MS. Digby 23." *The Modern Language Review*, vol. 25, n. 1, 1930, pp. 95–99. JSTOR, https:// doi.org/10.2307/3716198. Accesso em 3 mar. 2023. 1930).

Arqueologia do Cantar

O idioma do manuscrito é sempre a primeira pista. Pode ajudar a situá-lo no tempo e no espaço, mas sempre e quando se considere a possibilidade de estar impregnado de vícios dialetais que não refletem seu tempo concreto de escritura, se o copista optou por atualizar as características de seu modelo que lhe fosse muito anterior, ou se lança mão de anacronismos, a fim situar, intencionalmente, a cópia mais proximamente à cronologia do texto prototípico. Em qualquer caso, o manuscrito de Oxford está grafado em francês antigo com muitas características anglo-normandas, "uma espécie do mais puro francês que se falava na Inglaterra por volta do ano 1190, segundo alguns críticos, ou por volta do ano 1150, segundo outros"[1]. A partir disso, a chave para determinar o provável período de circulação do cantar no ponto alto de sua existência, que culminou na sua cristalização literária arquetípica, se encontrou, pelo limite de anterioridade, no que relatam alguns de seus versos e, pelo limite de posterioridade, no que não se relata ao longo do cantar. Assim, vejamos.

Em 1086, as forças almorávidas do Marrocos desembarcaram em Toledo, dispostas a ajudar os reinos andaluzes da península contra o empurre das forças cristãs de Afonso VI. Estoura então a Batalha de Zalaca[2], que terminou

1. "[...] un spécimen très pur du Français qui se parlait et s'écrivait en Angleterre vers l'an 1190 selon certains critiques, vers l'an 1150 selon d'autres" (Joseph Bédier, "L'Édition Princeps de *Chanson de Roland*...", 1938, p. 489).
2 Por essa ocasião, Rodrigo Díaz, el Cid, que se encontrava em seu segundo exílio, na condição feu-

com mais uma derrota do rei cristão. Nessa batalha, pela primeira vez, os cristãos ouviram o redobrar de tambores almorávidas como elemento bélico de incitação à batalha, enquanto os cavalos experimentavam ouvir o desconcertante grito dos camelos sobre os quais montavam os guerreiros muçulmanos. O início do cantar relata a tentativa do rei Marsílio de enganar o rei Carlos enviando-lhe valiosos presentes, a fim de que desistisse de ocupar Saragoça e retornasse à França. Em cinco ocasiões o cantar menciona esses presentes, entre os quais constam setecentos camelos[3], que de nada serviriam às tropas cristãs, não fosse para a batalha.

Além disso, nos dois confrontos que narra o cantar, o primeiro do rei Marsílio contra a retaguarda francesa e o segundo do exército de Balalão contra o próprio Carlos Magno, o texto revela o redobre dos tambores sarracenos: "em Saragoça, os tambores são tocados"[4]; e "Por toda a hoste os tambores vão soando"[5]. Dessa maneira, se a historiografia relata que a Batalha de Zalaca marca o assombro dos cristãos com esses até então inauditos elementos de guerra do exército almorávida, podemos afirmar com segurança que essa data, 1086, é a anterioridade limite do arquétipo de nosso cantar, pois pela primeira vez se registrava tais elementos.

Pela hipótese da posterioridade, consideramos que já em meados do século XI Santiago de Compostela era uma importante rota de peregrinação e uma referência para toda a cristandade. *O Cantar de Roldão*, no entanto, nada menciona dessa sede apostólica. A tese do romanista Aurelio Roncaglia[6] é que esse silêncio é reflexo da dissensão que houve entre o papa Leão IX e o Arcebispo da região, Cresconio, que acabou excomungado, por ocasião do Concílio de Reims, em 1049. O autônomo movimento de Cresconio para o engrandecimento de Santiago de Compostela, autodeclarando ali uma sede apostólica, por possuir os restos mortais de São Tiago, o apóstolo, foi o que causou a reação desfavorável do Papa.

dal da *rex ira*, estava a serviço dos reis andaluzes, mas não consta que estivera na batalha de Zalaca lutando contra seu senhor natural, Afonso VI. Não se pode determinar se por isso ou por quê, mas foi logo reintroduzido às forças cristãs. O *Cantar de Mio Cid* relata esse ato de perdão de Afonso VI como resultado da insistente fidelidade de Rodrigo Díaz em enviar-lhe as prebendas que recebia de suas conquistas em terras muçulmanas, mesmo enquanto roto esse pacto feudal, pois naquela sociedade dos séculos X e XI, o vassalo devia ao seu senhor natural sempre um quinto daquilo que conquistasse.

3. Vide vv. 31, 129, 184, 645 e 847.
4. "en ſarraguce fait ſuner ſeſ taburſ" (v. 852).
5. "Par tute loſt funt lur taburſ ſuner" (v. 3137).
6. Aurelio Roncaglia, "Il Silenzio de Roland sur Sant'Iacopo: Le Vie dei Pellegrinaggi e le Vie della Storia", *Coloquios de Roncesvalles: Agosto 1955*, Zaragoza, Institución Príncipe de Viana, 1956, pp. 151-171.

Era natural que nosso cantar mantivesse a prudência de não mencionar Compostela e não aceitá-la como sede apostólica. Essa situação foi dirimida, no entanto, com o papa Urbano II, que reconciliou Roma e Compostela em 1095, a partir de quando já não faria mais sentido a omissão dessa importante referência cristã no cantar. Reforça essa hipótese o fato de que, no capítulo LIX da prosificação do cantar refundida e traduzida por Piemonte[7], já encontramos a aparição do apóstolo Santiago a Carlos Magno, encomendando a edificação de um templo em seu nome.

Desse modo, podemos afirmar com todas as reservas à imaginação que *O Cantar de Roldão* começou a ser escrito, tal como a encontramos na cópia de Oxford, a partir de 1087, e deve ter sido concluído antes de 1095. Essas datas estão de acordo com outras conclusões, como as que buscaram alusões documentais e literárias acerca de *O Cantar de Roldão* e do par épico Roland e Olivier[8].

7. Nicolás de Piemonte, *Historia del Emperador Carlo Magno...*, pp. 153-156.
8. Para essas hipóteses, vide Rita Lejeune, "Une Allusion Méconnue à une Chanson de Roland", *Romania*, t. 75, n. 298, pp. 145-164, 1954.

A Autoria

As primeiras discussões que tiveram lugar no Congresso da Societé Rencesvals de agosto de 1956, em Poitiers[1], concentraram-se, sobretudo, na pugna filológica entre os individualistas e os neotradicionalistas que, naqueles tempos, pareciam inconciliáveis. Muitos estudos decorrentes desses mesmos congressos formaram o ingente *corpus* necessário para chegarmos à teoria de síntese, no que se refere à origem e à autoria dos cantares de gesta. Com essa teoria, compreendemos a existência de um longo período de formação lendária de divulgação estritamente oral a partir do evento histórico da derrota da retaguarda franca nos desfiladeiros pirenaicos em 778, que fora, até então, divulgado em cantares noticiários. Assim, em qualquer momento a partir de 1087, como vimos, muito provavelmente na região da Normandia continental ou da Inglaterra normanda, a tradição oral do desastre de Roncesvales, já impregnada de um expressivo teor lendário, começava a ser escrita.

Localizadas as coordenadas da composição prototípica do cantar, nos enfrentamos com seu último verso: "ci falt la geſt que Turoldꝰ declinet" (v. 4002). *Ci falt* é a forma comum de *explicit* em manuscritos medievais de línguas d'Oil, que significa "aqui acaba". O nome Turoldꝰ vem marcado com uma abreviação recorrente no manuscrito da desinência latina em *-us*, resultando, portanto, no nome

1. Vide *Bulletin Bibliographique de la Société Rencesvals*, Paris, A.-G. Nizet, 1960, fasc. 2, pp. 91-122.

Turoldus, quem poderia ter diferentes funções, de acordo com o que entendemos por *declinet*. Esse verbo é também um latinismo (*declinare*), acomodado ao idioma francês. Entre tantas acepções possíveis para *declinare* – transcrever, copiar, traduzir, narrar, dar a conhecer, amplificar poeticamente – fica difícil estabelecer que papel cumpre Turoldus: Será o copista do Manuscrito de Oxford? Haveria transcrito o arquétipo desse manuscrito – havendo sido este copiado por outra mão – a partir de um modelo ainda anterior, possivelmente a *Gesta Francorum*? Seria um poeta autor? Seria um jogral? De todas as dúvidas acerca do nosso cantar, talvez essa tenha alcançado as hipóteses menos consensuais.

Seguiremos, portanto, com alguns pontos que parecem bastante razoáveis dentro do panorama filológico acerca desse importante aspecto. A hipótese defendida por Martín de Riquer[2] é de que se trata de uma obra de conjunto. Com todas as ressalvas de não se tratarem de respostas definitivas, o professor considera que Quintiliano já distinguia a *oratio recta* da *oratio declinata*, ou seja, a primeira como expressão natural e sem os ornamentos retóricos da segunda, que é uma forma de expressão artística. Desse modo, se seguimos o retórico romano, declinar seria ou uma expressão artística de um jogral ou bem a amplificação de uma *oratio recta*, para uma *oratio declinata*. Se aceitamos o fato de que é bastante improvável que figurasse o nome de um jogral num manuscrito em que a pena de outro havia trabalhado, deveríamos descartar a primeira hipótese em favor de que se trate da pluma de um clérigo culto, conhecedor do latim e dos abundantes recursos de retórica presentes no texto, que amplifica artisticamente um material menos retoricamente elaborado, como poderia ser a primitiva *Gesta Francorum* e/ou uma tradição oral lendária.

Em favor dessa hipótese, buscou-se encontrar um Turold histórico, dentro das coordenadas cronológicas e geográficas das hipóteses que vimos apresentando até aqui. Onomasticamente, trata-se de um nome de origem nórdica derivado do deus Thor, Thorvaldr, que, entre 1050 e 1150, abundava nas regiões da Normandia e Inglaterra. Sua latinização para Turoldus era um uso comum entre os clérigos, mas não entre os leigos. Martín de Riquer defende a ideia de que, em muitas passagens do cantar, encontramos formas litúrgicas e expressões tipicamente eclesiásticas. Assim, mais do que refletir uma devoção dominante na cultura europeia do século XI, argumenta o professor, essas formas litúrgicas são um claro indício de autoria clerical, posto não serem estruturas encontradas nos círculos leigos, o que lhe dá a base para afirmar, em conclusão,

2. Martín de Riquer, *Los Cantares de Gesta Franceses*, pp. 134-137.

que o autor de *O Cantar de Roldão* foi um clérigo anglo-normando chamado Turoldus[3].

Três foram os clérigos encontrados como candidatos prováveis à compositor do nosso cantar: o beneditino Turoldus de Coulombs; o bispo de Bayeux, Turoldus de Envermeu; e Turoldus de Fécamp, o qual, dos três, tem relevante favoritismo dadas as diversas coincidências biográficas apontadas. Vejamos: de Turoldus de Fécamp[4] se dizia que era mais guerreiro que abade. Bédier o identifica como meio-irmão[5] de Guilherme, o Conquistador, quem, de fato, o designou à proteção da Abadia de Malmesbury na Inglaterra, com um exército próprio de seis cavaleiros, quando ainda era monge na abadia normanda de Fécamp. Guilherme II era Duque da Normandia quando, em 1066, fez a guerra e derrotou o recém-coroado rei anglo-saxão Harold, em Hastings, tornando-se então o primeiro rei da Inglaterra de origem normanda e, assim, passou a ser conhecido como Guilherme I da Inglaterra, o Conquistador.

A Batalha de Hastings cobra especial importância para *O Cantar de Roldão* com o relato que Gui de Ponthieu faz do ocorrido, havendo ele estado em campo na ocasião. Conta que, antes de começar a batalha, em 14 de novembro de 1066, um jogral chamado Taillefer cantou, diante das forças normandas, a cantilena de Roldão, a fim de inflamar os contendentes com o exemplo do herói. Considerando as coordenadas cronológicas, fica evidente que o que se cantou ali não equivalia à cópia de Oxford, nem à prototípica obra cuja autoria buscamos, mas, provavelmente, foi uma divulgação primitiva mais próxima do que Gaston de Paris entendia pelas cantilenas de caráter épico-lírico, já avançada daquilo que seria uma suposta forma noticiária, mais coetânea aos fatos, no seu teor lendário.

No que concerne a Turoldus de Fécamp, sabemos que pode haver participado da Batalha de Hastings devido a sua figuração na Tapeçaria de Bayeux[6], um tapete de linho bordado em lã no século XI, com 68,3 metros de comprimento e setenta centímetros de largura, em que estão retratadas 58 cenas, com inscrições em latim, da conquista normanda da Inglaterra:

3. *Idem*, p. 141.
4. Dados biográficos expostos com todo rigor pelo filólogo italiano Ettore Li Gotti, *Chanson de Roland e i Normanni*, Biblioteca del Leonardo, Firenze, 1949 (*apud* Martín de Riquer, *Los Cantares de Gesta Franceses*, pp. 144-147).
5. Joseph Bédier, *Chanson de Roland Commenté par Joseph Bédier*, Paris, L'Édition d'Art, 1927, p. 16. Martín de Riquer, por outro lado, afirma que Turoldus seria filho ou sobrinho de Odão, Bispo de Bayeux, esse sim, meio-irmão de Guilherme (Martín de Riquer, *Los Cantares de Gesta Franceses*, p. 144).
6. Vide http://www.bayeuxmuseum.com/expositions.html.

Figura 2. *Tapeçaria de Bayeux – detalhe Turoldus de Fécamp.*

No destaque, a décima cena, na qual vemos a figura de um Turold, sob a inscrição: *Ubi nuntii willelmi ducis venerunt ad widonem*[7]. A cena sugere, portanto, que Turoldus compôs, possivelmente na condição de um clérigo, a embaixada de Guilherme, que solicitava a Gui de Ponthieu a custódia do rei Harold.

Até aqui sabemos que Turoldus era um clérigo experimentado na batalha e que, se realmente esteve em campo em Hastings, poderia haver presenciado um jogral cantando uma primitiva cantilena de Roldão naquela batalha, mas é possível estabelecer ainda outras relações com o ocorrido em Roncesvales, por onde esteve Turoldus. Manuscritos historiográficos da batalha em que morreu Roldão foram inventariados na Abadia de Peterborough, onde Turoldus terminou seus dias; Ricardo, o Velho, da Normandia é uma personagem histórica que, apesar de haver vivido um século depois da Batalha de Roncesvales, figura no cantar como um dos conselheiros de Carlos Magno, e foi enterrado na Abadia de Fécamp; e, finalmente, podemos apontar uma crônica historiográfica, feita por um clérigo historiador em Malmesbury, em que também oficiou Turoldus, que reitera a cantilena que haveria sido ouvida em Hastings. É razoável também imaginar um forte patriotismo normando de Turoldus sendo refletido numa gesta que canta a glória franca, mesmo após o desastre inicial da retaguarda.

A tudo isso acrescentamos que *O Cantar de Roldão* pode, facilmente, ser lido como um panegírico aos usos e costumes da camaradagem entre guerreiros, além de apresentar um farto vocabulário e instruções de itens e movimentos de guerra. Se podem parecer universos muito distantes o monastério e o campo de bata-

7. "Onde os mensageiros do Conde Guilherme vieram [encontrar] a Gui [de Ponthieu]", quem haveria mantido sob sua custódia o rei Harold da Inglaterra, quando este, em 1064, atraca em Ponthieu a caminho da Normandia, devido às más condições do tempo.

lha para que um sujeito domine ambas as artes, não raro será quando se trate de um guerreiro religioso ou de um clérigo afeito mais às armas que à contemplação oficiosa, tão comum nos tempos médios, como o é o Arcebispo Turpino, quando se vê diante do desempenho épico de Roldão:

> O Arcebispo diz: "Fazeis tão habilmente!
> Ter valor tal, o cavaleiro deve,
> o que monte bom cavalo e armas porte.
> Deve ser, na batalha, duro e forte,
> do contrário, quatro pratas sequer vale;
> que se faça, antes, num mosteiro, monge,
> e ore sempre por nossa iniquidade"[8].

É desse modo que, na ausência de mais copiosos registros de tempos remotos a que pertenceu um objeto de pesquisa qualquer, a arqueologia se inscreve como uma ciência com certa dose de ousadia no laboratório das hipóteses, sempre amparada, claro está, pela maior quantidade de elementos conservados disponíveis, que orientam umas e contradizem outras hipóteses. Sem a pretensão, portanto, de uma verdade unívoca, chegamos a compreender que Turoldus de Fécamp, ator histórico de meados do século XI, como um clérigo versado nos ofícios, nas artes poéticas e retóricas, aparentado de Guilherme I da Inglaterra, foi também sujeito experimentado na batalha campal.

Que oficiava o sacramento com a mesma desenvoltura que brandia a espada, não é suposição demasiada – daí ser razoável concluir que, provavelmente, estivera na mais importante batalha para os Normandos do seu tempo, em Hastings, ocasião em que haveria ouvido Taillefer entoar versos que cantavam as virtudes heroicas de Roldão e Oliveiro. Que, em ato contínuo, pudesse empunhar a pena do nosso cantar, tampouco é descabida a hipótese; motivação e elementos para levar a cabo um projeto de consolidação cultural dos francos, lhe sobejavam. Assim, Turoldus de Fécamp é mais uma personagem nesse jogo de plausibilidade arqueológica acerca de *O Cantar de Roldão*; daí, o paralelo com o Arcebispo D. Turpino é consequente.

8. "Diſt larceueſq; aſez le faiteſ ben. [Roldão ao atacar aos sarracenos] / Jtel ualor deit aueir cheualer. / ki armeſ portet y en bon cheual ſet. / en bataille deit eſtre forz y fierſ. / V altrement ne ualt .iiii. denerſ. / einz deit monie eſtre en un de cez muſtierſ. / Si þerat tuz iurz por noz peccezi" (vv. 1876-1882).

Algumas Personagens

Carlos Magno, como vimos, é o *centro orbis* de toda a matéria da França na épica medieval. Que os críticos do século XIX do nosso cantar tenham convencionado orbitá-lo em Roldão não é em prejuízo do protagonismo do poderoso Imperador da barba florida. Embora sua data de nascimento seja imprecisa, Martín de Riquer[1] dá mais por seguro saber que não houvesse chegado aos quarenta anos no sucesso histórico de Roncesvales, mas, na sua tradução do cantar, já havia afirmado que, em 778, Carlos contava com 36 anos[2]. Em qualquer caso, o cantar apresenta Carlos Magno como um homem idoso. Sua idade, no entanto, não é precisada, apenas apresentada a partir da impressão do rei Marsílio, nos versos 523, 539 e 552, quando, em discurso direto, diz que, em seu parecer, Carlos tem mais de duzentos anos. A idade hiperbólica é comum nos cantares de gesta e, com isso, quer-se significar a sabedoria inerente à longevidade, como com seu modo ponderado de falar no início do poema (vv. 140-141).

Sua descrição física, além de indicar essa longevidade com os cabelos e barbas brancas[3], mostra uma vitalidade exuberante, digna de um grande rei, bravo e destemido, na sua melhor forma, como se espera do defensor da cristandade, que de fato representou em seu tempo, não sem alguns desvios históricos desse

1. Martín de Riquer, *Los Cantares de Gesta Franceses*, p. 57.
2. Martín de Riquer (ed.), *Chanson de Roland, Cantar de Roldán y el Roncesvalles Navarro*, p. 99.
3. Vide nota ao v. 117.

ideal. No verso 117 sabemos que tem o semblante altivo e o corpo *gent* (nobre, elevado, gentil, bonito, bem torneado etc.), robusto, vigoroso e com boa postura (vv. 3315-3316). Quando se procura por ele, não é preciso mostrar quem é (v. 119), fala e faz calar quando quer (vv. 259 e 273); manda ir, manda ficar e manda sentar (vv. 318, 206 e 272); e quando Galalão invoca esposa e filhos, acreditando-se condenado à morte pela missão que lhe é confiada, Carlos sentencia, do alto de sua rigidez épica: *tro avez tendre coer* (v. 317), um coração demasiado terno, aquele que se atenta a essas questões.

Se, por um lado, do ponto de vista da matéria carolíngia, o que se espera de um herói épico é sua invariabilidade e sua coesão, que façam dele uma personagem facilmente definível, por outro lado, veremos como o cantar não nos isenta de propor uma certa complexidade em alguns casos. Em contraste com os atributos acima mencionados, Carlos é paternal com seus Doze Pares, sobretudo com Roldão, seu sobrinho: chora por havê-lo deixado na retaguarda quando já está do outro lado dos desfiladeiros pirenaicos, na França (vv. 825, 827 e 1404); chora pelos franceses mortos ao chegar em seu auxílio no campo de batalha (vv. 2855-2856 e 2873); arranca barbas e cabelos (vv. 2414, 2906 e 2930); e desmaia diante do cadáver de Roldão (vv. 2879-2891).

É de notar que esse luto hiperbólico de arrancar-se os cabelos e de desmaiar – poderíamos acrescentar arranhar-se o rosto e rasgar-se as vestes – é muito próprio de cenas fúnebres nos textos medievais, muitas vezes recorrendo à tradição das carpideiras, mas Carlos incorpora um luto que é menos próprio à sua condição de Imperador ponderado e de rigidez épica, porque mais equivalente à relevância a que se quer dar à morte de Roldão. Para além do impacto emocional de ver estendido o corpo de seu sobrinho no campo de batalha, a iminência de Carlos perder sua glória na Doce França e de sofrer privações com as potenciais rebeliões de povos vizinhos, uma vez que nem Roldão, nem qualquer um dos seus Doze Pares, poderá defendê-lo, é motivo de igual monta para as hiperbólicas lamentações (ss. CCVII-CCVIII).

Esse mesmo poder, com o que se quer representar o Império Carolíngio do século VIII, aparece no cantar com alguns matizes próprios do seu contexto de composição do século XI. É bem verdade, como vimos, que o poder do Carlos Magno histórico foi relativo a sua capacidade bélica, sempre havendo mantido o apoio da Santa Sede, mas o cantar apresenta uma estrutura híbrida do poder do Imperador. Ao mesmo tempo que Carlos mostra amplo domínio sobre os seus e é reconhecidamente poderoso, altivo e soberbo, por uma volição muito subjetiva, ele mantém uma estrutura própria da dinastia dos reis Capetos da França, em que os barões dos ducados mais importantes, como Normandia, Aquitânia e Borgonha, não raro, detinham um poder equivalente ao do próprio rei.

Isso é claro no início do cantar com o conselho dos barões, em que Carlos em tudo quer ir guiado pelos franceses (v. 167), e com o conselho que, contrariamente à vontade do Imperador, absolve Galalão, restando a Carlos o lamento: "'Desleais sois comigo!' – O rei falou"[4], o que demonstra não apenas a ponderação do rei, mas uma patente disposição a ceder diante dos poderosos que devem avalizar qualquer decisão.

Além dos seus Doze Pares e dos seus barões, Carlos Magno, como defensor da cristandade, tanto no âmbito histórico como ainda mais no lendário, mantém, ao que parece, uma relação feudal muito especial, a de estar subordinado ao seu Senhor, o Deus verdadeiro. Sendo a fidelidade, a obrigação do vassalo e o auxílio ao senhor feudal, condições a que está exposto, Carlos recebe intervenções angelicais e revelações proféticas que são sempre alegóricas e enigmáticas. Assim, Carlos tem quatro sonhos, sendo dois na primeira parte do cantar, que sugerem a traição de Galalão e a morte de Roldão (s. LVI) e uma investida contra os francos (s. LVII), e dois na segunda parte, que sugerem sua batalha contra Balalão (s. CLXXXV) e o juízo de Galalão (s. CLXXXVI). Ainda tem uma oração milagrosamente atendida[5] e, no fragor de sua singular batalha contra o emir Balalão, recebe o auxílio de São Gabriel (vv. 3610-3611). Esse é o desfecho conclusivo no qual, sob a óptica dos franceses primeiro (vv. 3359 e 3367) e do seu inimigo Balalão depois (vv. 3354), Carlos, como defensor da cristandade, tem razão sobre a gente pagã. A derrota do emir é a consumação da vingança.

Para compreender, por sua vez, o papel que cumpre Roldão no cantar, recordemos que *O Cantar de Roldão* é um título atribuído tardiamente pelos editores modernos e que, ainda que haja um grupo de manuscritos derivados de uma segunda refundição rimada, denominados *Roncesvaux*, por diferenciá-los do manuscrito de Oxford e de V4, como primeiro grupo assonante e derivado da primeira refundição (Figura 1, p. 78), fica evidente o privilégio ao paladino com o título rolandiano.

Em que pese, como vimos, o Imperador Carlos Magno ser o *centro orbis* da matéria, o protagonismo de Roldão não seria diferente, havendo em conta ser ele o nosso herói épico e, como tal, mártir no cantar. É, por sobre todos os demais mortos em Roncesvales, o mais forte, o mais fiel, o mais orgulhoso e o mais esforçado. Não se quis pintá-lo como Sir Galahad da mesa redonda, o mais puro

4. "co diſt li reiſ uoſ eſteſ mi felun" (v. 3814).
5. Vide nota aos vv. 2452-2456.

e perfeito cavaleiro do ciclo artúrico, digno de alcançar o Santo Graal, sendo a própria reencarnação de Cristo. Como herói épico, a bravura e a prudência não podem coexistir em Roldão, cabendo essa última a seu par Oliveiro e, por isso mesmo, é culpado nosso herói – culpado pelo que, no seu mundo, só são virtudes: "A bravura vossa, em má hora a vimos"[6], como o reprova Oliveiro.

Além disso, sentam-lhe tão bem as armas que, quando postas, além de belo o corpo, deixam seu rosto claro e sorridente (s. XCI). Na iminência da batalha, engrandecem-se seus brios (v. 1088) e se torna mais feroz que o leão ou o leopardo (vv. 1110-1111). O próprio Galalão, ao tramar sua morte, admite que não há, sob a capa do céu, melhor vassalo do que Roldão (vv. 545 e 558). Mas, apesar de tudo isso, é seu orgulho e a preocupação com sua própria fama, com uma dose do ímpeto juvenil pela batalha, que o impedem de, sob a insistência do prudente Oliveiro, tocar o olifante, o corno de guerra que, chamando de volta Carlos antes da batalha, haveria salvado a todos (ss. LXXXIII-LXXXV). Sua hiperbólica atuação em campo de batalha não pode, contudo, salvar os franceses, dada a desproporcionalidade dos contingentes, o que em nada ofusca o desfecho heroico.

Se a morte do herói não poderia ser pelas mãos de um sarraceno, sua *causa mortis* é o esforço: numa segunda discussão que trava com Oliveiro, intervém o arcebispo Turpino em seu favor, então Roldão decide finalmente tocar seu olifante para que Carlos retorne quando já estiverem todos mortos, mas em tempo de guardar os corpos e vingar a tragédia. Toca, porém, com tanto vigor que se lhe estouram as têmporas e emana sangue da boca (vv. 1763-1764 e 1785-1786). Nada disso é, no entanto, o bastante para evitar que volte ao campo de batalha e dê fuga aos últimos sarracenos.

Quando somente sobrevivem Roldão e o arcebispo, o clérigo declara: "vosso e meu, por mercê de Deus, é o campo!"[7] E, nesse ponto, não lhe faltam forças para sair a buscar, antes de sua morte e sozinho no campo de batalha, os cadáveres dos Doze Pares da França, como um privilégio reservado ao herói – o que Moignet chamou de "o minuto sagrado de Roldão"[8]. Perfila-os então diante do arcebispo Turpino, também ferido de morte, a fim de que ele ofereça aos Doze Pares uma suprema bênção, a oração fúnebre que os encomenda a Deus.

Quando só Roldão resta vivo, já cego e não querendo que sua espada Durindana caia em mãos infiéis, tenta romper seu aço, mas só faz fender a rocha

6. "Vrĕ ꝑecce Rolł mar la ueineſ" (v. 1731).
7. "ciſt camp eſt urĕ mercit deu y mien" (v. 2183).
8. Gérard Moignet (ed.), *Chanson de Roland*, p. 165.

contra a qual investia. Assim, deita seu expirante corpo sobre a valorosa espada e sobre o olifante no alto de um monte escarpado com o rosto voltado à gente pagã, a fim de que saibam que morreu conquistando (ss. CLXXIV-CLXXV). Como não querendo esquecer de si mesmo, faz seu ato penitencial e oferece sua luva direita a Deus (vv. 2382 e 2389) como último gesto de vassalagem e, juntadas as mãos, recebe sua morte[9]. São Gabriel então lhe toma a luva e, com outros anjos, leva sua alma ao paraíso.

Do ponto de vista literário, o martírio do herói[10] é o preço de sua redenção, na medida em que pesa sobre ele o orgulho e a desmesura que acabaram por vitimar toda a retaguarda franca. Da personagem histórica, por sua vez, pouca documentação há sobre sua existência, o que deixou margem para que fosse questionada. A biografia *Vita Karoli*[11] de Eginhardo[12] enumera os paladinos tombados no campo de Roncesvales em 15 de agosto de 778, entre eles, *Hruodlandus Brittanici limitis praefectus*, o prefeito da marca da Bretanha[13]. Se à primeira vista parece inquestionável a historicidade de Roldão, pelo fato de um biógrafo contemporâneo nomeá-lo, inúmeras reservas foram feitas a esse aspecto de *Vita Karoli*, como se a convencionou editar modernamente, pois em outros códices não incluídos nas edições modernas (todos da família B), na mesma passagem, é justamente o nome que não figura na relação de mortos em batalha.

O fato de o nome de Roldão constar apenas nos códices das famílias A e C de *Vita Karoli* poderia configurar ou uma revisão do próprio Eginhardo – e não se saberia por que o haveria primeiramente omitido, tão raro no-lo parece – ou seria uma inclusão apócrifa de copista. Por outro lado, há um documento de juízo em Heristal, atual Herstal na Bélgica, datado de 772, em que consta, entre

9. Vide notas aos vv. 233 e 247.

10. Para a caracterização ética de Roldão, vide Pierre Le Gentil, "A Propos de la Démesure de Roland", *Cahiers de Civilisation Médiévale*, ano 11, n. 42, pp. 203-209, 1968.

11. A biografia, escrita entre 829 e 836, foi preservada em cerca de oitenta manuscritos copiados, sendo considerados provenientes de três famílias (A, B e C), segundo a maior ou menor proximidade do original, das quais, cinco códices copiados nos séculos IX e X, são os que compõem majoritariamente as edições modernas.

12. Eginhardo foi recomendado pelo próprio Alcuíno de York a que o substituísse em seus trabalhos na escola palaciana da corte de Carlos Magno para hermenêutica dos clássicos latinos e para questões de engenharia e aritmética, quando o preceptor se quis retirar a um monastério. Havendo Eginhardo sido surpreendido pelo próprio Carlos na alcova de sua filha Emma, o rei não quis puni-los, mas os casou. Assim se conta a proximidade do biógrafo com o sogro Imperador. *Vita Karoli* foi escrito depois de falecido Carlos Magno, mantendo-se Eginhardo sempre em posições destacadas na corte do sucessor, Luís I. Para as notas biográficas acerca de Eginhardo, sigo a edição espanhola de *Vita Karoli*, com tradução de Alejandra de Riquer (*Vida de Carlomagno*, Madrid, Gredos, 1999).

13. Vide nota ao v. 190.

quinze juízes, um conde Rothlandus, latinização comum em ofícios do adequado nome germânico Hrodland, documento esse firmado por *Karolus gratia Dei rex francorum*, o título do rei Carlos antes de ser investido como Imperador. Esse último documento, contudo, não bastou para se afirmar irrevogavelmente a historicidade do paladino do rei Carlos[14].

Do ponto de vista literário, o cantar nos pode ajudar com alguns elementos a esse respeito. A hipótese de Bédier, fundada nas relíquias deixadas em abadias e monastérios, traçando um caminho de peregrinação, de uma coisa não deixa dúvidas: essas relíquias são de referências conhecidas e reconhecidas pelos primeiros ouvintes da gesta. Que o verso 3687 fosse cantado sem reservas aos ouvintes do século XI, revelando-nos hoje, mas denotando aos coetâneos o costume da visitação ao corpo de Roldão, à sua espada e ao olifante, é revelador de que algo existiu naqueles lugares. A única hipótese em contrário é supor que se tratasse não apenas das relíquias, mas também de uma tumba apócrifa.

Outra hipótese em favor da existência de Roldão pode explicar o fato de não estar primeiramente relacionado na lista de *Vita Karoli*, mas anula o juízo de Heristal. Trata-se de sua filiação, sobre a qual, afinal, nada de concreto se sabe. A gesta apresenta-o como sobrinho de Carlos e filhastro de Galalão, sem mais esclarecimentos de parentesco, o que faz supor havê-lo por sabido entre os ouvintes originais. No verso 312, é-nos revelado que Galalão, personagem por certo ficcional, é casado com uma irmã de Carlos, mas a única irmã histórica do rei, Gisla, foi prematuramente entregue à vida religiosa, a qual nunca abandonou. Intriga, contudo, a conflituosa relação entre Roldão e seu padrasto. Após Roldão manifestar seu descrédito na palavra do rei Marsílio, parece gratuita a investida que Galalão faz contra seu filhastro (s. XV).

A hipótese que melhor explica esse conflito inicial, aparentemente de causa anterior, é embasada em toda uma tardia tradição hagiográfica, literária e iconográfica em que Roldão aparece como filho incestuoso de Carlos Magno com sua irmã Gisla, e que teria nascido em 771, o que faz dele um infante no evento de Roncesvales. Não é um absurdo histórico que isto fora assim, dado que Pepino e Ludovico foram feitos reis na Itália e Aquitânia, aos três e quatro anos, respectivamente, no ano de 781. Tampouco estranho seria que Carlos levasse seus filhos às campanhas militares consideradas de menor gravidade, como deveria ser a da

14. Para as reflexões acerca da ficcionalidade ou historicidade de Roldão, vide Paul Aebischer, "Roland: Mythe ou Personnage Historique?", *Revue Belge de Philologie et d'Histoire*, t. 43, fasc. 3, pp. 849-901, 1965.

Espanha. Que Roldão, já prematuramente nomeado prefeito da marca da Bretanha aos sete anos, houvesse estado na retaguarda, seguramente aos cuidados de um senescal, tampouco é de estranhar.

Riquer[15] aponta que, em certa *Vida de São Gil*[16], a *Vita Aegidii*, se relata que Carlos o havia procurado por um grande pecado que havia cometido, tradição que alcançou tardias versões escandinavas do cantar. Assim, podemos compreender que Roldão ignoraria sua paternidade, mas não Galalão, cujo desafeto pelo filhastro se justificaria, bem como o impacto que é para Carlos a perda de seu primogênito. Assim, *Vita Karoli* haveria omitido e *O Cantar de Roldão* haveria apenas sugerido essa pecaminosa filiação, sempre com o fundamental propósito de não empanar a cristandade de Carlos? Se isso é assim, elevar Roldão à sua posição de herói épico haveria sido a justiça histórica a uma elipse biográfica.

Ao lado do valente Roldão, seu par, o prudente Oliveiro. Já vimos como, na hipótese dos historiadores, a perspectiva onomástica demonstra a notoriedade de Oliveiro já no século XI como par épico de Roldão, considerando os casos de irmãos assim batizados. Isso nos indica que, sendo Oliveiro uma personagem que carece de historicidade, não foi uma criação arbitrária de Turoldus – se o admitimos como refundidor do cantar – mas a conservação de uma matriz lendária pré-existente. Não fosse por isso, estaríamos confortáveis em afirmar que a origem de Oliveiro segue princípios claramente literários, pois assim parece, dada a sua relevância na trama. Do herói homérico à doutrina de Isidoro de Sevilha sobre a epopeia[17], o *topos fortitudo et sapientia* é desdobrado no par épico de *O Cantar de Roldão*: "É Roldão valente, é sábio Oliveiro"[18]. Mas, se por um lado Oliveiro pode acusar Roldão por sua insensatez, nada pode pressupor covardia em Oliveiro:

> Diz Roldão: "Por que vos zangais comigo?"
> Ele replica: "Vós buscastes, companheiro,
> pois bravura com bom senso não é engano,
> vale mais a mesura que o arrojo"[19].

15. Martín de Riquer, *Los Cantares de Gesta Franceses*, p. 70.
16. "Vida" aqui compreendida como a Vida de Santos, um gênero literário de tradição medieval em que se relatam dados biográficos dos Santos, mesclados com aspectos lendários.
17. "Chama-se canto heroico porque relata feitos de homens valorosos. Denominam-se, sobretudo, heróis os homens dignos do céu por sua sabedoria e valor" (Isidoro de Sevilha, *Etmologias*, I, 39, 9, *apud* Ernst Robert Curtius, *Literatura Europeia e Idade Média Latina*, São Paulo, Edusp, 2013, p. 230).
18. "Rolł ⁓ þz y oliů eſt ſage" (v. 1093).
19. "Co diſt Rolł por quei me portez ire. / [E] il reſpont cumpainz uoſ le feiſteſ. / kar uaſſelage par ſenſ neneſt folie./ Mielz ualt meſure que ne fait eſtultie" (vv. 1722-1725).

A mesura de Oliveiro[20] não o impede de lutar até ferido de morte, mas regula sua coragem com a prudência, lutando ao lado de Roldão, com a mesma bravura. Nada nos indica, portanto, que haveria fugido da batalha quando avistou a ingente tropa inimiga, mas passamos a entender que sua prudência em querer tocar o olifante poderia havê-los garantido a vitória e a vida, se os acudisse em tempo Carlos Magno. Foi sob os protestos de Oliveiro que a exacerbada coragem de Roldão, sem metro de razoabilidade, condenou à morte os Doze Pares da França e, com eles, toda a retaguarda. Do ponto de vista literário, Oliveiro confere equilíbrio à ação, sem o qual a imprudência de Roldão ficaria de tal modo evidente e descontrolada que sua designação para o mando da retaguarda pareceria uma irresponsável condenação à morte. Sem, ao contrário, ofuscar as glórias e virtudes de Roldão, a sensatez de Oliveiro coloca ainda mais em evidência a bravura épica de seu par.

Essa fórmula, *fortitudo et sapientia*, aqui desdobrada no par épico Roldão-Oliveiro, mas que tradicionalmente se concentra num mesmo herói, é a que veremos na tradição das novelas de cavalaria do ciclo artúrico. Podemos afirmar sem suposições que esse *topos* clássico encontrou um forte eco na ética medieval cortês que dispõe, ao lado da *fortitudo*, todo um programa ético que nos leva ao ideal cavalheiresco. Não por acaso, talvez seja Oliveiro, muito antes de Percival e Galahad, o primeiro na história da literatura medieval a ser merecedor do epíteto "cortês" (vv. 576 e 3755).

Como um elemento de equilíbrio desse par épico, está, por sua vez, o arcebispo Turpino, uma figura histórica e contemporânea aos eventos de 778. Devia-se chamar Turpinus, com a devida latinização usual a um clérigo, ou Tylpinus, mas, diferente do que nos mostra o cantar, terminou seus dias passivamente na abadia de Rems, entre 789 e 794. Sua atuação na Batalha de Roncesvales, além do que consta em *O Cantar de Roldão*, nos é sugerida apenas por figurar também na "Nota Emilianense" (Figura 4, p. 115), mas nada de sua constância encontramos em *Vita Karoli*.

Com o início das guerras de Reconquista espanhola, seguidas das Cruzadas de ultramar, os sucessivos papas garantiam a vida eterna àqueles cristãos que morressem em defesa da fé. Não obstante a isso, foi nesse contexto que se disseminou o costume de clérigos marcarem presença junto a diversas tropas, com a

20. Vide nota ao v. 93; para o par épico Roldão e Oliveiro, vide Jean Misrahi e William Hendrickson, "Roland and Oliver: Prowess and Wisdom, the Ideal of the Epic Hero", *Romance Philology*, vol. 33, pp. 357-372, 1979.

função primordial de receberem a confissão e de ofertar a absolvição aos moribundos[21], além dos ofícios (como vemos no v. 164) e, em casos de afeitos a tal, a nobre função dos combates. O arcebispo Turpino cumpre todas essas funções, é o guerreiro de Carlos (v. 2242). Quando Roldão está já designado ao mando da retaguarda e negocia com Carlos aqueles que o acompanharão nessa posição mais arriscada, por se compor do contingente mais exíguo das tropas, Turpino adianta-se: "...'Eu vou, por meu escalpo!'"[22]

No fragor da batalha, quando Turpino enfrenta o gigante Abismo (s. CXXVI), nota-se em detalhe o que se tornou conhecido como o *coup de Turpin*, golpe em que a lança quebra o escudo, desmalha a loriga e atravessa o corpo do adversário. Tão emblemática é a sua atuação que, ainda hoje, podemos observar na fachada da Catedral de Angoulême, na comuna francesa de Nova Aquitânia, um dintel com três cenas de *O Cantar de Roldão*: à esquerda o *coup de Turpin* contra o sarraceno Abismo; no centro, Roldão cerceia com sua espada Durindana o braço do rei sarraceno Marsílio, que, à direita, cai ante as portas de Saragoça:

Figura 3. *Dintel* Chanson de Roland[23].

21. Na *Chanson de Guillaume*, quando Guilherme encontra o moribundo Vivieno, lemos a seguinte cena (vv. 2024-2030): "Diga, podeis vós falar, senhor querido? / E reconheceis o corpo do Deus Altíssimo? / Se nisso vós crerdes, que Ele foi na cruz pendido, / no meu embornal há do pão sagrado / se pela vossa garganta for descido / já não temeríeis o ataque do maligno" ("Dites bel sire purriez uus parler / e reconuistre le cors del altisime Deu. / Si tu ço creez qu'il fu en croiz penez / en m'almonere ai del pan sacré / del demeine que de sa main saignat Deu. / Se de uus le col en aveit passé / Mar creindreies achaisun de malfé"). É significativo que Guilherme, sendo um laico, carregue a hóstia consagrada e possa ele mesmo oferecê-la a Vivieno. A partir do estudo de vários concílios, identificou-se que, embora não seja uma prática estendida, nem um consenso, muito excepcionalmente com a autorização prévia de um clérigo, o laico poderia oferecer a hóstia. Vide Joaquín Rubio (trad.), *Cantar de Guillermo*, Madrid Gredos, 1997, p. 142, n. 123.
22. "...io irai par mun chef" (v. 799).
23. J. Angoulême Mossot. Cathédrale Saint-Pierre - *Chanson de Roland* (détail 2), (http://it.wikipedia.org/wiki/File:Angoul%C3%AAme_-_Cath%3%A9drale_-_Chanson_de_Roland_3.JPG), acesso em 30 de outubro de 2009.

Assim como os mais ilustres cristãos do cantar, o arcebispo não cai derrotado por um inimigo singular. Quando restam vivos apenas Roldão, o croata Gualter de Hum, e Turpino de Heims, enfrentados por mais de quarenta mil sarracenos que não se atrevem a se aproximar, os cristãos sofrem uma pesada investida de lanças, flechas e dardos. Nessa investida, morre Gualter e Turpino cai ferido por quatro lanças, havendo morto seu cavalo (s. CLIV). É sobre a cena seguinte o testemunho de São Gil, no qual relata que o arcebispo ainda pôde desferir mais de mil golpes, derrubando cerca de quatrocentos sarracenos, sobre cujos corpos dirá Carlos que Turpino não perdoou a nenhum (s. CLV). Cenas depois, havendo feito a oração fúnebre aos corpos dos Doze Pares trazidos por Roldão, morre Turpino, tentando buscar água para o desvanecido conde, com as entranhas espalhadas pela relva e o cérebro escorrido na face (ss. CLXV-CLXVII). É, finalmente, ao arcebispo Turpino que, tão excepcionalmente, o poeta oferece um epitáfio:

> Morto é Turpino, o guerreiro da coroa,
> por tão belos sermões, grandes as batalhas,
> campeão contra os pagãos, foi toda vida;
> Deus conceda sua bendição mais santa[24].

Se não parece seguro afirmar que o histórico arcebispo Turpinus de Reims tenha participado da Batalha de Roncesvales, sobretudo na retaguarda dizimada naquele agosto de 778, o que sim salta aos olhos do leitor moderno e, seguramente, aos ouvidos do espectador original é o interesse e o cuidado excepcional com que o poeta retrata essa personagem, se em todo caso plausível, incomum nos cantares de gesta: Turpino, o que jamais cantou missa tonsurado e que tantas proezas realizou com seu corpo (vv. 1563-1564), como um clérigo culto, conhece a *Gesta dos Francos* e a cita como autoridade do valor de Carlos (vv. 1441-1444); da fórmula heroica desdobrada entre Roldão e Oliveiro, a *fortitudo* também lhe é própria, pois donos do campo de batalha não são Roldão e Oliveiro, mas ali está Roldão e ali está Turpino, o autor do emblemático golpe de lança.

A *sapientia* também lhe caracteriza quando se coloca como mediador dos conflitos entre Roldão e Oliveiro (s. CXXXII), além de sua santidade o fazer merecedor único de um epitáfio, uma santidade imageticamente representada pela Cruz

24. "(Morz eſ turpin le guerreier charlun.) / par granz bataille ſ y par mult belſ ſermonſ. / cuntre paienſ fut tuz tenſ campiunſ. / d'ſ li otreit la sue ſeinte beneicun" (vv. 2242-2245). Vide nota ao v. 2242.

de Santo André[25] formada pelos seus braços. Assim, no que Turpino possa se afastar de um retrato biográfico do Turpinus histórico – retrato esse jamais almejado pela gesta – não será demasiado supor que se aproxima de um Turoldus histórico, clérigo de formação e ofício, afeito às armas e, talvez, à pena. Não será demasiado supor também que, três séculos depois de Turpinus, Turoldus queira se reconhecer numa personagem e que, para isso, antes idealizou a ambos, tornando-se, o autor, o modelo de uma criação híbrida entre o *alter ego* idealizado e a referência histórica.

Outra personagem que devemos destacar carece, como Oliveiro, de historicidade. Se é a cólera de Aquiles o mote e a entonação de *Ilíada*, Galalão, a seu homérico exemplo, não dá apenas o tom inicial, mas carrega sobre si o peso da culpa histórica por aqueles que tombaram em Roncesvales; mas, sem os atenuantes virtuosos que revestem a culpa de Roldão, sobre Galalão pesa-lhe o agravante da perfídia premeditada. Parece, aliás, que alguns eventos e personagens históricas, desde o século IX, cobrem o nome Gueneʃ com esse pesado manto da traição.

No ano de 859, Carlos II da França, o Calvo, neto de Carlos Magno, denunciou ao conselho um abade de nome Wanilo por traição de motivos pecuniários. Está também relatada, na *Vie de Saint Léger*[26], datada do século X, uma traição cometida por um Waningus: "E Galalão foi pego em grande dolo"[27]. Já em 1044, o tesoureiro da Basílica de São Martinho de Tours, Ganelon, caiu em desgraça ante o conde Godofredo II de Anjou, segundo documentos da época. Coincidências à parte, parece razoável supor que, antes da composição do cantar, havia no imaginário popular um vínculo do nome *Guenéʃ* com a ideia de traição[28]; para tão grave falta – como o é para a ética feudal – tão desonrosa morte: Galalão foi atado pelos quatro membros a quatro destreiros corredores, que o desmembraram (s. CCLXXXIX).

Mas Galalão não é só vício. Ele é sempre descrito como belo, nobre e gentil e é dos mais sensatos (v. 279); se fosse leal, bem pareceria um barão (vv. 3763-3764). Sua ira contra Roldão, que deixa transparecer o vício onde era só virtude,

25. Vide nota ao v. 2250.

26. D'Arco Silvio Avalle (ed.), *Vie de Saint Léger*, Pavia, Tipografia del Libro, 1967.

27. "Et Ewruïns ott-en gran dol". Para a tradução Ewruïns à Galalão, sigo a proposta onomástica de Maurice Delbouille, *Sur la Genèse de Chanson de Roland*, Bruxelles, Palais des Académies, 1954 (*apud* Martín de Riquer, *Los Cantares de Gesta Franceses*, p. 114), em que Ewruïns (francês medieval) → Wenilo (germânico) → Waningus (latim). Daí a relação com Guenéʃ (anglo-normando) → Ganelon (francês) → Ganelón (espannhol) → Galalão (português).

28. Comparável, no cantar, à traição de Judas Iscariotes. Vide nota aos vv. 170-178.

não parece ser iniciada com uma breve altercação no conselho de barões para decidir quem será designado para a embaixada ao rei Marsílio, embora essa missão represente um efetivo risco de morte ao designado. Tomando por referência sua primeira e aparentemente gratuita investida contra Roldão, ficamos imaginando outras razões que o movem às injuriosas insinuações que lança a seu filhastro, como néscio e insensato, se não parece ser por mera divergência de opinião.

Para além da hipótese do incesto de Carlos[29] supramencionada, consideramos que, depois de negadas todas as disposições espontâneas à investidura da embaixada, porque Carlos não quisesse preterir dos Doze Pares, Roldão sugere o nome de Galalão e esse é prontamente aceito pelos franceses ante o silêncio do rei. É, pois, nesse momento que sua ira se compara à de Aquiles. E, como Aquiles faz com Agamenon depois de aplacado por Atena seu ímpeto de matá-lo ali mesmo no conselho, Galalão lança também a seu filhastro as mais duras ameaças (vv. 290-291 e 300-301), que há de cumprir, como faz o herói homérico de pés ligeiros contra os aqueus. Assim, no caminho ao encontro com o rei sarraceno, Galalão urde e prepara seu plano de vingança. Não sem muitas recompensas, trata a morte de Roldão comprometendo-se a que ele esteja no mando da retaguarda, empreendido o retorno à França, quando Carlos e o maior contingente já houverem cruzado os Pireneus.

Na última parte do cantar, a que nos referimos como "a justiça", ocorre o juízo de Galalão, que já se encontrava preso e já havia sofrido uma paliçada encomendada pelo próprio rei. Ouvindo, porém, a acusação que se lhe imputa como traidor, sua defesa é plausível (s. CCLXXII): sempre foi um fiel vassalo, e quando Roldão o designa à morte, indicando-o à embaixada do pérfido Marsílio, Galalão o desafia e disso recorda a todos os barões que o ajuizarão. Há, pois, grande vingança, mas não há traição, pois aquela era anunciada. Quando é absolvido pelo conselho de barões, no entanto, Teodorico de Anjou, irmão de Godofredo, o alferes do rei, opõe-se ao juízo alegando que, estando Galalão a serviço do rei, não poderia havê-lo prejudicado, o que configura a traição, e desafia quem queira desmenti-lo pelo juízo de sua espada (s. CCLXXVII). É dada a batalha entre Teodorico e Pinabel, um parente de Galalão que o representa, e o primeiro sai vitorioso, o que referenda o juízo da culpa. Essa é uma fórmula jurídica característica até o final século IX, portanto, um resgate poético dos costumes feudais da

29. Para o mito do pecado de Carlos Magno, vide Joseph John Duggan, "El Juicio de Ganelón y el Mito de Carlomagno en la Versión de Oxford de Chanson de Roland", em Joan Ramon Resina (ed.), *Mythopoiesis: Literatura, Totalidad, Ideología*, Barcelona, Anthropos, 1992, pp. 53-64.

época do evento histórico, também chamada de "juízo de Deus", em que, num duelo entre dois representantes das partes, o juízo divino há de prevalecer em favor sempre do justo.

Se Galalão foi morto pela traição, sentenciada pelo juízo de Deus, não é desnecessário lembrar que, numa primeira análise, estando prefigurado como a antítese de Roldão, contra o herói nenhuma traição foi cometida; se sim, contra o rei, nada que estranhasse, numa revisão histórica das primeiras cruzadas, atitudes muito similares de personagens como o Conde Bohemundo ou Raimundo de Tolosa[30]. Ou, ainda, se buscamos uma nobre justificativa, Galalão a oferece na série XLV: morto Roldão, Carlos deixaria de conquistar; francos e sarracenos encontrariam a paz, mas Roldão é o preço[31].

Do outro lado de um marcado maniqueísmo estão as personagens sarracenas. A fórmula lapidar "Têm pagãos o mal, cristãos têm a justiça" (v. 1015) nos revela que o lugar de elocução do autor é o cristão, e que o outro, representado pelos sarracenos, é o inimigo, dito "pagão". Sobre a mistificação ideológica dos muçulmanos prevalece, contudo, a ignorância de seu mundo. Todo esse universo retratado no cantar é imerso na mais absoluta fantasia, criada a partir da referência possível do poeta e de seu público num claro paralelismo: seja do ponto de vista das práticas militares, da organização e hierarquia social ou da profissão religiosa, segue-se a estrutura do mundo cristão. No início do cantar, o rei Marsílio delibera a partir de um conselho de barões, prevalecendo a palavra do "mais sábio dos pagãos" (ss. II e III), seguindo a mesma relação feudal dos franceses, tal como veremos fazer Carlos no seu conselho (ss. XII e seguintes).

O culto dos sarracenos, a despeito do monoteísmo incontroverso da religião muçulmana, está baseado numa trindade pitoresca: Maomé, Apolo[32] e Tervagam. São ainda retratados como idólatras (vv. 3363-3365), quando na verdade o Alcorão, desde sua redação em tempos de Maomé, no século VI, condena a idolatria – antes, portanto, de iniciado o movimento iconoclasta na Igreja Católica em tempos de Carlos Magno, no século VIII. No aspecto militar, desde a formação dos esquadrões, as características de armas e táticas militares até o grito de armas, homônimo às espadas de Carlos Magno e Balalão, encontramos como correspondentes esses dois mundos.

30. Thomas Atkinson Jenkins, "Why did Ganelos Hate Roland?", *Modern Language Association of America*, vol. 36, pp. 119-133, 1921.

31. Vide Stefano Rapisarda, "Would Another Roland be Possible? Ganelon's Reasons", *L'Immagine Riflessa*, ano XXII, n. 1-2, pp. 151-175, 2013.

32. Vide nota ao v. 8.

Se em todos esses aspectos prevalece o paralelismo entre os antagônicos universos, a diferença reside em que o cantar, a todo momento, esconjura o inimigo muçulmano, seja na onomástica criativa, na origem topográfica dos povos que compõem os esquadrões, nas suas práticas religiosas, seja na própria descrição física, que flerta com o fantástico. Nada disso, porém, é óbice para enaltecer algumas virtudes inimigas, em igual paralelismo, com os mais nobres cristãos. Assim, vemos uma longa e epidítica descrição da robustez de Balalão, que culmina com a exclamação do narrador: "Que barão, Deus, se cristianizado!"[33]; noutro aspecto, vemos também como Marsílio admite sua admiração por Carlos em virtude de sua avançada idade bicentenária (vv. 523, 539 e 552), e o próprio narrador afirma ser Balalão avançado em anos, pois sobreviveu a Virgílio e Homero (vv. 2615-2616), e nisto reside sua grande sabedoria nas coisas de sua lei (vv. 3174 e 3279), ostentando, semelhante a Carlos Magno, as barbas e os cabelos brancos como a flor de estio (vv. 3162 e 3173).

Evidentemente, o objetivo retórico desses aspectos não é enaltecer o inimigo muçulmano, mas a própria cristandade na figura de Carlos, pois o valor da vitória é equivalente à dignidade e o valor de um inimigo à altura. Nesse sentido, se vemos sempre um contingente muito superior do exército muçulmano na massa dos esquadrões inimigos – o que confere, por essa desproporção numérica, o heroísmo dos franceses na batalha – no combate singular, por outro lado, as personagens sarracenas devem ser equiparadas em virtudes bélicas. Assim, enfrentam-se emblematicamente Carlos e Balalão. Fora dos combates singulares, porém, caímos no menoscabo dos sarracenos, já indicados pela sua insólita e fantasiosa onomástica.

Podemos destacar três grupos mais numerosos de fórmulas onomásticas: *1.* os de grau diminutivo, depreciativos em *-in*, como Blancandrín, Clarín, Estramarín, Eudropín, Gemalfín etc.; *2.* os prefixados em *Mar-*[34], como Marsil, Margariz, Marcule, Marganices etc.; e *3.* os nomes formados por *mot-valise*, amálgama de palavras no anglo-normando como Malbien, Malcuit (malcozido), Malduit (malconduzido, malformado), Malprimis (mal-iniciado), Maltraien (mal-vindo, mal-movido) e Malpalin (mau-bastão), todos eles levados pelos demônios quando caídos em batalha, enquanto os anjos descendem aos cristãos.

Avançando ainda mais nessa lógica da depreciação, salta aos olhos do leitor moderno o tratamento depreciativo, xenofóbico, intolerante até, em relação à al-

33. "d'ſ quel baron ſouſt xpĭentet" (v. 3164).

34. No AND a entrada *Mar* está traduzida como um advérbio: em má hora, infortúnio, desgraçada, ou desastrosamente e, numa segunda acepção, como uma partícula de negação.

teridade que representa certos esquadrões das hostes inimigas no cantar. Sendo *O Cantar de Roldão* inscrito como um épico de exterior e de cruzada, é desconcertante e perturbadora a leitura de alguns versos que, porém, não destoam das características do gênero[35]. Se se poderia ter por escusada a reflexão em virtude de um óbvio anacronismo em caso de que uma eventual leitura desatenta queira levantar questões sociais contemporâneas diante da expressão da visão de mundo de um refundidor do século XI, não é sem razão a vênia – forçosa, portanto – à qual se quer recorrer ao traduzir epítetos dos mais degradantes e desumanos. Transcorridos séculos de violência e subjugação na história desses humanos, assumimos a tarefa do tradutor sem eufemismos, contando que essa travessia nos ensine mais sobre os descaminhos da humanidade e com cujo vislumbre possamos nos permitir uma natural e justa indignação.

35. Vide vv. 1916, 1918, 1933-1934, 3221-3226, 3229, 3238, 3523 e 3570.

Do Fato à Lenda

A narrativa de *O Cantar de Roldão* é uma versão poética construída a partir de um evento histórico ocorrido em 15 de agosto de 778[1] no Alto dos Pireneus de Navarra, reino autônomo da Espanha. A reconstituição dos fatos só foi possível com estudos comparatísticos[2] entre a historiografia árabe e os anais carolíngios da época e os imediatamente posteriores. Assim, para traçar uma breve síntese dos fatos que ensejaram o cantar, requer-se considerar também o contexto que culmina na Batalha de Roncesvales.

Após a morte de Maomé, o poder político do profeta foi dividido entre quatro califados primordiais, os omíadas, os abássidas, os fatímidas e os otomanos, divisão que é o cerne das dissensões no islamismo desde os eventos de 756, que ora nos interessam. Quando o omíada 'Abd al-Raḥmān II de Córdova, cuja dinastia havia sido derrotada e expulsa de Damasco pelos califas abássidas, se proclama deles independente, inicia-se uma série de conflitos internos e revoltas no território de Al-Andalus[3]. Em 777, o

1. A precisão da data da batalha se conhece graças ao epitáfio preservado de Eginhardo, senescal de Carlos, tombado nos vales de Roncesvales. Já o registro da localização foi preservado na "Nota Emilianense" e no próprio *Cantar de Roldão*, mas nem na historiografia árabe, nem nos anais carolíngios constam essas informações.
2. Aqui nos baseamos principalmente no trabalho de conjunto de Riquer, *Los Cantares de Gesta Franceses*.
3. Nome atribuído à Península Ibérica sob a dominação muçulmana.

uali[4] de Barcelona e Girona, Ibn al-ʻArabī, se aliou ao uali de Saragoça, Ibn al-ʻAnsarī, em oposição a ʻAbd al-Raḥmān, que, em resposta a essa sublevação, enviou uma ofensiva, sob o mando do general Thalaba, contra Ibn al-ʻArabī.

Derrotado e aprisionado Thalaba, o uali de Barcelona se deslocou até Paderborn[5], a conferenciar com Carlos, o rei dos francos, ou Alfaranja, como os árabes o chamavam. Talvez extrapolando no relato da conjuntura de levante em que se encontraria Al-Andalus, Ibn al-ʻArabī convenceu Carlos a auxiliá-lo contra as forças de ʻAbd al-Raḥmān, garantindo para isso que Ibn al-ʻAnsarī lhe abriria as portas de Saragoça para que o rei franco ocupasse essa importante praça e ali estabelecesse um estratégico protetorado contra o empurre iminente dos omíadas de Córdova.

Na ocasião, Carlos gozava da plenitude do seu poder como protetor da cristandade ocidental, pois acabara de derrotar os aquitanos, os lombardos e os insubmissos saxões. Pareceria irrecusável ao rei cristão, nessa conjuntura, a oferta de submeter facilmente o território de Al-Andalus? Para isso, bastou o prazo de reunir as forças procedentes de todo o seu reino, as quais, na Páscoa de 778, já estavam organizadas em duas colunas, a ocidental e a oriental, que deveriam se encontrar às portas de Saragoça (Figura 7, p. 143). A ocidental, mandada pelo próprio Carlos, era proveniente do norte da França, da Bretanha e da Nêustria. Essa se encontrou em Poitiers e passou pelo reino cristão independente dos navarros, os que, embora não devessem ver com bons olhos essa incursão, entregaram Pamplona sem resistência.

A coluna oriental era proveniente de diversas outras regiões: Austrásia; Baviera, na Alemanha; Borgonha e Provença, na França; e Lombardia, na Itália. Reuniu-se, provavelmente, em Rossilhão, região da Septimania, de onde seguiu por Barcelona e Lérida, onde se somaram Ibn al-ʻArabī e Ibn ʻAbu Ṯawr com seus exércitos muçulmanos às forças de Carlos. Chegadas as duas colunas às portas de Saragoça, encontraram-nas fechadas por Ibn al-ʻAnsarī, que, não havendo participado do trato com Carlos, jamais havia concordado. Por isso mesmo, nessa ocasião, já estava aliado com ʻAbd al-Raḥmān. Diante desse imprevisto, que mais soava à traição, Carlos, sem nenhuma alternativa, acampou ante os muros da cidade e fez prender Ibn al-ʻArabī.

4. Em transliteração do árabe, *wāli*, equivale, no mundo árabe, ao cargo de governador de uma província.

5. A cidade de Paderborn, na Alemanha, é muito rica em águas; erige-se sobre duas centenas de fontes que formam o rio Pader. Apreciador dos banhos, Carlos frequentava Paderborn a fim de usufruí-los, assim como o fazia em Aquisgrão (vide nota ao v. 36).

Porque se previa a rendição imediata, a expedição militar de Carlos não trazia consigo nenhum tipo de aparato bélico para subjugar uma cidade amuralhada feito Saragoça[6], nem tampouco recursos para um longo assédio[7]. Sem a menor possibilidade de sair vitorioso dessa empresa, Carlos não permaneceu ali com suas tropas mais do que um mês e meio, período dedicado apenas a negociações malogradas. Não havendo encontrado termo de acordo e assumindo o ônus do fracasso, Carlos se decide pela retirada das tropas, a que, no entanto, se demonstrou precipitada. Havia mobilizado um grande contingente de soldados por terras distantes e desconhecidas, na qualidade de aliado a reis muçulmanos; havia fracassado nas tentativas de negociação; e manteve, por pelo menos três meses, sua hoste longe de suas terras. A retirada parecia forçosa e urgente.

A decisão seguinte lhe custou ainda mais do que um mero fracasso nos objetivos. Carlos, sob o mando da vanguarda, perfilou atrás de si todo o contingente das duas colunas que ali se encontraram para seguir o caminho da coluna ocidental, os escarpados e estreitos desfiladeiros pirenaicos. O que ocorreu em seguida está silenciado nos anais carolíngios, mas a historiografia árabe relata que, havendo Ibn al-'Arabī como prisioneiro, houve uma primeira atividade militar sobre o "grosso do exército"[8] de Carlos, quando este se encontrava já próximo a Pamplona: os dois filhos de Ibn al-'Arabī atacaram com suas tropas o exército franco, com um golpe de mão, e conseguiram resgatar seu pai. Nada indica, nos registros existentes, que essa atividade teve alguma consequência maior ou que se prolongasse numa batalha, pois, uma vez alcançado este objetivo, não parecia haver sentido prosseguir na ofensiva.

6. São as armas de cerco as catapultas, de origem grega, os trabucos e as manganelas, essas já propriamente medievais. Têm a mesma finalidade de lançar grandes projéteis a longas distâncias com grande impacto a fim de derrubar muralhas ou suplantá-las na altura. Diferem na precisão e no princípio físico de propulsão, ou por corda tensionada, como as catapultas e as manganelas, de trajetória mais baixa, ou por contrapeso, no caso do trabuco, mais preciso e de trajetória mais alta. Outra possibilidade era o emprego da torre de cerco, construída em madeira forrada em couro molhado, resistente ao fogo das flechas inimigas. Era, portanto, mais segura que uma escada para que os soldados suplantassem o muro. Com a torre de cerco, uma vez no alto dela, tendia-se uma ponte até a fortificação a ser invadida. Para armas de cerco, nos embasamos no manuscrito *De Machinis* do engenheiro Mariano di Jacopo.
7. O cerco ou o assédio é um bloqueio militar prolongado no entorno de uma fortificação ou cidade amuralhada, com o objetivo de impedir a evasão do inimigo. Eventualmente, poderia seguir-se um assalto, a fim de ganhar a praça pela força da invasão ou, do contrário, impedia-se a entrada de provisões, desgastando o inimigo até sua rendição pela fome, já que, em geral, a principal fonte de alimento se encontrava em campos extramuros dessas cidades, que eram, ademais, saqueados pelos sitiadores.
8. Ou seja, em nenhum caso se trata da retaguarda. É muito provável que Carlos mantivesse o prisioneiro sob sua supervisão, na vanguarda.

Passado meio século desse 15 de agosto, por volta de 830, Eginhardo, o biógrafo de Carlos Magno, relatou o que houve nessa data com a retaguarda, quando este já se aproximava da França, estando aquela ainda no alto do Pirineu navarro:

> Retornando, pelos mesmos cumes dos Pireneus, ocorreu experimentar subitamente a perfídia gascona. Com efeito, quando o exército avançava numa grande e estendida coluna, tal como permitia sua posição no estreito terreno, os gascões, emboscados no ponto mais alto dos montes – pois este lugar, à sombra dos bosques onde há mais possibilidades, é ideal para preparar emboscadas – se atiraram sobre a retaguarda, que levava os equipamentos e cobria as tropas avançadas, e os lançaram ao fundo do vale. Uma vez travada a batalha, mataram a todos, sem interrupção, até o último, além disso, saquearam a bagagem e se dispersaram por todas as partes com grande rapidez, resguardando sua direção sob o amparo da noite. Nessa ocasião, estavam favorecidos os gascões pela leveza de seu armamento e a disposição do terreno onde a operação bélica teve lugar; os franceses, pelo contrário, dado o pesado armamento e a irregularidade do terreno, ficaram em desvantagem frente a todos os gascões. Nesta batalha, Eggihardo, o senescal do rei, Anselmo, conde palaciano, e Roldão, prefeito da marca da Bretanha, entre muitos outros, encontraram a morte. Esse fato nem sequer pôde ser vingado no imediato, porque, levado a termo o ataque, o inimigo já estava disperso, de tal modo que não restou sequer indício de em que país poderiam buscá-los[9].

Embora pareça um erro evidente perfilar todo o contingente em posição tão desfavorável quanto a que estavam expostos os soldados de Carlos ao passar pelos desfiladeiros de Roncesvales, há que considerar que se acreditassem seguros pela superioridade presumida de que gozavam os defensores da cristan-

9. "*Praeter quod in ipso Pyrinei iugo Wasconicam perfidiam parumper in redeundo contigit experiri. Nam cum agmine longo, ut loci et angustiarum situs permittebat, porrectus iret exercitus, Wascones in summi montis vertice positis insidiis – est enim locus ex opacitate silvarum, quarum ibi maxima est copia, insidiis ponendis oportunus – extremam impedimentorum partem et eos qui novissimi agminis incedentes subsidio praecedentes tuebantur desuper incursantes in subiectam vallem deiciunt, consertoque cum eis proelio usque ad unum omnes interficiunt, ac direptis impedimentis, noctis beneficio, quae iam instabat, protecti summa cum celeritate in diversa disperguntur. Adiuvabat in hoc facto Wascones et levitas armorum et loci, in quo res gerebatur, situs, e contra Francos et armorum gravitas et loci iniquitas per omnia Wasconibus reddidit impares. In quo proelio Eggihardus regiae mensae praepositus, Anshelmus comes palatii et Hruodlandus Brittannici limitis praefectus cum aliis conpluribus interficiuntur. Neque hoc factum ad praesens vindicari poterat, quia hostis re perpetrata ita dispersus est, ut ne fama quidem remaneret, ubinam gentium quaeri potuisset*" (Eginhardus, "Vita Karoli Magni", em Georg Heinrich Pertz (ed.), *Monvmenta Germaniae Historica*, Hannover, Scriptorivm, 1911, cap. IX).

dade. Certo é que foi uma derrota imprevisível e de grande impacto ao reino carolíngio. Além das armas, cavalos e suprimentos saqueados, Carlos perdeu muitos soldados e, como sabemos por Eginhardo, ao menos três homens do alto escalão da corte.

Uma outra versão dos fatos, não havendo presente no uníssono dos trabalhos filológicos acerca de *O Cantar de Roldão*, esses consensualmente embasados em *Vita Karoli*, encontramos em um artigo de Jesús Riosalido[10], embaixador da Espanha. O autor apresenta um breve histórico sobre a presença viquingue na Península Ibérica, dividindo-a em três fases: um primeiro período de penetração indireta (séculos VIII ao IX), com mercadores de escravos e em atividades de espionagem a mando dos normandos; segundo período de invasões, do século IX ao XI, contra os muçulmanos primeiro e contra os cristãos depois; e o terceiro período de assentamento, em que identifica uma confusão étnica, havendo sido esses povos do norte assimilados pela cultura espanhola já cristianizada.

Do primeiro período, Riosalido exemplifica como uma atividade de espionagem a atuação de um eslavo viquingue que foi enviado pelo rei Carlos para provocar a sublevação de Ibn al-'Ansarī, de Saragoça, e Ibn Ṯawr, de Huesca, contra 'Abd al-Raḥmān II, de Córdova. O plano, então aceito e empreendido conforme a vontade do rei normando, era que seus novos aliados acompanhassem suas tropas às portas de Saragoça, mas uma vez encontrando-as fechadas por al-Ḥusain Ibn Yaḥyà, desencadeou-se uma desordenada fuga que terminou em Roncesvales, onde as tropas foram aniquiladas pelos gascões, a quem o Califa havia prometido as prebendas, ou seja, a quinta parte do butim. Por fim, Riosalido dá por incerto que o rei Carlos estivesse nessa desastrosa expedição, ou se em seu lugar, algum general, talvez o próprio Roldão, mas a diferença entre as versões históricas, em qualquer caso, salta aos olhos.

Por muito tempo acreditou-se que os responsáveis pela emboscada de Roncesvales eram os bascos, do País Basco, uma região independente entre a Espanha e a França que, embora compreenda também a comunidade de Navarra, não pode ser culpada, conforme os textos latinos explicitam. A dificuldade de precisar a autoria do ataque está em que o léxico Wascones, que aparece no texto de Eginhardo, tanto pode se referir aos bascos, um povo da montanha, que vive no alto do Pireneu, quanto aos habitantes da Wasconia, a Gasconha francesa, onde fica o Ducado de Aquitânia, região sob o domínio de Carlos desde Pepino, embora sempre rebelde.

10. Jesús Riosalido, "Los Vikingos en Al-Andalus", *Al-Andalus Magreb: Estudios Árabes e Islámicos*, n. 5, pp. 335-344, 1997.

Do ponto de vista filológico, portanto, não poderíamos afirmar nenhuma precisão acerca de qual país haveria sido responsável pelo massacre à retaguarda franca. Essa dúvida parece haver sido dirimida apenas considerando que, em 24 de setembro do mesmo ano de 778, Carlos já se encontrava em Heristal, na Bélgica, quando tomou drásticas medidas contra a Gasconha, destituindo todas as autoridades da região da Aquitânia. O que parece ser uma medida dura e precipitada, sem que haja registro disso nos anais carolíngios, pode ser razoável se Carlos considerasse culpados do ataque à retaguarda os gascões. Em qualquer caso, bascos ou gascões, foi um ataque de forças cristãs contra o defensor da cristandade.

Superada a questão da autoria do ataque, parece que alguns aspectos desse evento não convinham ser admitidos e divulgados à época, pois dez anos depois do texto de Eginhardo, no ano de 840, aparece a biografia do sucessor de Carlos Magno, Luís I. Trata-se de um texto anônimo, mas frequentemente atribuído ao "Astrônomo Limosin", nome que faz referência a diversos comentários de astronomia ao longo do texto. Nessa biografia, *Vita Hludowici Imperatoris*, o autor retoma o evento de 778, mas em termos bem diferentes:

> Superadas as dificuldades dos montes pirenaicos, [Carlos] decidiu ir à Espanha socorrer, com o apoio de Cristo salvador, a Igreja que sofria o crudelíssimo jugo dos sarracenos [...] e sucedeu um certo infortúnio com a retaguarda real: no mesmo ponto da montanha, seus exércitos foram exterminados. Porque são muito conhecidos, me abstenho de dizer os nomes [dos mortos em combate][11].

Vemos com esse texto que, sessenta anos depois do evento histórico, já havia uma versão oficial mais conveniente para a imagem do defensor da cristandade. Podemos dar por certo o amplo conhecimento do ocorrido nos eventos de Roncesvales, nesses termos, a partir da opção do biógrafo de Luís I de se abster, por serem muito conhecidos, de listar os nomes das vítimas da ofensiva, cuja autoria omitida dá margem a que se acredite numa nova versão dos fatos e numa outra culpa: o crudelíssimo jugo sarraceno. A partir desse ponto, começa a lenda.

11. "*Limosin, [...] statuit Pyrinaei montis superata difficultate ad Hispaniam pergere, laborantique aecclesiae sub Sarracenorum acerbissimo yugo Christo fautore suffragari [...] infortunio obviante extremi quidam in eodem monte regii caesi sunt agminis. Quorum, quia vulgata sunt, nomina dicere supersedi*" (Astrônomo Limosin, "Vita Hludowici Imperatoris", *apud* León Gautier (ed.), *Chanson de Roland*, Tours, Alfred Mame et fils, 1899, p. 14).

Vozes que Silenciam a História

A expressão "silêncio dos séculos" de Bédier não explica senão o desconhecimento dos caminhos por que percorreram diferentes tradições narrativas até se conformarem em matérias lendárias. Muitos estudiosos, contudo, desde o século XIX, empenharam-se em reconstituir esses caminhos, resgatando e trazendo à luz elementos que, no conjunto, nos ajudaram a auscultar o silêncio de Bédier que, afinal, se pôde ouvir. Essa empresa, no que concerne a *O Cantar de Roldão*, não se apouca na mera curiosidade de fatos contrapostos à lenda, mas, recuperando a opinião de Martín de Riquer[1], se engrandece à medida que nos permite mais admirar o valor poético do cantar e, no limite do contemporâneo, seu valor literário, pois que aquele precede a esse, e não se opõe.

A lenda que empana os fatos históricos na tradição oral e posteriormente na literária, como vimos, começa a ser esboçada, não gratuitamente, já com o biógrafo do sucessor de Carlos, no século IX. Desde esse ponto até a circulação oral de um cantar prototípico do Manuscrito de Oxford, por volta do século XI e início do XII, se algo foi silenciado, foi a história. Prevaleceu a lenda. Compreendendo isso, não poderíamos afirmar que a fantasiosa narrativa do cantar é fruto exclusivo da inventividade do autor, mas de uma tradição prévia que

1. Martín de Riquer, *Los Cantares de Gesta Franceses*, p. 47.

alimenta seu poder criativo, o que nos leva a concordar com a teoria de síntese da origem dos cantares de gesta.

Essa tradição lendária, prévia à composição do cantar, está modesta, porém inequivocamente documentada em diferentes momentos da história e regiões de abrangência da lenda. O *Liber Sancti Jacobi*, também conhecido por *Códice Calixtino*, é um manuscrito do século XII, pulcramente iluminado, composto por cinco livros, os quais são: *Liber I*: liturgia; *Liber II*: milagres de Santiago; *Liber III*: da trasladação do corpo de Santiago à Compostela; *Liber IV*: *Historia Karoli Magni et Rothalandi*; e *Liber V*: guia do peregrino de Santiago de Compostela. Aqui nos interessam os livros IV e V.

A história da atuação de Carlos Magno e Roldão em terras hispânicas, narrada no códice, é conhecida como *Crônica do Pseudo Turpino*, pois se trata de uma atribuição apócrifa ao Arcebispo Turpino de Reims como autor. Com muitos pontos comuns a *O Cantar de Roldão* que encontramos no manuscrito de Oxford, difere-se em que a motivação da expedição de Carlos é dada a partir de uma aparição do Santo apóstolo Tiago a Carlos, quem lhe manda deixar livre de "pagãos" o caminho que conduz a seu sepulcro em Compostela; e, na batalha travada em "Runciavalles", Turpino deve sobreviver, já que se propõe ser dele a autoria.

No livro V, o guia de peregrinos traz uma série de conselhos práticos a quem queira empreender a peregrinação e, sobretudo, a descrição dos pontos de interesse ao longo do caminho:

> Depois, ainda encontram, na descida da mesma montanha, uma hospedagem e uma igreja em que está a pedra que Roldão, poderosíssimo herói, fendeu de cima abaixo com três golpes de sua espada. Em seguida, encontra-se Roncesvales, seguramente o local que, em outro tempo, ocorreu a grande guerra na qual o rei Marsílio, Roldão e Oliveiro, junto com outros 140 mil guerreiros cristãos e sarracenos, foram mortos[2].

E continua descrevendo, no capítulo seguinte, a Igreja de São Romão em Blaye, onde descansa o corpo de Roldão e a Basílica de São Severino em Bordéus, onde se pode observar o olifante do herói.

2. *Postea vero in descensione eiusdem montis invenitur hospitale et ecclesia, in qua est petronus, quem Rotolandus heros potentissimus, spatha sua, a summu usque deorsum per médium trino ictu scidit. Deinde invenitur Runciavallis, locus scilicet quo bellum magnum olim fuit factum, in quo rex Marcirus, et Rotolandus, et Oliverus, et alii pugnatoris cxl millibus christianorum simul et sarracenorum occisi fuere* (*Liber de Miraculis S. Jacobi*, em P. F. Fita, J. Vinson (eds.), *Le Codex de Saint-Jacques de Compostelle*, Paris, Bibliothèque Nationale de France, 1882, p. 15)

Em 1954, Dámaso Alonso trouxe à luz o que se considera hoje o mais importante, porque mais antigo, documento que faz referência à lenda carolíngia de Roncesvales. Encontra-se no *Códice Emilianense 39* da Real Academia de Historia de Madrid[3], que foi retirado do Monastério de San Millan de Congola, em La Rioja, uma localização próxima ao Caminho de Santiago de Compostela. A escrita visigótica, própria do século x na Espanha, contribuiu para datar todo manuscrito, mas é uma nota, da mesma mão, à margem direita do fólio 245r, que conhecemos por "Nota Emilianense", que nos interessa:

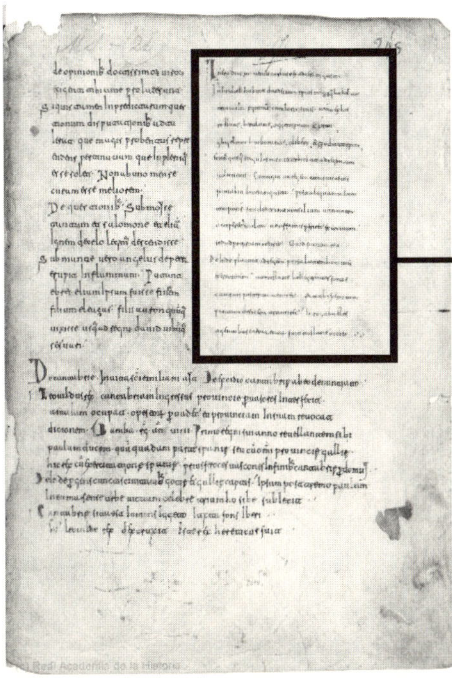

Figura 4. Códice Emilianense 39, *fl. 245r.*

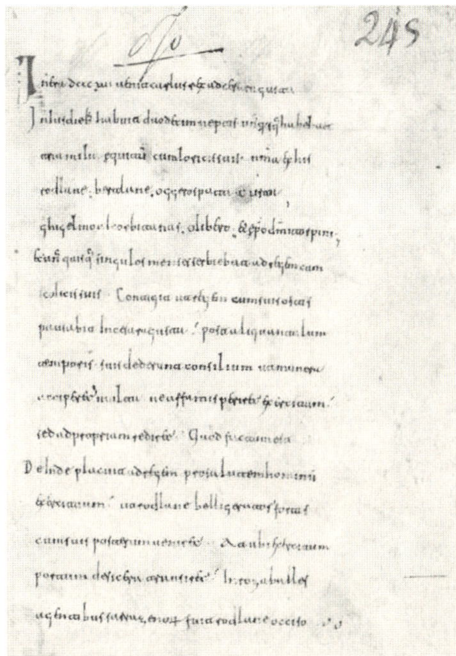

Figura 5. *Destaque:* "Nota Emilianense".

A partir da transcrição da "Nota", lemos:

Na era de 816[4] o rei Carlos veio a Saragoça. Naqueles dias, tinha Doze Pares[5], cada qual com três mil cavaleiros com suas lorigas. O nome deles era: Roldão, Alberto, Ogier

3. *Enchiridion de fide, spe et caritate* [Manuscrito]; *Liber questionum/Augustinus* [Hipponensis]; *Instructionum libri II/Eucherius Lugdunensis*, Biblioteca Digital da Real Academia de História, fl. 245r. Disponível em: http://bibliotecadigital.rah.es
4. A era hispânica parte de 38 a.c., em referência à romana; o ano 816, portanto, corresponde a 778.
5. *Neptis*, que literalmente pode ser traduzido por "sobrinhos", aqui não deve fazer referência a laços sanguíneos, mas aos Doze Pares de França.

espada curta, Guilherme do nariz curvo, Oliveiro e o Arcebispo Dom Turpino. E cada um deles, por um mês, servia ao rei com sua mesnada. Ocorreu, pois, que o rei, com suas hostes, parou em Saragoça. Depois de algum tempo, os seus declararam em conselho que aceitasse os muitos presentes a fim de que seu exército não perecesse de fome e retornasse a seu país. O que, de fato, aconteceu. Logo, ajuizou o rei que, pela conservação de todo o seu exército, Roldão, guerreiro robusto, fosse com os seus na retaguarda. Quando o exército atravessava o porto de Cícera, em Roncesvales, Roldão foi morto pelas gentes sarracenas[6].

O fato de ser o próprio rei Carlos quem designa Roldão para a retaguarda descarta qualquer pretexto de traição e, nesse aspecto, a "Nota" se aproxima de *Vita Karoli*, sem a construção ficcional da culpabilidade de Galalão. Por outro lado, já temos os sarracenos como responsáveis pelo ataque à retaguarda, e não mais os *wascones*, o que nos remete à *Vita Hludowici* e ao *Liber Sancti Jacobi*. Estando, portanto, o estágio da lenda registrado na "Nota Emilianense" entre o de *Vita Karoli* e o de *Sancti Jacobi*, ponderamos aqui mais um aspecto não pouco relevante: o texto indica doze *neptis* de Carlos e anuncia, em seguida, que os relacionará. Na lista, porém, só figuram seis, dos quais apenas Roldão e Oliveiro coincidem com os pares de *O Cantar de Roldão*. Outros, ainda, que figuram na Nota, excetuando-se Turpino e Ogiero, sequer aparecem no cantar. O fato de estarem omitidos seis nomes levou Riquer[7] a afirmar que se trata de uma cópia, pois o copista, evidentemente, haveria saltado duas linhas do texto que tinha à frente.

A maior importância da "Nota Emilianense", contudo, reside em ser o mais antigo documento que registra a localização da batalha que vitimou Roldão e os Pares de França. Com o auxílio de especialistas em paleografia, Dámaso Alonso situou a "Nota" entre 1065 e 1075, sem ceder às tentações de maior antiguidade; sendo, todavia, uma cópia, pode-se imaginar ainda certa anterioridade do texto original. Tudo isso implica que possamos conceber, já na primeira metade do

6. "*In era dcccxui uenit carlus rex ad cesaragusta in his diebus habuit decim neptis · unusquisque habitat tria milia ęquitum cum loricis suis · nomina ex his rodlane · bertlane · oggero spata · curta ghigelmo alcorbitanas · olibero · et ępiscopo domini torpini. Et unusquisque singulos menses serbiebat ad regem cum scolicis suis ·· Contigit ut regem cum suis ostis pausabit In cesaragusta / Post aliquantulum temporis · suis dederunt consilium ut munera aciperet multa · ne a ffamis periret exercitum / sed ad propriam rediret · Quod factum est: · Deinde placuit ad regem pro salutem hominum exercituum / ut rodlane belligerator fortis cum suis posterum ueniret ·· At ubi exercitum portum de sicera transiret / In rozaballes a gentibus sarrazenorum fuit rodlane occiso* ("Nota Emilianense", *Archives de Littérature du Moyen Âge*, transcrição de Françoise Rainville, https://arlima.net/no/5230).

7. Martín de Riquer, *Los Cantares de Gesta Franceses*, p. 104.

século x, uma prolixa circulação de uma matéria lendária que silenciara aspectos da história que a originou, integrando todo um imaginário popular da Europa medieval de tradição oral, apenas parcial, eventual e tardiamente registrada, e que Galalão surge como uma criação inteiramente ficcional do poeta, mais tardia, ao que parece, do que a criação de Oliveiro.

A Estrutura do Cantar

A obra *Los Cantares de Gesta Franceses*, de Martín de Riquer, surge sem maiores ambições do que ser um manual para estudantes e estudiosos do assunto. Em cartas a Dámaso Alonso, diretor da coleção Biblioteca Románica Hispánica da editora Gredos, quem lhe encomendou o livro, Riquer se orgulhava de seus alunos da cátedra de Literaturas Românicas, pois comprovava que conheciam melhor a literatura francesa medieval que os alunos de Sorbonne. Compilando, pois, em pouco mais de quatrocentas páginas o que foram suas aulas na Universidade de Barcelona, dois anos depois de sua primeira edição em 1952, o livro é também publicado em francês e se torna uma obra de referência e consulta obrigatória para todo estudante de românicas na Europa. O autor não teve dúvida (a despeito da resistência inicial de seu editor) de dedicar o primeiro e mais extenso capítulo, de 110 páginas, exclusivamente a *O Cantar de Roldão*, justamente onde encontramos sua mais iluminada reflexão acerca da matéria:

> Tarefa inútil haveria sido todo o precedente, assim como os esforços de mais de um século de pesquisa e a constante análise de que foi objeto a mais insignificante passagem, verso ou vocábulo de *O Cantar de Roldão*, se não se tratasse de uma das mais belas manifestações do gênio artístico do mundo românico dos tempos médios [...] poder-se-ia discuti-la desde o ponto de vista histórico ou lendário, mas, no final das contas, a única fórmula válida é desde o ponto de vista estético[1].

1. "Tarea inútil hubiera sido todo lo que antecede, así como los esfuerzos de más de un siglo de inves-

Atendendo a essa inspirada observação do professor Riquer, percebemos que, se todo o exposto até aqui esteve eclipsado pelos véus da dúvida e das hipóteses, fossem complementares ou excludentes, a despeito de todo rigor empenhado em traçá-las, no plano estético, a análise repousa sobre as únicas certezas não apagadas pelo tempo. Ainda que essa análise tampouco se reclame unívoca, trata-se da certeza de estarmos diante de um material criteriosamente trabalhado, poeticamente urdido por uma pena, não apenas inspirada, mas cônscia de sua arte.

Já vimos como a composição dos dois mundos em conflito respondem a diferentes princípios composicionais: o cristão segue uma ordem ideológica, amparada na doutrina histórica; o muçulmano, dito pagão, segue, numa lógica ficcional, em paralelismo ao primeiro. Já nesse aspecto, identificamos uma perfeita simetria de elementos, como a dos Doze Pares sarracenos sendo reflexo dos Pares franceses e, esses, históricos, inspirados na numerologia bíblica, sendo doze as tribos de Deus, no Velho Testamento, e doze os apóstolos de Cristo[2] no Novo Testamento, além dos apocalípticos múltiplos de doze. Seguindo essas correspondências numéricas, perceberemos que no cantar aparecem exatas 56 personagens cristãs e 56 personagens sarracenas, o que, muito embora outras reflexões e conjecturas pudessem suscitar[3], demonstra apenas o plano estrutural e paralelístico de composição do cantar.

Quanto à unidade, o cantar se permite dividir, perfeitamente, em quatro partes, ainda que alguns críticos e editores não reconheçam a autenticidade de todas elas – perspectiva que tem se mostrado cabalmente infundada, à luz da manifesta correspondência entre elas. Assim, temos:

I. A TRAIÇÃO (vv. 1 a 813): Marsílio, o sarraceno que reina em Saragoça, a única cidade não invadida pelas tropas cristãs do rei Carlos, está apavorado com sua interminável presença nas terras da Bela Espanha. Temeroso de sua própria sorte, pede conselho a seus barões e lhe é sugerido que envie ricos presentes a Carlos, com a enganosa promessa de receber sua lei espiritual, na condição de que o rei franco retorne a seu país.

tigación y el constante análisis de que ha sido objeto el más insignificante pasaje, verso o vocablo de *Chanson de Roland*, si no se tratara de una de las más bellas manifestaciones del genio artístico del mundo románico de los tiempos medios [...] podrá discutirse desde el punto de vista histórico o legendario, pero al fin y al cabo es la única fórmula válida desde el estético" (Martín de Riquer, *Los Cantares de Gesta Franceses*, pp. 117-118).

2. Para tal afirmação nos embasamos na intertextualidade demonstrada na nota aos vv. 170-178.
3. Isso percebendo, Riquer (*Chanson de Roland, Cantar de Roldán y el Roncevalles Navarro*, p. 51) nega qualquer possibilidade de intenções simbólicas.

Diante da proposta que lhe foi então comunicada, Carlos consulta seus barões e Roldão se precipita em opinar por não crer em Marsílio e sitiar Saragoça até que se renda, mas seu padrasto, Galalão, convence os demais do contrário. Deliberado, pois, por enviar uma embaixada a Marsílio para tratar os termos do acordo, deve-se escolher quem irá para a arriscada missão, pois Marsílio já havia matado outros em circunstância equivalente no passado. Carlos recusa a solicitude de Roldão e de outros Pares, dos quais não poderia prescindir, mas quando Roldão sugere que vá Galalão, ele é aceito. Enfurecido por se entender prescindível ao rei, jura prejudicar seu filhastro no futuro. Assim, uma vez em Saragoça, Galalão aceita muitos presentes de Marsílio ao tramar com ele a morte de Roldão, o que enfraqueceria o poder bélico de Carlos.

II. A DERROTA (vv. 814 a 2396): acreditando no mau acordo, Carlos empreende o retorno à França, para o qual Galalão, cumprindo o que lhe cabia na traição acordada, indicara Roldão para o mando da retaguarda, liderando os Doze Pares de França e mais vinte mil soldados. Quando Carlos já está chegando ao Porto de Cícera, na França, com o grosso do exército, a retaguarda encontra-se ainda no alto dos desfiladeiros pirenaicos, onde Oliveiro sobe a uma colina e vê aproximar-se o ingente exército de Marsílio, com mais de cem mil sarracenos. Apressura-se então a pedir que Roldão soe seu olifante, a fim de que Carlos retorne para acudi-los em tempo, mas Roldão se recusa a fazê-lo a fim de preservar sua fama, querendo, pois, a batalha. O combate é duro e, quando Roldão se dá conta de que todos cairão em Roncesvales, quer finalmente soar o olifante para que Carlos os possa vingar, mas Oliveiro alterca com ele, por não o haver feito quando devia. O Arcebispo Turpino intercede para que, finalmente, o soe, a fim de que ganhem justa sepultura e seus corpos não sejam profanados, e assim Roldão o faz com tanto vigor que se lhe estouram as têmporas.

Quando Carlos ouve o chamado de Roldão, entende que Galalão o havia traído, ao que manda prendê-lo e empreende rápido retorno. Depois de todos os demais mortos, e os últimos sarracenos saírem em fuga, inclusive Marsílio, com a mão direita cerceada por Roldão, restam vivos apenas ele e Turpino, os donos do campo de batalha. Roldão sai então em busca dos Doze Pares tombados, a fim de que Turpino lhes conceda uma oração fúnebre, depois do que morre também o clérigo guerreiro. Roldão tenta romper sua espada a fim de que não caia em mãos inimigas, mas só faz fender a pedra contra a qual resiste a lâmina. Fracassado o intento, deita-se na relva mortuária sobre sua espada, pede perdão e entrega sua luva direita a Deus, símbolo de vassalagem e última homenagem feudal.

Recolhe-a o anjo Gabriel que, com outros querubins, leva a alma do conde ao Paraíso. Tombou como queria, com a cabeça direcionada às terras de Espanha, como um conquistador.

III. A VITÓRIA (VV. 2397 a 3674): chegando, porém, ao campo quando todos já estão mortos, o rei manda que cuidem e guardem os corpos dos francos e sai em perseguição dos poucos sarracenos sobreviventes. Como o crepúsculo se aproxima, Carlos pede a Deus que detenha o Sol e retarde a noite a fim de que não escapem os sarracenos. Opera-se o milagre. Saem então em perseguição e os que não são alcançados e mortos pelos francos afogam-se no rio Ebro, exceto Marsílio, que alcança Saragoça. Derrotados todos os outros sarracenos, Carlos ajoelha-se para agradecer a Deus, e o Sol se põe.

Sete anos antes, porém, quando Carlos chegava à Espanha, Marsílio havia pedido auxílio ao emir Balalão, da Babilônia, senhor de Marsílio e de todos os sarracenos. Naquela mesma noite, quando Carlos está acampado às margens do Ebro, Balalão chega a Saragoça com um exército de quarenta nações e Marsílio lhe entrega a luva, a cidade e todos os feudos. No dia seguinte, Carlos retorna a Roncesvales e vai em busca de seu sobrinho, por quem mostra grande dolo, desmaia duas vezes, arranca cabelos e barbas, cem mil também choram e desmaiam. Anuncia-se a grande batalha entre as forças do senhor de todos os francos e as do senhor de todos os sarracenos.

Ao final, tem-se o combate singular entre Carlos e Balalão. Quando Carlos é, num golpe, escalpelado pelo rei sarraceno e quase cai, o anjo Gabriel lhe fala ao ouvido, incitando a recobrar batalha. Carlos então recupera suas forças e derrota Balalão, com o que parece haver limpado a Terra de todos os sarracenos, o que não se mostrará verdadeiro nos últimos versos. Quando Marsílio vê chegar vitoriosas as tropas de Carlos a Saragoça, morre de dor. Os sarracenos que ali não queiram se converter são mortos e todas as imagens e ídolos são quebrados. Apenas Bramimonda, a rainha, será levada à França para se converter por exemplo e amor.

IV. A JUSTIÇA (VV. 3675 a 4002): chegados em Aquisgrão, na França, Alda, a irmã de Oliveiro, prometida de Roldão, morre ao saber do trágico fim do herói. Começa o juízo de Galalão, que alega inocência, pois havia prometido a vingança contra Roldão e todos o testemunharam, o que não seria, em sua perspectiva, traição, com o que convence os barões, mas Carlos se lamenta. Teodorico de Anjou se opõe a esse argumento dizendo que Galalão estava a serviço do rei e, ao prejudicá-lo, incorreu em traição, e desafia quem quer que se lhe oponha sob o juízo de sua espada.

Pinabel, parente de Galalão, aceita combatê-lo, no que parece ser um duelo entre Davi e Golias e para o qual Carlos pede mais trinta parentes de Galalão como reféns. Quando Teodorico dá morte a Pinabel, diz-se haver sido operado um milagre. Todos os parentes de Galalão são enforcados e ele é atado a quatro destreiros corredores, que o desmembram. Bramimonda, a rainha da Espanha, viúva de Marsílio, é enfim convertida e recebe o nome de Juliana. Quando toda a justiça é feita, Carlos quer descansar em sua alcova, mas recebe a visita do anjo Gabriel que lhe manda reunir as hostes em socorro de Vivieno, sitiado por mais sarracenos. Carlos chora e arranca-se as barbas.

Do enredo do cantar, podemos perceber que, de forma inequívoca, a primeira parte corresponde à última, e a segunda parte corresponde à terceira. A derrota de Roncesvales é, em seguida, vingada quando Carlos vence todas as tropas de Balalão, mas só é feita justiça à traição urdida na primeira parte, quando Pinabel perde o combate para Teodorico e Galalão e seus parentes são todos mortos. São, portanto, duas unidades temáticas que se correspondem: a traição e a justiça; a derrota e a vitória.

Para a cabal vitória, a personagem Balalão é central, do ponto de vista ético de uma sociedade feudal. Se Roldão, depois de muito resistir, como vassalo, pede auxílio a Carlos, seu senhor feudal, esse tem o dever de lhe atender. Mas o retorno do sobrevivente Marsílio a Saragoça não é fortuito nem tem ares de vitória, mas tem a função narrativa de trazer Balalão, a quem havia pedido auxílio, por isso Marsílio não poderia haver morto em Roncesvales. Carlos, por sua vez, pouco tem que ver com Marsílio, pois sua justiça deve ser feita contra o senhor do vassalo que afrontou seu vassalo.

Assim, chegamos na épica cena do embate entre os dois anciãos de barba florida, sábios e nobres. A vitória, nessa circunstância, diferente dos sucessivos embates entre francos e sarracenos que vimos até esse ponto, não pode ser resultado de uma superioridade física, maior bravura ou de habilidade com as armas, porque essa é uma questão maior: trata-se da justiça, não dos homens, mas divina. Dois indícios nos dá o poeta sobre este combate singular: "sem homem morto, não há como termine"[4] e "já não pode prosseguir essa batalha, / sem que um reconheça a injustiça"[5]. A justiça deve ser inequívoca, e só será assim a partir do reconhecimento e da morte por parte do injusto.

4. "Seinz hume mort ne poet eſtre acheuee" (v. 3578).
5. "ceſte bataille ne poet remaneir unkeſ. / Joſque li unſ ſun tort i reconuiſſet" (vv. 3587-3588).

O combate, portanto, ganha forma de juízo, pois ambos tentam, entre golpes, convencer o outro da sua injustiça, a que, como vimos, sempre estará, na forma do "juízo de Deus", ao lado do derrotado, pois é Deus quem a põe de manifesto e a cobra, e, no cantar, o faz pela vitória de Carlos sobre Balalão, quem compreende tarde que falsa é a sua fé e o seu Deus (vv. 3553-3554). A mesma fórmula das negociações entre golpes e do juízo de Deus se repetirá no combate entre Pinabel e Teodorico, e a vitória do remedo de Davi é reconhecida como milagre porque aí também opera o Deus dos justos. As duas metades temáticas têm, portanto, o mesmo formulário desfecho: o direito que, face à injustiça, afinal prevalece. Nesse sentido, podemos compreender que *O Cantar de Roldão* é um poema epidítico não só à cristandade, em detrimento dos muçulmanos, não só dos francos contra os sarracenos, mas de todo um sistema ético de sociedade que se queria enaltecer e preservar.

Ao compreender essa simetria como não casual, logo nos atentamos que o cuidadoso emprego de recursos retóricos no poema, de notórios, reforçou significativamente os argumentos em favor da hipótese de autor culto e clérigo, único estrato social a dominar hegemonicamente essa disciplina nos tempos médios. Apesar de toda sobriedade dominante no cantar, encontramos dois procedimentos estilísticos mais recorrentes:

Oppositum: Recurso da *amplificatio* que trata de afirmar e, em seguida, negar o contrário, a fim destacar a afirmação, como em: "Morto é o conde, que já não mais perdura"[6]. E, seguindo a lógica da mesma *amplificatio*, poderíamos compreender esse *oppositum* no plano temático, como a afirmação ética e estética do cristão e a negação ética e estética do seu oposto sarraceno, ao longo de todo o cantar.

Paralelismo: É o recurso mais largamente explorado. Além do paralelismo temático que já apontamos entre as duas metades – traição e justiça, derrota e vitória – encontramos esse recurso em todos os demais níveis linguísticos, como nos pares substantivos, "e por honra e bem vos tornareis vassalo"[7]; nos pares adjetivos, "por Carlos Magno, grisalho e encanecido"[8]; nos pares sintagmáticos, "pela barba e o bigode meus floridos"[9]; nos pares de versos, como o "Quando fez, o Imperador, sua vingança"[10], com o "Quando fez, o Imperador, sua justiça"[11]; e,

6. "Morz eſt li quenſ que pluſ ne ſe demuret" (v. 2021).
7. "Serez ſeſ hom par hon y par ben" (v. 39).
8. "de carlemagne ki ~ canuz y blancſ" (v. 551).
9. "par ceſte barbe y par ceſt men gernun" (v. 249).
10. "Quant li emp̧ereſ ad faite ſa ueniance" (v. 3975).
11. "Qvant lemp̧ere ad faite ſa iuſtiſe" (v. 3988).

finalmente, nos pares estróficos, também reconhecidos como séries paralelas ou similares. São exemplo delas as séries LXXXIV e LXXXV, na primeira disputa entre Roldão e Oliveiro, e as CLXXIV e CLXXV, que narram a morte de Roldão, além de outras, sempre as mais pateticamente significativas, em progressão narrativa.

A partir do estudo de suas séries similares, puderam-se comprovar duas características fundamentais da épica medieval que assenta a discussão em favor da teoria de síntese: sua origem oral, admitindo essa repetição como recurso próprio da narrativa oral, e a autoria individual, a partir da ideia de "estilo elaborado"[12]. Nessas séries, podemos ainda reconhecer como anáforas e epístrofes sintagmáticas o paralelismo frasal entre os primeiros e últimos versos de cada série similar, como as primeiras "O olifante, Roldão, soai agora"[13] e "Soai agora, Roldão, vosso olifante"[14]; e as últimas "[os pagãos] têm a morte, vos juro, assegurada"[15] e "os da Espanha, não há quem salve da morte"[16], das séries LXXXIV e LXXXV, respectivamente.

Considerados os procedimentos estilísticos de metataxe, observamos que, marcando a divisão entre as 291 séries de versos, estão 22 assonâncias diferentes[17], que caracterizam a versificação de cada série, desse modo, padronizando cada qual. Essas assonâncias, coincidentes nas vogais das palavras finais do verso, mas não nas consoantes[18], incidem sobre a última vogal tônica – caso em que se chamam masculinas, como a série V em *-e* (*finet*, *Balaguet*, *per*, *barbet* etc.), com palavras oxítonas – ou sobre a última e penúltima vogais, sendo a última sílaba uma vogal surda – caso em que a assonância é chamada feminina, como a série I, em *-an-/-e* (*magnes*, *Espaigne*, *altaigne*, *remaigne* etc.), com palavras paroxítonas[19].

12. Vide Jean-Paul Carton, "Aesthetic Considerations Based on 'Elaborate Style' in the *Chanson de Roland*: Diminution in Laisses 232-234", *Olifant*, vol. 12, n. 1, pp. 29-45, 1987; "Aesthetic Considerations Based on 'Elaborate Style' in the *Chanson de Roland*: Patterns of Intensification and Narrative Progression in Laisses 40-42", *Olifant*, vol. 15, n. 2, pp. 135-155, 1990; "Aesthetic Considerations Based on 'Elaborate Style' in the *Chanson de Roland*: Patterns of Intensification and Narrative Progression in Laisses 83-85", *Olifant*, vol. 20, n. 1-4, pp. 63-108, 1996.
13. "Cumpainz Rolł lolifan car ſunez" (v. 1059).
14. "Cumpainz Rolł ſunez urẽ olifan" (v. 1070).
15. "Jo uoſ pleuiſ tuz ſunt a mort liůrez" (v. 1069).
16. "Ja cil deſpaigne naůrunt de mort guarant (v. 1081).
17. As assonâncias do cantar são: -a, -a-/-e, -an, -an-/-e, -è, -è-/-e, -é, -é-/-e, -ei, -ei-/-e, -en, -en-/-e, -i, -i-/-e,-ié, -ié-/ -e, -ò, -ò-/-e, -ó, -ó-/-e, -u, -u-/-e (Gaston Raynaud, "Les Assonances du Roland", *Romania*, t. 3, n. 10, pp. 290-291, 1894).
18. Acerca da métrica na épica medieval, vide Antoni Rossell, "De Épica, Escanción, Métrica y Música", em Constance Carta, Sarah Finci y Dora Mancheva (eds.), *Antes se Agotan la Mano y la Pluma que su Historia*, vol. I: *Edad Media*, San Millán de la Congolla, Cilengua, 2016, pp. 269-300 (Instituto Literatura y Traducción, 12).
19. Para o estudo das assonâncias do cantar como técnica composicional, vide Edward A. Heinemann, "Composition Stylisée et Technique Littéraire dans *Chanson de Roland*".

Já no que diz respeito à métrica, os versos são predominantemente regulares, em decassílabos com cesura intermediária, sendo o primeiro hemistíquio com quatro e o segundo com seis sílabas. Essa cesura é, em geral, um corte bem marcado, normalmente de valor sintático, em que há independência sintagmática entre ambos, e confere, ainda, o ritmo ao cantar. Não é raro encontrarmos também o que Moignet chama de cesura épica[20], em que o primeiro hemistíquio termina com a vogal *-e* surda e se inicia o seguinte com uma consoante, o que deixa especialmente claro o ritmo. No aspecto métrico também é possível encontrar uma certa tolerância de uma ou duas sílabas átonas depois de uma vogal *-e* surda, tanto no primeiro quanto no segundo hemistíquio – portanto, nos casos de assonância feminina.

A sintaxe estrófica, por sua vez, apresenta uma forte tendência ao dístico, sempre evitando o encavalgamento sintático (*enjambement*) para além dos dois versos, a romper sua unidade; do mesmo modo, as construções subordinativas tornam-se raras frente às simples e coordenadas. Em versos de entonação de série, as quadras são mais comuns, ao passo que, nos versos de conclusão, se prioriza a sintaxe em terceto. Em todo caso, uma característica das mais significativas dos gêneros orais, como a épica, é justamente a "variabilidade paradigmática"[21], ou seja, séries com diferente número de versos.

Na organização estrófica do manuscrito, os versos são marcados pelo ponto final, com exceções guardadas para possíveis falhas do copista ou por apagamento do pergaminho. Assim, a quadra, o dístico e o terceto podem ser identificadas apenas a partir de um princípio sintático do narrado, que mantivemos na tradução e indicamos com os signos de pontuação proposto para cada verso. Irregulares, portanto, em número de versos e marcadas por uma modulação de entonação e uma de conclusão, as séries épicas, originalmente, deveriam ser improvisadas, numa expressão prosódico-musical de jograis que encontravam no canto, e suas fórmulas melódicas, seu recurso mais eloquente para constituir uma unidade estrófica do narrado – questões que só são pertinentes ao considerarmos que as séries épicas ou estrofes dos cantares de gesta têm uma realidade musical, acerca da qual uma interpretação puramente literária não alcançaria compreender. Sobre esse aspecto, Bédier[22] afirma que as variações de assonância no Manuscrito de

20. Gérard Moignet (ed.), *Chanson de Roland*, p. 288.

21. Antoni Rossell, "De la Música de la Épica a la del Romancero: Dos Paradigmas Divergentes pero Recurrentes", *Ínsula*, año LXXVI, n. 900, pp. 10-13, Dic. 2021.

22. Joseph Bédier, "Les Assonances en -è et en -iè dans *Chanson de Roland*", *Romania*, t. 47, n. 188, 1921, p. 480

Oxford não são uma questão de linguagem, mas de prosódia, e, analisando vinte passagens do cantar cujas variações usou-se padronizar, o célebre editor assume conclusivamente sua tarefa de manter e interpretar o manuscrito e de menos intervir nele – uma postura arqueológica diante do manuscrito em que estamos de acordo. Definitivamente, a dimensão fonética dos cantares de gesta vive numa realidade musical[23].

Além da progressão narrativa e do padrão da assonância, como vimos, de princípios mais prosódicos do que literários, as passagens de séries são identificáveis no manuscrito sempre pelos primeiros versos, marcados pela letra capitular, e pelos últimos, nos quais, em 180 ocorrências, leem-se as letras AOI[24] (com sete ocorrências em versos iniciais e duas ocorrências no meio da série). É possível que essas letras tenham sido escritas por segunda mão, mas também sobre isso não há consenso. As hipóteses de significação já aventadas foram: indicação de refrão, alguma vocalização incerta, indicação também incerta para o jogral, abreviação para fórmulas musicais litúrgicas do *amen* ou do *aleluya*, letras gnósticas, grito de batalha, exclamação de encorajamento, ou convite à escuta para o público. Para essa última hipótese, caberia compreender AOI como uma abreviação de *adaudi* (escutai!), do verbo latino *audire*. Em todo caso, alguma indicação referente ao aspecto oral ou musical do cantar, que marque alguma passagem – se não as de série – cuja especificidade nos escapa, parece razoável.

23. Para tais hipóteses filológicas, vide Antoni Rossell, "De la Música de la Épica a la del Romancero: Dos Paradigmas Divergentes pero Recurrentes", *Ínsula*, año LXXVI, n. 900, pp. 10-13, Dic. 2021; Jean Rychner, *La Chanson de Geste: Essai sur l'Art Épique des Jogleurs*, Genève, Droz, 1999.

24. Para o estudo das hipóteses já aventadas acerca das letras AOI, vide Grace Frank, "AOI in the Chanson de Roland", *Modern Language Association of America*, vol. 48, n. 3, pp. 629-635, Sep. 1933; Frances et Cornelius Crowley, "Le Problème de l'Étymologie de AOI dans *Chanson de Roland*", *Cahiers de Civilisation Médiévale*, 3e année, n. 9, pp. 12-13, jan-mars 1960.

Tradução e Tradição, Ritmo e Oralidade

A poética do cantar revela muito de sua origem oral e é através dela, aliás, que se pode alcançar essa dimensão original. No entanto, quase toda a tradição filológica europeia, desde o século XIX, tem por assentado que a oralidade dos cantares de gesta, enquanto material melódico, é uma dimensão perdida: "Há uma propensão rítmica que deveria ser acentuada na recitação melódica que os jograis imprimiam no cantar, sobre a qual nada sabemos"[1]. Alberto Montaner, editor do *Cantar de Mio Cid*, também faz uma reflexão acerca desse tema e afirma que "sobre a melodia do canto, é muito pouco o que se sabe"[2], embora ali mesmo mencione as diversas publicações acerca de uma hipótese plausível, a de Antoni Rossell[3], que é uníssona entre a crítica especializada.

Essa hipótese não havia ainda sido apresentada quando Paul Zumthor, em 1987, afirmou que até então jamais se havia tentado interpretar a oralidade da poesia medieval[4], mas já compreendia que observar a existência dessa oralidade a partir dos manuscritos equivale a separar um esqueleto fóssil dos sedimentos que

1. "Hay una propensión rítmica que debería acentuarse en el recitado melódico que los juglares imprimían al cantar y del cual nada sabemos" (Martín de Riquer, *Los Cantares de Gesta Franceses*, p. 135).
2. "En cuanto a la melodía del canto, es muy poco lo que se sabe" (Alberto Montaner (ed.), *Cantar de Mio Cid*, p. 369).
3. Antoni Rossell, "De Épica, Escanción, Métrica y Música"; "Floripes y Fierabrás: Retrotopía y Contextualización"; "Llengua, Identitat i Estratègies de Poder a l'Edad Mitjana Europea", *Col·loqui d'Història Medieval Occitano-Catalana. Eurocongrés 2000*, Barcelona, [s. ed.], 2004, pp. 109-140.
4. Paul Zumthor, *A Letra e a Voz*, p. 17.

aprisionam, no caso em tela, o texto escrito. Isso equivale, para emprestar os termos do medievalista, a uma vontade de abertura para com esses textos e uma tomada de consciência histórica[5], já que, de acordo com o professor-jogral Antoni Rossell[6], a oralidade, além dos aspectos estritamente literários, é um sistema linguístico e musical que coesiona texto e música para assegurar sua transmissão e sua recepção na performance. Nesse sentido, a oralidade desses cantares de gesta configura-se como uma interação entre a gestualidade, a tímbrica vocal, a representação cenográfica e o público. Uma análise de todos esses elementos consubstanciais à métrica – ainda com Rossell – requer uma abordagem interdisciplinar e comparatística, mais de tipo antropológica que filológica.

O equívoco na leitura de *O Cantar de Roldão* estaria, nessa perspectiva, em ignorar a música que subjaz aos elementos formais de significação codificados no manuscrito, restringindo-se filologicamente, se não apenas ao conteúdo narrativo, a uma abordagem linguística de escansão, que busca incansavelmente uma regularidade perfeita e artificial à improvisação estrutural dos cantares de gesta. Em contraposição, a variabilidade, por um lado, e a estrutura formular, por outro, nos oferecem os indícios de uma performance germinal[7].

Opondo-nos, portanto, a uma tradução do apagamento, que elimine toda a tradição oral precedente ao texto, seguimos a perspectiva de uma tradução poética que reconheça no texto uma oralidade e o ponto de encontro de historicidades, tal como se coloca Zumthor: "procuro minha própria história na singularidade do meu objeto; e ele encontra em mim, como em prospectiva, a sua"[8]. Henri Meschonnic[9], nessa mesma direção, busca as categorias do *continuum* do texto, o que implica uma tradução diferente daquela de signo a signo, mas a que se proponha ser de um ato de linguagem a outro ato de linguagem, que busca um equivalente de sentido na obra de destino a partir da identificação do modo de significar da obra de origem.

Trata-se, pois, menos de uma tradução palavra-palavra, e mais de um exercício de estilística comparada; menos de um trabalho de língua de origem para língua de destino, e mais de obras com sua historicidade que buscam equivalên-

5. *Idem*, pp. 18 e 35.
6. Antoni Rossell, "De Épica, Métrica y Música", pp. 278-279.
7. Para uma hipótese filológica de reconstrução da dimensão musical dos cantares de gesta, vide Antoni Rossell, "Anisosilabismo: Regularidad, Irregularidad o Punto de Vista?", em Aires A. Nascimiento & Cristina Almeida Ribeiro (eds.), *Actas do IV Congresso da Associação Hispânica de Literatura Medieval*, Lisboa, Cosmos, 1993.
8. Paul Zumthor, *Performance, Recepção, Leitura*, São Paulo, Cosac Naify, 2007, pp. 107-108.
9. Henri Meschonnic, *Poética do Traduzir*.

cia de sentido pleno – e por historicidade compreendemos uma dimensão não restrita a sua arqueologia, mas uma que a considere e ainda compreenda o *continuum* de sua existência até o ponto onde se inscreve o ato poético mais coetâneo, em potência na leitura ou em performance na execução/escuta.

Se à estrutura formular de organização textual se aplicavam sistematicamente estruturas melódicas coetâneas ao presente da divulgação desses cantares, entendemos que é tarefa do tradutor contemporâneo encontrar um sistema tal que, de acordo com a variabilidade, tanto sintagmática – havendo o caso, sobretudo em versos heterométricos – quanto paradigmática – de número de versos em cada série – e com a estrutura formular do texto, coesione os elementos musicais e literários num ato de linguagem de abertura e conservadorismo.

Nesse sentido, as estimulantes pesquisas do professor Antoni Rossell, que resultaram na reconstrução, enquanto hipótese filológica plausível, de o *Cantar de Mio Cid*[10], a partir do conceito de intermelodicidade por *contrafactum* entre a música salmódica e os cantares de gesta, instigam a novas perspectivas a que nos reclama receber *O Cantar de Roldão*. Até o momento, basta compreender, com Zumthor, que "[...] a leitura do texto poético é escuta de uma voz. O leitor, nessa e por essa escuta, refaz em corpo e em espírito o percurso traçado pela voz do poeta: do silêncio anterior até o objeto que lhe é dado, aqui, sobre a página"[11]. Ora, é sobre as páginas que seguem que buscaremos entrever uma performance da pré-história do Manuscrito de Oxford, não perdida nem apagada, mas apenas sedimentada pelo texto.

Nesse sentido, a presente tradução, talvez ousada e audaciosamente, chama à escuta mais que à leitura; transborda a filologia por uma fidelidade comprometida menos com um léxico descontínuo e mais com uma prosódia musical; e propõe uma ação poética sobre a historicidade do poema. Por tudo isso, a presente tradução não quer ser um pálido sucedâneo de *O Cantar de Roldão*, pressupondo nela uma primazia inerente a sua originalidade e uma defectibilidade da qual não pudéssemos nela evitar[12]; coloca-se, antes e enfim, como uma tradução da língua-cultura de *O Cantar de Roldão*, numa recriação da gesta na língua-cultura de *O Cantar*

10. *Le Cid Chanté par Antoni Rossell*, dir. Carlos Heusch, France, Ciham, 2017, 90 min, col., sonoro.
11. Paul Zumthor, *Performance, Recepção, Leitura*, p. 87.
12. Reflexão que nos coloca de acordo com Michaël Oustinoff (*Tradução: História, Teorias e Métodos*, São Paulo, Parábola, 2011) e Haroldo de Campos (*Metalinguagem e Outras Metas: Ensaios de Teoria e Crítica Literária*, São Paulo, Perspectiva, 2017), quando este diz: "Admitida a tese da impossibilidade em princípio da tradução de textos criativos, parece que esta engendra o corolário da possibilidade, também em princípio, da recriação desses textos" (p. 34).

de Roldão, querendo estabelecer, assim, "novas condições de permanência"[13] dessa tradição ao público brasileiro.

Objetando, portanto, o velho adágio *traduttori, traditori*, o trabalho que tem o leitor em mãos reclama um novo binômio: tradução-tradição, sobre o qual, se faz saber: reservamos à semântica de nossa proposta de tradução um profundo enraizamento com nosso objeto de origem, sem nos afastar dele mais do que o expressamente justificado em notas; por outro lado, as estruturas léxica, onomástica, de assonância, métrica e rítmica que apresentamos revestem-se de toda a tradição oral da matéria carolíngia aqui pervivente; e, finalmente, a dimensão sintática está a serviço de ambas opções, ora replicando uma, ora atendendo as necessidades da outra. Assim, apresentamos os critérios da tradução:

Léxico: Prescindindo de uma proposta de tradução palavra-a-palavra, o léxico em língua portuguesa foi escolhido em atenção a um ato de linguagem. Prestou-se, contudo, devido e especial cuidado com a escolha do justo léxico que nos parece mais caro ao cantar, pressupondo, do autor, um profundo conhecimento de algumas especificidades como a arte e heráldica bélica[14], o universo clerical[15], os arneses[16] e o universo da cavalaria[17].

Onomástica: Para nomes cristãos, preservamos a forma lusófona guardada desde a tradução de Jerônimo Moreira de Carvalho da *Historia del Emperador Carlomagno...* e consolidada na tradição de cordel[18], quando são de personagens nela presentes – como a opção por Roldão, em vez de Rolando etc. – ou, quando não, traduzimos buscando o mesmo princípio da lusofonia. Para os nomes sar-

13. Conforme coloca Marcos Siscar, no prefácio da tradução de Álvaro Faleiros para *Un Coup de Dés* de Stéphane Mallarmé ("Traduzir Mallarmé é o Lance de Dados", em Stéphane Mallarmé, *Um Lance de Dados*, trad. Álvaro Faleiros, Cotia, SP, Ateliê Editorial, 2017, p. 11).
14. Estamos baseados, sobretudo, em Josué Callender dos Reis, "Noções da Arte da Armaria", *Revista de História*, vol. 23, n. 47, pp. 183-218, 1961; "Noções da Arte da Armaria – II", *Revista de História*, vol. 23, n. 48, pp. 501-529, 1961.
15. Todas as passagens bíblicas foram retiradas da Vulgata latina.
16. Baseados, sobretudo, no vocabulário de armaria medieval portuguesa com D. António de Mello e Castro, "A Nomenclatura das Signas Medievais", *Armas e Troféus: Revista de História da Arte*, vol. 1, pp. 21-27, 1932.
17. O vocabulário empregado às montarias deve mérito à autêntica cultura cavaleiresca do professor Amir Limana, a quem registro aqui meu agradecimento.
18. Leandro Gomes de Barros, *A Batalha de Oliveiros com Ferrabrás*; *A Prisão de Oliveiros e Seus Companheiros*.

racenos, procuramos manter o tom burlesco e pejorativo do cantar[19], com jogo de palavras ou etimologias insinuantes em língua portuguesa. Para as topografias, na medida da conveniência, atualizamos algumas referências identificáveis, evitando, sempre que possível, a forma não lusófona – as exceções se marcam em itálico.

ASSONÂNCIA: Mantivemos o mesmo princípio assonantal do cantar, evidentemente, propondo assonâncias específicas à fonologia em língua portuguesa, como aquelas em -ão. Ainda que buscando uma similitude estrutural com os versos em anglo-normando, nas assonâncias masculinas e femininas, no caso dessas últimas, fomos tolerantes, na estrita medida da necessidade, com a penúltima sílaba, mantendo o rigor na vogal surda.

MÉTRICA: Mantivemos o padrão da métrica do texto do Manuscrito de Oxford com os versos decassílabos de cesura em dois hemistíquios, acrescentando a essa forma um padrão rítmico sobre o qual um sistema melódico ritmicamente correspondente se possa acomodar.

De todos esses critérios apresentados, a dimensão rítmica como proposta de tradução é a que mais destaque merece, pois fala mais evidentemente a uma poética do traduzir e de sua potencial performatividade. Da métrica predominantemente decassílaba preservada do original, parecia ser necessário chegarmos a uma proposta de versificação igualmente decassilábica – que resgatasse uma tradição em cuja forma refundira-se e sobre a qual pervive a tradição carolíngia no Brasil. Com esse propósito, chegamos à tradição dos cantadores e cordelistas nordestinos, na forma do martelo agalopado[20]. Em termos métricos, trata-se de um verso decassílabo com acento nas sílabas 3, 6 e 10, formado, no seu padrão mais tradicional, por dois anapestos intercalados por um peônio de terceira:

19. O que, evidentemente, não reflete um juízo de valor ou posicionamento depreciativo nosso acerca de etnias, nacionalidades, ou expressões religiosas quaisquer.

20. Segundo Luís da Câmara Cascudo, o metro do martelo foi inventado pelo professor de literatura da Universidade de Bolonha, Pedro Jaime Martelo (1665-1727), inicialmente com doze sílabas. Trazidos à cultura popular brasileira pelos portugueses letrados no século XVIII, esses versos jamais se adaptaram aos cantadores como alexandrinos, reconfigurando-se aqui como martelo agalopado, de dez sílabas poéticas e seis pés (ou tempos musicais). Vencer um desafio em martelo agalopado é ambição de todo cantador sertanejo (Luís da Câmara Cascudo, *Dicionário do Folclore Brasileiro*, Rio de Janeiro, Tecnoprint, 1972; *Vaqueiros e Cantadores*, São Paulo, Global, 2005, pp. 21-22).

	Anapesto:	Peônio de 3ª:	Anapesto:
Pés:	ᴗ ᴗ –	ᴗ ᴗ – ᴗ	ᴗ ᴗ –
Sílabas:	1 2 3	4 5 6 7	8 9 10

Assim lemos o verso 6, "Saragoça, no alto, só ficou", no qual nenhuma variação se apresenta à fórmula rítmica:

ᴗ ᴗ – ᴗ ᴗ – ᴗ ᴗ ᴗ –

Sa/ra/**go**/ça,/ no /**al**/to,/ só/ fi/**cou**//
1 2 **3** 4 5 **6** 7 8 9 **10**

Em que a terceira, a sexta e a décima sílabas são fortes, configurando assim o ritmo de martelo agalopado. Ao comentar, contudo, as variações métricas do manuscrito, Moignet[21] considera que "é provável que as regras de versificação, sobretudo dentro do domínio anglo-normando, fossem muito menos rigorosas do que se imagina"[22], mesmo atento às possíveis elisões vocálicas. Tal afirmação poderia ser válida, ainda que como conjectura, se restringíssemos nossa leitura a uma dimensão estritamente métrico-literária. Em nossa perspectiva, no entanto, devemos discordar.

Assim como em anglo-normando, na proposta de tradução que apresentamos nas páginas seguintes, pode o leitor deparar-se com exceções às dez sílabas poéticas. Não obstante, o que pode parecer uma inadequação métrica, justifica-se pelo princípio da variabilidade sintagmática própria da estrutura formular musical[23], já que seu caráter oral demanda outras pautas composicionais e de análise. Uma métrica estanque, rígida, serve à leitura; a performance cobra outras dimensões. Nesse sentido, a partir de uma estrutura rítmica como proposta de tradição e tradução, nosso *Cantar de Roldão* se apresenta e reclama por sua natureza oral.

21. Gérard Moignet (ed.), *Chanson de Roland*, p. 288.
22. "Il est vraisemblable que les règles de la versification, surtout dans le domaine anglo-normand, étaient beaucoup moins rigoureuses qu'on ne l'imagine".
23. Conforme vimos com Rossell, "De Épica, Escansión, Métrica y Música", 1993 ; "De la Música de la Épica a la del Romancero".

A Fórmula Rítmica e a Variabilidade Métrica

Admitindo a primazia pela prosódia do cantar, entendemos que o resultado prosódico e musical não será minimamente afetado quando devidamente considerada a variabilidade métrica, por ser preservada a fórmula rítmica, a tempo. Se na escansão francesa (assim como a portuguesa), as sílabas posteriores à última forte não são contadas, o resultado prosódico da assonância feminina será a articulação fraca de uma última átona que, a rigor, é apenas uma prolongação da sílaba anterior forte, a que se conta como última na escansão. Assim, lemos o verso 3649:

˘ ˘ – ˘ ˘ – ˘ ˘ ˘ –

Car/los/ **Ma**/gno/ ven/**ceu**/ su/a/ ba/**ta**//*lha*
1 2 **3** 4 5 **6** 7 8 9 **10**

Mantendo a rítmica de martelo agalopado, nesse exemplo vemos como a décima e última sílaba considerada na escansão é a última sílaba forte gramatical /ta/, desprezando na escansão a assonância em *-a* – no exemplo, /lha/ – por ser de sílaba fraca, caracterizando a assonância de tipo feminina. Sob esse ponto de vista, o da retórica musical, esse tipo de glosa se denomina *archeggiari*, por razões de técnica instrumental, em que o arco articula o som para a glosa[1], do mesmo modo em que,

1. Fernando Marín Corbí, "Figuras, Gesto, Afecto y Retórica en la Música", *Nassarre: Revista Aragonesa de Musicologia*, vol. 23, n. 1, pp. 11-52, 2007.

em prosódia, articula-se o canto. Nesse sentido, uma articulação fraca em posição conseguinte ao pé longo se faz caber no tempo musical, não alterando assim o resultado prosódico, e devendo, portanto, ser tolerada pela escansão. Ou seja, em termos musicais, o que ocorre na glosa de tipo *archeggiari* nada mais é do que uma subdivisão do tempo musical, no caso, de uma semínima (de tempo inteiro) para duas colcheias (de meio tempo), sendo a primeira colcheia acentuada e a segunda fraca.

Desse mesmo modo, outro tipo de variação que observaremos na presente tradução é a anacruse. Trata-se de uma sílaba que precede a primeira sílaba do pé inicial, portanto, se antecipa ao *a tempo*, apropriando-se de parte do tempo final do compasso anterior, o que mantém a entrada da melodia principal justo com o início do tempo musical. Assim, vejamos o verso 1785, com duas variações rítmicas, a assonância feminina e a anacruse:

˘ ˘ – ˘ ˘ – ˘ ˘ ˘ –

*Con*de/ Rol/**dão**/ tem/ a/ **bo**/ca_en/san/guen/**ta**//*da*
1 2 **3** 4 5 **6** 7 8 9 **10**

Marcada a primeira sílaba gramatical com destaque *itálico* – assim como se marcam as demais variações rítmicas – por indicar a anacruse, o tempo prosódico-musical segue *a tempo* ao iniciar o canto do verso pela segunda sílaba gramatical /de/. Essa possibilidade se dá em virtude de a primeira sílaba ser antecipada no tempo do compasso do verso anterior. Assim, se o verso melódico não é alterado ou estendido, por estar *a tempo*, o resultado prosódico ou musical não conflita com a versificação em metro, porquanto não se conte igualmente a anacruse na escansão. Note-se, ainda nesse mesmo verso, que a sétima sílaba compreende duas sílabas gramaticais. Trata-se de uma glosa comum na escansão, a sinalefa, em que ocorre a elisão, ou a queda de uma vogal átona em posição final de palavra, quando diante de uma palavra também iniciada por vogal átona. Perceba o leitor que a sinalefa também pode ocorrer em posição de anacruse, como no verso 3096, também de assonância feminina:

˘ ˘ – ˘ ˘ – ˘ ˘ ˘ –

*O_Im*pe/ra/**dor**/ des/mon/**tou**/ do/ seu/ ca/**va**//lo
1 2 **3** 4 5 **6** 7 8 9 **10**

No exemplo acima, a prosódia deve fazer uma elisão entre o artigo e a sílaba inicial do substantivo, ambas as sílabas em posição de anacruse – portanto ambas destacadas em itálico. Há de se considerar, contudo, que as sinalefas não são obrigatórias. Por razões métricas ou rítmicas, pode ocorrer a sucessão de vogais em posição final e inicial, sem que se as glose em virtude de que se mantenha o ritmo ou a métrica, como vemos no verso 3659, em que a sílaba final de "lua", poderia glosar a conjunção seguinte "e", glosa que, contudo, não convém à prosódia, porquanto não se a adote nesses casos:

˘ ˘ – ˘ ˘ – ˘ ˘ ˘ –

Cla/ra/ **lu**/ a/ e/ **as**/ es/tre/las/ **bri**//*lham*
1 2 **3** 4 5 **6** 7 8 9 **10**

Noutros ainda, podemos observar a presença e a ausência da sinalefa, a depender também da conveniência prosódica, como no verso 576, em que a primeira e a quarta sílaba sofrem a glosa, mas da sétima para a oitava, conseguintes as vogais, contudo, não:

˘ ˘ – ˘ ˘ – ˘ ˘ ˘ –

e_O/li/**vei**/ro,_o/ va/**len**/te/ e/ cor/**tês**//
1 2 **3** 4 5 **6** 7 8 9 **10**

O critério no exemplo acima é métrico e rítmico. Se se deve, por um lado, manter o decassílabo, atente o leitor para a necessidade de a terceira e a sexta sílaba serem sempre fortes, coincidindo assim com a tonicidade das palavras, o que nos leva a glosar as vogais nas posições possíveis.

Outra variação recorrente na tradução é a glosa do primeiro anapesto. Ora, uma vez que o verso é, em pés, composto de um anapesto, um peônio de terceira e um anapesto, nas séries de assonância feminina diremos que essa glosa, como regra da escansão, recai sobre o último anapesto. Desse mesmo modo, portanto, o primeiro anapesto poderá apresentar a mesma glosa, quando convenha ao ritmo ou à métrica:

˘ ˘ – ˘ ˘ – ˘ ˘ ˘ –

O/ con/**se***lho*/ vo/sso/ **sem**/pre_é/ per/ti/**nen**//*te*
1 2 **3** 4 5 **6** 7 8 9 **10**

No verso 3510, acima, exemplifica-se a glosa após a terceira sílaba forte, com o mesmo procedimento que ocorre em posição de assonância feminina, ou seja, a sílaba seguinte à terceira forte tem o pé métrico sustado por subdivisão no tempo musical. Por ser de pé longo – assim como na décima sílaba, para a glosa em posição de assonância feminina – o equivalente rítmico musical mais próximo é a figura de tempo inteiro (a semínima), a que, como vimos, pode ser subdividida em duas figuras de meio tempo (as colcheias). Enquanto nos versos sem essa glosa o canto ou a prosódia prolonga essa sílaba, com a glosa ela se encurta a fim de manter os pés e ritmo inalterados. Não se conte, igualmente, tal glosa na escansão.

Atente o leitor que na glosa de primeiro anapesto pode ocorrer também a sinalefa, como vemos no verso 36:

˘ ˘ – ˘ ˘ – ˘ ˘ ˘ –

Pa/ra/ **Fran***ça_em*/ A/quis/**grão**,/ vá/ re/tor/**na**//*do*
1 2 **3** 4 5 **6** 7 8 9 **10**

E, outrossim, exemplos da mesma glosa poderemos encontrar em posição não enclítica, mas proclítica, mesoclítica ou como palavra monossilábica, como vemos a glosa proclítica no verso 679:

˘ ˘ – ˘ ˘ – ˘ ˘ ˘ –

Os/ re/**féns**, *fa*/zei/ os/ **vin**/te/ bem/ guar/**dar**//
1 2 **3** 4 5 **6** 7 8 9 **10**

A mesoclítica no verso 2785:

˘ ˘ – ˘ ˘ – ˘ ˘ ˘ –

pe/lo_Im/**pe***ra*/dor,/ foi/ **mui**/to/ per/se/**gui**//*do*
1 2 **3** 4 5 **6** 7 8 9 **10**

E a monossilábica, no verso 1927:

˘ ˘ – ˘ ˘ – ˘ ˘ ˘ –

Que,/ por/ **nós**, *não*/ caia/ a/ **Fran**/ça/ em/ o/**pró**//*brio*
1 2 **3** 4 5 **6** 7 8 9 **10**

Outras glosas comuns na escansão que também adotamos são as elisões e as sinéreses. As elisões vão marcadas pelo tradicional apóstrofo, o mais das vezes nas ocorrências de palavras terminadas com -m e seguidas de vogal, em que a métrica não toleraria uma sílaba a mais. Assim, lemos o verso 293:

˘ ˘ – ˘ ˘ – ˘ ˘ ˘ –

Co'a/me/**a**/ças,/ bem/ **sa**/bem,/ não/ me_im/**por**//*to*
1 2 **3** 4 5 **6** 7 8 9 **10**

Está claro, no exemplo acima, que, em lugar da elisão com apóstrofo, a anacruse também poderia ser adotada. São opções poéticas disponíveis, mas porque a elisão é um procedimento tão corrente na prosódia, nesses casos, deu-se preferência a ela, deixando a anacruse para casos de versos sem tal possibilidade.

A sinérese, por sua vez, como última variação a ser considerada, ocorre quando no canto ou prosódia um hiato se torna um ditongo crescente, por imposição métrica:

˘ ˘ – ˘ ˘ – ˘ ˘ ˘ –

cien/te/ **eu**, *du*/zen/tos/ **a**/nos/ já/ su/**pe**//*ra*
1 2 **3** 4 5 **6** 7 8 9 **10**

Assim, no verso 539 acima, para além da assonância feminina e da glosa no primeiro anapesto, percebe-se que sobre a primeira sílaba recai uma sinérese, a fim de se preservar a métrica e a terceira sílaba forte. Como no exemplo anterior da elisão, se bem fosse igualmente possível lançar mão da anacruse nesse exemplo, optou-se pela sinérese por ser procedimento corrente na prosódia.

Desse modo, consideradas todas as glosas como as anacruses, as elipses e sinalefas, e os versos de assonância feminina como recursos e procedimentos retórico-musicais, podemos reconhecer, com Rossell[2], que essas variações sintagmáticas, em par com as paradigmáticas, não estão em desacordo com a tese de "estilo elaborado" de Carton[3], mas constituem a própria estrutura formular dos

2. Antoni Rossell, "Anisosilabismo: Regularidad, Irregularidad o Punto de Vista?", em Aires A. Nascimiento e Cristina Ribeiro Almeida (eds.), *Actas do IV Congresso da Associação Hispânica de Literatura Medieval*. Lisboa, Cosmos, 1993; "De la Música de la Épica a la del Romancero".
3. Jean-Paul Carton, "Aesthetic Considerations Based on 'Elaborate Style' in the Chanson de Roland: Diminution in Laisses 232-234"; "Aesthetic Considerations Based on 'Elaborate Style' in the *Chanson de Roland*: Patterns of Intensification and Narrative Progression in Laisses 40-42", "Aesthetic Considerations Based on 'Elaborate Style' in the *Chanson de Roland*: Patterns of Intensification and Narrative Progression in Laisses 83-85".

cantares de gesta, ao ponto se poder escandir um verso como o 1692, sem fugir à fórmula decassílaba sob o ponto de vista prosódico-musical:

˘ ˘ – ˘ ˘ – ˘ ˘ ˘ –

*Rol*dão,/ o/ **con***de*,_*em*/pu/nha_a_es/**pa**/da/ to/da_em/ **san**//*gue*

1 2 **3** 4 5 **6** 7 8 9 **10**

A fórmula rítmica e o resultado sonoro ficam, portanto, e sob o ponto de vista da variabilidade métrica, conata dos gêneros orais, inalterados.

Nota do Tradutor

As glosas na tradução vão marcadas com *itálico* a fim de que o leitor possa experimentar a prosódia do cantar na leitura, seja silenciosa, seja em voz alta; não se deve, portanto, escandir as sílabas assim marcadas. As exceções desse procedimento tipográfico estão guardadas às sinalefas e sinéreses, por comuns que sejam na escansão. Os comentários e notas de rodapé seguem a numeração dos versos a que se referem e são de naturezas diversas: anotamos questões do processo de tradução e paleográfico, apontando os desafios que nos oferece a leitura do manuscrito e do idioma, sempre em perspectiva comparativa da tradição filológica europeia e nunca em hipótese unívoca; procuramos esclarecer alguns sentidos menos óbvios de vocabulário específico e esclarecer ou apontar hipóteses topográficas; comentamos os aspectos literários considerados mais relevantes na obra e em relação a ela, mas que nem sempre estão advertidas já na primeira leitura; e, finalmente, anotamos como tradução literal (trad. lit.) cada verso que, por razões métricas, rítmicas e/ou de assonância, se afaste minimamente da dimensão semântica da lingua de origem.

Versos de legibilidade comprometida e/ou leitura e tradução controversa entre os editores do cantar estão fac-similados, a fim de que leitor possa cotejar as soluções de transcrição e tradução adotadas com o que apresenta o manuscrito. Esperamos, assim, oferecer ao leitor um material com o qual se poderá fazer, tanto um estudo lento e atento às autorreferências e comentários, como uma leitura corrida, ou mesmo uma experiência de canto ou recitação de versos que resgatem tradições e historicidades, e preservem integralmente o material lendário original.

Boa leitura.

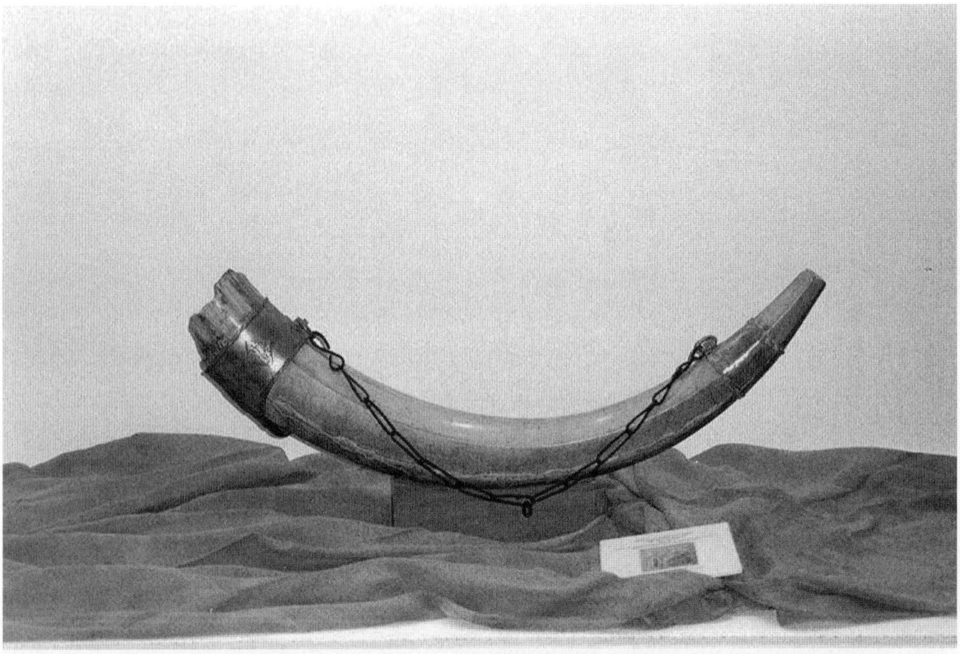

Figura 6. *Olifante de Roldão, Museu da Catedral de Santiago de Compostela*[4].

4 A. Koreng, *Rolands Horn im Museum der Kathedrale von Santiago de Compostela*, 2004 (https// commons.wikimedia.org/wiki/File:Hruotlands_legend%C3%A4res_Horn_Olifant.jpg).

Figura 7. *Percurso das colunas do exército de Carlos Magno até Saragoça, local da Batalha de Roncesvales, e retirada das tropas cristãs* (Ricardo Luiz Töws, 2019).

O Cantar de Roldão

CHANSON DE ROLAND[1]

1. As notas e comentários comparativos seguintes seguirão as edições referenciadas de Joseph Bédier, *Chanson de Roland Commentée par Joseph Bédier*; Gérard Moignet (ed.), *Chanson de Roland* e Martín de Riquer (ed.), *Chanson de Roland, Cantar de Roldán y el Roncesvalles Navarro*. Porque todas elas apresentam suas propostas paleográficas de transcrição, numerando os versos, as seguintes notas fazem referência apenas ao nome desses autores, quando em referência a eles.

I

A Traição

I

Carleſ li reiſ noſtre emꝑe magneſ
Set anz tuz pleinſ ad eſtet en eſpaigne
treſquen la mer c̄ quiſt la tere altaigne.
Ni ad caſtel ki deuant lui remaigne.
Mur ne citet ni eſt'rėmeſ a fraindre.
Forſ ſarraguce ki eſt en une muntaigne.
Li reiſ marſilie la tient ki deu nen aimet.
Mahumet ſert y apollin recleimet
Neſ poet guarder q̃ malſ ne li ateignet. AOI.

1. No tempo histórico do cantar, em 778, Carlos ainda não era Imperador, seu título era *rex Francorum*. Só em 800 obteve esse título, passando a se chamar Karolus Magnus et Pacificus Imperator. A gesta, contudo, é arbitrária nesse aspecto, às vezes intitulando-o rei, às vezes Imperador. **2.** A campanha do rei Carlos nas terras hispânicas não passou de três meses, entre meados de maio de 778 até 15 de agosto do mesmo ano, quando empreenderam o retorno à França, perdendo a retaguarda nos desfiladeiros de Roncesvales. **3.** A ideia da conquista total do território hispânico expressa nesse verso é fantasiosa. As únicas cidades temporariamente dominadas pelas tropas francas foram as que se situavam na rota até Saragoça, ou seja, Roncesvales, Pamplona e Tudela. **6.** Em trad. lit.: "Exceto Saragoça, que está numa

CONSELHO DE MARSÍLIO

I

O rei Car*los*, nosso Magno Imperador,
sete anos, na Espanha, já ficou,
desde o mar à alta terra conquistou,
não há castelo que possa se opor.
As cidades e os muros, derrocou,
Saragoça, no alto, só ficou.
Rei Marsílio que a tem, Deus não amou,
pois o cão *e* Maomé, os invocou;
já não pode evitar o mal e a dor. AOI.

montanha". Saragoça se situa no vale do rio Ebro, uma região plana a 199 metros de altitude. Por ficar sete anos sem que se conseguisse conquistá-la, parece necessário que se situe em lugar inacessível, como no alto de uma montanha. O jogral, por sua vez, não devia ter problemas em apresentar tamanha inconsistência, visto que a gesta prototípica, copiada no manuscrito de Oxford, devia ser cantada em regiões muito distantes da marca hispânica. **7.** Marsilie, um nome notadamente latino, sem nenhuma relação com a onomástica moura. **8.** Riquer afirma que Apollin é derivado da divindade mitológica romana, Apolo. Moignet, por sua vez, nega essa relação e alega que seja um nome atribuído a Satanás pelos árabes, para os quais significa "o maldito". **9.** A antecipação é um recurso muito frequente na poética de transmissão oral e, assim, o cantar já indica o desfecho desfavorável a Marsílio.

II

Li reiſ marſilie eſteit en ſarraguce.
alez en ⁊ en un uerger ſuz lumbre
Sur un ꝑrun de marbre bloi ſe culchet
enuirun lui pluſ de uint milie humeſ.
Il en apelet y ſeſ dux y ſeſ cunteſ
oez ſeigñſ quel pecchet nuſ encūbret
Li eꝑeſ carleſ de france dulce
en ceſt paiſ noſ ⁊ uenuz cunfundre.
Jo nen ai oſt q̃ bataille li dunne.
Ne nai tel gent ki la ſue deruꝑet.
cunſeilez mei cume mi ſauie hume
Si me guariſez y de mort y de hunte.
Ni ad paien ki un ſul mot reſpundet
Forſ blancandrinſ de caſtel de ualfunde.

III

Blancandrinſ fut deſ pluſ ſaiueſ paienſ
de uaſſelage fut aſez cheualer
ꝑzdom iout pur ſun ſeignur aider
e diſt al rei ore ne uuſ eſmaiez

12. O étimo *prun* (= *perrun*) é traduzido no AND como *block of stone, stone landing, stone platform before an entranceway, at the top of steps,* etc. Todos os editores consultados traduzem, contudo, como "degraus" (*perron, grada*) o que tornaria difícil e improvável o recostar-se. De nossa parte, optando pela acepção de *perrun* como apenas uma pedra, ressemantizamos, na tradução, o étimo *marbre* como valor absoluto de mármore, deixando em aberto esse sentido específico da locação, o que condiz com a preposição *sur* e com a evocação de riquezas valorizadas no mundo oriental, como o mesmo mármore. Esse verso encontra similitude lexical com os vv. 2269 e 2272. **13.** As concentrações de pessoas, sobretudo de contingentes militares, são comumente hiperbólicas nos cantares de gesta. Aqui, a metonímia substitui o sentido literal de "homens", por respeitar a proposta de assonância. **14.** *Dux* é latinismo da palavra *ducs*, que eram os caudilhos das tropas; já os condes compõem o séquito do rei. Essa hierarquia militar aplicada ao exército muçulmano segue a estrutura feudal das sociedades cristãs, o que não corresponde com a realidade. **15.** A entrada *pecchet*, no AND, é traduzida como *moral wrong, injustice*. Foi, não obstante, traduzido em outras edições como mal, desgraça, calamidade, flagelo. Optamos pela acepção do AND porque, como veremos, condiz melhor com a percepção de Marsílio acerca da atuação do rei Carlos. **16.** A "Doce França" é um epíteto recorrente do cantar, com o sentido de "França, onde a vida é boa", como

II

Rei Marsílio está em Sarago*ça*,
num vergel, foi buscar a sua som*bra*.
Sobre o mármore azul, o rei recos*ta*,
ao redor dele, vinte mil cabe*ças*.
Os seus duques e condes o rei cha*ma*
"Oh senhores, ouvi tal injusti*ça,*
Carlos Magno, que é rei na Doce Fran*ça*.
para nos extinguir, está na Espa*nha*.
Não lhe tenho armada a dar bata*lha*,
nem tal gente que destroçar-lhe po*ssa*.
Dai conselho, meus homens de ciên*cia*,
e guardai-me da morte e da vergo*nha*".
Não há pagão que palavra então respon*da*,
só Blancandrim, do Castelo Valfon*da*.

III

Blancandrim, dos pagãos, é o mais sabi*do*,
por vassalo, assaz foi cavalei*ro*,
por leal ao senhor, é conselhei*ro*.
Diz ao rei: "Não sejais desvaneci*do*!

ocorrerá com "a Bela Espanha". Nesse caso, o sintagma de adjetivo precedente do substantivo, como uma estrutura de valor afetivo, é considerado um epíteto épico, frequente no cantar. **17.** Sigo a tradução de Riquer para *cunfundre* e a tradição paleográfica, pois a palavra é ilegível. O verbo é *fundre* (destruir), com o sufixo *cum*, de valor adverbial para intensidade. **20-21.** Apesar de as formas e estruturas sociais replicarem o mundo cristão para os muçulmanos, quando se trata de suas personagens, o retrato é normalmente vil. Nesses versos Marsílio demonstra sua covardia. **23.** Não há notícia de um Castelo de Valfonda, trata-se de lugar desconhecido. **24.** A apresentação de *Blancandrinſ* como o "mais sábio" é necessária na medida em que é o conselheiro do rei, em paralelismo com o Duque Nemé, conselheiro de Carlos. **25.** O termo *cheualer* carrega uma extensão semântica ético-estética difícil de abarcar e que, em todo caso, requer o apontamento. No século XII, o apogeu de seu estatuto social, ser cavaleiro pressupunha a adequação a algumas normas éticas, as que aponta Micheline de Combarieu Du Gres: proeza e coragem; vida social em sua corte, nos tempos de paz, com o exercício das normas de cortesia; lealdade e generosidade; fé e piedade (Micheline de Combarieu du Grès, *L'Ideal Human et l'Expérience Morale chez les Héros des Chansons de Geste des Origines à 1250*, Paris, Université de Provence, 1979, pp. 10-38). **27.** O desmaio é um *topos* na literatura medieval, como reação a situações conflituosas e impactantes e se repetirá nos

Mandez carlun al orguilluſ y al fier
(Fe)deilz ſeruiſeſ y mult granz amiſtez
(V)oſ li durrez urſ y leonſ y chenſ.
Set cenz camelz y mil hoſturſ muerſ.
Dor y dargent .IIII.C. mulſ cargez,
Cinqªnte carre quen ſerat carier.
Ben en purrat luer ſeſ ſoldeierſ.
en ceſte tere ad aſez oſteiet.
en france ad aiſ ſen deit ben repairer.
Voſ le ſiurez a la feſte ſeint michel.
Si receurez la lei de xpĭenſ.
Serez ſeſ hom par (honur) y par ben.
Sen uolt oſtageſ y uoſ len enueiez.
v diſ .u. uint pur lui afiancer.
enueiuſ i leſ filz de noz muillerſ.
par nŭ docire i enueierai le men.
aſez eſt melz quil i ꝑdent le cheſſ.
Que nuſ ꝑdunſ lonur ne la deintet
Ne nꝰ ſeiunſ cunduiz a mendeier. AOI.

vv. 1988, 2031, 2416, 2575, 2695, 2880, 2891 e 2932 e, por iminência de morte, no v. 2270. **30.** Para o leão, recorde-se, na terceira parte de o *Cantar de Mio Cid* (vv. 2279-2310), o episódio que põe de manifesto a covardia dos genros do Cid ao esconderem-se do leão, em contraste com a valentia do herói em adestrar o animal que havia se soltado da rede. Embora o cantar não justifique a súbita presença de um leão, o que parece ser apenas um mote narrativo para desmoralizar os genros do Cid, a participação da fera completa seu sentido se compreendemos ser ela de estimação de Rui Díaz, o que justifica a submissão com que o felino reage à simples presença do seu dono, se isso é assim. Logo, compreendemos que no imaginário medieval, grandes senhores feudais poderiam criar essas feras como símbolo de sua valentia. Provavelmente, no entanto, o leão se era um felino de médio porte, como o lince ibérico, mais comum naquela região, já que a família *felidae* era então pouco e mal definida. **31.** A referência a camelos no poema, que ainda veremos nos vv. 128, 184, 645 e 847, foram determinantes para precisar o início provável de composição do prototípico cantar. Os falcões, sobretudo os "mudados" – quando trocam a plumagem e se tornam adultos – também eram muito valorizados em virtude da estendida prática de cetraria nas cortes feudais. Recorde-se o v. 5 do *Cantar de Mio Cid*, quando Rui Díaz lamenta a expropriação que sofre ao ser exilado pelo rei Afonso VI: *e sin falcones e sin adtores mudados*. **32-33.** Em trad. lit., são quatrocentas mulas que puxam cinquenta carroças de ouro e prata. **34.** Esse verso revela a comum prá-

Enviai para o rei ufano e alti*vo*,
os serviços fiéis como um ami*go*.
Vão cães, ursos, leões ofereci*dos*,
mil falcões, setecentos camel*ídeos*.
Com o ouro e com prata vão os mu*los*,
nos caleches, cinquenta carrea*dos*,
co' isso o rei saldará a seus solda*dos*.
Se essa terra ele tem tanto explora*do*,
para França, *em* Aquisgrão, vá retorna*do*.
Em Miguel Santo, ireis acompanhá-*lo*,
em sua lei sereis cristianiza*do*;
e por hon*ra e* bem vos tornareis vassa*lo*.
Se lhe aprouver os reféns, hão destaca*dos*,
vinte ou dez, pela lei afiança*dos*.
Das mulheres, mandeis todos os fi*lhos* –
à ruí*na, o* meu também vai envia*do*.
É melhor *que* sejam já decapita*dos*,
do que em hon*ra e ha*ver sejamos nós priva*dos*;
ou que a es*mo*lar, sejamos nós leva*dos*". AOI.

tica feudal de acrescentar exércitos mercenários às tropas vassalares, aos quais se devia pagar por tempo de serviços prestados. **35.** Vide vv. 2-5 (e notas), em que o cantar apresenta uma hiperbólica campanha de Carlos Magno, contra a realidade histórica. **36.** Aquisgrão é o topônimo em português de Aix-la--Chapelle, Achen, em alemão, ou simplesmente Aix (*ais*, no manuscrito), no extremo oeste da Alemanha, em cuja catedral se encontra o sepulcro de Carlos Magno. No cantar aparece sempre localizada na França, o que seria a França oriental do império carolíngio, em que, desde a Aquitânia até a Saxônia, compunha o reino franco. A cidade de Aquisgrão é famosa por suas águas termais, já conhecidas pelos romanos, que atribuíam sua origem a um milagre divino. Etimologicamente, o nome já o indica: *Aachen - Aix - aqua* (vide vv. 154-155). Provavelmente foi sua cidade natal, também escolhida pelo Imperador como capital do Sacro Império Romano-Germânico, onde erigiu um portentoso palácio (vide nota ao v. 2556) no mesmo lugar em que apenas havia uma residência dos pipinidas sobre as águas termais romanas (vide nota ao v. 3984). **39.** Em trad. lit.: "Sereis seu homem, por honra e por bem". Há uma lacuna no manuscrito, onde os editores do cantar consensualmente corrigem com o termo *honur*.43. Esse verso foi saltado pelo copista, e está colocado à margem direita do texto, seguindo as linhas dos vv. 42 e 44. **45.** A entrada *deinté, deintet*, no *AND*, é traduzida por riqueza, possessão, embora tenha sido traduzida por *dignités* (Moignet) e *rango*, ou posição feudal (Riquer). Esse verso é citado no dicionário como exemplo.

IV

Diſt blancandrinſ pa ceſte meie deſtre
Y par la barbe ki al piz me uentelet.
Loſt deſ franceiſ uerrez ſempþſ deſfere.
Francſ ſen irunt en france la lur tere.
Quant caſcunſ ert aſun meillor repaire.
carleſ ſerat ad aiſ a ſa capele.
a ſeint michel tendrat mult halte feſte.
vendrat li iurz ſi paſſerat li termeſ
Norrat de noſ paroleſ ne nuueleſ.
Li reiſ ~ fierſ y ſiſ curageſ peſmeſ.
de noz oſtageſ ferat trecher leſ teſteſ.
aſez eſt mielz quil i ꝑdent leſ teſteſ.
Que nuſ ꝑdunſ clere eſpaigne la bele.
Ne nuſ aiunſ leſ malſ ne leſ ſuffraiteſ.
Dient paien iſſi poet il ben eſtre.

V

Li reiſ marſilie out ſun cunſeill finet.
Sin apelat clarin de balaguet.
eſtamarin y eudropin ſun per.
eþamun y guarlă le barbet.
e machiner y ſun uncle maheu
y iouner y malbien dultremer.
y blancandrinſ por la raiſun cunter.

48. Na iconografia medieval, a barba longa é associada à sabedoria, à honra e ao poder. Tem especial protagonismo no *Cantar de Mio Cid*, cujo herói apresenta o crescimento da barba ao passo que ele cresce em honra e possessões (vv. 268, 274, 830, 2192, 1226, 1587, 2373 e 2410). Vide nota ao v. 117. **49-50.** Como aponta Riquer, os termos *franceiſ* (franceses) *francſ* (francos) são usados indistintamente ao longo do cantar, sem que se suponha alguma diferença semântica. **52.** Em trad. lit.: "Carlos estará em *Aix-la-Chapelle*" (Aquisgrão).**57-60.** Iniciado já nos versos 42-46, aqui se define o perfil de Blancandrim de extrema crueldade, que se faz ainda mais notória em virtude de sua posição no séquito de Marsílio como o mais sábio. Exemplo claro de como a gesta inscreve os sarracenos como figuras odiosas. A epístrofe como

IV

Disse então Blancandrim: "Por essa des*tra*,
e pela barba que ao peito me voe*ja*,
dispersar *lo*go vereis a hoste fran*ca*,
voltarão *à* sua terra, a Doce Fran*ça*.
Quando ca*da* um houver na sua estân*cia*,
estará, o rei Carlos, na cape*la*.
A São Miguel se fará uma grande fes*ta*,
e tratarão termos, transcorridos os di*as*;
não terá de nós, nova ou pala*vra*.
Arrogante é o rei, vil sua al*ma*,
dos reféns, cortarão suas cabe*ças*.
É melhor que eles percam as cabe*ças*,
que nós percamos a clara e bela Espa*nha*;
ou soframos do mal e da carên*cia*".
"Bem assim pode ser!" – Pagãos afir*mam*.

EMBAIXADA DE MARSÍLIO

V

Rei Marsílio, o seu conselho fin*da*,
logo chama o Clarim, da Catalu*nha*,
e seus pares, Eudrópio e Estrópio, e ain*da*,
Priamão e Guarlão, da grande bar*ba*.
Maquineu, tio Maleu também esta*vam*,
o Bem-Mau e o Júnior de ultra-mar,
e Blancandrim, por razões já comenta*das*.

repetição do termo *teſteſ* (cabeças) em posição de assonância não é raro nos cantares de gesta, nem pode ser considerado um equívoco do copista ou falta de habilidade poética (vide nota aos vv. 3919-3920). **63.** Em trad. lit., trata-se da personagem Clarim de Balaguer, cujo gentílico faz referência a um município na província de Lérida, da comunidade autônoma da Catalunha, a que optamos em adequação à proposta de assonância. **63-67.** A apresentação dos "barões" de Marsílio (*barunſ*, v. 70) designa as principais personagens a serviço do rei, sem pressupor com isso alguma hierarquia feudal. À exceção de *Maheu*, a onomástica aqui também é fantasiosa, sem referência de origem árabe, apenas um retrato pejorativo da alteridade que representa o mundo muçulmano.

Deʃ pluʃ felunʃ díʃ en ad apelez.
Seignªʃ barunʃ a carlemagneʃ irez.
Jl eʃt al ʃiege a cordreʃ la citet.
Brancheʃ doliueʃ en uoz mainʃ porterez.
$_{b}$par uoz ʃaueirʃ ʃem puez acorder.
$_{a}$co ʃenefiet paiʃ y humilitet.
Jo uoʃ durrai or y argent aʃez.
tereʃ y fiéz tant cŭ uoʃ en uuldrez.
Dient paien de co auŭ nuʃ aʃez. AOI.

VI

Li reiʃ marʃilie out finet ʃun cunʃeill.
Diʃt a ʃeʃ humeʃ ʃeignªʃ uoʃ en ireiz
Brancheʃ doliue en uoz mainʃ portereiz
Si me direz a carlemagne le rei.
pur le ʃoen deu q'l ait ḿercit de mei.
Ja einz ne uerrat paʃʃer ceʃt þmer meiʃ.
Que iel ʃiurai od mil de meʃ fedeilz.
Si receůrai la xpĭene lei.
(S)erai ʃeʃ hŏ par amur y par feid.
Sil uoelt oʃtageʃ il en aůrat par ueir.
Diʃt blancandrinʃ mult bon plait en aůreiz. AOI.

71. *Cordreʃ* foi imediatamente identificada a Córdova, na Andaluzia, em que pese sua distância de Saragoça, o que faria impossível o breve translado a cavalo da embaixada de Marsílio a Carlos, como se verá nos vv. 119-121 chegarem os mensageiros. Assim, tentou-se identificar o topônimo com Cortes de Aragão, na província de Teruel, a apenas uma centena de quilômetros de Saragoça. Tanto Moignet quanto Riquer, embora optem por não traduzir o topônimo, entendem que todo espectador no século XI, contudo, deveria identificar *Cordreʃ* com Córdova, já tão famosa naqueles tempos. A inverossimilhança narrativa, com essas coordenadas geográficas, ficaria inadvertida com o generalizado desconhecimento da geografia espanhola na longínqua região da Normandia. **73-74.** Há uma ligeira marca paratextual à margem esquerda do manuscrito com a inscrição das letras *b* e *a*, que indicam um equívoco do copista na ordem desses versos. Diferente de outras edições do cantar que os invertem já na transcrição, optamos por manter o equívoco na transcrição e procedemos à inversão apenas na coluna da tradução.

Dos mais vis, esses dez já lhes chama*va*:
“Ide a Carlos, barões, em embaixa*da*,
*es*tá em Cór*do*va, a tem assedia*da*.
Vais levar esses ramos de olivei*ra*,
seu senti*do é* humildade e pacifi*ca*.
Se o podeis acordar por vossa astú*cia*,
dar-vos-ei, de sobejo, ouro e pra*ta*;
e mais quanto quereis em feudo e te*rras*”.
Os pagãos dizem: “Com isso já bas*ta*!” AOI.

VI

Rei Marsílio findou o seu conse*lho*,
disse aos homens: “Senhores, ide jun*tos*!
Da oliveira portai esses seus ra*mos*,
*i*de, por mim, *fa*bular co’ o rei Carlos Mag*no*;
que por Deus, seja a mim apieda*do*.
Que não verá passar mês aproxima*do*,
seguirei-o com mil dos meus fia*dos*.
Na sua lei, de cristão, por batiza*do*,
eis seu homem por fé, serei ama*do*;
e, se reféns ele os quer, serão leva*dos*”.
Blancandrim disse: “Eis um bom trama*do*!” AOI.

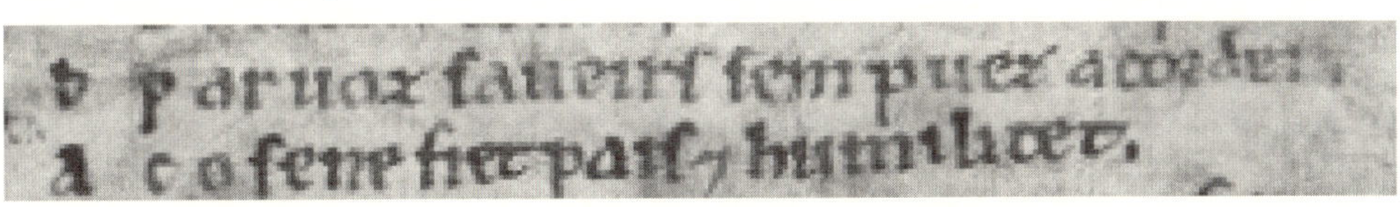

Fl. 2r; vv. 73-74

78. Verso irmanado com o v. 62. **80.** Verso irmanado com o v. 72. **86.** A letra *S* que inicia o verso, embora ilegível no manuscrito, é consenso entre os editores do cantar.

Fl. 2v; v. 86

VII

Diſ blancheſ muleſ fiſt amener marſilieſ.
Que li tramiſt li reiſ de ſuatilie.
Li frein ſ't dor leſ ſeleſ dargent miſeſ.
cil ſunt muntez ki le meſſage firent.
enz en lur mainſ portent brancheſ doliue.
vindrent a charleſ ki france ad en baillie.
Neſ poet guarder q^e alq^{e}ſ nel engignent. AOI.

VIII

Li emꝑereſ ſe fait y balz y liez.
cordreſ ad þſe y leſ murſ peceiez.
od ſeſ cadableſ leſ turſ en abatied.
Mult grant eſchech en unt ſi cheualer
Dor y dargent y de guarneḿz cherſ
En la citet nen ad remeſ paien,
Ne ſeit ociſ v deuient xpĭen.
Li emꝑereſ eſt en un g^{a}nt uerger.
enſemblod lui Rolł y oliuer.
Sanſun li dux y anſeiſ li fierſ.

90. *Suatília* é topografia desconhecida. 92. Em trad. lit.: "Esses são montados, os que a mensagem fizeram". **93.** Os ramos da oliveira têm dupla representação, a sabedoria e a paz. Por ser uma árvore longeva, é consagrada à sabedoria na mitologia grega com Apolo e na mitologia romana com Minerva. Não é demais fazer aqui uma relação onomástica com a personagem Oliveiro. Em Gênesis 8: 10-11, a pomba lançada por Noé desde a arca retorna com um ramo de oliveira no bico e torna-se, assim, o símbolo cristão da paz. **95.** Excetuando-se os casos de intervenção de mão de corretor, os sobrescritos no manuscrito têm a mesma função do apóstrofo diacrítico, qual seja, a supressão de alguma vogal com a finalidade de adequação métrica.

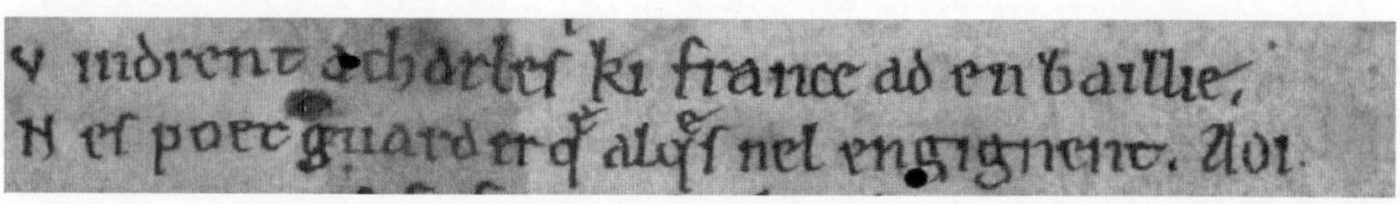

Fl. 2v; vv. 94-95

98. Em trad. lit.: "Com as catapultas, as torres foram abatidas". Baluarte, que substituímos por "torres", são construções avançadas das fortificações, ligadas a essas por um de seus lados, cuja função, assim

VII

Fez, Marsílio, trazer dez mulas bran*cas*,
regalou-lhas o rei de Suatí*lia*;
áureos freios e em prata urdida a se*la*,
já montados estão os seus escri*bas*.
Em suas mãos levam ramos de oli*va*,
vão a Carlos, que reina sobre a Fran*ça*;
não evitam, em algo se enga*nam*. AOI.

VIII

O rei Carlos está feliz e le*do*,
demoliu, pois, de Córdova seus mu*ros*,
baluartes, eis todos destruí*dos*,
o butim é tão grande aos cavalei*ros*;
muito ouro e prata e armamen*tos*.
Na cidade, não há pagão resta*do*,
sem que esteja ou morto ou batiza*do*.
O rei Carlos está num verde pra*do*,
tem consigo, Roldão e Olivei*ro*;
mais Sansão com Anselmo, o eleva*do*,

como a das torres, que podem ou não integrar o próprio baluarte, é a defesa, dificultando a aproximação inimiga. Esse tipo de construção foi introduzido na Europa pelos povos de origem árabe, primeiro na península ibérica. **99.** A entrada *efchek*, *efchech*, no AND, é traduzida como *booty*, o butim, produto da pilhagem realizada em decorrência de vitória e dominação bélica, um espólio de guerra que era compartilhado proporcionalmente de acordo com a hierarquia feudal. Esse verso é citado no dicionário como exemplo. **101-102.** Admitindo as hipóteses apresentadas à data de composição do cantar, entre 1087 e 1095, é comum encontrar tentativas de inscrevê-lo no contexto de uma pré-cruzada, já que a primeira ocorreu entre 1096 e 1099. Não obstante, nesses versos vemos uma conduta totalmente estranha à dominante na época da composição do cantar: a opção de conversão dos sarracenos dominados, como sendo possível. Conforme anota Moignet, o "espírito cruzado", no entanto, era implacável com os inimigos, cujo destino era o fio da espada. Provavelmente, a opção da conversão pudesse ocorrer em tempos do Carlos Magno histórico. **104.** Roldão e Oliveiro, juntos, formam o *par épico* do cantar e de toda uma tradição lendária, além de comporem os Doze Pares da França, dos quais seis aqui são nomeados (vide nota ao v. 262). No cantar de *Girart de Vienne*, ambos, motivados pelo enamoramento de Roldão com a bela Alda, irmã de Oliveiro, lutam bravamente por sete combates até que, esgotados e admirados com a valentia um do outro, um anjo os separa, pois estavam destinados a lutar, não entre si, mas como Par nas terras da Espanha, contra os sarracenos.

Gefreid daniou le rei gunfanuner.
Y ſi i furent y gerin y gererſ.
La u ciſt furent deſ altreſ iout bien.
De dulce france iad q'nze millierſ.
Sur palieſ blancſ ſiedent cil ceualer.
aſ tableſ iuent pur elſ eſbaneier.
Y aſ eſchecſ li pluſ ſaiue y li ueill.
Y eſcremiſſent cil bacheler leger.
deſuz un pin delez un eglenter.
vn faldeſtoed iunt fait tut dor mer
La ſiet li reiſ ki dulce france tient.
Blanche ad la barbe y tut flurit le chef.
Gent ad le corſ y la cuntenance fier.
Seſt kil demandet ne leſtoet enſeigner.
Y li meſſage deſcendirent a pied
Sil ſaluerent par amur y par bien.

IX

Blancandrinſ ad tut þmereinſ parled
Y diſt al rei ſaluet ſeiez de deu.
Le głiuſ qͤ dš aurez
Jco uuſ mandet reiſ marſilieſ li berſ.
enq'ſ ad mult la lei de ſaluetez
De ſun aueir uoſ uoelt aſez duner
Vrſ y leunſ y ueltreſ enchaignez
Set cenz cameilz y mil hoſturſ muez.

106. Godofredo I d'Anjou é o terceiro conde da dinastia de Anjou, atual Angers, na região de Loyre, oeste da França. É uma figura histórica e, efetivamente, foi alferes da coroa francesa, mas viveu na segunda metade do século X, sendo, portanto, uma personagem anacrônica. **111-112.** O gamão é um jogo de tabuleiro (*tableſ*) de origem remota e muito popular nas cortes medievais, também conhecido como jogo do rei. Era idealmente atribuído a um público jovem e inexperiente, já que se joga mediante a intervenção do azar, diferente do xadrez, igualmente popular, mas próprio aos mais velhos e experientes na estratégia. **115.** *Faldeſtoed*, termo de origem germânica (*faldstoed*), no francês moderno, é *fauteuil* (poltrona). Trata-se de um trono próprio para campanha, que se pode carregar e depositá-lo ao ar livre. **117.** A entrada *flurir*, no AND, é traduzida como *garlanded; beautified, adorned; radiant, glorious; white-bearded, hoary; white-haired*. O cantar apresenta Carlos Magno sempre encanecido e de barba e cabeça florida,

e o alferes do rei o Godofre*do*.
Lá estavam o Gerson e o Geral*do*,
mais além desses, outros situa*dos*.
Só da França são quinze mil solda*dos*,
sobre mantos tão brancos são senta*dos*.
O gamão jogam muito entreti*dos*,
mas xadrez, só os velhos mais sabi*dos*;
e a esgrima, os jovens, pois mais vi*vos*.
Num silvestre rosal, sob um pinhei*ro*,
há um tro*no* todo feito em ouro pu*ro*,
onde senta, da França, o rei, seu do*no*.
Branca a barba, floridos os seus ca*nos*,
nobre o corpo e o porte tão ufa*no*.
Se o buscam, não há que apontá-*lo*,
os mensageiros já descem caminhan*do*,
e o saúdam por bem e por ama*do*.

IX

Blancandrim o primeiro a haver fala*do*,
disse: "Oh rei! Que por Deus sejais salva*do*,
cuja glória, adorar todos deve*mos*,
vos deseja o tão nobre rei Marsí*lio*,
quem a lei *da* salvação tem inquiri*do*.
Quer vos dar, dos haveres seus, sobe*jo*,
sujeitados, os cães, leões, e os ur*sos*;
os camelos e mil falcões muda*dos*.

como representação da sabedoria, do alto de sua glória, embora, naquele período, não houvesse chegado aos quarenta anos. No Museu do Louvre, encontra-se a *Estátua Equestre*, uma figura feita, por volta do ano 870, em bronze, de 24cm, que bem pode representar a Carlos Magno, como a Carlos, o Calvo, que já reinava naquele período. Já na Biblioteca Nacional da França, em Paris, está a inconteste figura de Carlos Magno estampada num denário de prata, cunhado entre os anos 804 e 814. Ambas imagens apresentam uma figura imberbe. A barba se tornou moda e costume apenas no século XI. **128.** A entrada *uealtre, ueltre*, no AND, é traduzida como *hound*. São cães da família dos lebréis, de corpo robusto, tórax proeminente e cintura estreita, muito apreciados desde a Antiguidade. Foram largamente utilizados como cães de caça e de corrida. O cantar, provavelmente, tenha como referência o galgo espanhol, da mesma família. **129.** Em trad. lit.: *Set cenz cameilz...*: setecentos camelos.

Dor e dargent .IIII. cenz mulſ truſſez.
Cinquªnte care qᵉ carier en ferez
tant i aůrat de beſanz eſmerez.
dunt bien pªrez uoz ſoldeierſ luer.
en ceſt paiſ auez eſtet aſez.
en france ad aiſ deuez biĕ repairer.
La uoſ ſiurat co dit miſ auoez.
Li emꝑereſ tent ſeſ mainſ uerſ deu.
Baiſſet ſun chef ſi cumencet a penſer. AOI.

X

Li empereref en tint ſun chef enclin
de ſa parole ne fut mie haſtifſ.
Sa cuſtume eſt q'l parolet a leiſír.
Quant ſe redrecet mult par out fier lu uiſ
Diſt aſ meſſageſ uuſ auez mult ben dit.
Li reiſ marſilieſ ≈ mult miſ enemiſ
De cez paroleſ que uoſ auez ci dit.
En quel meſure en purrai eſtre fiz
Voet par hoſtageſ co diſt li ſarrazinſ
Dunt uoſ aurez .ú.diſ. ú q'nze ú uint.
Panŭ de ocire i metrai un mien filz
e ſin aůrez co quid depluſ gentilz.
Quant uuſ ſerez el palaiſ ſeign'ill.
a la grant feſte ſeint michel del ꝑil.
Miſ auoez la uoſ ſiurat co dit.
enz enuoz bainz q' d'ſ pur uoſ i fiſt.

130. Em trad. lit.: "De ouro e de prata, quatrocentas mulas de carga". **132.** O termo *beſanz* se refere às valiosas moedas de ouro cunhadas em Bizâncio. Esse verso condiz com a dramática situação econômica em que se via imerso o império carolíngio (Henri Pirenne, *Mahoma y Carlomagno*, pp. 199-208). No período carolíngio, já não eram alcunhadas as moedas de ouro, mantendo um sistema monometalista. Isso não significa que o ouro houvesse desaparecido do ocidente, mas sim a sua alcunha regular, então realizada apenas em Bizâncio. Esse contexto explica a vultuosa oferta do rei Marsílio e o valor que isso representa a Carlos Magno, com a possibilidade de pagar seus soldados mercenários sem dispor de suas exíguas reservas em libras de prata ou de suas terras (v. 133). **137.** Em trad. lit.: "O Imperador tem as mãos em direção a Deus". Há uma marca de rasura no manuscrito, o que não supõe uma corrupção ou perda de sentido no

Tracionando, a prata e o ouro, os mu*los*,
são cinquenta carroças em carre*to*,
em que haverá tanto cunho bizanti*no*,
com que bem pagareis os seus solda*dos*.
Já houvestes aqui demasia*do*,
para França, sejais já retorna*do*;
para ali, diz meu rei, vai lhe seguin*do*".
Mãos aos céus, alça o rei, o Carlos Mag*no*,
baixa a fronte e em pensar é concentra*do*. AOI.

X

Inclinou *o Im*perador sua cabe*ça*,
de palavras em nada apressa*das*,
seu costume era a fala mais sensa*ta*.
Reerguen*do*-se, a face ilumina*va*,
disse então ao pagão, que bem fala*va*:
"O Marsílio, seu rei, pouco me esti*ma*;
da proposta que há pouco me aludi*as*,
poderei me fiar em que medi*da*?"
"Por reféns" – *o* sarraceno lhe afir*ma* –
"dez ou quinze ou vinte que haveri*a*.
À própria morte, o meu filho é garanti*a*,
e tereis outros mais belos ain*da*.
Quando houverdes na régia sua mora*da*,
em São Miguel dos perigos, grande fes*ta*,
meu senhor *vos* seguirá, isto dizi*a*:
Nos seus banhos, que Deus, por vós, fize*ra*,

verso, mas uma correção do copista. **142.** A entrada *fer*, *fier*, no AND, é traduzida como *cruel, wild, powerful, strong, proud, vaillant, vehement, exuberant*. O termo foi, normalmente, traduzido como orgulhoso ou altivo. A opção pela presente tradução dá apenas destaque à expressão facial de Carlos Magno, deixando aberta a impressão do observador, que, segundo o AND, poderia ser de medo, se cruel ou selvagem, ou de admiração, se poderoso ou exuberante, ou mesmo tudo isso junto. Em todo caso, é um rosto cuja expressão não deve ser despercebida e, por isso, iluminado. **143.** O discurso direto da personagem Carlos começa, originalmente, nesse verso: *...uus auez mult ben dit* ("Vós haveis muito bem dito..."). Na nossa tradução, o discurso direto se inicia no verso seguinte. **151.** Em trad. lit.: "Quando vós sereis no palácio senhoril", em referência ao palácio de Aquisgrão (vide nota aos vv. 36 e 2556). **154-155.** Vide nota aos vv. 36 e 3984.

La uuldrat il xpĭenſ deuenir.
Charleſ reſpunt uncore purrat guarir AOI.

XI

Belſ fut li ueſpreſ e li ſoleilz fut cler.
Leſ diſ mulez fait chareſ eſtabler.
El ğnt uerger fait li reiſ tendre un tref.
Leſ diſ meſſageſ ad fait enz hoſteler.
XII. ſerianz leſ unt ben cunreez
La noit demurent treſque uint al iur cler.
Li emꝑereſ ⁓ par matin levet.
Meſſe e matineſ ad li reiſ eſcultet.
Deſuz un pin en ⁓ li reiſ alez
Seſ barunſ mandet pur ſun cunſeill finer.
Parcelſ de France uoelt il del tut errer. AOI.

XII

Li empeſ ſen uait deſuz un pin.
Seſ barunſ mandet pur ſun cunſeill ſenir.
Le duc oger y larceueſque turpin.
Richard li uelz y ſun ne henri.
e de gaſcuigne li proz quenſ acelin.
tedbald de reinſ y milun ſun cuſin.
Y ſi i furent y gererſ y gerin.

158. Está claro que, nesse verso, o copista saltou a letra /l/ de *charleſ*. **164.** Esse verso marca o início do segundo dia na cronologia do cantar. **165.** *Pinus* é um gênero da classe das árvores coníferas, em que se diferem vários subgêneros e espécies, entre os quais, o pinho alvar, que mencionamos dada a proposta de assonância na língua portuguesa. Sua presença é abundante na Península ibérica. **167.** Em trad. lit.: "Pelos seus [barões] da França quer em tudo agir". Trata-se dos barões de Carlos e não dos Doze Pares de França. Por questões de rítmica, traduzimos *Parcelſ de France* por "nos barões". **170-178.** O cantar relaciona os doze barões de Carlos Magno que compõem aqui seu conselho, que não correspondem integralmente aos Doze Pares de França (vide nota ao v. 262). Galalão figura nessa passagem como o décimo-segundo mencionado (v. 178) num paralelismo evidente com o Evangelho de São Lucas (Lc. 6: 13-16): "E quando se fez dia, chamou seus discípulos e escolheu doze dentre eles, aos quais chamou apóstolos: Simão, a quem

um cristão, se tornar, meu rei quise*ra*”.
Disse Carlos: “Salvar-se-á ago*ra*!” AOI.

XI

Bela a tarde, tão claro o solar,
as dez mulas, fizeram estabular.
Carlos fez, no vergel, tenda armar,
os mensageiros ali vai albergar;
os serventes lhes quer tão bem cuidar.
Tarda a noite pra vir novo raiar,
*o Im*perador quis, na aurora, despertar,
para o ofício e as matinas escutar.
Foi pra baixo, o rei, de um pinho alvar,
co’ os barões quer conselho acabar;
nos france*ses*, quer em tudo, se guiar. AOI.

CONSELHO DE CARLOS MAGNO

XII

*O Im*perador, eis debaixo de um pi*nho*,
seus barões chama, a ter conselho fin*do*:
Duque Ogie*ro e o* Arcebispo Dom Turpi*no*,
*Ri*cardo, o Velho, e Henri seu sobri*nho*;
da Gascu*nha*, eis o conde Aceli*no*;
Teobaldo, de Reims, e o primo Emí*lio*.
E também foram Gerson e Geral*do*,

chamou de Pedro, e André, seu irmão, Tiago e João, Filipe e Bartolomeu, Mateus e Tomé, Tiago, filho de Alfeu e Simão, chamado de Zelotes, e Judas, de Tiago, e Judas Iscariotes, quem foi o traidor”. Entre o grande contingente de franceses, Carlos Magno escolhe os seus barões e, do último, o poema oferece uma antecipação, como no texto bíblico (v. 178). **170.** O Duque Ogiero, ou Ogiero da Dinamarca, é uma personagem mítica daquele país, que seria filho de Godofredo I, rei da Dinamarca, na Escandinávia viquingue. É a figura do valete de espada no baralho francês, dada sua relação com Carlos Magno nos cantares de gesta. **171.** Ricardo, o Velho, ou o Destemido, ou Ricardo I, Duque da Normandia, reinou na segunda metade do século X, e é portanto uma personagem histórico-anacrônica. Sua tumba já se encontrava na Abadia de Fécamp quando ali foi o monge Turoldus, antes de se transladar à Inglaterra. Do mencionado sobrinho Henri, ou Henrique, nada se sabe. **172-174.** Acelin, Tedbald, Milun, Gererf e Gerin são personagens ficcionais e os

enſemblod elſ li quenſ Rollant i uint.
Y oliuer li proz y li gentilz.
deſ francſ de france en i ad pluſ de mil.
Gueneſ i uint ki [la] traiſun fiſt.
Deſ ore cumencet le cunſeill que mal p'ſt. AOI.

XIII

Seignurſ baronſ diſt li empere carleſ
Li reiſ marſilie mad tramiſ ſeſ meſſageſ
De ſun aueir me uoelt duner grant maſſe.
Vrſ y leunſ y ueltreſ caeignableſ.
Set cenz cameilz y mil hoſturſ muableſ.
Quatre cenz mulz cargez del ór darabe.
auoec i co' pluſ de cinquante care.
Maiſ il me mandet que en france menalge.
Jl me ſiurat ad aíſ a mun eſtage.
Si receủrat la noſtre lei pluſ ſalue.
Xpĭenſ ert de mei tendrat ſeſ marcheſ.
Maiſ io ne ſai quelſ en ~ ſiſ curageſ.
Dient franceiſ il nuſ i cuuent guarde. AOI.

XIV

Li empereſ out ſa raiſun ſenie.
Li quenſ Roƚƚ. ki nel otriet mie.

dois últimos também compõem os Doze Pares de França. **185.** Em trad. lit.: "Quatrocentas mulas carregadas de ouro árabe". Para o ouro, vide nota ao v. 132. **187.** (*menalge* = *m'en alge*) Moignet aponta que o sufixo em *-ge* de *Alge* é a forma normanda para o subjuntivo de *alez*. **190.** Em trad. lit.: "Cristão se tornará e de mim terá suas marcas". Martín de Riquer esclarece que a marca (*Marka*) é a fronteira mais remota do império carolíngio, como se tornará a Marca Hispânica, ao norte da Catalunha. Esse território deveria ser bem guarnecido a fim de evitar a invasão de povos vizinhos, daí o papel de um marquês. Um abanderado, ou alferes, é o conde ou marquês que leva a bandeira com a insígnia do rei. Em todo o período da cavalaria medieval houve regras sobre a heráldica, como os usos de cada signo militar que, no século XV, foi instituído como lei com o código afonsino, as *Sete Partidas* do rei Afonso X de Castela e Leão. Essa regulamentação, contudo, não bastou para que a terminologia dos signos militares fosse isenta de confusões. O mais certo, baseando-se naquelas partidas (Dom António de Mello e Castro, "A Nomen-

e com eles Roldão, o conde, é vin*do*,
e Oliveiro, o nobre aguerri*do*.
Só da França, são mais de mil os fran*cos*,
e Galalão, que haverá todos traí*do*,
no conselho que mal será cumpri*do*. AOI.

XIII

"Meus senhores barões!" – disse o rei Car*los* –
"Rei Marsílio mandou-me o seu reca*do*:
quer, do haver seu, me dar farto boca*do*,
os leões, ursos, cães acorrenta*dos*.
Os camelos e mil falcões muda*dos*,
do seu ouro, os muares carrega*dos*
e com tal há cinquenta ou mais de ca*rros*.
Mas que eu volte à França, é o seu manda*to*,
segue em pós, a Aquisgrão, no meu palá*cio*.
Lá terá o batismo assegura*do*,
pois será meu cristão embandeira*do*;
mas não sei, no seu peito, o que há trama*do*".
Dizem francos: "Convém-nos o cuida*do*". AOI.

XIV

*O Im*perador terminou o seu juí*zo*,
mas Roldão, quis então ser divergi*do*,

clatura das Signas Medievais"), é compreender que cada signo de agrupamento militar faz referência ao número da hoste sobre a qual está seu mando. Assim, temos: a bandeira real, que primordialmente era chamada de estandarte, só pode ser ostentada por um príncipe ou soberano e deve ser quadrada; sua inteireza, que ostenta a insígnia ou brasão, representa o reino onde se é senhor, que não deve ser partido; o pendão, que é um termo genérico para todos os outros signos abaixo da bandeira real, é um triângulo isósceles, apenas com as cores do brasão, na haste ou lança dos mestres da ordem militar no mando de cinquenta a cem homens; e abaixo desse, o gonfalão, com duas pontas farpadas e todo ondulado, na haste de senhores feudais. O termo estandarte, mais tardiamente, aparece referido a signos com duas pontas farpadas da mais baixa posição, no mando de cinco a dez homens, contradizendo o uso anterior da mais alta posição. No âmbito composicional do cantar, portanto, não devemos exigir a clara especificidade do código afonsino, já que o termo *gunfanun* aparece de forma bastante genérica, por uma provável imprecisão terminológica no século XI.

en piez ſe drecet ʃi li uint cuntredire.
Jl diʃt al rei ia mar crerez marʃilie.
Set anz pleinʃ que en eʃpaigne uenimeʃ.
Jo uoʃ cũq'ʃ y nopleʃ y cõmibleʃ.
Priʃ aɥualte__rne y La tere de pine.
y balaʃgued y tuele y ʃezilie.
Li reiʃ marʃilie ifiſt mult que traitre.
De ʃeʃ paienueiat quinze.
Chancunʃ portout une branche doliue.
Nuncerent uoʃ cez paroleʃ meiʃme.
A uoʃ Franceiʃ un cunʃeill en preʃiʃteʃ.
Loerent uoʃ alqu[e]ʃ de legerie.
Douʃ de uoz cunteʃ al paien trameʃiſteʃ.
Lun fut baʃan y li altreʃ baʃilieʃ.
Leʃ cheʃ en ꝓʃt eſ puiſ deſuz haltilie.
Faiteʃ la guer cũ uoʃ lauez enꝓʃe.
en ʃarraguce menez uoʃtre oʃt banie,
Metez le ʃege a tute urẽ uie.
Si uengez celʃ que li felʃ fiʃt ocire. AOI.

XV

Li empe en tint ʃun chef enbrunc.
Si duiʃt ſa barbe afaitad ſun gernun.
Ne ben ne mal ne reʃpunt ʃun neuuld.
Franceiʃ ʃe taiʃent ne maiʃ que guenelun.
en piez ʃe drecet ʃi uint deuant carlun.

198. Riquer apresenta *cõmibleʃ* como uma corrupção de *Morinde*, atual Miranda de Arga, em Navarra; Moignet considera ser *nopleʃ*, a cidade de Pamplona que, efetivamente, Carlos Magno dominou por algum período, ambos embasados, para essas informações, em Aebischer (Paul Aebischer, *Rolandiana et Oliveriana: Recueil d'*Études *sur les Chansons de Geste*, Genève, Droz, 1967). Já Roncaglia (Aurélio Roncaglia, "Geografia Storica di Leggende e Fiabe: Da Roland a Aberon", *Cultura Neolatina*, vol. 56, n. 1-2, pp. 45-99, 1996) identifica *cõmibleʃ* como Montemor-o-Velho, uma vila em Coimbra, município a que se referiria, segundo essa consideração, a topografia referente a *nopleʃ*, ambas, contudo, geográfica e historicamente muito inverossímeis até para ouvintes de conhecimento geográfico questionável (vide nota ao v. 71). Diante da imprecisão e da provável ficcionalidade, optamos pela não tradução dessas topografias. **199.** Ambas as topografias foram identificadas ao Sul do rio Ebro: Valtierra, em Navarra, e Pina del

pôs-se em pé a propor seu contradi*to*,
disse ao rei: "Não creiais nesse Marsí*lio*!
Na Espanha, já hemos um setê*nio*,
ei-vos, Noples, Comibles, invadi*do*,
mais Valterra e Pina, além di*sso*;
Balaguer e Tudela e Cor'del Ri*o*.
Rei Marsílio foi um grande perfí*dio*,
dos pagãos, mais de quinze foram vin*dos*,
cada qual com seu galho de oli*vo*;
reportar*am*-vos o mesmo palavri*o*.
Dos franceses, conselho presumi*do*,
com ligeireza, a vós foi sugeri*do*.
Desses condes, dois idos a Marsí*lio* –
o Basão e o outro, o Basí*lio* –
as cabeças perderam sob o Haltí*lio*.
Dai-lhe a guerra que havíeis pretendi*do*,
em Saragoça, com homens reuni*dos*,
dei-lhe sítio, enquanto fordes vi*vo*;
e vingai, os seus mortos, desse infi*do*". AOI.

XV

Abaixada, o rei, tinha a cabe*ça*,
seu bigode e a barba afaga e ajei*ta*.
Bem ou mal, a Roldão, não lhe contes*ta*,
Galalão quis falar, pois se aquie*tam*.
Quando em pé, ante Carlos, fez presen*ça*,

Ebro, em Aragão, a poucos quilômetros ao sul de Saragoça. **200.** *fezilie* é local desconhecido, apesar de haver sido identificado como Sevilha por Cesare Segre em sua edição do cantar de 1971 (*apud* Martín de Riquer, *Chanson de Roland, Cantar de Roldán y el Roncesvalles Navarro)*. Traduzimos por Cor'del Rio por exigências métricas e de assonância, em referência ao município Coria del Rio, na província de Sevilha, considerando haver sido localidade muçulmana – quando se chamava Qwara – invadida, desde o século IX, por normandos viquingues, apesar da longínqua localização desses povos eslavos, como demonstra Riosalido (Jesús Riosalido, "Los Vikingos en Al-Andalus", p. 339). **201.** Roldão começa a narrar um evento pretérito, sem se referir aos mensageiros há pouco chegados. **202.** Há uma apócope na palavra *paienueiat* que corresponde a *paienſ enveiat*. **203.** Vide nota ao v. 93. **209.** Monte Haltílio é uma localização não identificada que será mencionada novamente no v. 491. **212.** Em trad. lit.: "Metei-lhe assédio por toda vossa vida".

Mult fieremt cumcet ʃa raiʃun.
e diʃt al rei ia mar crerez bricun.
Ne mei ne altre ſe de uoʃtre pd nun.
Quant co uoʃ mandet li reiʃ marʃiliun
'Ql devendrat iointeʃ ſeſ mainʃ tiʃ hom.
e tute eʃpaigne tendrat par uoʃtre dun.
Puiʃ receůrat la lei que nuʃ tenum.
Ki co uoʃ lodet que ceʃt plait degetunſ.
Ne li chalt ʃire de quel mort nuʃ muriunʃ.
cunʃeill dorguill neʃt dreiz que a pluʃ munt.
Laiʃʃũ leʃ folʃ aʃ ʃageʃ nuʃ tenunʃ. AOI.

XVI

Apreʃ ico i eʃt neimeʃ uenud
Meillor uaʃʃal naueit en la curt nul.
Y diʃt al rei ben lauez entendud.
Gueneʃ li quenʃ co uuʃ ad reʃpondud.
Saueir i ad maiʃ q'l ʃeit entendud.
Li reiʃ marʃilie eʃt de guere uencud.
Voʃ li auez tuz ʃeʃ caʃtelʃ toluz.
od uoz caableʃ auez fruiʃet ʃeʃ m'ʃ.
Seʃ citez arʃeʃ y ʃeʃ humeʃ uencuz.
Quant il uoʃ mandet quaiez mercit de lui.
Pecchet ʃereit ki dunc li feʃiʃt pluʃ.
V par oʃtage uoʃ en uoelt faire ʃourʃ.

220-229. Nesses versos, há um brevíssimo porém estruturado discurso retórico, cujo conhecimento por parte do autor, logo advertimos: a *proposição* (v. 220) é a parte do discurso em que o orador mostra sua posição. A ausência de um artigo definido em *crerez bricun*, faz a acusação a Roldão ser sutilmente indireta; o *exórdio* (v. 221) é a parte introdutória do discurso, cujo objetivo é conseguir a benevolência do ouvinte e torná-lo dócil. Com *...ſe de uoʃtre pd nun* (que de vosso proveito não seja), mostra a exclusiva preocupação com o rei por parte de Galalão; na *narrativo* (vv. 222-225), apresentam-se os fatos implicados no discurso, sempre claros e verossímeis, o que Galalão garante, apelando à força do ritual vassálico (vide nota ao v. 223); a *argumentatio* (v. 224), nesse caso, é do tipo refutativa, quando Galalão refuta a tese de Roldão pela repulsa aos fatos elencados, desqualificando-o por generalizar com o pronome *ki*, aquele que não se importa com os demais, um *oppositum* ao *exórdio*, visto que o orador se mostrava preocupado com o rei; na *peroratio* (vv. 228-229), o orador faz uma recapitulação, recuperando a proposição do seu adversário como movido pelo orgulho, e faz um apelo ético aos valores da justiça, *dreiz* (direito), e prudência, *ʃageʃ* (sabedoria) (Para a estrutura do discurso retórico, vide Dante Tringali, *In-*

do falar, tão brioso, argumen*ta*:
Diz ao rei: "Não creiais a uma bes*ta*!
Outro ou eu, se sem vossa conveniên*cia*.
Quando disso Marsílio dá ciên*cia*,
que, juntadas as mãos se, a vós, suje*ita*;
que tereis, sob o vosso dom, a Espa*nha*;
e que a no*ssa* lei a quer por recebi*da*,
quem suge*re* desse pacto a repul*sa*,
não se impor*ta* com que morte se expi*ra*.
Que o conselho ufano não prossi*ga*,
e os tolos deixemos, por prudên*cia*". AOI.

XVI

Depois disso, é vindo o Nemé,
*me*lhor vassalo essa corte já não tem.
Disse ao rei: "Vós haveis ouvido bem,
a objeção que o duque aqui vos fez.
Se entendermos, aqui há sensatez,
já vencido está, Marsílio, o rei;
os castelos tomado, vós haveis,
com catapultas os muros já não eis,
caem urbes e os homens também.
Quando pede que vos apiedeis,
mais fazendo, em pecado estareis.
Se o quiserdes guardar com os reféns,

trodução à Retórica: A Retórica como Crítica Literária, São Paulo, Duas Cidades, 1988). **223.** "Juntadas as mãos" faz referência a um ritual do contrato vassálico, cuja primeira parte, desde os tempos carolíngios, consistia em que o vassalo, em genuflexão, sem armas e de cabeça baixa, juntasse as mãos em homenagem ao seu suserano que, por sua vez, simbolizando a proteção que deve a seu vassalo, fechasse as suas sobre as dele. Essa parte da cerimônia era conhecida por *immixtio manuum* (Guy Fourquin, *Senhorio e Feudalidade na Idade Média*, Lisboa, Edições 70, 1978). **227.** Em trad. lit.: "Pouco lhe importa, senhor, de qual morte nós morramos". Esse verso é a antecipação de uma ampla oposição da narrativa entre os valores da prudência e da bravura. Há uma morte para o prudente, de idade avançada, na segurança do seu feudo, e há uma morte para o herói épico, prematura, que se entrega à batalha, em qualquer circunstância. **230.** *Naimon* (caso sujeito de *neimes*) é o conselheiro de Carlos Magno, sem título ou procedência indicados no cantar, mas por outras gestas se sabe ser Duque da Baviera, uma personagem lendária. Optamos pela tradução como Duque Nemé, conforme apresenta a tradição do cordel no Brasil. **238.** Em trad. lit.: "As cidades ardendo e os homens vencidos".

ceſte grant guerre ne deit munter a pluſ.
Dient franceiſ ben ad parlet li dux. AOI.

XVII

Seignurſ barunſ qui i enueierunſ
en ſarraguce al rei marſiliunſ.
dux neimeſ io irai par urẽ dun.
Liůrez men ore le guant y le baſtun.
Reſpunt li reiſ uoſ eſteſ ſaiueſ hõ.
par ceſte barbe y par ceſt men gernun,
Voſ nirez paſ uan de mei ſi luign.
alez ſedeir quant nulſ ne uoſ ſumunt.

XVIII

Seignurſ baunſ q'i purrunſ enueiek.
al ſarrazin ki ſarraguce tient.
Reſpunt Rolł io i puiſ aler mult ben.
Nu ſerez certeſ diſt li quenſ oliver.
Voſtre curageſ eſt mult peſmeſ y fierſ.
Jo me crendreie que uoſ uoſ meſliſez.
Se li reiſ uoelt io i puiſ aler ben.
Reſpunt li reiſ amb dui uoſ en taiſez
Ne uoſ ne il ni porterez leſ piez
Par ceſte barbe que ueez blarcher
Li duze per mar i ſeit iugez.
Franceiſ ſe taiſent aſ leſ uuſ aquiſez.

247. A luva e o bastão (*baſtun*), aqui traduzido como cajado, são signos da investidura de um feudo, de uma dignidade ou de uma importante missão, que é o caso no contexto do cantar. Simbolizam a mão e o cetro do senhor que, entregando-os ao vassalo, delega a ele sua autoridade. **249.** Em trad. lit.: "Por essa barba e esse meu bigode". A tradução poética respeita a proposta de assonância, recuperando a referência às cãs da barba de Carlos Magno (vide nota ao v. 117). A jura pela barba e pelo bigode é um *topos* na literatura medieval. **250.** Conforme indica Moignet, *uan = hoc anno*: esse ano. **261.** O infinitivo *blarcher* é correção do adjetivo *blancher*, empregado por Moignet e Riquer, a partir da análise ultravioleta do manuscrito, proposta por Samaran (Charles Samaran, "Lectures sous les Rayons Ultra-Violets: Chanson de Roland (Manuscrit d'Oxford), p. 406) e Waters (E. G. R. Waters, "Gleanings from MS. Digby 23, *The Modern Language*

essa guerra, não há que mais manter".
Dizem francos: "O duque falou bem!" AOI.

XVII

"Meus senhores, a quem enviare*mos*
a Saragoça, a ter com o Mars*ílio*?"
Diz o duque Nemé: "Por dom eu po*sso*,
entregai-me a luva e o caj*ado*".
Diz o rei: "Sois o meu homem mais s*ábio*,
pela barba e o bigode meus flori*dos*,
não ireis, vós de mim, longe esse a*no*;
sentai, pois, que não foste requeri*do*".

XVIII

"Meus barões, quem mandar eu poderi*a*
ao sarraceno que está em Sarago*ça*?"
Diz Roldão: "Muito bem eu mesmo iri*a*".
"Não esteis certo!" – seu par lhe dizi*a* –
"Vossa verve é terrível e alti*va*,
me faz crer que peleja haveri*a*;
mas se o rei quer eu bem que poderi*a*".
"Vós, calai!" – assim Carlos respondi*a* –
"Pois nem ele nem vós o pé arre*da*!
Pela barba que vedes albug*ínea*,
dos meus Do*ze* Pares nenhum se desi*gna*!"
Ei-los quietos e os francos já se c*alam*.

Review, vol. 25, n. 1, pp. 95-99, 1930). A tradução, contudo, exige o retorno à forma adjetiva em razão da assonância, mas em ambos os casos, o sentido não sai prejudicado, pois, em trad. lit.: "Por esta barba que vedes branquear". Bédier emprega outra correção: *blancheier*, e traduz como *toute blanche*. **262.** Os Doze Pares formam a elite dos cavaleiros de Carlos Magno, em referência aos doze apóstolos de Cristo, assim como os doze conselheiros, com alguns cavaleiros comuns a ambos os grupos (vide nota aos vv. 170-178). São os Doze Pares: Roldão, Oliveiro, Sansão, Anselmo, Gerson e Geraldo, Ivan, Ivo, Otto, Berenguer, Engels e Girard de Rossilhão. Essa lista, que aparece completa na terceira parte do cantar (vv. 2403-2409), pode diferir segundo o texto, notadamente no da "Nota Emilianense". **263.** Moignet aponta que a fórmula *as les vus*, que aqui traduzimos com o advérbio pronominal "ei-los", mais do que se referir aos interlocutores, associa o auditório à ação, com o que concordamos inteiramente.

XIX

Turpinʃ de reinʃ en ~ leuet del renc.
y diʃt al rei laiʃez eʃter uoz francʃ.
en ceʃt paiʃ auez eʃtet ʃet anz.
Mult unt oud e peineʃ y ahanʃ.
Dunez men ʃire le baʃtun y leguant.
y io irai al ʃarazin en eʃpaigne.
Sin uoiʃ uedeir alq'ʃ de ʃun ʃemblant.
Li empereʃ reʃpunt par maltalant.
alez ʃedeir deʃur cel palie blanc.
Nen parlez maiʃ ʃe jo nel uoʃ cumant. AOI.

XX

Francs chevalers diʃt li empere carleʃ.
car meʃliʃez un barun de marmarche.
Qua marʃiliun me portaʃt mun miʃ paraʃtre.
co diʃt Rolł co ert gueneʃ miʃ paraʃtre.
Dient Franceiʃ car il le poet ben faire.
Se lui leʃʃez ni t'metrez pluʃ ʃaiue
Y li quenʃ Gueneʃ en fut mult anguiʃableʃ.
Deʃun col getet ʃeʃ grandeʃ pelʃ de martre
Y eʃt remeʃ en ʃun blialt de palie.
Vairʃ out [les oilz] y mult fier lu uiʃage.
Gent out le corʃ y leʃ coʃtez out largeʃ.
Tant par fut belʃ tuit ʃip len eʃguardent.

269. Em trad. lit.: "Eu irei ao sarraceno na Espanha". **275.** *Marmarche = ma marche*, evidentemente o copista coloca um *r* por engano. Para o barão embandeirado, vide nota ao v. 190. **280.** A entrada *anguiʃableʃ*, no AND, é traduzida como angustiado, atormentado, preocupado. O dicionário utiliza esse verso como exemplo. O termo já foi traduzido por "sufocado", por Moignet, "angustiado", por Bédier, e "irritado" por Riquer, esses últimos justificando o perfil corajoso da personagem. A presente opção condiz com a causa – que é menos o medo e mais a indignação com a atitude de Roldão – e com seu perfil cavalheiresco (vv. 280 e seguintes). **281.** Em trad. lit.: "De seu pescoço arremessa sua grande pele de marta". Marta é um mamífero do gênero *martes*, como a fuinha, abundante na Europa e muito valorizada pela sua pele (vide nota ao v. 462). **282.** *Blialt* é uma longa túnica de lã ou tecido fino que os cava-

XIX

O Turpino de Reims surgiu do ren*que*,
disse ao rei: "Deixe estar vossos france*ses*.
Sete anos aqui sois permanen*te*,
muitas pe*nas* vivemos e ansieda*des*.
O cajado e a luva, senhor, dai-*me*,
ao sarraceno, na Espanha, eu irei, cre*de*,
pois eu que*ro* algo ver do seu semblan*te*".
*o Im*perador já responde impacien*te*:
"Sobre o seu branco manto, sentar i*de*,
não faleis se eu não vos der a or*dem*!" AOI.

XX

"Cavaleiros franceses!" – diz rei Car*los* –
"Escolhei-me um barão embandeira*do*,
um que leve a Marsílio o meu reca*do*".
Diz Roldão: "Galalão, o meu padras*to*!"
Francos dizem: "Bem pode ele fazê-*lo*!
Se rejeitá-*lo* não tereis outro mais sá*bio*".
Galalão fica muito atormenta*do*,
rica pele, arremessa do pesco*ço*;
resta a tú*ni*ca, tão fino é o teci*do*.
Brilham verdes, seus olhos, rosto alti*vo*,
largos ombros, esplêndido indiví*duo*;
os seus Pares fitavam, tão boni*to*.

leiros, como signo de nobreza, vestiam por baixo de uma pele, como a de marta, ou, para a batalha, sob a cota de malha, esta em aço (vide nota ao v. 384). Na armada portuguesa foi chamada de laudel (Pedro Agostinho, *Vestidos para Matar: O Armamento de Guerra na Cronística Portuguesa de Quatrocentos*, Coimbra, Imprensa da Universidade de Coimbra, 2013). **283.** No manuscrito, o verso está: *Vairſ out y mult fier lu uiſage*. O acréscimo do substantivo *les oilz* (os olhos) é consensual, visto que o plural de *Vairſ* (brilhantes), normalmente atribuído aos olhos, não estabelece concordância com o singular do substantivo *uiſage* (rosto). Admite-se, portanto, uma falha do copista em saltar o substantivo referente a *Vairſ*. A entrada no AND de *vair* apresenta *vert* (verde) como uma variação daquele, portanto consideramos uma relação polissêmica de *vairſ*, à qual responde nossa tradução por "brilham verdes, seus olhos...", considerando ainda que os olhos verdes estão culturalmente associados à traição.

Diſt a Rolł tut fol pur quei teſrageſ
Co ſet hŏ benq[e] ioſui tiſ paraſtreſ.
Si aſ iuget q[a] Marſiliun en alge
Se d'ſ co dunet que io de la repaire.
Jo ten muùra un ſi grant contrire.
Ki durerat a treſtut tun edage.
Reſpunt Rolł orgoill ói y folage.
co ſet hŏ ben nai cure de manace.
Mai ſaiueſ hŏ il deit faire meſſage.
Si li reiſ uoelt prez ſui por uus le face.

XXI

Gueneſ reſpunt pur mei niraſ tumie. AOI.
Tu nieſ meſ hŏ ne io ne ſui tiſ ſire.
carleſ comandet que face ſun ſeruiſe.
en ſarraguce en irai a Marſilie.
einz i frai un poi degerie.
Que io neſclair ceſte meie grant ire.
Quant lot Rolł ſi cuḿcat a rire. AOI.

XXII

Qvant co ueit gueneſ que ore ſen rit Rolł.
Dć ad tel doel purpoi dire ne fent.
a ben petit que il ne ꝑt le ſenſ.
E dit al cunte io ne uus aim nient.
Sur mei auez turnet falſ iugement.
dreiz emꝑre ueiz me ci en preſent.
a demplir uoeill urĕ comandeḿt.

288. O verbo *iuget* foi comumente traduzido por "designar", mas, em sua acepção jurídica no *AND*, fica claro que *julger (to judge, condemn oneself)* fica assim melhor traduzido, sobretudo ao considerar a reação de Galalão ante o iminente perigo dessa designação (vide vv. 201-209). Para *alge*, vide nota

A Roldão, disse: “Tolo! Estais zanga*do*?
Todos sabem que sou vosso padras*to*;
condenaste-me a ir até Marsí*lio*!
Se meu Deus conceder-me o meu regre*sso*,
causarei *a* vós um tão grande suplí*cio*;
que durará todo o quanto fordes vi*vo*”.
Diz Roldão: “Tanta asneira eu escu*to*!
Co’ameaças, bem sabem, não me impor*to*,
a mensagem, porém, que a leve um sá*bio*;
se o rei quer, *em* seu lugar, eu ir bem po*sso*!”

XXI

Galalão diz: “Por mim, não ireis jamais! AOI.
Por meu ho*mem* e eu senhor não nos tenhais.
Que eu cumpra o serviço a Carlos praz,
a Marsí*lio, em* Saragoça, irei, sem mais,
não sem, antes, fazer algo mordaz;
minha i*ra* só assim se satisfaz!”
*En*quanto ouvia, Roldão ria demais. AOI.

XXII

Galalão, quando ouve rir Roldão,
tal a i*ra*, quase racha em aflição
e, por pouco, não perde a razão.
Disse ao conde: “Já não te amo não!
Sobre mim *pu*seste falsa opinião.
Justo rei, eis aqui o seu barão,
pra cumprir vossa determinação”.

ao v. 187. **296.** Esta é a primeira das seis vezes (de um total de 180 ocorrências) que as misteriosas letras AOI são apresentadas em posição de verso inicial. **297.** Em trad. lit.: “Tu não és meu homem e eu não sou teu senhor”.

XXIII

En ʃarraguce ʃai ben (qu')aler meʃtoet. AOI.
hŏ ki la uait repairer ne ʃen poet.
enʃur que tut ʃi ai io urẽ́ ʃoer
Sin ói un filz ia pluʃ belʃ neneʃtoet.
co ~ baldewin co dit ki ert ꝑzdoem.
a lui laiʃ io meʃ honºʃ y meʃ fieuʃ.
Guadez le ben ia nel uerrai deʃ oilz.
carleʃ reʃpunt tro auez tendre coer.
puiʃ quel comant aler uus en eʃtoet.

XXIV

Co diʃt li reiʃ gueneʃ uenez auant. AOI.
Si receuez le baʃtun y lu guant.
Oit lauez ʃur uoʃ le iugent franc.
Sire diʃt gueneʃ co ad tut fait Rolł
Nel amerai a treʃtut mun uiuant.
Ne oliuer por co quil eʃt ʃi cumpainz.
li duze per por co quil laiment tant.
Deʃfi leʃ enʃire urĕ ueiant.
Co diʃt li reiʃ trop auez mal talant.
Or irez uoʃ certeʃ quant iol cumant.
Jo i puiʃ aler maiʃ ni aurai guarant. AOI.
Nul out baʃilieʃ ne ʃiʃ frereʃ baʃant.

XXV

Li emꝑeres li tent ʃun guant le deʃtre.
Maiʃ li quenʃ gueneʃ iloec ne uolʃiʃt eʃtre.

310. Há uma rasura no manuscrito que é consensual preenchê-la com a conjunção *que*. **313.** A preposição *ói* é correção de *ai*, proposta pela análise ultravioleta de Samaran (Charles Samaran, "Lectures

XXIII

"*A* Saragoça, bem sei que a ir me to*ca*, AOI.
quem ali vai, é certo, já não vol*ta*.
Sobretudo, eu tenho a irmã vo*ssa*,
e meu filho, o mais belo que há, é de*la*,
o Baldovi*no*, cuja honra lhe sobe*ja*.
Para ele, meus feudos, minha fa*ma*;
protejei-lhe, se ausentes, minhas vis*tas*".
Disse Car*los*: "Vossa alma é tão mei*ga*,
mas porque eu comando a ir vos to*ca*".

EMBAIXADA DE CARLOS MAGNO

XXIV

Disse o rei: "*A*proximai-vos, Galalão; AOI.
recebei essa luva e esse bastão,
a favor de que vades todos são".
Galalão diz: "Senhor, foi o Roldão,
por toda vida, já não o amo não,
nem Oliveir*o*, que é como seu irmão;
e os Doze Pares, que o amam tanto, então,
eu os rep*to* ante tal observação".
Disse o rei: "Tendes má disposição,
certamen*te* ireis, por obrigação".
"Posso ir mas, bem sei, sem proteção, AOI.
como foram Basílio e o Basão".

XXV

*O Im*perador lhe estende a luva des*tra*,
mas o con*de, es*tar ali, já não queri*a*.

sous les Rayons Ultra-Violets", p. 406). **316.** Em trad. lit.: "Guardai-o bem [pois] já não o verão esses olhos".

Quant le dut þndre ſili cait a tere.
Dient franceiſ d'ſ que þrat co eſtre.
de ceſt meſſage noſ auendrat grant ꝑte.
Seignurſ diſt gueneſ uoſ en orrez noueleſ.

XXVI

Sire diſt gueneſ dunez mei le cungied.
Quant aler dei ni ai pluſ que targer.
co diſt li reiſ al ihu y al mien.
de ſa main deſtre lad aſolſ y ſeignet.
puiſ li liurat le baſtun y le bref.

XXVII

Gueneſ li quenſ ſen uait aſun oſtel.
de garnemz ſe þnt a cunreer.
de ſeſ meillorſ que il pout recuurer.
espunſ dor ad en ſeſ piez fermez.
ceint murglieſ ſeſpee a ſun coſted.
en tachebrun ſun deſtrer eſt munted.
Leſtreu li tint ſun uncle guinemer.
La ueiſez tant cheualer plorer.
Ki tuit li dient tant mare fuſteſ ber.
en la cort al rei mult i auez eſted.
Noble uaſſal uoſ i ſolt hõ clamer.
Ki co iugat que douſez aler.

333. Moignet esclarece de *dut* significa "estar a ponto de" ou, se em perífrase com verbo (þndre = *prendre*, pegou), passa a significar que o fato quase ocorreu. **334.** þrat = *purrat, poer*, ter a habilidade, a capacidade, o poder ou a oportunidade de algo. **335.** A entrada *meſſage* no AND é traduzida como mensagem, mensageiro ou enviado. Refere-se, contudo, ao prenúncio agourento que representa a queda da luva, o que traduzimos por "núncio" como mais uma antecipação da *grant ꝑte* (*ꝑte = perte*), a grande perda que será acarretada pelo mau acordo de Galalão. **339.** *ihu = Jhesu*, Jesus. **340.** Na liturgia, esse ato de bendizer e persignar missionários antes da partida à terra dos ditos infiéis chama-se *benedictio finalis*. Era, contudo, normalmente realizado pelos clérigos e não laicos, como é o caso de Carlos Magno, embora não seja incomum os cantares de gesta elevarem seus heróis em santificação. **346-347.** Espadas e cavalos, a partir da *Chanson de Roland*, cumprem um notável protagonismo em toda a tradição da literatura cavalheiresca medieval, até a mítica Excalibur na matéria bretã e o insólito Rocinante de Quixote. São frequentes,

Quando quase a pegou, caiu-lhe à te*rra*,
e os fran*cos* dizem: “Deus, que signifi*ca*?
Co’ esse núncio virá tão grande per*da*”.
Galalão diz: “Barões, tereis notí*cias*”.

XXVI

Galalão diz: “Senhor, dai-me licen*ça*,
*de*vendo ir, já não quero mais tardan*ça*”.
Disse o rei: “*Co’a* de Jesus e com a mi*nha*”.
Com a des*tra o* absolve e o persi*gna*;
entregou-lhe o bastão e a missi*va*.

XXVII

Galalão vai a seu alojamen*to*,
e começa a arrumar o indumen*to*
com que então possa ser melhor cober*to*.
Nos seus pés, as esporas pôs de ou*ro*,
sua espada, a Murgleis, cingiu ao la*do*.
Já montou *em* Tachebrum, o seu destrei*ro*,
o estri*bo* lhe susteve, o seu ti*o*.
Lá veríeis chorar os cavalei*ros*,
que diziam: “Barão, sois desdita*do*!
Pois, na corte, haveis muito vivi*do*,
vos chamavam de nobre, e bom vassa*lo*.
Quem vos quis, a partir, designa*do*,

nessa longeva tradição e no cantar, as prosopopeias que, muitas vezes, ultrapassam a mera onomástica, esta que é sempre sugestiva de uma característica, qualidade ética ou origem lendária, concordes sempre com uma idealização épica. Nesses versos, são-nos apresentados a espada e o cavalo de Galalão, o Tachebrum, ou *tache de brun* (manchado de marrom) e a Murgleis, de *Mur* e *gladium*, em latim, “espada de mouro”, a qual se pressupõe haver sido arrebatada de um mouro em algum combate singular no passado. Era comum o cavaleiro vitorioso no combate tomar posse de armas e cavalo do derrotado, o que é extremamente vexatório a um cavaleiro, uma vez que não termine morto. Para destreiro, vide notas aos vv. 470-481 e 1490. **352.** Em algumas construções frasais, sempre como complemento de verbo auxiliar (*set hŏ* no presente, como nos vv. 287, 293; ou *solt hŏ*, no pretérito, como no v. 352), o étimo *hom* pode ter valor de indeterminação de sujeito que, nesse verso, traduzimos com a terceira pessoa do plural, do infinitivo *clamer*, flexionado no pretérito de *solt*.

par charlemagne nercſ guariz ne tenſez.
Li quenſ Rolł nel ſe douſt penſer.
Que eſtrait eſteſ de mult ğnt parented.
enþs li dient ſire car noſ menez
co reſpunt gueneſ ne placet dănedeu.
mielz eſt que ſul moerge tant bon cheualer.
en dulce France ſeignªſ uoſ en irez
de meie part ma muiller ſaluez.
e pinabel mun ami e mun per.
e baldewin mun filz que uoſ ſauez.
y lui aidez y pur ſeignur le tenez.
entret en ſa ueie ſi ſeſt achiminez. AOI.

XXVIII

Gueneſ cheualchet ſuz une oliue halte.
aſemblet ſeſt aſ ſarrazins meſſag
Maiſ blancandrinſ ki enuerſ lu ſatarget.
par grant ſaueir parolet li unſ al altre
Dist blancandrinſ merueiluſ hŏ eſt Charleſ.
Ki cunq'ſt puille y treſtute calabre.
verſ engletere paſſat il la mer ſalſe.
ad oeſ ſeint ꝑre en cunq'ſt le cheuage.
Qᵉ nuſ requert ca en la nrĕ marche.

354. Todas as transcrições paleográficas consultadas (Bédier, Moignet, e Riquer) já corrigem a grafia *nercſ* por *n'ert* (não será). Por nossa opção de fidelidade ao manuscrito, preservamos a grafia original, mas a corrigimos no lado da tradução, de acordo com os editores consultados. **356.** O termo *parented*, que traduzimos por "aparentado", faz referência à linhagem de Galalão, à nobreza dos seus antepassados. **358.** *dănedeu* é a forma contracta da expressão *dampnedeu*, *damnedeu*, Senhor Deus. **XXVIII-XXX.** Nessas séries, evidencia-se o que Moignet chama de *finesse psychologique* do autor do cantar com o diálogo entre Galalão e Blancandrim: caminhando detidamente lado a lado, Blancandrim, iniciando com um elogio a Carlos a fim de conseguir a afabilidade de Galalão, quer desvendar as intenções do inimigo; Galalão, por sua vez, quer convencê-lo de que todo o mal que recai sobre os sarracenos advém de Roldão, mas o diálogo segue na progressão característica das séries similares, tornando-se o argumento mais explícito a cada série. Assim, com toda a prudência retórica que adorna a traição que se está tramando, a morte de Roldão é um acordo entre cavaleiros. **367.** Em trad. lit.: "Juntou-se aos mensageiros sarracenos". Vide nota ao v. 335. **370.** O DMF (*Dictionnaire du Moyen Français*) traduz o adjetivo *merveleux* como "quem desperta espanto, admiração, por um caráter extraordinário, singular, surpreendente, estranho, prodigioso" (*Qui suscite l'étonnement, l'admiration, par un caractère extraordinaire, singulier, surprenant, étrange, prodigieux*). Nesse sentido, o professor Antoni Rossell, em atenção a este étimo, aponta que a tradução mais próxima ao sentido original

não será salvo nem por Carlos Mag*no*;
é o conde Roldão, o deslembra*do*,
de que sois de tão nobre aparenta*do*".
Depois dizem: "Senhor, designai-*nos*!"
Galalão diz: "De Deus não é do agra*do*!
Antes morra eu que tão bons cavalei*ros*.
Para França, barões, tomai cami*nho*,
e à mi*nha es*posa, dai meus cumprimen*tos*;
e também *a* Pinabel, par companhei*ro*;
e a meu fi*lho* conhecido, o Baldovi*no*.
Cuidai de*le e* por senhor vosso tomai-*o*".
Na via en*tra e* empreende o cami*nho*. AOI.

XXVIII

Galalão, *sob* oliveiras, cavalga*va*,
já uni*do à* sarracena comiti*va*.
Blancandrim, ao seu lado se deti*nha*,
com prudên*cia*, eles se conferenci*am*.
Blancadrim disse: "Carlos me admi*ra*,
conquistou a Calábria e a Apú*lia*,
e chegou, *por* mar salino, à Inglate*rra*,
e tribu*tos* a São Pedro ele conquis*ta*;
o que quer, afinal, em nossa mar*ca*?"

seria "... Carlos é um homem particular" (vide prefácio). A tradução apresentada, seguindo o padrão métrico e de assonância, preserva o sentido de estranhamento sob a perspectiva do enunciador numa operação de modulação entre o adjetivo (estranho, particular, extraordinário) pelo verbo "admirar". **371.** Identificamos *Puille* com Apúlia e *Calabre* com Calábria, ambas na Itália. São conquistas que não pertencem a Carlos Magno histórico e que se tornaram lendárias com a *Chanson d'Aspremont*, um longo cantar que supera os onze mil versos, escrito no final do século XII, na Itália. Este cantar foi considerado a pré-história de Roldão, retratado ali como um infante que, ao final do cantar, é armado cavaleiro por Carlos, já havendo dado morte ao sarraceno Aumont, de quem obtém seu olifante, sua espada Durendal e seu cavalo Veilantiu. Para o cavalo de Roldão, vide nota ao v. 1553. **372.** O rei Carlos histórico, não possuindo naus em seu exército, nunca esteve na Inglaterra, só conquistada pelos normandos em 1066. Em 786, Carlos invadiu a Bretanha continental, aqui provavelmente confundida com a Grã-Bretanha insular. Outra hipótese que pode explicar essa imprecisão é que Turoldus, se o admitimos como autor, houvesse desejado conferir um caráter normando ao cantar, atribuindo a Carlos as conquistas de seus líderes conterrâneos, tanto a de Guilherme, o Conquistador, na Inglaterra, como a de Roberto Guiscardo, na Calábria, v. 371. **373.** ſeint *pre* = *Seint Perre* (São Pedro). No AND, a entrada *ues, oes, ops*, é traduzida como *purpose, use, tom y advantage*; assim, *ad oeſ* seria "em benefício de", que aqui condensamos apenas na preposição "a", em

Guenеſ reſpunt itelſ ⁊ ſiſ curageſ.
Ia maiſ nert hume ki encuntre lui uaille. AOI.

XXIX

Diſt blancandrinſ francſ ſunt mult gĕtilz hŏe.
Mult ğnt mal funt y cil duc y cil cunte
a lur ſeignur ki tel cunſeill li dunent.
Lui y altrui trauaillĕt y cunfundent.
Guenеſ reſpunt io ne ſai ueirſ nul hume.
Ne meſ Rolł ki uncore en aủrat hunte.
er matin ſedeit li emꝑere ſuz lumbre.
Vint i ſeſ nieſ out ueſtue ſa brunie.
e out predet deiuſte carcaſonie.
en ſa main tint une uermeille pume
tenez bel ſire diſt rolł a ſun uncle.
de treſtuz reiſ uoſ ꝑſent leſ curuneſ.
Li ſoenſ orgoilz le deủreit ben cunfundre.
Kar chaſcun iur de mort ſabandunet.
Seit kil ociet tute paiſ puiſ aủriúmeſ. AOI.

XXX

Diſt blancandrinſ mult eſt peſmeſ Rollant.
Ki tute gent uoelt faire recreant.

referência a um imposto devido ao Papa, datado de finais do século VIII, o *denarius Sancti Petri*. **374.** Para *marche*, vide nota ao verso 190. **384.** No século VIII, até o século X, aproximadamente, as defesas de malha consistiam em uma vestimenta de couro cru cruzado em formas losangonais, cujos intervalos se reforçavam com placas metálicas, e se chamavam lorigas (lat. *lorica*). Essa defesa evoluiu à loriga anelada e à de escamas, com anéis ou placas de aço substituindo o couro, por vezes chamada de lorigão, a partir do século XI até o século XIII, quando passam a dar lugar ao arnês, a armadura feita em placas de aço inteiriças. O cantar narra anacronicamente as defesas contemporâneas à época de sua composição, com as malhas de aço, que entrelaçam milhares de pequenos anéis metálicos que podem ser: as grandes lorigas, que se estendiam até os joelhos, fendidas nas pernas e que pesavam de 7 a 10 kg, ou as menores e mais tardias cotas de malha, que não ultrapassavam o baixo-ventre e pesavam entre 3 e 5 kg. Posteriormente, essas malhas passaram a se estender também até os punhos – como se pode observar na *Tapeçaria de Bayeux* (Figura 2) – e serem reforçadas por dupla malha. A palavra *brunie* pode ser indiferentemente tratada como sinônimo de *osberc* ou *hausberc*, traduzida por *coat of mail* (cota de malha), mas, considerando tudo isso como um ensaio dessas diferenças (estamos embasados, sobretudo, em Josué Callender

Galalão diz: "É tanta sua aud*ácia*,
que não há ante ele quem lhe va*lha*". AOI.

XXIX

Blancandrim diz: "Os francos são mui no*bres*,
grande mal fazem duques e os con*des*
a seu senhor, *que* do conselho o dissua*dem*;
ele e a outros fadigam e confun*dem*".
Galalão diz: "Não sei de nenhum ho*mem*
sem ser Roldão, que por isso se envergo*nhe*:
*Sen*tou-se o rei, *à* sombra, na manhã de on*tem*,
eis seu sobrinho que, vindo, a cota, ves*te*.
Saqueado havia Carcasso*nne*,
em sua mão *u*ma maçã ele esten*de*:
'*To*mai, Senhor' – a seu tio Roldão lhe di*sse* –,
'vos darei *os* reinos todos de presen*te*'.
Seu orgulho é sobejo e se confun*de*,
pois a ca*da* dia se lança à mor*te*;
haverá paz somente quando o ma*tem*". AOI.

XXX

Blancandrim diz: "Roldão é tão maldo*so*,
quer fazer *ca*pitular todos os po*vos*;

dos Reis, "Noções da Arte da Armaria"; "Noções da Arte da Armaria – II"; Pedro Agostinho, *Vestidos para Matar*) e que no cantar também não se tratam da mesma vestimenta (vide v. 3088), traduzimos, conforme Riquer, *bruine* por "cota" e *osberc* por "loriga", embora todas essas considerações não sejam definitivas. **385.** *Carcassonne* é uma comuna da Occitânia francesa muito distante de Saragoça, conforme aponta Riquer (Martín de Riquer, *Los Cantares de Gesta Franceses*, p. 86.), o que não oferece segurança geográfica de identificá-la com *carcaſonie*. **386-388.** Galalão quer mostrar a Blancandrim que, com a adulação de Roldão a Carlos, o paladino ambiciona induzir o rei a constituir um grande império cristão, o que representaria um iminente perigo aos sarracenos. A maçã, como símbolo máximo da tentação, aqui representa todas as nações do mundo, em referência ao evangelho de São Mateus (*Matthaeum*, 4: 8-10): *Iterum assumpsit eum diabolus in montem excelsum valde: et ostendit ei omnia regna mundi, et gloriam eorum, et dixit ei: Haec omnia tibi dabo, si cadens adoraveris me* (Mais uma vez o diabo subiu em um monte muito elevado e mostrou a ele todos os reinos do mundo e sua glória, e lhe disse: Tudo isto eu te darei se, prostrado, me adorares). **388.** Em trad. lit.: "De todos os reis, vos ofereço as coroas". **390.** *Chaſcun iur*, todos os dias.

e tuteſ tereſ met en chalengement.
Par quele gent quiet il eſpleiter tant.
Gueneſ reſpunt par la franceiſe gente
Jl la ment tant ne li faldrunt nient.
Or e argent lur met tant en p'ſent.
Mulſ y deſtrerſ y palieſ y guarnemenz.
Lemꝑere meiſmeſ ad tut a ſun talent.
Cŭquerrat li leſ tereſ dici quen orient. AOI.

XXXI

Tant cheualcherent gueneſ y blancandrinſ.
Que lun al altre la ſue feit p'leuit.
Que il q^{e}rreient que Rolł fuſt ociſ.
tant cheualcherent e ueieſ e cheminſ.
Que en ſarraguce deſcendent ſuz un if.
vn faldeſtoet out ſuz lumbre dun pin.
enuolupet fut dun palie alexandrin.
La fut li reiſ ki tute eſpaigne tint.
tut entur lui uint milie ſarrazinſ.
Ni ad celoi ki mot ſunt ne mot tint.
Pur leſ nuueleſ quil uuldreient oir.
Atant aſ uoſ gueneſ y blanchandrinſ.

XXXII

Blancandrinſ uint deuant lemꝑeur.
par le puig tint le cunte guenelun.
e diſt al rei ſaluez ſeiez de mahŭ.

397. Há uma lacuna no manuscrito. Em *Il la ment*, o copista saltou uma letra /*i*/, com a qual ficaria *Il l'aiment* (eles o amam).

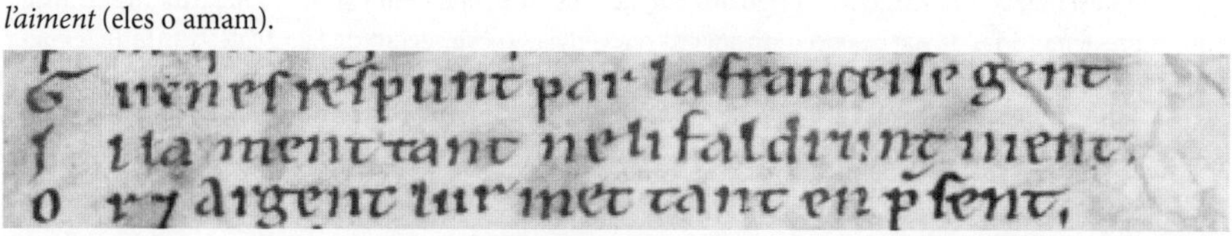

Fl. 8r; vv. 396-398

e recl*ama* para si os países to*dos*.
Com que gente supõe fazer-se tan*to*?"
Galalão lhe responde: "Com os fran*cos*!
Tanto o a*mam*, que jamais foi malogra*do*,
ouro e prata lhes traz tão regala*dos*;
mais destreiros e mulas e armamen*tos*.
Mesmo o rei *é* à mercê dos seus capri*chos*,
ao Orien*te*, desde aqui, quer invadi*do*". AOI.

XXXI

Galalão *e* Blancandrim montaram tan*to*,
que um ao outro fizeram juramen*to*
de busca*rem* de Roldão o extermí*nio*,
cavalga*ram* tantas vias e cami*nhos*;
em Saragoç*a* desmontaram sob um tei*xo*.
Há um trono à sombra de um pi*nho*,
todo em se*da* *a*lexandrina estofa*do*.
Lá é o rei, que da Espanha toda é do*no*,
ao redor, vinte mil, os sarrace*nos*.
*A*li não há quem expresse ou diga um ver*bo*,
por notí*cias* que queriam ouvir to*dos*;
Galalão *e* Blancandrim, ante vós ei-*los*!

XXXII

Blancandrim *se* *a*presentou perante o rei,
e a Galalão, pela mão, o traz e o tem.
Disse ao rei: "Que vos salve Maomé,

398. Está claro que o sujeito é Roldão e o objeto indireto os francos – *lur* pron. pess. m. dativo plural (AND) – a quem, com tantas conquistas bem-sucedidas (v. 397), o herói distribui o butim a suas hostes (v. 399). **406.** O teixo é considerado a árvore da morte pela toxicidade de suas folhas; é significativo que desmontem ali Blancandrim e Galalão. Seu extrato venenoso foi muito utilizado em flechas e lanças.

y dapollin q' ſeinteſ leiſ tenuns.
Voſtre meſſage feſime acharlun.
Ambeſ ſeſ mainſ en leuat cuntremunt.
Loat ſun deu ne fiſt altre reſpunſ.
Ci uoſ enueiet un ſun noble barun.
Ki eſt de france ſi eſt mult richeſ hom
par lui orrez ſi aurez paiſ u nun.
Reſpunt marſilie Or diet nuſ lorrum. AOI.

XXXIII

Maiſ li quenſ gueneſ ſe fut ben p^a^penſet
par grant ſauer cum̃cet a parler.
cume celui ki ben faire le ſet.
y diſt al rei ſaluez ſeiez de deu.
Li gloriuſ q' deuũ aurer
Jco uuſ mandet carlemagneſ li uer.
Que receuez ſeinte xp̃entet.
Demi eſpaigne uoſ uoelt en fiu duner.
Se ceſt acorde ne uulez otrier.
priſ e liez ſerez par poeſted.
al ſiege ad aiſ en ſerez amenet.
par iugement ſerez iloec finet.
La m^a^urrez uus a hunte y a uiltet.
Li reiſ marſilieſ en fut mult eſfreed.
Vn algier tint ki dor fut enpenet
Ferir len uolt ſe nen fuſt deſturnet. AOI.

414. O termo *lempeur* = *l'emperere* (imperador) é um lapso do copista. Marsílio, que é apenas rei em Saragoça, é a quem Blancandrim se apresenta neste verso. Essa correção é consensualmente admitida pelos editores do cantar que, geralmente, a apresentam já no lado da transcrição. **415.** No *AND*, o termo *puig* é traduzido como *closed hand* e tem esse verso como exemplo. **417.** Para Apolo como divindade, vide nota ao v. 8. **439.** *Algeir* é um tipo de dardo, mais precisamente uma javalina, que era utilizada, originalmente, para a caça e a pesca. Maior que um dardo e menor que uma lança, é uma arma de lançamento, hoje em dia

e Apo*lo*, pois guardamos suas leis.
A mensagem, a Carlos eu levei,
suas am*bas* mãos, as elevou além.
A seu Deus *lou*vava, sem mais responder,
mas vos envia um barão nobre por bem.
Muito rico é o homem e é francês;
se teremos a paz, dele ouvireis".
Diz Marsílio: "Eu vos escutarei". AOI.

XXXIII

Galalão muito bem havia pensa*do*,
com prudência começa o seu reca*do*,
como quem para isso é bem treina*do*.
Disse ao rei: "Que sejais por Deus, vós sal*vo*,
ao que devemos louvar, o glorio*so*.
Carlos Magno me manda dizer is*to*:
Que na no*ssa* fé cristã tomeis batis*mo*;
meia Espanha vos quer doar em feu*do*.
Se não derdes aqui consentimen*to*,
vós sereis, *à* toda força, atado e pre*so*.
Para a se*de em* Aquisgrão sereis leva*do*,
e à morte ali já condena*do*;
morrereis com vergonha e avilta*do*".
Rei Marsílio ficou apavora*do*,
tinha um dardo em ouro empluma*do*;
quis feri-lo, não fosse impedi*do*. AOI.

utilizada como esporte olímpico. A estabilidade no lançamento é dada mediante as rêmiges, ou aletas, normalmente emplumadas na parte traseira; a de Marsílio tem a rêmige em ouro, o que revela ser uma arma decorativa ou de luxo. Na sociedade medieval, no entanto, era considerada uma arma menos nobre, não própria dos cavaleiros. Vale lembrar que Percival, o galês, em *Li Contes del Graal*, de Chrétien de Troyes, carregava consigo três javalinas, as que utilizava para caçar. Com uma dessas, Perceval dá morte ao cavaleiro vermelho, cujo arnês, armas e cavalo lhe serão apropriados para ser armado cavaleiro na corte do rei Arthur, quando só então aprenderá a empunhar uma espada e levar lança e escudo.

XXXIV

Li reiſ Marſilieſ ad la culur muee.
de ſun algeir ad la hanſte crollee.
Quant le uit Gueneſ miſt la main a leſpee.
cuntre douſ deie lad del furrer getee.
Si li ad dit mult eſteſ bele y clere.
Tant uuſ aủrai en curt a rei portee.
Ja nel∵ de france li emꝑere. dirat
Que ſulſ i moerge en leſtrange cuntree.
einz uoſ aủrunt li meillor cumperee.
Dient paien deſſaimeſ la mellee.

XXXV

Tuit li ꝥierent li meillor ſarrazin.
Quel faldeſtoed ſeſ Marſilieſ aſiſ.
Diſt lalgalifeſ mal noſ auez baillit.
Que li franceiſ aſmaſteſ a ferir.
Uoſ [le] douſſez eſculter y oir.
Sire diſt gueneſ mei lauent a ſuffrir.

XXXIV-XXXV. Essas séries, que se fecham com o verso 467 "... eis aqui um nobre barão!", anulam a tese da covardia e vileza de Galalão. Nelas se retrata a imagem de um homem valente, disposto a vender caro sua vida (vide nota ao v. 449), com a espada sempre à mão. Isso configura todo o enredo da traição como um mal-entendido e um desejo de vingança. **422.** Na sociedade feudal, um rico-homem o é em posses e feudos e, consequentemente, em poder, no âmbito que lhe cabe; a honra e a nobreza pressupõem essas condições. Assim vemos, nos primeiros versos do *Cantar de Mio Cid*, as lágrimas do herói, contemplando suas hereditariedades perdidas ao ser despossuído pelo rei e, por outro lado, crescer em honra e valor quando volta a enriquecer com o acúmulo do espólio das guerras que trava autonomamente contra os sarracenos. **444.** No *AND*, o verbo *furrer* é traduzido como *to stuff, to wrap up snugly*; e, no particípio, que é o valor semântico em que se encontra no verso, *lined, dressed*. Bédier corrige o termo para *furrel*, para o qual o *AND* não apresenta entrada. Em todo caso, todas as edições consultadas seguem a transcrição de Bédier e o traduzem por bainha, que não se afasta do termo no manuscrito. **445-449.** Esses versos são uma apóstrofe com um breve epidítico feito por Galalão à sua espada. **447.** Nesse verso, o verbo *dirat* foi saltado pelo copista, escrito depois do verso concluído, à margem direita, indicando sua posição com o símbolo / ∵ /.

XXXIV

Rei Marsílio, de cor está muda*do*,
e agita a haste do seu dar*do*.
Galalão, ao ver, põe a mão no glá*dio*,
retirou-*o* da bainha uns dois de*dos*:
"Sois tão clara e tão bela" – disse i*sso* –
"vos carrego, na corte, há tanto tem*po*!
Não dirá, *ja*mais, o Imperador, o fran*co*,
que em país extrangeiro só eu mo*rro*;
seus melho*res* caro me terão compra*do*".
Pagãos di*zem*: "Aplaquemos o confli*to*!"

XXXV

Tanto ro*gam* os melhores sarrace*nos*,
que no trono sentou-se o rei Marsí*lio*.
O Califa lhe diz: "Traze-nos da*no*,
*quan*do visais, por ferir, este homem fran*co*;
vós devíeis valer-vos de escutá-*lo*".
Galalão diz: "Senhor, bem o supor*to*.

Fl. 8v; vv. 446-448

449. No AND a entrada do verbo *comprer, cumperee* é traduzida como *to buy, to pay for, be punished for.* A fórmula "comprar caro", portanto, tem o sentido de alguma ação custar a vida em razão do combate que por ela se desencadeará. **451.** No AND, o advérbio *tut, tuit,* na sua nona acepção, é traduzido por *very, most.* Bédier, porém, corrige esse termo por *tant* (tanto) e é seguido por Moignet e pelas edições posteriores, mas o manuscrito não deixa margem a essa leitura (fl. 9r). **453.** A referência ao étimo *algalifes* (não na sua forma mais comum, *califfe, calif, caliphe; kalif, kalifre,* conforme encontramos no AND) se encontra apenas no *Französisches Etymologisches Wörterbuch* (doravante FEW), projeto da Université de Lorraine. Califa é um chefe de um Califado muçulmano, portanto, tem status de sucessor de Maomé. Esse verso faz referência à personagem Marganices, tio de Marsílio, que aparecerá assim nomeada a partir do verso 1914. *Baillit* é o verbo *baillor,* no AND, traduzido literalmente por "aquele que entrega". **454.** No AND, o verbo *asmer, esmer* (*to estimate, to value*), na forma *asmer a,* como em *afmaftef a,* tem o sentido de "visar" (*to aim to*), e utiliza esse verso como exemplo. **455.** *Douffez* é o verbo *user, ouser.* No AND, é traduzido como *to use, to make use.*

Que jo ne li die ſe tant ai de leiſir.
Que Charleſ li mandet li reiſ poeſteiſſ,
par mei li mandet ſun mortel enemi.
afublez eſt dun mantel ſabelin.
Ki fut cuuert dun palie alexandrin.
Getet le a tere ſil receit blancandrin.
Jo ne lerreie por tut lor q^e d'ſ fiſt.
Ne por tut laueir ki ſeit en ceſt paiſ.
Maiſ de ſeſpee ne uolt mie guerpir
en ſun puign deſtre par lorie punt la tint
dient paien noble baron ad ci. AOI.

XXXVI

Enverſ le rei ſeſt gueneſ apiſmet.
Si li ad dit a tort uoſ curuciez.
Quar co uoſ mandet carleſ ki france tient:
Que receuez la lei de xpīenſ
Demi ſpaigne uuſ durat il en fiet.
Laltre meitet aurat Rolł ſiſ nieſ
Mult orguilloſ parcuner i aůrez
Si ceſte acorde ne uolez otrier.
en ſarraguce uuſ uendrat aſeger.
Par poeſtet ſerez priſ e liez.
Menet ſerez dreit ad aiſ le ſiet.
Vuſ ni aůrez palefreid ne deſtrer
Ne mul ne mule que puiſſez cheualcher
Getet ſerez ſur un maluaiſ ſumer

462. Manto zibelino é confeccionado em pele de marta, da espécie zibelina, que habita os países norte-asiáticos; tem um tom castanho-escuro e é a pele mais valorizada entre as espécies de marta. **470.** Em trad. lit., ...*carleſ ki france tient* seria "Carlos, que tem a França"; "...o francês" não deve ser compreendido como um gentílico, mas como um aposto que identifica Carlos como rei franco, ou seja, com os domínios franceses da sua coroa. Carlos era, em todo caso, germânico. **479-481.** O cavalo é tão apreciado na Idade Média e tamanha é sua importância para aquela sociedade que toda uma classe social de alta posição hereditária foi instituída a partir desse animal, os cavaleiros, a partir dos quais também se cria uma ética cavalheiresca que repousa sobre todo o imaginário medieval. Não há, pois, maior afronta e motivo de maior vergonha para um cavaleiro do que ser despossuído de seu animal. Nesse sentido, o cavalo torna-se uma extensão do próprio homem. Nesses versos, a ameaça de

Não me absten*ho* nem por todo esse ou*ro*,
nem por to*das* as riquezas desse so*lo*,
de vos dizer, *se hou*ver assim o permiti*do*,
o que faz *sa*ber, rei Carlos, podero*so*,
o que, por mim, *trans*mite a vós, seu inimi*go*".
Leva posto um manto zibel*ino*,
que é cober*to* por tecido alexandr*ino*;
joga ao chão *e* Blancandrim vai recolhê-*lo*,
mas da espada não quer ser aparta*do*;
a retém *co'a* destra pelo d'ouro po*mo*.
Os pagãos *di*zem: "Barão nobre é i*sso*!" AOI.

XXXVI

Abeirou-*se*, Galalão, ladeando o rei,
e lhe disse: "É mau que vos zangueis!
Pois vos faz *sa*ber rei Carlos, o francês,
que dos cristãos, *de*veis tomar a nossa lei,
e que, em feu*do*, meia Espanha ganhareis,
e com seu *so*brinho a dividireis;
que arrogante parceiro vós tereis!
Se esse acordo assim não vos convém,
Saragoç*a* sitiada vós tereis,
pela forç*a*, *a*tado e preso então sereis,
e assim, *pa*ra Aquisgrão, logo ireis.
Sem destreiro e sem o palafrém,
nem tampou*co em* burro ou mula montareis,
mas num vil *ro*cim jogado então sereis,

Galalão se concentra na desonra que recairá sobre Marsílio, expressa pela condição da montaria que lhe caberá, uma vez recusado o acordo. Palafrém é um tipo de cavalo elegante, de boa monta, bem adestrado, destinado às damas e, eventualmente, aos nobres em situações oficiais ou de largos translados. Já o destreiro é um animal mais forte e rápido, destinado ao combate; seu nome se deve a que era levado pelo lado destro do palafrém, até que se o necessitasse, a fim de preservá-lo apenas para sua finalidade, quando, nessa disposição, se passava rapidamente de um animal para outro. Já o *sumer* (bucéfalo, pileca), por sua vez, é um cavalo de carga, menos valorizado que o *mul* (mula ou burro), porque menos favorecido fisicamente, o que ridiculariza e envilece seu montador. Também conhecido por rocim, como montaria de escudeiros, é o cavalo de *Don Quijote*, a que se deve seu nome, Rocinante. Vide também nota ao v. 1490.

Par iugement iloec ꝑdrez le chef.
Nrĕ empere uuſ enueiet ceſt bref
el deſtre poign al paien lad liu,ᵉret.

XXXVII

Marſilieſ fut eſculurez del ire.
freint le ſeel getet en ad la cire.
Guardet al bref uit la raiſun eſcrite.
carle me mandet ki france ad en baillie.
Que me remembre de la dolur y del ire.
co eſt de baſan y de ſun frere baſilie.
dunt ƥſ leſ cheff aſ puiſ de haltoíe.
Se de mun corſ uoeil aquiter la vie
dunc li enuei mun uncle lalgalife.
altremͭt ne mamerat il mie.
aƥſ parlat ſeſ filz enuerſ marſilieſ.
e diſt al rei gueneſ ad dit folie.
tant ad erret nen eſt dreiz qᵉ pluſ uiuet.
liůrez le mei ioen ferai la iuſtiſe
Quant loit gueneſ leſpee en ad branlie.
Vait ſapuier ſuz le pin alatige.

XXXVIII

Enz el uerger ſen ⁓ alez li reiſ.
Seſ meillorſ humeſ en meinet enſemblod ſei.

485. Não estando seguro da documentação do verbo *esculurer* e, considerando outros editores como Jenkins, Roncaglia e Segre, Riquer transcreve esse verso como *Marsilies fut bien escolez de lire* (Marsílio, que estava bem instruído na leitura), conforme consta em V4 e em *Karlomagnus Saga*, tradução norueguesa do cantar, datada da primeira metade do século XIII. Sendo assim, compreenderíamos que o cantar esclarecesse a condição de Marsílio como homem letrado, o que, embora incomum, não era tão improvável, tratando-se de um nobre, sobretudo em Al-Andaluz – condição essa de que não gozava o histórico Carlos Magno. O verbo *esculuré, escoloré*, contudo, tem entrada no *AND* – que utiliza esse verso como exemplo – e também no *FEW*, traduzido como "empalidecer-se". Como o manuscrito de Oxford não deixa margem a dúvidas e, como o próprio Marsílio, ao receber, lê a carta, tornando a informação do seu alfabetismo desnecessária, parece ser arbitrária a alteração, embora a ira de Marsílio houvesse sido aparentemente já aplacada por seu tio no verso 453. Em todo caso, seguimos o que se lê claramente no manuscrito, conforme Bédier e Moignet o fazem.

e condenado a cabeça ali perder;
esta car*ta*, vos envia o nosso rei”.
O pagão, *na* destra mão, quer receber.

XXXVII

Ficou pá*li*do Marsílio em tanta i*ra*,
rompe o selo e atira longe a ce*ra*.
Olha a carta e a razão ali escri*ta*:
“Faz saber, Carlos, quem domina a Fran*ça*,
que eu me recor*de* da sua dor e da sua fú*ria*.
O Basão e o Basílio, os que se*jam*,
que cortei, sob o Haltílio, suas cabe*ças*.
Se salvar, do meu corpo, eu quero, a vi*da*,
que eu lhe envie, então, meu tio Cali*fa*;
ou a mim *não* amará de outra manei*ra*”.
Ao seu lado, seu filho depois fa*la*,
diz ao rei: “Galalão só conta asnei*ra*,
foi tão lon*ge*, que não siga mais com vi*da*,
entregai-mo que lhe farei justi*ça*!”
Ao ouvi-*lo*, Galalão brande a espa*da*,
sob um pinho, no tronco se apoi*a*.

XXXVIII

Num vergel, foi parar Marsílio, o rei,
os melhores vassalos co’ ele vêm,

Fl. 9v; vv. 485-487

487-494. Ao longo destes versos há uma interessante sobreposição discursiva. Ouvimos a voz de Marsílio, em discurso direto, narrando em alta voz o que, em tempo, está lendo na carta, revelando aos ouvintes, em discurso indireto, o que faz saber a voz de Carlos Magno. O cantar alcança, nesses versos, uma singular dramaticidade protagonizada pelo caráter consubstancialmente oral da obra. **493.** Sobre o Califa como refém, vide nota aos vv. 681-691.

e blancandrinſ i uint al canud peil
e iurfaret ki eſt ſeſ filz y ſeſ heirſ.
y lalgalifeſ ſun uncle y ſiſ fedeilz
Diſt blancandrinſ apelez le franceiſ
De nrĕ ꝑd mad pleuie sa feid
co diſt li reiſ y uos li ameneiz.
e gueneſ lad priſ par la main deſtre ad deiz.
enz el uerger len meinet ioſ qªl rei.
La purparolent la traiſun ſeinz dreit. AOI.

XXXIX

Bel ſire gueneſ co li ad dit marſilie.
Jo uoſ ai fait alqueſ de legerie.
Quant por ferir uuſ demuſtrai grant ire.
Guaz uoſ en dreit par cez pelſ ſabelineſ.
Melz en ualt lor que ne funt cinc cenz liůreſ.
Einz demain noit en iert bele lamendiſe.
Gueneſ reſpunt io nel deſ otrei mie.
d'ſ ſe lui plaiſt a bien le uoſ mercie. AOI.

XL

Co diſt marſilieſ gueneſ par ueir ſacez.
en talant ai que mult uoſ uoeill amer.
de carlermagne uoſ uoeill oir parler
Jl ∻ mult uielz ſi ad ſun tenſ uſet.
Men eſcient douſ cenz anz ad paſſet.
par tanteſ tereſ ad ſun corſ demened.

515-517. Na tentativa de estabelecer a confiança de Galalão, e retratando-se por sua atitude inicial, Marsílio oferece, como garantia da recompensa prometida, as peles de zibelina, cravejadas em ouro. Para a pele de zibelina, vide notas aos vv. 281 e 461. **XL-XLII.** Aqui há um claro exemplo de séries similares. Numa perspectiva muito mais lírica, a progressão é menos narrativa e mais psicológica à medida em que Galalão vai paulatinamente explicitando sua intenção. Na série XL, a resposta de Galalão se restringe a enaltecer a Carlos; na XLI, tem-se uma resposta concreta, mas se refere apenas a *ſiſ niéſ* (seu sobrinho), havendo ocultado seu nome; e é somente na série XLII que revela ser Roldão o responsável pela belicosidade franca. Ainda que se possa reconhecer nessa estrutura paralelística um eficiente recurso de oralidade, essa progressão psicológica deixa uma curiosa impressão da retórica desse diálogo, na qual Galalão

e Blancandrim, o grisalho, foi também,
e seu filho e herdeiro, Juafrei,
e o Califa, seu tio, o mais fiel.
Blancandrim diz: "Chamai esse francês!
Em prol a nós, *e*le jurou-me a sua fé".
Disse o rei: "Vós, aqui, já mo trazei!"
Galalão, pelos destros dedos, é,
no vergel, conduzido até o rei.
Conspira*ram* traição ali sem lei. AOI.

XXXIX

"Galalão, *be*lo senhor" – disse Marsí*lio* –,
"fui convosco um pouco levia*no*,
pois, por i*ra*, fiz menção de atacá-*lo*.
Co' estas pe*les* zibelinas vos abo*no* –
mais de cem libras vale o seu ou*ro* –
e amanhã já sereis recompensa*do*".
Galalão *res*ponde: "Eu não o recu*so*,
se vos praz, Deus vos seja agradeci*do*". AOI.

XL

"Em verdade, sabei" – diz rei Marsí*lio* –
"*mi*nh' intenção é querer amar-vos mui*to*.
Quero ouvir-*vos* discorrerdes sobre Car*los*,
é tão ve*lho* que seu tempo foi usa*do*.
Acredi*to* ter mais de duzentos a*nos*,
a tantas te*rras* o seu corpo tem leva*do*;

responde três vezes a mesma pergunta, de modos distintos. **524.** Não há consenso sobre a idade que tinha o rei Carlos histórico no ano de 778, o que nos leva apenas a admitir que não houvesse alcançado os quarenta anos. Essa hiperbólica referência a um Carlos bicentenário voltará a aparecer nos versos em paralelismo 539 e 552 (*vide*), sempre como mera impressão do inimigo sarraceno. Essa característica de idades épicas com dimensões bíblicas nos cantares de gesta alcança seu apogeu na *Chanson de Guillaume*, quando, nos versos 1334-1335 a personagem Willame afirma: "Trezentos e cinquenta anos passaram / Desde que eu fui, da minha mãe, o primeiro nascido" (*Treiz cenz anz ad e cinquante passez / Que jo fu primes de ma mere nez*). Sobre tal afirmação, é preciso recordar que, na mesma gesta, o pai de Willame, o Visconde de Narbona, Neimere, ainda é vivo e luta a seu lado.

tanz ad priſ ſur ſun eſcut bucler
tanz richeſ reiſ cunduit a mendiſted.
Quant ert il maiſ recreanz doſteier.
Gueneſ reſpunt carles neſt mie telſ.
Neſt hom kil ueit y conuiſtre le ſet.
Que co ne diet que lempere eſt ber.
tant nel uoſ ſai ne preiſer ne loer
Qe pluſ ni ad doñ y de bontet.
Sa grant ualor kil purreit acunter
De tel barnage lad d'ſ enluminet
Meilz uoelt murir que guerpir ſun barnet.

XLI

Diſt li paiens mult me puiſ merueiller.
De carlemagne ki eſt canuz e vielz.
Men eſcientre douſ cenz anz ad e mielz.
par tanteſ tereſ ad ſun corſ traueillet
tanz colſ ad priſ de lanceſ y deſpiet.
tanz richeſ reiſ cunduiz a mendiſtiet.
Quant ert il maiſ recreanz doſteier.
co niert diſt gueneſ tant cũ uiuet ſiſ niéſ.
Nat tel vaſſal ſuz la cape del cięl.
Mult par ~ proz ſiſ cũpainz oliuer.
Leſ .xii. perſ que carleſ ad tant cherſ.
funt leſ enguardeſ a .xx. milie cheualerſ.
Sourſ ~ carleſ que nulſ home ne crent. AOI.

526. Nesse verso, Bédier propõe um acréscimo: *tanz* ‹*colps*› *ad priſ...* (tantos golpes recebeu...). Essa alteração foi seguida por todos os editores posteriores, mas como a pressuposição parece clara e o manuscrito não oferece qualquer indício de rasura, preterimos da alteração de Bédier. O escudo broquelado (*eſcut bucler*) trata-se de um escudo reforçado pelo broquel, um escudo menor, todo em aço, que se costumava fixar no centro dos escudos confeccionados em madeira. **527.** *Cunduit* é correção de *cunduiz* proposta pela análise ultravioleta de Samaran e Waters (Charles Samaran, "Lectures sous les Rayons Ultra-Violets", p. 406; E. G. R. Waters, "Gleanings from MS. Digby 23", *The Modern Language Review*, vol 25, n. 1, pp. 95-99, 1930). **533.** *doñ* = *d'onur* (honra). **541.** Os termos *hanſteſ*, *lanceſ* e *deſpiet* não encontram tradução consensual, mas está claro não se tratarem de armas iguais, embora seja difícil precisar suas diferenças. Traduzimos esses termos equivalentes por lança, sempre que se

já tomou *tan*to no escudo broquel*ado*;
a mendigar, tantos reis foram lev*ados*;
quando, enfim, *de* guerrear terá cans*ado*?"
Galalão *res*ponde: "Esse não é Car*los*!
Que o conheça e o veja, não há sujei*to*
que não dig*a* ser valente o rei Mag*no*.
Quão possais estimá-lo ou louvá-*lo*,
ele é mais bondoso e honr*ado*.
Quem poderá estimar, tão valor*ado*?
De tal nobrez*a* Deus o tem ilumin*ado*;
quer morrer *a* *a*bandonar os seus sold*ados*".

XLI

O pagão diz: "Parece maravi*lha*,
o rei Car*los* que, encanecido, ve*lha*;
ciente eu, *du*zentos anos já supe*ra*.
O seu cor*po* fez cansar por tantas te*rras*,
tantos golpes sofreu de hasta e lan*ça*,
já lev*ados*, tantos reis à mendicân*cia*.
Quando, enfim, *se*rá cansado dessa gue*rra*?"
Diz Galalão: "Nunca, enquanto um deles vi*va*!
*Va*ssalo igual *não* há sob a celeste ca*pa*.
Oliveiro, seu bravo camara*da*,
e os Doze Pares, que o rei tanto apreci*a*,
com vinte mil cavaleiros faz vanguar*da*;
*es*tá segu*ro* Carlos, não teme mais na*da*". AOI.

possa considerá-la no cantar como uma arma de choque, maior e mais adequada às justas e torneios medievais, próprias de cavaleiros nobres, diferenciando-a das pequenas armas de tiro por propulsão muscular, como o dardo, a javalina ou o venablo, mais utilizadas pelos guerreiros vilãos que, sem o arnês adequado ao combate singular, porque inacessível a sua condição, tentavam derrubar o cavaleiro à distância. Quando se faça necessário uma diferenciação, é possível utilizar os termos hasta, áscuma, alabarda ou chuço, todas equivalentes na armeria portuguesa medieval, sem que se possa hoje precisar suas sensíveis diferenças (Josué Callender dos Reis, "Noções da Arte da Armaria – II"; nota aos vv. 2074-2075). **544.** … *tant cũ uiuet ſiſ nieſ*, em trad. lit.: "… enquanto viva seu sobrinho". A fim de não romper a progressão psicológica com a omissão do nome de Roldão, ao mencioná-lo nesse verso apenas pelo parentesco com Carlos (vide nota às ss. XL-XLII), traduzimos *ſiſ nieſ* por "um deles", por exigência métrica.

XLII

Diʃt li ʃarrazinʃ merveille en ai grant.
de carlemagne ki ⁓ canuz y blancʃ.
Mien eʃcientre pluʃ ad de .ii.c. anz.
par danteʃ tereʃ ⁓ alet cunquerant.
Tanzʃ colpʃ ad þʃ de bonʃ eʃpiez trenchanz.
Tanz richeʃ reiʃ morz y uencuz en champ.
Quant ier il maiʃ doʃteier recreant.
co niert diʃt gueneʃ tant č uiuet Rollant.
Nad tel uaʃʃal dici quen orient.
Mult par ⁓ proz oliuer ʃiʃ cumpainz.
Li .xii. ꝑ qͤ carleʃ aimet tant.
funt leʃ enguardeʃ a .xx. milie de francʃ.
Sourʃ ⁓ carłł ne crent hume uiuant. AOI.

XLIII

Bel ʃire gueneʃ diʃt marʃilieʃ li reiʃ.
io ai tel gent pluʃ bele ne uerreiz.
Quatre cenz milie cheualerʃ puiʃ aueir.
puiʃ men cŭbatre a carłł y a franceiʃ.
Gueneʃ reʃpunt ne uuʃ a ceʃte feiz.
De uoz paienʃ mult grant ꝑte i aůreiz.
Leʃʃez la folie tenez uoʃ al ʃaueir.
Lemꝑeur tant li dunez aueir.
Ni ait franceiʃ ki tot ne ʃen merueilt.
par .xx. hoʃtageʃ qͤ li enueiereiz.
en dulce france ʃen repairerat li reiʃ.

566. Moignet coloca a possibilidade de que esse verso seja assertivo, visto que o manuscrito não apresenta qualquer outro signo de pontuação que não seja o ponto final em cada verso – evidentemente, sem o uso que se dá em línguas modernas – de modo que as interrogações são identificáveis apenas pelos pronomes interrogativos. Sendo assim, a resposta de Galalão (v. 567), que apenas sugere pergunta, parece não condicionada a uma. A interrogação nesse verso é, no entanto, reproduzida em todas as edições consultadas do cantar, inclusive na de Moignet, o que implica já o estabelecimento de uma profunda

XLII

O sarrace*no* disse: “Eu me maravi*lho*
por Carlos Magno, grisalho e encaneci*do.*
Que eu saiba, excedeu duzentos a*nos,*
tantas terras passou já conquistan*do.*
*De a*gudas lan*ças* tantos golpes recebi*dos,*
tantos reis *ven*cidos, mortos pelos cam*pos,*
quando, enfim, *de* guerrear será cansa*do*?”
Diz Galalão: “Nunca, enquanto é Roldão vi*vo*!
De leste a oeste, não há igual vassa*lo.*
Mui valente é seu par, o Olivei*ro,*
e os Doze Pares, que Carlos ama tan*to,*
*fa*zem vanguarda a vinte mil dos fran*cos.*
Confian*te é* Carlos, não teme homem vi*vo*”. AOI.

XLIII

“Galalão, *no*bre senhor” – Marsílio diz –
“*mais* bela gen*te* do que a minha não vereis,
quatrocen*tos* mil soldados posso haver;
combater *a* França e Carlos, poderei”.
Galalão *res*ponde: “Não por essa vez,
dos pagãos, grande perda amargareis;
não sejais *to*lo, atentai à sensatez!
Tanto dai, *ao Im*perador, do seu haver,
que não ha*ja a*dmirar não um francês.
Com uns vinte reféns que enviareis,
à Doce Fran*ça* voltará o nosso rei.

confiança entre Marsílio e Galalão. Dentro da perspectiva da progressão psicológica, se é interrogativo, quem primeiro avança para o pérfido acordo é Marsílio, buscando com sua pergunta a traição do outro; se é afirmativo, por outro lado, Galalão, que até aqui apenas enalteceu os francos e mesmo Roldão, seu desafeto, dá o primeiro passo, explicitando finalmente sua disposição à deslealdade. Ambas as leituras parecem possíveis, mas optamos pela assertiva entendendo-a como réplica às respostas de Galalão nos vv. 536, 549 e 562.

Sa rereguarde lerrat derere ſei.
Jert i ſiſ nieſ li qeuſ Rolł co crei
Y oliuer li ꝑz y li curteiſ.
Mort ſunt li cunte ſe .ĕ. ki mei en creit.
carłł uerrat ſun grant orguill cadeir.
Naurat talent qe ia maiſ uuſ guerreit. AOI.

XLIV

Bel ſire gueneſ ŏfaitement purrai Rolł ocire.
Gueneſ reſpont co uoſ ſai io ben dire.
Li reiſ ſerat aſ meillorſ porz de ſizer.
Sa rereguarde aůrat detreſ ſei miſe.
Jert i ſiſ nieſ li qenſ Rolł li richeſ.
Y oliuer en qui il tant ſe fiet.
xx. milie francſ unt en lur cŭpaignie.
de uoz paienſ lur enueiez .c. milie.
vne bataille lur i rendent cil p'meſ.
La gent de france iert blecee e bleſmie
Nel di por co deſ uoz iert la martirie.
altre bataille lur liůrez de meiſme.
De quel que ſeit Rolł neſtoertrat mie.
dunc aůrez faite gente cheualerie.
Naůrez maiſ guere en tute urĕ uie. AOI.

580. Há consenso entre os editores em considerar aqui haver dois versos. *Bel ſire gueneſ* concluiria esse, e *ŏfaitement purrai Rolł ocire* se conta como o v. 581. No manuscrito, no entanto, nada sugere essa divisão, exceto pela extensão do verso, com 14 sílabas poéticas, numa perspectiva métrica de escansão; na perspectiva rítmico-melódica, porém, embora não se possa precisar as possibilidades prosódico-musicais do cantar em anglo-normando, a integralidade parece, no entanto, mais factível do que um verso tão curto como "*Bel ſire gueneſ*". Para resolver esse problema, Riquer emenda criativamente esse trecho de verso em paralelismo com o verso 563, desse modo: *"Bel sire Guenes", ço dist li reis Marsilies* ("Belo senhor Galalão", isso disse o rei Marsílio); já Bédier e Moignet apresentam uma solução lacunar, adotando as reticências. Seguimos o manuscrito na sua integralidade, mas admitimos a contagem de versos de acordo com a tradição filológica a que, uma vez desmembrado este verso em dois, implica que devamos acrescentar aqui uma unidade. **583.** *Porz de ſizer* é toponímia com grande variedade de nomenclaturas como o pórtico de Cize, Sizer, Sirie (v. 2939), Cisere, Cícera, Sícera, localizado em Roncesvales, no vale que é atravessado pela estrada que liga este município à

Na retaguar*da*, onde atrás será sua vez,
estará *a*li Roldão, já podeis crer,
e Oliveiro, o valente e cortês,
serão mortos se aqui me crer alguém.
Verá Carlos cair sua altivez,
guerrear-vos já não vai mais querer". AOI.

XLIV

"Bom senhor, como então Roldão matar?"
Galalão *diz*: "Isso eu sei bem vos contar:
Estará *o* rei em Cízer, grão portal,
*de*trás de si, *na* retaguarda o deixará.
*Con*de Roldão, *o* poderoso, ali estará,
co' Oliveiro, em quem se fia mais;
vinte mil francos, acompanhará.
*En*viareis, dos pagãos, um cem milhar,
e primeira batalha lhes dará.
A gente fran*ca* rota e lesa ficará,
mas, admi*to*, dor aos vossos haverá.
Novamen*te, ou*tra batalha se dará,
de uma ou outra Roldão não escapará.
Tão valen*te* cortesia assim será,
já não tereis *que em* vossa vida guerrear". AOI.

Aquitânia, na França, a 64km de Pamplona. Depois de 778, passou a ser conhecido como Valcarlos, município emancipado no final do século XVI, pois ali Carlos Magno haveria acampado em meio aos tombados em batalha. **590.** *Blecee e blesmie* (rota e lesa) é um par substantivo, construído com particípios. **593.** A palavra *nestoertrat* (escapar, com a partícula adverbial de negação *n-*) é leitura proposta por Waters (E. G. R. Waters, "Gleanings from MS. Digby 23", *The Modern Language Review*, vol 25, n. 1, pp. 97, 1930).

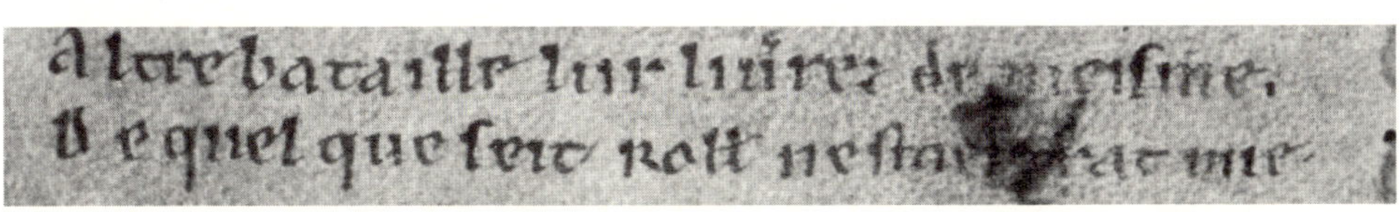

Fl. 11r; vv. 592-593

XLV

Chi purreit faire que Roll i fuſt mort.
dunc ꝑdreit carl le deſtre braz del corſ.
Si remeindreient leſ merueilluſeſ oz.
Naſemblereit iamaiſ carl ſi grant eſforz.
tere maior remeindreit en repoſ.
Quan lot marſilie ſilad baiſet el col.
puiſ ſi cumencet a uenir ſeſ treſorſ. AOI.

XLVI

co diſt marſilieſ quen parlereient [il pluſ]
cunſeill neſt ꝑz dunt hume [neſt ſewiſ]
La traiſun me iurrez de Roll: [ſi illi eſt].

597. ...*deſtre braz del corſ*, o "braço direito do corpo" de Carlos é Roldão, seu paladino, a quem o rei entregará o mando da retaguarda. Essa expressão se repete no v. 1195. O *Cantar de Mio Cid* também apresenta essa fórmula, quando, no v. 753 *el Cid* exclama a Minaya Álbar Fañez: – ¡*Cabalgad, Minaya, vós sodes el mio diestro brazo!* **600.** *Tere maior* é consensualmente compreendida como a terra dos ancestrais, a pátria-mãe. Como no discurso de Galalão não fica claro a que terra se está referindo – embora haja, entre a crítica especializada, uma tendência a compreendê-la como o império carolíngio – optamos por traduzir com uma expressão comum em sentido compartilhado, o que é coerente com o pacto proposto. **601.** Os beijos nos cantares de gesta não são sinais de afeto, mas um testemunho público, como um rito de homenagem rendida do vassalo ao seu suserano ou, como nesse caso, apenas confirmando a reciprocidade de um pacto (Gérard Moignet (ed.), *Chanson de Roland*, p. 67). Na primeira série da gesta occitana *Daurel e Beto*, quando o Conde Gui aceita ser vassalo do rico Duque Boues, o pacto se dá mediante uma cerimônia: *So respont lo duc Boves: "Lo sacrament farom" / Fai aportar .j. libre on lhi evangeli son, / Juran si companhia, lhi bauzo sus el mento / Can si foron juratz (juratz) amdoy li compa[n]ho, / E l'us ama per fe, (e) l'aute per trasiho* (Duque Bob diz: "Façamos sacramento!" / Faz trazer um livro onde há o evangelho. / Juram companhia, beijam-se no queixo, / quando houveram conjurado, companheiros; / um amou em fé o outro em fingimento). Não é arbitrário imaginar, conforme a tese de Gual (Carlos García Gual, *El Redescubrimiento de la Sensibilidad en el Siglo XII*, Madrid, Akal, 1997), que essas relações de vassalagem com seus padrões de conduta e formas de celebração conformaram, no século XII, seu simulacro nas relações amorosas do amor cortês, quando percebemos a semelhança desse rito com a tradição cristã do sacramento matrimonial, o juramento sobre o livro sagrado e o selo desse "amor", que pressupõe a fidelidade, mediante o beijo. **XLVI.** Essa série apresenta claras interferências de uma segunda mão nos três primeiros versos. Riquer (Martín de Riquer, *Chanson de Roland, Cantar de Roldán y el Roncesvalles Navarro*, p. 104), considerando corrompidas as palavras, afirma que os outros manuscritos do cantar não ajudam na sua identificação e adota a hipotética reconstrução da edição de Roncaglia. Moignet, por sua vez, considera a segunda mão um mal preenchimento de revisor e apresenta lacunas onde, no manuscrito, figura a outra caligrafia. De nossa parte, considerando que o revisor dispusesse de mais elementos acerca do que esteve escrito ali pela mão do copista, talvez até traços minimamente legíveis no próprio manuscrito ou outro material à vista; considerando que o anotado pela

XLV

"Se pudessem fazer Roldão ser mor*to*,
perderia *o* rei, então, seu destro bra*ço*;
o exér*ci*to seria então deti*do*.
Outras for*ças* tais jamais teria Car*los*,
nossos lares seriam em repou*so*".
Rei Marsí*lio, ou*vindo, o beija no pesco*ço*,
e começam vir tantos dos tesou*ros*. AOI.

XLVI

Diz Marsílio: "Por que mais aludir?
Plano di*gno*, não há sem a quem seguir.
Atrair *Rol*dão, jurai-me, estando ali".

segunda mão não carece de sentido; e considerando, enfim, valer mais seguir um revisor do que apresentar lacunas ou hipóteses ainda mais extemporâneas, seguimos o manuscrito e marcamos com colchetes o que corresponde à mão do revisor.

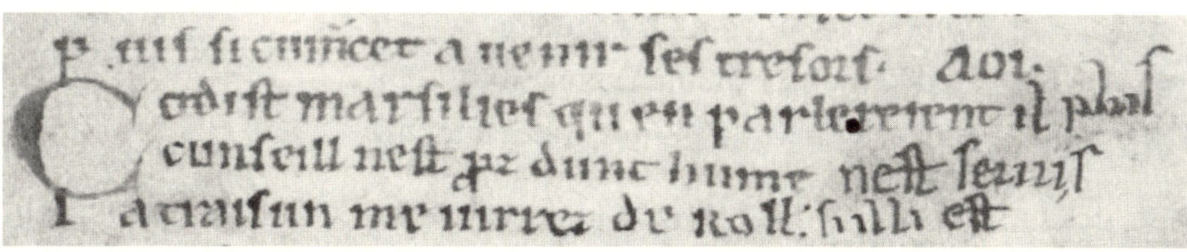

Fl. 11v; vv. 603-606

604. O verbo *sivre, sewer* é traduzido no AND como *to follow as a leader* (seguir como a um líder); *fewiſ* pode estar no infinitivo, no particípio, ou mesmo no imperfeito subjuntivo. O sentido do verso indica que Marsílio quer confiar que Galalão passe a seguir seus desígnios e não os de Carlos. **605.** Depois da palavra *Roll* há um ponto, o que provavelmente fez os editores acretitarem que originalmente o verso terminava ali, ainda que essa palavra não satisfaça a assonância da série e que a métrica também fique deficiente em três sílabas, como as que acrescenta uma segunda mão de revisor. Não sendo isso suficiente para afirmar se se conclui ou não o verso em *Roll*, seguimos o manuscrito, incluída sua revisão, sob os argumentos expostos na nota à série. Riquer aponta a possibilidade de uma outra tradução para *La traiſun*, a que não emprega, nem tampouco Bédier e Moignet, que consensualmente traduzem por "jurai-me trair Roldão" e apresentam as reticências nos trechos emendados. Como veremos na última parte do cantar (v. 3778), contudo, Galalão não se considera traidor, pois sua atitude foi por vingança e era anunciada (vv. 289--291), o que faria incoerente que aqui fizesse tal juramento. Na possibilidade apenas aventada por Riquer, *traisun* seria uma má interpretação da palavra latina *traditio*, o que, no entando, possibilitaria a tradução por "entregar". De nossa parte, encontramos que *traisun* pode ser a forma impessoal do verbo *traire*, traduzido no AND por *to attract*, enquanto o substantivo "traição" encontramos como *trahir*. Em favor dessa hipótese, a entrada *la* no AND, além de um artigo, pode ser também um advérbio de locação, e de uma preposição locativa. Sem, com isso, sugerir uma unívoca opção semântica, optamos por uma tradução

co reſpunt guenes iſſi ſeit cũ uoſ plaiſt.
Sur leſ reliqueſ de ſeſpee murgleiſ
La traiſun iurat y ſiſen ~ forſfait. AOI.

XLVII

Un faldeſtoed i out dun olifant.
Marſilieſ fait porter un liůre auant.
la lei i fut mahũ e teruagan.
co ad iuret li ſarrazinſ eſpanſ.
Se en rereguarde troeuet le corſ Rolł.
cũbatrat ſei a treſtute ſa gente.
e ſe il poet murrat i ueirement.
Guenes reſpunt ben ſeit urẽ comant. AOI.

XLVIII

Atant i uint unſ paienſ ualdabrunſ.
Icil en uait al rei marſiliun.
cler en riant lad dit a guenelun.
tenez meſpee meillur nen at nulſ hom.
entre leſ helz ad pluſ de mil mangunſ.

plausível, menos óbvia, e que parece mais interessante do ponto de vista narrativo e retórico, com uma paranomásia não improvavelmente buscada pelo autor do cantar, entre "atraí-lo" e "traí-lo", que se repete no v. 608. **607.** Era comum as espadas serem forjadas com alguma relíquia sagrada no pomo, consideradas então espadas de virtude, diferentes, portanto, das consteladas, forjadas sob alguma configuração astral favorável. Jurar pela espada tem aqui um alto valor simbólico, o que Moignet considera um alto preço pela traição, e que culmina, no verso seguinte, com a irreparável culpabilidade de Galalão. Esse verso inicia um dístico com uma ligeira alteração no padrão de assonância na tradução, o que consideramos de todo tolerável na tradição oral da gesta. **609.** A palavra *olifant* tem variações de raiz etimológica como *eliphant, elefant.* O trono (vide nota ao v. 115), nessa passagem, segue um princípio metonímico, pois é feito de marfim, como o "corno" de Roldão. **610-611.** O livro se trata do Corão, e Tervagão, de onomástica desconhecida, compõe a insólita trindade moura no cantar, com Maomé e Apolo (vide nota ao v. 8), em paralelismo com a cristã. **615.** Conforme anota Moignet, o anglo-normando pode, sem sinalização mais clara, mudar de sujeito em relação a um sujeito de um verbo precedente na mesma oração. Enquanto *poet* (pode) tem Galalão como sujeito, em *murrat* (morrerá), o sujeito é Roldão. Dirimindo essa possível ambiguidade de "e se ele pode, morerrá verdadeiramente" (em trad. lit.), mantivemos, na tradução, o mesmo sujeito, substituindo o "morrerá" (tendo por sujeito anafório, Roldão), por "dará morte", na voz ativa do sujeito Galalão. **617.** Seguindo a lógica pejorativa aos sarracenos, encontramos a possibilidade de que esse nome, Valdebrum, se componha de *Val* (AND): *valley*; e *Brun* (AND): *dark*, assim, vale das trevas. **618.** Diferente dos outros editores consul-

Galalão diz: "Bem como preferir".
Sob as relíquias da espada, a Murgleis,
*ju*ra atraí-lo e culpado ali se fez. AOI.

XLVII

Ali há *um* trono feito de marfim,
fez trazer, *Mar*sílio, um livro ante de si,
de Tervagão *e* Maomé, com sua lei.
O espanhol sarraceno jura que
se a Roldão, *na* retaguarda, ele o vir,
combatê-*lo* com sua gente ele quer ir,
e, se po*de*, lhe dará morte ali.
Galalão *diz*: "Vossas ordens vou cumprir!"AOI.

XLVIII

Um pagão, Valdebrum, então é vin*do*,
se aproxima, então, do rei Marsí*lio*,
vai dizendo *a* Galalão, claro e sorrin*do*:
"Tomai mi*nha es*pada, não há melhor glá*dio*!
No seu pu*nho*, incrustados, mil mancu*sos*,

tados, Riquer lê, em lugar de *Icil en uait* (ele vai, se aproxima), *Ici levat* que significa, literalmente, elevar, patrocinar e, por extensão, armar cavaleiro, segundo os tradutores. Assim, traduz Riquer: [*Valdebrún*] / *el cual había armado caballero al rey Marsil*. Busca, com essa leitura, um paralelismo com o verso 1563, em que se lê: "[Valdebrum] / que à Marsílio, lhe deu a sagração" ([*Valdabrun*] / *Celui levat le rei Marsiliun*). Embora haja coerência com o narrado, o manuscrito não deixa lugar a esta interpretação de Riquer, sendo insuspeita a leitura de *Icil en uait* (vide acima fl. 11v).

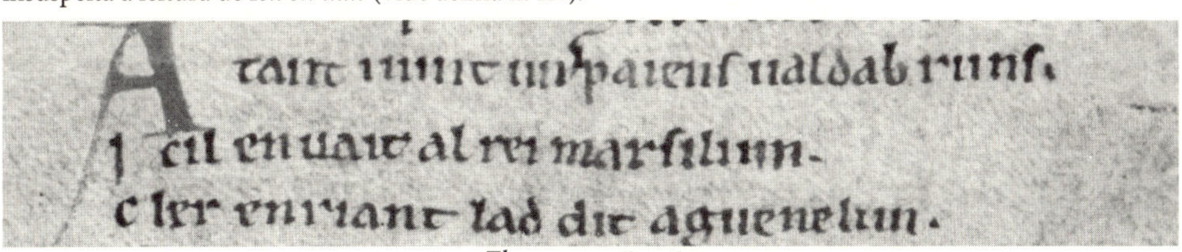

Fl. 11v; vv. 617-619

621. Mancuso foi uma moeda utilizada na Baixa Idade Média românica, de origem anglo-saxã, documentada desde o século IX. O sentido etimológico do termo refere-se a que era alcunhada à mão, *manu-cosa*. Agradecemos ao professor Antoni Rossell por esses esclarecimentos, quem ainda exemplifica que, em 1067, o conde de Barcelona comprou os direitos sucessórios dos condados Carcassona e Rassés por quinhentos mancusos, o que à época equivaleria a cerca de 71 onças de ouro.

par amiſtiez bel ſire la uoſ duinſ.
Que noſ aidez de Rolł le barun.
Quen rereguarde trouer le pousŭ.
Ben ſerat fait li quenſ gueneſ reſpunt.
puiſ ſe baiſerent eſ uiſ y eſ mentunſ.

XLIX

Apreſ i uint un paien climorinſ.
cler en riant a guenelun lad dit.
tenez mun helme uncheſ meillor ne ui.
Si noſ aidez de Rolł li marchiſ.
par quel meſure le pouſſŭ hunir.
ben ſerat fait gueneſ reſpundit.
puiſ ſe baiſerent eſ bucheſ y eſ uiſ. AOI.

L

Atant i uint la reine bramimŭde.
Jo uoſ aim mult ſire diſt ele al cunte.
car mult uoſ þſet mi ſire y tuit ſi hume.
a ůre fēme enueierai douſ nuſcheſ.
Bien i ad or maticeſ y iacunceſ.
eleſ ualent mielz q^e tut laueir de rume.
vrĕ emꝑere ſi boneſ ne nout uncheſ.
Jl leſ ad þſeſ en ſa hoeſe leſ butet. AOI.

LI

Li reiſ apelet malduit ſun treſorer.
Laueir carlun ∻ il apareilliez.
e cil reſpunt oil ſire aſez bien.

627. Cabe a possibilidade de que *Climorinſ* seja, pejorativamente, o diminutivo de *moro*, sendo *cleie*, *cliis* traduzido no *AND* por *hurdle* (obstáculo). **629.** O elmo é a proteção para a cabeça que, à época, era um capacete cônico, frontalmente aberto, deixando a fronte descoberta, exceto pelo nasal, quando havia. A proteção completa, com abertura apenas na viseira, só seria conhecida na segunda metade do século XII,

meu senhor, a darei-vos como ami*go*,
por que com *con*de Roldão vais ajudar-*nos*;
na retaguar*da*, que possamos encontrá-*lo*".
"Pois será assim!" – já Galalão tem di*to*;
e beij*aram*-se no queixo e no ros*to*.

XLIX

Depois veio o de nome Climorim,
vai dizer *a* Galalão, alvo, sorri:
"O meu elmo, tomai, melhor não vi,
*a*judareis co' o marquês Roldão, vós, se,
com tal medida o possamos destruir".
Respondeu Galalão: "Será assim!"
E beij*aram*-se na boca e no nariz. AOI.

L

Bramimonda, a rainha, então vei*o*,
disse ao con*de*: "Senhor, muito eu vos a*mo*,
pois vos pre*zam* meu senhor e seus vassa*los*.
*En*viarei *a* vossa dama dois ador*nos*,
com zircões, ametista e farto ou*ro*.
Valem mais *que* Roma e todo seu tesou*ro*;
o seu rei nunca teve desse ti*po*;
ele to*ma* e na bota põe guarda*do*". AOI.

LI

O rei cha*ma o* tesoureiro Malduí*to*:
"Está pronto o tesouro para Car*los*?
Ele diz: "Meu Senhor, afirmati*vo*!

e nada sugere que os elmos até então não fossem como os retratados na Tapeçaria de Bayeux, *vide* figura 2. **633.** Em trad. lit.: "E depois beijaram-se as bocas e as faces". Vide nota ao v. 601. **641.** *Hoefe* é um tipo de bota alta e resistente utilizada como proteção, como uma armadura para a tíbia. Podia ser usada também como bolso para pequenos objetos. Aparece no *Cantar de Mio Cid* quando Rodrigo Diaz vai encomendar

.vii. C. cameilz dor y argent cargiez
e .xx. hoſtageſ deſ pluſ gentilz deſuz cel. AOI.

LII

Marſilieſ tint guen par leſpalle.
Si li ad dit mult par ieſ ber e ſage.
par cele lei que uoſ tenez pluſ ſalve
Guardez de noſ ne turnez le curage.
de mun aueir uoſ uoeill duñer ḡnt maſſe.
.x. mulſ cargez del pluſ fin or darabe.
Ja maiſ niert an altretel ne uoſ face.
tenez leſ cleſſ de ceſte citet large.
Le grant aueir en preſentez al rei carleſ.
pois me iugez Rolł a rereguarde.
Sel poiſ trouer a port ne a paſſage.
Liuerrai lui une mortel bataille.
Gueneſ reſpunt mei ∻ uiſ qe trop targe.
pois .ẽ. munted entret en ſun ueiage. AOI.

LIII

Li empereſ aproiſmet ſun repaire.
venuz en eſt a la citet de galne.
Li quenſ Rolł il lad y ꝑſe y fraite.
puiſ icel iur en fut cent anz deſerte.
de guenelun atent li reiſ nuueleſ.
e le treud deſpaigne la grant tere.
par main en lalbe ſi cũ li iurz eſclairet.
Gueneſ li quenſ eſt uenuz aſ herbergeſ. AOI.

a Minaya que leve dinheiro a sua mulher e filhas (vv. 820-821): *Evades aqui oro e plata / una huesa llena, que nada no.l' mingua* (Tomai aqui ouro e prata / uma bota cheia, em nada lhe falta). **645.** *Dor y argent*: ouro e prata é a carga dos camelos. Supressão por exigência métrica. **661.** A palavra *repaire* pode ser o verbo *repairer* (*AND*), que significa o retorno a um determinado domínio, ou pode ser o substantivo *repair*, *repaire* (*AND*), como o domínio (ao qual se retorna), casa ou morada. Traduzem como "acampamento" Bédier e Riquer; já Moignet, como "seu país". Como havendo já a ocorrência, nesse verso, de um verbo (*aprismer*,

Setecentos camelos carrega*dos*,
*vin*te reféns, sob o céu não há mais be*los*". AOI.

LII

Rei Marsílio abraça a Galalão,
e lhe diz: "Sois tão sábio e tão barão,
pela lei que o garante a salvação,
*guar*dai-vos, pois, *de* não mudar de intenção.
Quero dar *do* meu haver em profusão,
do melhor ouro dez mulos levarão,
sem vos passar ano sem compensação.
Tens a chave daqui, sois cidadão,
regalai, desse haver, ao rei cristão.
Indicai, *pra* retaguarda, a Roldão,
se eu o encon*tro em* algum passo ou portão,
travarei, *mor*tal e bélica ação".
"Já pare*ce*-me tardar" – diz Galalão;
montou presto e começa a viação. AOI.

LIII

*O Im*perador se aproxima a sua mora*da*,
e à cidade de Galna então che*ga*,
foi rendi*da an*te Roldão que a destruí*ra*;
desde então, por cem anos foi deser*ta*.
De Galalão, *o* rei espera as notí*cias*,
e o tribu*to* da Espanha, a grande te*rra*.
De manhã, quando o dia faz auro*ra*,
Galalão é chegado à campa*nha*. AOI.

aproismet) e considerando que para "acampamento" está o substantivo *herbergeſ* (AND, vide v. 668), optamos por compreender *repaire* como "morada", o que está de acordo com a opção de Moignet. **662.** *Galne* é topografia desconhecida. Outros manuscritos propõem aqui *Valtierra*, em Navarra, próxima de Saragoça, mas muito distante de Córdova, se ali estava Carlos (v. 71). Em todo caso, se aproxima da "sua morada" (v. 661), em Aquisgrão. Optamos, contudo, por manter a imprecisão geográfica do manuscrito, conforme fazem a maioria dos editores do cantar. **667.** Terceiro dia na cronologia do cantar.

LIV

Li emꝑereſ eſt par matin leuet.
Meſſe y matineſ ad li reiſ eſcultet.
Sur lerbe uerte eſtut deuant ſun tref.
Rolł i fut y oliuer li ber.
Neimeſ Li dux e deſ altreſ aſez
Gueneſ i uint li felſ li pariurez.
Par grant ueiſdie cumencet a parler.
e diſt al rei ſaluez ſeiez de deu.
De ſarraguce ci uos aport leſ clefſ.
Mult grant aueir uoſ en faz amener.
e .xx. hoſtageſ faiteſ leſ ben guarder.
e ſi uoſ mandet reiſ marſilieſ li ber
del algalifeſ nel deuez paſ blaſmer.
Kar a meſ oilz ui .iiii. c. milie armez.
halberſ ueſtuz alquanz healmeſ fermez.
ceinteſ eſpeeſ aſ punz dor neielez
ki len cunduiſtrent treſquen la mer.
de marcilie ſen fuient por la xpĭentet.
Qe il ne uoelent ne tenir ne guarder.
einz q'l ouſſent .iiii. liueſ ſiglet.
Siſ aquillit y tĕpeſte y ored.
La ſunt neiez iamaiſ neſ en uerrez.
Se il fuſt uiſ iol ouſſe amenet.
del rei paien ſire par ueir creez.
Ja ne uerrez ceſt ꝑmer meiſ paſſet.
Q'l uoſ ſiurat en france le regnet.
Si receŭrat la lei qe uoſ tenez
Jointeſ ſeſ mainſ iert urĕ comandet.
De uoſ tendrat eſpaigne le regnet.

679. Desde o início do cantar é reiterada a menção a esses reféns que, finalmente, são entregues a Carlos como garantia do acordo com Marsílio, que não se cumprirá. Consumada a traição, pressupõe-se que fossem imediatamente decapitados, mas essa é a última vez que o cantar os menciona. A pressuposição do seu destino óbvio faz relevar a descontinuidade. **681-691.** Nesses versos, Galalão expõe uma história inve-

LIV

*O Im*perador despertou ao clarear,
escutou o ofício e a missa já,
ante a ten*da* sobre o verde prado está.
Oliveiro e Roldão também são lá,
e Nemé, *o* duque, e outros muitos, há.
Galalão veio, por perfídia má,
com ardil, já começa então falar;
disse ao rei: "Queira Deus, a vós, salvar!
Eis as chaves de Saragoça cá,
muito haver *eu* trago a vós pra regalar;
os reféns, *fa*zei os vinte bem guardar.
Rei Marsílio, o barão, vos quer rogar:
Do Cali*fa*, não deveis mais reprochar,
pois eu vi, quatrocentos mil se armar.
De lori*ga e* elmo foram se envergar,
as espadas cingiam em ouro assaz.
Conduzi*am*-no assim até o mar,
de Mars*ílio e* do batismo escapar,
pois não que*rem* recebê-lo nem guardar.
Mas as lé*guas* não deixaram-se singrar,
já os colheu, *a* tempestade e o aguar.
Não os vereis *ja*mais, pois jazem baixo-mar,
fosse vivo, eu o traria; já não há.
Sobre o rei, *se*nhor, prestai-vos confiar,
vê-lo-eis *an*tes de mais um mês passar;
pois ao fran*co* reino, em pós, vos seguirá.
Vossa lei, ele aceita professar,
sob as or*dens* vossas as mãos irá juntar;
da Espa*nha, o* reino só por vós terá".

rossímil para explicar por que o Califa não está incluído entre os reféns, pois era essa uma exigência do rei Carlos (v. 493). **688.** Em trad. lit.: "Antes que houvessem singrado quatro léguas". **696.** Vide nota ao v. 223. **697.** Significa que, uma vez tornado vassalo de Carlos Magno, Marsílio continuaria com poder sobre a Espanha, mas seria então subordinado a seu novo senhor.

co diſt li reiſ graciet en ſeit deuſ.
Ben lauez fait mult grant ꝑd i aủrez.
par mi cel oſt funt mil grailleſ ſuner.
Franc deſherbergent funt lur ſumerſ troſſer.
Verſ dulce france tuit ſunt achiminez. AOI.

LV

Carleſ li magneſ ad eſpaigne guaſtede.
Leſ caſtelſ priſ leſ citez uioleeſ.
co dit li reiſ que ſa guere out finee.
Verſ dulce france cheualchet lempere.
Li quenſ Rolł ad lenſeigne fermee.
en ſum un tertre cuntre leciel leuee.
Franc ſe herbergent par tute la cuntree.
paien cheualchent par cez greign[a]ſ ualeeſ.
halbercſ uestuz y treſ bien fermez.
healmeſ lacez e ceinteſ lur eſpeeſ.
eſcuz aſ colſ y lanceſ adubeeſ.
en un bruill par ſum leſ puiſ remeſtrent.
. iiii . c . milie atendent la iurnee.
d'ſ quel dulur que li franceiſ nel sevent. AOI.

703-704. Esses versos resumem o *introito* do cantar, recuperando aquela ideia (vv. 1-5). Moignet chama essa fórmula de "reprise épica", que se repetirá nos vv. 2609-2610, no início do episódio de Balalão. Do ponto de vista da oralidade, cabe conjecturar um esquema tripartido em que essas reprises marcariam o início de cada uma das três funções que o jogral necessitaria para cantar toda a obra. Sendo assim, esses versos cumprem a função de recuperar no auditório o tema inicial da gesta, a partir do que se poderia seguir com a progressão narrativa. **707-708.** Roldão é o marquês (v. 630) da *marka* da Bretanha (vide nota ao v. 190). O verbo *fermer* tem aqui o sentido de atar a insígnia de sua marca à ponta da lança e cravá-la ao solo. Isso simboliza haver conquistado aquele território. Embora até aqui – o momento do acordo feito por Galalão – o mérito não seja dele, ao colocar sua insígnia, Roldão dá mostras de sua presunção. **711.** Em trad. lit.: "Lorigas vestidas e muito bem atadas". Segundo a leitura de Waters (E. G. R. Waters, "Gleanings from MS. Digby 23", *The Modern Language Review*, vol 25, n. 1, pp. 97, 1930), a palavra *fermer* foi originalmente escrita, mas teve o *-r*, que marca o infinitivo, apagado e alterado para um *-z* por mão de corretor, que marca, assim, o particípio, mas falta ainda uma sílaba na escansão do verso – o que, do ponto de vista prosódico-musical, não parece, a rigor, um tão grave desvio. Bédier e Moignet apresentam as reticências no lugar da palavra alterada, tanto no lado da transcrição, quanto da tradução. Riquer, por sua vez, anota: "El segundo hemistíquio de este verso es dudoso, pues en el Manuscrito de

Disse o rei: "*A* Deus devemos graças dar!
*A*giste bem, *a*ssaz vos devo premiar".
Pela hos*te* mil clarins fazem soar,
desacam*pam* e os rocins vão carregar;
para a Do*ce* França partem par em par. AOI.

LV

Carlos Magno a Espanha devastou,
*to*mou caste*los* e as cidades violou.
Disse o rei que a guerra terminou,
para a França, cavalga o Imperador.
O Roldão, sua insígnia afixou,
bem no al*to* da colina ao céu içou;
na comar*ca*, *a*campam francos pelo chão.
Pelos vales cavalgam os pagãos,
*a*tadas bem, as lorigas com vigor.
Cada um, *co 'es*pada e elmo protetor,
com escudo e com lança se armou.
Num arbó*reo* monte a hoste adentrou,
quatrocen*tos* mil esperam o arrebol.
Que os franceses não saibam, Deus, que dor! AOI.

Oxford está corrompido", então propõe a seguinte construção: "...e lur brunies dublees" (...e as cotas duplas), que condiz com a assonância e a métrica. Em que pese, contudo, a interferência de segunda mão (vide fl. 13v), não parece corrompido o segundo hemistíquio, como anota Riquer, mas, ao contrário, parece bastante claro, razão pela qual, mantivemos o que o manuscrito nos apresenta.

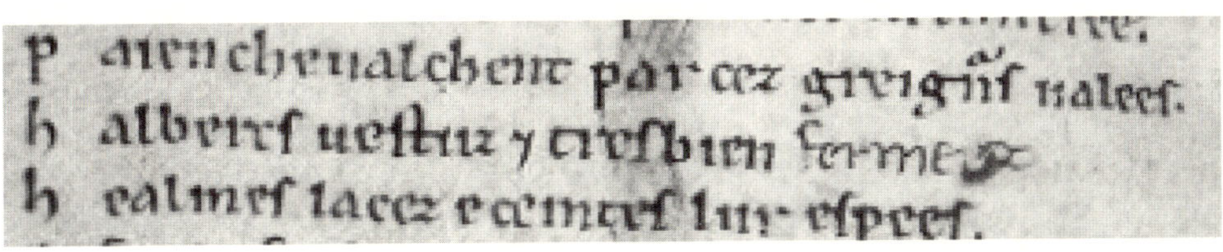

Fl. 13v; vv. 710-712

713. Em trad. lit.: "Escudos aos pescoços e lanças armadas". Os escudos, não tão grandes nos tempos de Carlos Magno, vão posicionados nas costas, atados ao pescoço, e as lanças apoiadas no arção da sela para descanso; para combate, os escudos posicionam-se no braço e as lanças vão abaixadas sob a axila do cavaleiro, em posição de mira.

LVI

Treſuait le iur la noit ⁓ aſerie.
carleſ ſe dort li empereſ richeſ.
Suniat quil eret al greignurſ porz de ſizer.
entre ſeſ poinz teneit ſa hanſte fraiſnine.
Gueneſ li qens lad ſur lui ſaiſie.
Par tel air lat eſtruſſee y brandie.
Quenuerſ le cel en uolent leſ eſcicleſ.
carleſ ſe dort quil ne ſeſueillet mie.

LVII

Apreſ iceſte altre auiſiun ſuniat.
Q'l en france [ert] a ſa capele ad aiſ.
el deſtre braz li morſt unſ uerſ ſi malſ.
deuerſ ardene uit uenir unſ leuparz.
Sun corſ demenie mult fieremt aſalt.
Denz de ſale unſ ueltreſ aualat.
Que uint a carleſ le galopſ y leſ ſalz.
La deſtre oreille al pmer uer trenchat.
Ireemt ſe cũbat al lepart.
Dient franceiſ que grant bataille i ad.
Il ne ſeuent liquelſ delſ la ueintrat.
carleſ ſe dort mie ne ſeſueillat. AOI.

LVI. Os presságios cumprem a importante função de constituir a atmosfera dramática nos cantares de gesta. Nesse primeiro, a lança de freixo – madeira de alta densidade e, por isso, muito usada na construção de arcos e lanças – simboliza Roldão como sendo a arma de impacto do Imperador. **719.** *ſizer* foi traduzido, no verso 583, como Cízer (paroxítona), e aqui o fazemos como Cizer (oxítona), em atenção ao padrão se assonância masculina dessa série. Esse hiperbibasmo é intencional e não deve ser um procedimento estranho numa perspectiva prosódico-musical para transmissão oral. **724.** Verso marcado com a figura de linguagem *oppositum* e com paralelismo em relação ao v. 736. **LVII.** Esse presságio pode ser interpretado de duas formas: numa perspectiva reiterativa, retoma significado semelhante ao presságio anterior, assim, o "cramulhão" seria Marsílio; o leão que o ajuda, seu tio, o Califa; e o cão que luta por Carlos seria Roldão. Numa perspectiva cronológica das premonições, considerando que a lança já

PREMONIÇÕES DE CARLOS MAGNO

LVI

Transcorreu *o* dia, vai anoitecer,
vai o ri*co* *Im*perador adormecer.
Sonha estar *no* grande átrio de Cizer,
sua lança de freixo, nas mãos tem;
*a*rrebatá-*la*, Galalão, o conde, vem,
muito ira*do, a* brande e quebra por desdém,
aos peda*ços*, voa ao céu, não se sustém.
Carlos dor*me, o* despertar não lhe devém.

LVII

Depois disso, sonhou outra visão:
Que, na Fran*ça*, na capela de Aquisgrão,
o destro bra*ço* lhe mordia um cramulhão,
e desde Arde*nas*, via vindo um leão,
que sobre e*le* investia a agressão.
Desde a sala descia um galgo cão,
veio a Carlos saltando em carreirão.
Amputou, ao primeiro, o orelhão,
furioso, combate o leão.
Francos di*zem* cruel batalha travarão,
mas não têm, da vitória, a previsão;
Carlos dorme e não acorda não. AOI.

foi quebrada por Galalão na anterior, essa visão anteciparia a última parte do cantar, o juízo de Galalão. Assim, o "cramulhão" seria Galalão; o leão, Pinabel, quem luta por Galalão no duelo final; e o cão seria Teodorico de Argona, quem luta em nome de Roldão no mesmo duelo. **727.** A palavra *uerf* tem compreensão não consensual entre os editores do cantar. Bédier, lendo *uerf* (ou *vers*) como *urs* – porque no manuscrito a letra /*u*/ grafa-se também no lugar de /*v*/ – traduz como "urso"; Moignet e Riquer traduzem a palavra como javali, conforme é traduzida a entrada *uer* no AND. Em uma pequena variação, condizente com a grafia do manuscrito, *uerf* se traduz como "verme", "réptil" ou "monstro"; não havendo orelhas o primeiro e o segundo (em razão da referência a elas no v. 732), nossa tradução nos aproxima do último; vide v. 2563. **728.** Para a alteração de *leuparz* (leopardo) por leão, vide nota ao v. 30.

LVIII

Treſuait la noit y apt la clere albe.
Par mi cel host [ſuuēt e menu reguarded]
Li emperes mult fieremt cheualchet.
Seignurſ baronſ diſt li empere carleſ.
Veez leſ porz y leſ deſtreiz paſſageſ.
Kar me iugez ki ert en la rereguarde
Gueneſ reſpunt Roll ciſt mienſ fillaſtre.
Nauez baron de ſi grant uaſſelage.
Quant lot li reiſ fierement le reguardet.
Si li ad dit uoſ eſteſ uifſ diableſ.
el corſ uoſ ∻ entree mortel rage.
e ki ſerat deuant mei en lanſguarde.
Guеneſ reſpunt oger de denemarche.
Nauez barun ki mielz de lui la facet

LIX

Li qenſ Roll quant il ſoit iuger. AOI.
Dunc ad parled a lei de cheualer.
Sire paraſtre mult uoſ dei aueir cher.
La rereguarde auez ſur mei_ iugiet.
Ni pdrat carl li reiſ ki france tient.
Men eſcientre palefreid ne deſtrer.
Ne mul ne mule que deiet cheualcher.
Ne ni pdrat ne runcin ne ſumer.
Que aſ eſpeeſ ne ſeit einz eſlegiet.
Guеneſ reſpunt ueir diteſ iol ſai bien. AOI.

737. Quarto dia na cronologia do cantar. **738.** O segundo hemistíquio do verso está preenchido por mão de revisor. Riquer propõe um preenchimento "hipotético": "...sonent mult halt ses graisle" (soam muito alto os clarins). Os demais editores consultados apresentam uma proposta lacunar, tanto na transcrição como na tradução. Admitimos a mão do revisor, segundo os mesmos princípios expressos na nota à série XLVI. **LIX.** A retaguarda, além da defesa – pois ataques surpresa são improváveis pela frente –, é também respon-

A HOSTE DE CARLOS MAGNO

LVIII

*Trans*corre a noite e amanhece a alba cl*ara*,
toda a hoste o seguia com a vis*ta*;
o rei Car*los* cavalgava com firme*za*.
"Meus barões" – disse o rei da Doce Fran*ça* –
"observai *e*ssas passagens tão estrei*tas*,
e indicai-*me* quem será m'nha retaguar*da*".
"O Roldão!" – Galalão já respondi*a* –
"Não há barão com tamanha valenti*a*".
O rei escuta e severamente o fi*ta*,
e lhe diz *en*tão: "Sois um diabo em vi*da*,
tens o corpo afeito à mortal i*ra*.
E quem irá, *de*fronte mim, como vanguar*da*?"
Diz Galalão: "*O*giero, o da Dinamar*ca*,
não há barão *me*lhor que ele pra formá-*la*".

LIX

Ao se ouvir, *con*de Roldão, designa*do*, AOI.
replicou *à* guisa de bom cavalei*ro*:
"Muito hei, *se*nhor padrasto, de querer-*vos*,
pois me haveis, *à* retaguarda, indica*do*.
Não perderá, Carlos, que da França é do*no*,
ciente eu, *nem* palafrém e nem destrei*ro*.
Cavalgantes, nem mula, nenhum mu*lo*,
nem pile*ca*, nem rocim será perdi*do*;
sem que an*tes* co' as espadas, vão paga*dos*".
Galalão *diz*: "Disso estou já convenci*do*". AOI.

sável por toda a carga dos pertences da hoste, como armas, mantimentos e demais haveres. Por essa razão, essa posição é a mais perigosa. Nessa série, Roldão mostra sua heroica simpatia pelo perigo, mostrando-se capaz de zelar até pelo menos valioso dos animais, mas também uma carga de ironia ao dirigir-se a Galalão "à guisa de bom cavaleiro". É de se notar o contraste da reação entre Roldão e Galalão ao serem designados ao perigo iminente. **756-758.** Para cavalos e tipos de montaria, vide nota aos vv. 479-481.

LX

Quant ot Rolł q'l ert en la rereguarde.
Ireem̃t parlat a ʃun paraʃtre.
ahi culuert maluaiʃ hŏ de put aire.
Quiaʃ le guant me caiʃt en la place.
cume fiʃt a tei le baʃtun deuant carle. AOI.

LXI

Dreiz emꝑerere diʃt Rolł le barun.
dunez mei larc que uoʃ tenez el poign.
Men eʃcientre nel me reꝑuerunt.
Que il me chedet cŭ fiʃt a guenelun.
de ʃa main deʃtre q'nt recut le baʃtŭ
Li emꝑereʃ en tint ʃun chef enbrunc.
Si duiʃt ʃa barbe y detoerʃt sun gernun.
Ne poet muer que deʃ oilz ne plurt.

[LXII]

anpreʃ ico i eʃt neimeʃ uenud.
Meillor uaʃʃal nout en la curt de lui.
e diʃt al rei ben lauez entendut.
Li q^e^nʃ Rolł il ~ mult iraʃcut.
La rereguarde eʃt iugee ʃur lui.
Nauez baron ki iamaiʃ la remut.
dunez li larc que uoʃ auez tendut.

LX. Roldão deixa o tom irônico da série anterior, explicitando a Galalão todo seu desafeto, sabendo que a indicação é motivada por vingança. **763.** Moignet esclarece que o termo *culuert* designa uma condição social baixa, entre a escravidão e a liberdade, mas que, sobretudo, em francês antigo, cobra um amplo sentido de injúria. A partir desse verso, o termo será recorrentemente empregado aos sarracenos. **765.** Na série XXV, o que cai das mãos de Galalão é a luva (v. 333) e não o bastão. Um pequeno equívoco que, provavelmente, passasse despercebido pelo público que ouviu a cena há centenas de versos atrás, quiçá, numa função e dia anteriores. **773.** Em trad. lit.: "Não pode evitar de chorar dos olhos". Acerca do belíssimo primeiro verso do *Cantar de Mio Cid*: "De los sos ojos, tan fuertemientre llorando", Montaner (Alberto Montaner (ed.), *Cantar de Mio Cid*, p. 5) esclarece que, apesar de aparentemente redundante, essa expressão significa "chorar em silêncio", ou seja, que o pranto se reduz às lágrimas, sem o acompanhamento de gestos, soluços e gemidos, tão comum em situações mais dra-

LX

Quando ouviu *Rol*dão que era a retaguar*da*,
furibun*do, a* seu padrasto ele fala*va*:
"Sacripanta, velhaco, estirpe bai*xa*!
*Cri*eis que a lu*va* cairia-me na pra*ça*,
como, co'o *bas*tão, fizesteis na embaixa*da*?" AOI.

LXI

"Justo rei" – diz Roldão, assaz barão –
"dai-me o ar*co* que está em vossa mão.
Ciente eu, *não* me dareis reprovação,
por derrubá-*lo*, como fez o Galalão
de sua des*tra*, recebendo o bastão".
*O Im*perador tinha os seus olhos ao chão,
*a*faga a barba e torce o bigodão;
vai chorar *dos* olhos por preocupação.

[LXII]

*A*proximou-se o Nemé ali então,
tão bons vassalos, na corte, outros não são.
Disse ao rei: "Tendes já compreensão,
muito irado está conde Roldão,
à retaguarda ele tem indicação.
Por trocá-lo não há outro barão,
dai-lhe o arco que haveis posto em tensão;

máticas da literatura medieval. Numa outra perspectiva, enquanto frase física, o pleonasmo é admitido como recurso retórico para aumentar a carga dramática. É, de qualquer modo, uma fórmula muito comum nos cantares de gesta. **[LXII]**. É consenso, entre os editores do cantar, enumerar aqui uma série nova, embora, no manuscrito, não haja ocorrência da letra capitular nem de alteração do padrão de assonância. Isso posto, em todo caso, optamos por seguir a numeração usual das séries, a fim de não dificultar possíveis estudos comparatísticos entre as edições. De qualquer modo, mantivemos a mesma assonância da série LXI. **780.** Moignet aponta o estranhamento que causa ao leitor a presença de um arco na mão de Carlos Magno, sendo esta, sob o ponto de vista cavalheiresco, uma arma pouco valorizada, diferente do que ocorria antes do século X e, provavelmente, em tempos do império franco. Pode remontar, de qualquer modo, a uma tradição muito antiga, cujo pleno sentido, aqui no contexto do cantar, nos escapa.

Si li truuez ki treſ bien li aiut.
Li reiſ li dunet y Rolł la recut.

LXIII

Li empereſ apelet ſeſ nieſ Rolł.
Bel ſire nieſ or ſauez ueirement.
demi mun hoſt uoſ lerrai en ꝑſent.
Retenez leſ co ~ uoſtre ſaluement.
co dit li quenſ io nen ferai nient.
d'ſ me ćfunde ſe la geſte en deſment.
.xx. milie francſ retendrai ben uaillanz
paſſez leſ porz treſtut ſourement
Ja mar crendrez nul hume a mun uiuant.

LXIV

Li quenſ Rolł eſt muntet el deſtrer. AOI.
cuntre lui uient ſiſ cŭpainz oliuer.
vint i geriſ y li ꝑz quenſ gererſ.
e uint i oteſ ſi i uint berengerſ.
y uint i aſtorſ y anſeiſ li ueillz.
Vint i gerart de roſſillon li fierſ.
Venuz i ~ li richeſ dux gaifierſ.
Diſt larceuesq; io irai par mun chef.
E io od uoſ co diſt li quenſ gualterſ.
hŏ ſui Rolł io ne li dei faillir.
entre ſ eſliſen .xx. milie cheualerſ. AOI.

790. Esse *porz* (átrio) se refere ao pórtico de Cízer (vide nota ao v. 583) que simbolicamente separa, no cantar, os reinos da Espanha e da França, no alto das montanhas de Roncesvales. **798.** O duque Gaiferro, conforme traduzimos, é uma personagem histórica documentada entre os anos de 745 e 768, portanto, ligeiramente anacrônica. Era Duque de Aquitânia e sua fortuna se tornou lendária, por isso o epíteto. Está integrado às lendas épicas francesas e protagoniza ainda muitos romances posteriores. **800.** Gualter está identificado, por tese de Rita Lejeune (Rita Lejeune, "Une Allusion Méconnue à une Chanson de Roland", *apud* Gérard Moignet (ed.), *Chanson de Roland*, 1985, p. 79; Martín de Riquer, *Chanson de*

e buscai *a*queles que o ajudarão".
O rei lhe dá e recebe-o bem Roldão.

LXIII

*O Im*perador a Roldão, o seu sobri*nho*,
Diz: "Em verdade, sobrinho, é sabi*do*,
meia hoste vos tenho oferec*ido*,
nela há salvação do precavi*do*".
Disse o conde: "Em nada a necessi*to*,
Deus me perca se a gesta eu desmin*to*.
Vinte mil francos quero destemi*dos*,
em segurança, passai aquele á*trio*;
não temais home' enquanto eu for vi*vo*".

LXIV

Já montou, *con*de Roldão, no seu destrei*ro*, AOI.
a seu encon*tro* foi seu par, o Olivei*ro*.
O nobre Ger*son*, com Geraldo, o conde, vei*o*,
mais o Otto e o Berenguer primei*ro*.
Veio o Astor e o Anselmo já tão ve*lho*,
e Girard, *de* Rossilhão, que é tão alti*vo*;
também ve*io o* rico duque Gaife*rro*.
O Arcebis*po* disse: "Eu vou, por meu escal*po*!"
E o conde Gual*ter* diz: "Também eu vou de estei*o*!
Homem seu, *Rol*dão, eu sou não me menei*o*".
Entre es*tes*, vinte mil, os cavalei*ros*. AOI.

Roland, Cantar de Roldán y el Roncesvalles Navarro, p. 122) a Gautier de l'Hum. Essa personagem é o herói de um antigo poema épico latino do século x, *Waltharius Manus Fortis*, cujos sucessos se passam no século v, na Aquitânia visigótica. O argumento dessa gesta é que Waltharius, filho do governador de Aquitânia, teria sido levado como refém por Átila, rei Huno que invadira aquelas terras por impostos, contra quem Waltharius lutará singularmente, saindo vitorioso. Esta seria a origem do sobrenome *de l'Hum* (o Huno). Por outro lado, este sobrenome poderia simplesmente evocar o fato de ser "o Homem" (*l'Hum*) de Roldão (v. 801).

LXV

Li quenʃ Rolł gualter del hum apelet.
ꝑnez mil francʃ de france norĕ tere.
Si purꝑnez leʃ deʃerz e leʃ tertreʃ.
Que lemꝑere niʃ um deʃ ʃoenʃ ni ꝑdet. AOI.
Reʃpunt gualter pur uoʃ le dei ben faire.
od mil franceiʃ de france la lur tere.
gualter deʃrenget leʃ deʃtreiz y leʃ tertreʃ.
Nen deʃcendrat þ maluaiʃeʃ nuueleʃ.
enceiʃ quen ʃeient .vii.c. eʃpeeʃ traiteʃ.
Reiʃ almariʃ del regne de belferne.
Vne bataille lur liu̓rat le iur peʃme.

803. Segundo a leitura de Waters (E. G. R. Waters, "Gleanings from MS. Digby 23", *The Modern Language Review*, vol 25, n. 1, pp. 95-99, 1930), originalmente estava escrito *del hum*, mas posteriormente o *h* foi apagado. **805.** A maioria dos editores do cantar – dos consultados, exceto Moignet – transcrevem *destreiz* (desfiladeiros) em lugar de *deſerz* (desertos), conforme lê-se no manuscrito, pressupondo, com isso, um lapso do copista, o que se confirmaria pelo segundo hemistíquio do v. 809. Concordando com

LXV

O Roldão já chamou Gualter, o Hu*no*:
"Eis da Fran*ça*, nossa terra, esses mil fran*cos*,
ocupai as montanhas e os er*mos*,
para que *ne*nhum do rei seja perdi*do*". AOI.
Gualter diz: "*Por* vós, eu devo bem fazê-*lo*!"
De sua te*rra, a* França, vão juntos mil fran*cos*,
já se destacam por cerros escarpa*dos*,
nem por no*vas* más, dali serão baixa*dos*
sem que an*tes* hajam gládios bem brandi*dos*.
Almaris, que Belferna tem por rei*no*,
*na*quele di*a os* deu combate pavoro*so*.

Moignet, admitimos ser possível manter o termo original. Traduzimos, contudo, *deferz* por "ermos" a fim de não lhe atribuir um sentido de características geográficas que pudessem contradizer o v. 809. **810-811.** Antecipação do retorno de Gualter, o Huno, que ocorrerá na s. CLII, quando a personagem, em fuga, desce a colina em busca de Roldão com as más novas de todos os seus homens mortos. Gualter, junto com Roldão e o Arcebispo Turpino, forma a tríade dos derradeiros sobreviventes no campo de batalha.

II

A Derrota

LXVI

halt ſunt li pui e li ual tenebruſ.
Leſ rocheſ biſeſ leſ deſtreiz merueilluſ.
Le iur paſſerent franceiſ a grant dulur.
de .XV. liuſ en ot hŏ la rimur.
puiſ que il uenent a la tere maiur.
Virent guaſcuigne la tere lur ſeignur.
dunc le remembret deſ fiuſ y deſ hon[a]ſ.
y deſ pulcele y deſ gentilz oixurſ.
cel nen i ad ki de pitet ne plurt.
Sur tuz leſ altreſ eſt carł anguiſſuſ.
aſ porz deſpaigne ad leſſet ſun neuold.
pitet len ꝑnt ne poet muer nen plurt. AOI.

LXVII

Li .xii. per ſunt remeſ en eſpaigne.
xx. milie frrancſ unt en lur cŭpaigne.
Nen unt pour ne de murir dutance.
Li empere ſen repairet en france.
Suz ſun mantel en fait la cuntenance.
deiuſte lui li dux neimeſ cheualchet.
e dit al rei de quei auez peſance.
carł reſpunt tort fait kil me demandet.
Si ḡnt doel ai ne puiſ muer nel pleigne.
par guenelun ſerat deſtruite france.
enoit mauint un auiſiun dangełé.
Quentre meſ puinz me depecout ma hanſte.
chi ad iuget miſ neſ a [la] rereguarde.

817. A maioria dos editores, excetuando-se Moignet entre os consultados, transcreve *liues* (léguas) em lugar de *liuſ* (lugares), como está no manuscrito. Prescindimos dessa correção. **818.** Vide nota ao v. 600. **820.** Aqui a correção é impositiva: em lugar do artigo *le*, que não obstante transcrevemos conforme o

A HOSTE NOS PIRENEUS

LXVI

Altos mon*tes* e os vales, tenebro*sos*;
negras rochas, sublimes os penhas*cos*,
*na*quele dia, em suplício, os cruzam fran*cos*;
o rumor *é ou*vido desde uns quinze sí*tios*.
A sua Terra Maior já são chega*dos*,
*Gas*cunha viram, o seu senhor é o do*no*.
Dos seus feudos e então dos seus domí*nios*,
das donzelas e esposas vão lembran*do*;
não há quem *a*li não chore consterna*do*.
Mais que os ou*tros*, Carlos vai angustia*do*,
pois deixara, na Espanha, seu sobri*nho*;
foi tomado *em* dor, já não evita o pran*to*. AOI.

LXVII

Os Doze Pares ficaram na Espa*nha*,
e dos fran*cos*, vinte mil os acompa*nham*,
que, da mor*te*, não têm medo ou covardi*a*.
*O Im*perador se aproxima já da Fran*ça*,
sob o manto ele esconde sua angús*tia*.
Ao seu lado, Nemé, o duque, cavalg*a*,
e inqui*ri ao* rei: "O que é que vos asso*la*?"
Carlos diz: "Mal me faz quem mo pergun*ta*!
Minha dor *é* tal, só posso lamentá-*la*.
Por Galalão, *se*rá a França destruí*da*,
tive à noi*te u*ma visão por anjos vin*da*:
Que das mãos foi quebrada minha lan*ça*,
por quem in*di*cou Roldão à retaguar*da*.

manuscrito, supomos o possessivo *lur*, o qual traduzimos. Lapso do copista. **830.** O sentido de *cuntenance* (semblante, comportamento) aqui é metafórico, e invoca a angústia estampada no seu rosto pelos premonitórios sonhos que o afligem.

Jo lai leſſet en une eſtrange marche.
d'ſ ſe iol ꝑt ia nen aurai eſcange. AOI.

LXVIII

Carleſ li magneſ ne poet muer nen plurt.
.c. milie francſ pur lui unt grant tendrur.
e de Rolł merueilluse pour.
Gueneſ li felſ en ad fait traiſun.
del rei paien en ad oud granz dunſ.
or y argent palieſ y ciclatunſ.
Mulſ y cheualſ y cameilz y leunſ.
Marſilieſ mandet deſpaigne leſ barunſ.
cunteſ uezcunteſ y dux y almacurſ.
Leſ amirafleſ y leſ filz aſ cunturſ.
.iiii. c. milie en aiuſtet en .III. iurz.
en ſarraguce fait ſuner ſeſ taburſ.
Mahumet leuent en la pluſ halte tur.
Ni ad paien nel ꝓt y nel aort.
puiſ ſi cheualchent par mult grăt čtencun.
La t'e certeine y leſ ualſ y leſ munz.
de celſ de france uirent leſ gunfanunſ.
La rereguarde deſ .xii. cŭpaignunſ
Ne leſſerat bataille ne lur dunt.

LXIX

Li nieſ marſilie il ≈ uenuz auant.
Sur un mulet od un baſtun tuchant.
Diſt a ſun uncle belement en riant.

852. A presença dos tambores de Marsílio no cantar foi determinante para estabelecer a tese do limite de anterioridade de sua composição, em 1086, com a batalha de Zalaca (vide o capítulo "Arqueologia do Cantar"). **856.** Por exigência métrica em anglo-normando, *t'e* é elisão de *terre*; a expressão *La terre certeine* suscitou diversas dúvidas e traduções, as mais variadas. Aceitamos a hipótese de McMillan (Duncan McMillan (ed.), *Chanson de Guillaume*, vol. I, Paris, A. & J. Picard, 1949) acerca do v. 1704 da *Chanson de Guillaume*: "[Guilherme] vai dar-lhes batalha em terra firme" (*A terre certeine lur vint estur doner*). Admitindo a similaridade semântica da expressão entre os cantares, consideramos que todo o enredo

Meu sobrinho, o deixei em estranha mar*ca*,
se o perder, *não* me consolarei com na*da*!" AOI.

LXVIII

Carlos Mag*no* não evita o seu pran*to*,
comoção *sen*tem, por ele, cem mil fran*cos*,
e por Roldão, um receio horroro*so*.
Galalão, *o* traidor, foi um perju*ro*,
do rei pagão recebeu grandes rega*los*:
De ouro e prata, a seda e os broca*dos*,
*le*ões, camelos e mulas e cava*los*.
Da Espanha, Marsílio chamou to*dos*:
Duques, con*des*, almançores, dignitá*rios*,
os Emi*res* e, dos nobres, os seus fi*lhos*.
Quatrocen*tos* mil em três dias chega*dos*,
em Saragoç*a*, os tambores são toca*dos*.
Maomé, *na* alta torre, é eleva*do*,
não há pagão que não tenha adora*do*.
Já cavalgam com muito grande empe*nho*
pelos campos, por vales, pelos ce*rros*;
logo viram o gonfalão dos fran*cos*.
A retaguarda dos Doze companhei*ros*,
não deixará, *não* deixará, de combatê-*los*.

LXIX

Avançou o sobrinho de Marsí*lio*,
co' um bastão, açoitando o seu mu*lo*;
disse ao tio, tão alegre, assim sorrin*do*:

da *Chanson de Guillaume* se passa numa dualidade topográfica: em Aspremont, identificada com o município de Argentona, região litorânea próxima de Barcelona, e a *terre certeine*, considerada terra firme, afastada do litoral. Desse modo, é plausível compreender que no cantar, a *terre certeine* significaria toda a planície que se estende desde Saragoça (vide nota ao v. 6) até o pé dos Pireneus. **857.** Para classificação dos signos militares, vide nota ao v. 190. **859.** Em trad. lit.: "Não deixará de lhes dar batalha". A epizeuxe na tradução não pode ser considerada incomum na transmissão oral.

Bel ʃire reiʃ io uoʃ ai ʃeruit tant.
Sin ai out y peineʃ y ahanʃ.
Faiteʃ batailleʃ e uencues en chãp.
Dunez mun feu co ~ le colp de Rolł.
Jol ocirai a mun eʃpiet trenchant.
Se mahumet me uoelt eʃtre guarant.
deʃ porz deʃpaigne entreʃqua dureʃtant
de tute eʃpaigne aq'terai leʃ panʃ.
Laʃ ʃerat carł ʃi recrerrunt ʃi frãc.
Ja naủrez maiʃ guere en tut uoʃtre uiuant.
li reiʃ marʃilie len ad dunet le guant. AOI.

LXX

Li nieʃ marʃilieʃ tient le guant en ʃun poign.
Sun uncle apelet de mult fiere raiʃun.
Bel ʃire reiʃ fait mauez un grant dun.
eʃliʃez mei .xii. de uoz barunʃ.
Sim cũbatrai aʃ .xii. cũpaignunʃ.
tut ꝑmerein len reʃpunt falʃaron.
Icil ert frere al rei marʃiliun.
Bel ʃire nieʃ e íó e uoʃ í irum
ceʃte bataille ueirement la ferum.
La rereguarde de la grant hoʃt carlun.
Il ~ iuget que nuʃ leʃ ocirum. AOI.

866. A expressão *feu co est* (como feudo) poderia traduzir-se por "como vosso dom", ou ainda, "como um privilégio", que é o direito ao *le colp de Rolł* (o golpe a Roldão), o que pressupõe ser um primeiro golpe, seja na batalha, seja contra o chefe inimigo; uma alta honraria disputada entre os guerreiros mais jovens. **869-870.** Todas as edições consultadas invertem a ordem desses versos sem haver nenhuma indicação disso no manuscrito (vide nota aos vv. 73-74), nem justificativa em nota. Riquer ainda altera o v. 869, omitindo a epanalepse, alterando *deʃ porz deʃpaigne* (desde as portas da Espanha) por *des porz d'Aspre*, igualmente sem anotar justificativa. Quanto à topografia *Dureʃtant*, consideram irreconhecível Riquer e Moignet, porém a identificamos com Durango, ou Merindad de Durango, uma comarca de Vizcaya no país Vasco, extremo norte da península ibérica; os primeiros registros com essa toponímia datam de 1050. Para essa identificação, consideramos que os *porz deʃpaigne* (portas da Espanha) pudessem fazer referência ao extremo sul da península, que foi a porta de entrada das tribos berberes (ou

"Belo rei e senhor, já os servi tan*to*,
e sofri muitas penas, infortú*nios*.
Já batalhas vos dei, venci nos cam*pos*,
a Roldão, *o* golpe, dai-me como feu*do*;
co' esta lan*ça*, afiada, matarei-*o*.
E Maomé, se quiser-me protegi*do*,
desde as portas da Espanha até Duran*go*,
em toda a Espa*nha*, livrarei os califa*dos*.
Farto Carlos, render-se-ão os fran*cos*;
não tereis *mais* guerra enquanto fordes vi*vo*".
Deu-lhe a luva então o rei Marsí*lio*. AOI.

LXX

O sobri*nho* de Marsílio enluva a mão,
fala ao tio com altiva sua razão:
"Belo rei, *se*nhor, me deste um grande dom,
escolhei-*me* doze, cada um, barão;
*com*baterei, *a*ssim, os Doze dos cristãos".
"*Pri*meiramen*te*" – lhe responde Falastrão,
"que do rei *Mar*sílio era outro irmão –
vou convos*co*, meu sobrinho, não abro mão,
em verda*de a*li daremos-lhes ação.
Carlos tem, *na* retaguarda, um esquadrão,
*da*remos mor*te a* eles, é a decisão!" AOI.

bereberes) do norte da África, os primeiros muçulmanos a invadirem aquela região. Sob essa hipótese, compreendemos que o cantar traça um meridiano de norte a sul nos domínios de Al-Andaluz, o que corrobora o verso seguinte. **LXX-LXXVIII.** A partir da investidura do sobrinho de Marsílio com a luva, o que pressupõe o mando da vanguarda, ele solicita seus Doze Pares sarracenos com que fazer frente aos pares cristãos. Seguem-se oito séries de apresentação dessas personagens insólitas, que seguem uma fórmula similar e crescente: nome ou título de nobreza, lugar de origem, descrição da personagem e presunção da atuação na batalha, em cuja performance nota-se uma intensificação gradual nas séries. Esses pares serão também formularmente mortos nos versos 1187-1337, pela mesma ordem de apresentação, exceto Margarino, que consegue fugir. **880.** *Icil ert frere* indica apenas que Falastrão era irmão de Marsílio; "outro irmão", conforme traduzimos, reforça a ideia de que o pai do sobrinho Aécio é outra pessoa, visto que o próprio Falastrão o chama de sobrinho (*nief*) no verso seguinte. **882.** "Ação", aqui, conforme traduzimos *bataille*, pressupõe uma ação militar.

LXXI

Reiſ corſaliſ il ~ del altre part.
barbarinſ eſt y mult de maleſ arz.
cil ad parlet a lei de bon uaſſal.
pur tut lor deu ne uolt eſtre cuard.
Aſ uoſ poignant malþmiſ de brigant
pluſ curt a piet que ne fait un cheụal.
deuant marſilie cil ſeſcriet mult halt.
Jo conduirai mun corſ en renceſualſ.
Se truiſ Rolł ne lerrai que nel mat.

LXXII

Vnſ amurafleſ i ad de balaguez.
corſ ad mult gent elz uiſ fier y cler.
puiſ que il ~ ſur ſun cheual muntet.
Mult ſe fait fierſ de ſeſ armeſ porter.
de uaſſelage ~ il ben aloſez
fuſt xpĭtienſ aſez ouſt barnet.
deuant marſilie cil en ~ eſcriet.
en renceſualſ irai mun corſ iuer.
Se truiſ Rollant de mort ſerat finet.
Y oliuer y tuz leſ .xii. perſ.
Franceiſ murrunt a doel y auiltiet.
carleſ li magneſ uelz ~ y redotez.
Recreanz ert de ſa guerre mener.
e inꝫ remeindrat eſpaigne en q'tedet.
Li reiſ marſilie mult len ad merciet. AOI.

LXXIII

Unſ almacurſ i ad de moriane.
Nad pluſ felun en la tere deſpaigne.

889. Barbastro é um município da província de Huesca, em Aragão. **894.** Balaguer é um município da pro-

LXXI

Rei Corsálio está do outro la*do*,
é um ber*be*re de péssimo artifí*cio*;
ele di*sse à* guisa de um bom vassa*lo*:
"Não serei *pol*trão nem por divino ou*ro*!"
Eis veloz, Malprimis, o de Barbas*tro*,
corre a pé muito mais que um cava*lo*.
A Marsílio, lhe grita muito al*to*:
"*A* Roncesva*les* levarei esse meu cor*po*,
se Roldão *eu* vir, não deixo de matá-*lo*!"

LXXII

Eis ali, *de* Balaguer, um grande Emir,
rosto cla*ro e al*tivo, de corpo gentil.
No espinha*ço* do cavalo, ele subiu,
*le*vando as ar*mas*, se o vê tão varonil.
Por valor, fama se lhe atribuiu,
se cristão fosse, era todo brio.
Um berrei*ro* tal, então Marsílio ouviu:
"*Em* Roncesva*les* o meu corpo vai surgir,
se Roldão *eu* vir de morte o vou ferir,
e Oliveiro e todos os Doze ali;
em dor e pe*jo* vão os francos se extinguir.
Carlos Magno é caquético e senil,
temerá *a* sua guerra resistir;
em liberda*de* vai a Espanha ressurgir!"
Rei Mars*ílio*, *a*gradecido, assentiu. AOI.

LXXIII

Eis ali *um* Almançor de Moria*na*,
não há mais *fa*laz na terra da Espa*nha*;

víncia de Lérida, na Catalunha. **909.** Moriana está localizada na província de Burgos, em Castela e Leão.

Deuant marſilie ad faite ſa uantance.
en renceſualſ guierai ma cumpaigne.
.xx. milie ad eſcuz y a lanceſ.
Se troiſ Rollant de mort li duinſ fiance.
Jamaiſ nert ior que carleſ ne ſe pleignet. AOI.

LXXIV

Daltre part eſt turgiſ de turteluſe.
cil eſt unſ quenſ ſi eſt la citet ſue.
De xpĭnſ uoelt faire male uode.
deuant marſilie aſ altreſ ſi ſa iuſt.
co diſt al rei ne uoſ eſmaiez uncheſ.
pluſ ualt mahŭ que ſeint ꝑre de rume.
Se lui ſeruez lonur del căp ert noſtre.
en rencesualſ a Rollant irai iuindre.
De mort naurat guarantiſun p˜hume.
Veez meſpee ki eſt y bone y lunge.
A durendal io la metrai encuntre.
Aſez orrez laquele irat deſure.
Franceis murrunt ſi a nuſ ſabandunent.
carleſ li uelz aůrat y deol y hunte.
Jamaiſ en tere ne porterat curone.

LXXV

De laltre part .ĕ. eſcremiz de ualterne.
Sarrazinſ .ĕ. ſi eſt ſue la tere
Deuant marſilie ſeſcriet en la ꝑſſe.
en renceſualſ irai lorgoill deſfaire.
Se troiſ Rollant nen porterat la teſte.
Ne oliuer ki leſ altreſ cadelet.
Li .xii. per tuit ſunt iugez a ꝑdre.

916. Tortelosa corresponde a Tortosa, na província de Tarragona, na Catalunha. **926.** Durendal é o nome da espada de Roldão, a que traduzimos por “Durindana”, devido à tradição da matéria no Brasil

diante de *Mar*sílio faz sua jactân*cia*:
"*A* Roncesva*les* levarei minha campa*nha*,
vinte mil *com* seus escudos, suas lan*ças*.
Se a Roldão *eu* vir, da morte dai fian*ça*!
Não haverá *di*a que Carlos não pade*ça*". AOI.

LXXIV

Do outro la*do es*tá Turgão de Tortelo*sa*,
ele é con*de e* a cidade é só su*a*;
quer levar os cristãos a sua ruí*na*.
Diante de *Mar*sílio, aos outros se asso*ma*,
diz ao rei: "*Não* desmaieis jamais ou ago*ra*!
Maomé vale mais que Pedro em Ro*ma*,
se o servir *se*rá do campo nossa a gló*ria*.
Em Roncesva*les* de Roldão eu vou em bus*ca*,
de sua morte então nada o preser*va*.
Vede o quão longa e boa é minha espa*da*,
contra Du*rin*dana eu irei usá-*la*;
ouvireis *de* qual então será a vitó*ria*.
Morrerão *se* nos enfrentam os da Fran*ça*,
sentirá *o* velho Carlos, dor e infâ*mia*;
*ja*mais na Te*rra* levará outra coro*a*".

LXXV

Do outro lad*o*, *o* Excremildo de Valte*rra*,
é sarraceno e aquela é sua te*rra*.
Diante de *Mar*sílio a toda gente gri*ta*:
"*Em* Roncesva*les* desfarei toda sober*ba*,
se eu vir Roldão, rolará sua cabe*ça*,
de Oliveiro também, que outros caudi*lha*.
Os Doze Pa*res* os condeno à agoni*a*,

(Jerusa Pires Ferreira, *Cavalaria em Cordel*, pp. 154-158). Conforme anota Riquer, o nome em anglo-normando parece derivar do árabe, como referência ao brilho de sua lâmina, *Du l'andar*.

Franceiſ murrunt y France en ert deſerte.
De bonſ uaſſalſ aůrat carleſ ſuffraite. AOI.

LXXVI

Daltre part eſt unſ paienſ eſturganz.
eſtramariz i eſt un ſoenſ cumpainz.
cil ſunt felun traitur ſuduiant.
co diſt marſilie ſeignªſ uenez auant.
en renceſualſ irez aſ porz paſſant.
Si aiderez a cunduire ma gent.
e cil reſpundent sire aiůre comandeḿt.
Nuſ aſaldrum oliuer y rollant.
Li .xii. per naurunt de mort guarant.
Noz eſpeeſ ſunt boneſ y trenchant.
Nuſ leſ ferŭſ uermeilleſ de chald ſanc.
Franceiſ ḿrunt carleſ en ert dolent.
Tere maiur uoſ metrŭ en preſent.
Venez i reiſ ſil uerrez ueirement.
Lempeor uoſ metrŭ en preſent.

LXXVII

Curant i uint margariz de ſibilie.
cil tient la tere entre quaſ cazmarine.
pur ſa beltet dameſ li ſunt amieſ.
cele nel ueit uerſ lui ne ſeſclargiſſet.
Quant ele le ueit ne poet muer ne riet.
Ni ad paien de tel cheualerie.
Vint en la preſſe ſur leſ altreſ ſeſcriet.
e diſt al rei ne uoſ eſmaiez mie.
en renceſualſ irai rolł ocire.
Ne oliuer nen porterat la uie.

952. Para Pátria-Mãe, vide nota ao v. 600. **955.** Moignet anota que *margariz*, em grego bizantino, significa "infiel", "proscrito". **956.** A correspondência de *cazmarine* com Camarinhas, ao norte de Santiago

com francos mortos, deserta será a Franç*a*;
Carlos não *te*rá mais seus bons todavi*a*". AOI

LXXVI

O pagão Esturgão é do outro la*do*,
*e Es*tramarim, que é dele um conluia*do*;
engano*sos*, traidores, leoni*nos*.
"Achegai, meus senhores" – diz Marsí*lio* –
"*em* Roncesva*les* cruzareis ali os seus á*trios*,
*e a*judareis *a* conduzir os meus solda*dos*".
Eles di*zem*: "Sim, senhor, vosso é o coman*do*:
O Olivei*ro e* o Roldão assaltare*mos*,
e os Doze Pares serão extermina*dos*!
Nossos gládios tão bons e afia*dos*,
voltarão *de* quente sangue avermelha*dos*;
mortos francos e Carlos arrasa*do*.
A Pátria-Mãe vos daremos por rega*lo*,
vinde, oh Rei, e o vereis em vero fa*to*,
*o Im*perador, vos traremos subjuga*do*!"

LXXVII

Vem corren*do o* Margarino de Sevi*lha*,
que a possui até as Camari*nhas*.
É tão be*lo* que as moças lhe admi*ram*,
as que o veem, seus rostos ilumi*nam*,
e quando o veem, não há quem não sorri*a*;
não há pagão que é com tal cavalheri*a*.
No tropel, grita mais que a maiori*a*,
*di*zendo ao rei: "Não desmaieis todavi*a*!
Em Roncesva*les*, de Roldão termino os di*as*,
nem Olivei*ro* sairá de lá com vi*da*;

de Compostela, é uma hipótese apontada por Moignet. Em todo caso, de Sevilha até Camarinhas seria um domínio muito extenso, cortando o oeste da Espanha de norte a sul.

Li .xii. per ʃt' remeʃ martirie.
Veez meʃpee ki dor eʃt enheldie.
Si la tramiʃt li amiralz de ꝑmeʃ.
Jo uoʃ pleuiʃ quen ůmeill ʃanc ert miʃe.
Franceiʃ murrunt y France en ert hunie.
carleʃ li uelz a la barbe flurie.
Jamaiʃ nert iurn q'l nen ait doel y ire.
Juʃqua un an aůrum france ʃaiʃie.
Geʃir porrů el burc de ʃeint deniʃe.
Li reiʃ paienʃ parfundement lenclinet. AOI.

LXXVIII

Del altre part eʃt chernubleʃ de munigre.
Joʃqua la tere ʃi cheuoel li balient.
Greignor faiʃ portet par giu quant il ʃenueiʃet
Que .iiii. mulez ne funt qªnt il ʃumeient.
Jcele tere co dit dŭ il eʃteit.
Soleill ni luiʃt ne blet ni poet paʃ creiʃtre
pluie ni chet ruʃee ni adeiʃet.
piere ni ad qᵉ tute ne ʃeit neire.
Dient alquanz que diableʃ i meignent.
ce diʃt chernubleʃ ma bone eʃpee ai ceinte.
en renceʃualʃ io la teindrai ůmeille.
Se troiʃ rolł li ꝑz enmi ma ueie
Se ne laʃaill dč ne faz io que creire.
Si cunquerrai durendal od la meie.
Franceiʃ murrunt y France en ert deʃerte.
Aicez moz li .xii. ʃalient.
Jtelʃ .c. milie ʃarrazinʃ od elʃ meinent.
Ki de bataille ʃarguent y haʃteient.
Vunt ʃaduber deʃuz une ʃapide.

966. A "guarda" (*enheldie*) é a proteção que recobre o punho da espada, guardando a mão de quem a esgrima. **973.** Saint-Denis, localizada no subúrbio de Paris, foi capital da França em tempos carolíngios. **975.** *Chernubleʃ* sugere referências obscuras; vide vv. 980-983. É possível que o nome *Chernubleʃ*

os Doze Pa*res* ao martírio se desti*nam*.
Vede a guarda de ouro dessa espa*da*,
que me foi, *por* um Emir bem regala*da*,
juro que em *ver*melho sangue vem tingi*da*.
Francos mor*tos* e a França humilha*da*,
e o velho Carlos, com sua barba flori*da*,
não terá *di*a que não lamente em i*ra*.
Em um a*no* será a França conquista*da*,
Saint-Denis *en*tão será nossa mora*da*”.
*Pro*fundamen*te, o* rei pagão se inclina*va*. AOI.

LXXVIII

De outro la*do* vem Chernublo de Mone*gros*,
*a*té o chão, lhe ondulam os cabe*los*.
Por diversão, quer levar um maior pe*so*,
que nem mesmo suportam quatro mu*los*.
Dizem que *na*quela terra de onde é vin*do*,
o sol não luz e não cresce nem o tri*go*,
nem a chu*va* cai, nem mesmo o orva*lho*,
nem há sei*xo* que não seja todo ne*gro*;
há quem di*ga* que habita ali o dia*bo*.
“Eu cingi *tão* boa espada” – diz Chernu*blo* –
“*em* Roncesva*les* vou tingi-la em tom ru*bro*!
Se o audaz *Rol*dão eu vir no meu cami*nho*,
e não lhe ata*co*, não sou digno de ser cri*do*!
Com a mi*nha, a* Durindana eu consi*go*,
*s*erá a França deserta e os francos mor*tos*”.
Já reú*nem*-se os Doze, isso di*to*,
os acompanham uns cem mil sarrace*nos*,
que à batalha vão prestos e anima*dos*;
vão armar-*se* sob um bosque de pinhei*ros*.

tenha uma relação etimológica com *chorni* (negro, escuro), de diversas línguas eslavas, e com *nublef* (nublado), em anglo-normando, de acordo com a aparência de Monegros (*Los Monegros*), a terra de onde é vindo, uma comarca de Aragão, que é uma região muito árida de clima semidesértico.

LXXIX

Paien ſadubent deſ oſƀcſ ſarazineiſ.
tuit li pluſur en ſ't (dublez en treiſ).
Lacent lor elmeſ mult bonſ ſarraguzeiſ.
ceignent eſpeeſ del acer uianeiſ.
eſcuz unt genz eſpiez ualentineiſ.
e gunfanunſ blancſ y bloiſ y uermeilz.
clerſ fut li iurz y belſ fut li ſoleilz.
Nunt garnement qe tut ne reflambeit.
Laiſſent leſ mulſ y tuz leſ palefreiz.
eſ deſtrerſ muntent ſi cheualchent eſtreiz.
Sunent mil grailleſ por co qe plꝰ bel ſeit.
Granz .ẽ. la noiſe ſil oirent franceiſ.
Diſt oliuer ſire cŭpainz ce crei.
de ſarrazinſ purŭ bataille aueir.
Reſpont Rolł y d'ſ la nuſ otreit.
Ben deuunſ ci eſtre pur nrẽ rei.
pur ſun ſeignor deit hŏ ſuſfrir deſtreiz
y endurer y granz chalz y granz freiz.
Sin deit hŏ ꝑdre y del quir y del peil.
Or guart chaſcunſ que granz colpſ lempleit.
Que maluaiſe cancun de nꝰ chantet ne ſeit.

994-998. No cantar, o armamento dos sarracenos, sempre forjado na Espanha como signo de qualidade (vide nota ao v. 2091), segue o modelo dos cristãos, um armamento extremamente pesado (vide nota ao v. 384). As lorigas de três dobras (*oſƀcſ = osberc dublez en treiſ*), certamente exageradas, são reforçadas com três camadas de malha de aço, como aquelas que vestiam os covardes infantes de Carrion no *Cantar de Mio Cid*. Já na *Chanson de Guillaume* (vv. 3243- 3246), não por covardia são exageradas, mas por suportar a desmesura do próprio inimigo, *Dist Reneward: "Baillez me set escuz!" / E set halbercs ad en sun dos vestuz, / E sun chef ad mis set healmes aguz, / Prent sun tinel, si vait encuntre lui* (Reginaldo diz: "Dai-me sete escudos!" / E com sete lorigas cobre o corpo. / Na cabeça veste sete agudos elmos, / toma o seu porrete e vai a seu encontro). Para o aço vianês das espadas, considere-se a forja em Viana, Navarra. **995-996.** No manuscrito fica claro que o copista se equivoca no segundo hemistíquio do v. 995, copiando ali o atributo de origem dos elmos, *ſarraguzeiſ*. A solução do copista parece impor-se como três hemistíquios ao v. 996, iniciando-o com o atributo das lorigas, *dublez en treiſ*, omitido no verso anterior, seguindo com uma pontuação excepcional dentro do verso e o início

PRIMEIRA ALTERCAÇÃO ENTRE ROLDÃO E OLIVEIRO

LXXIX

Os pagãos *ves*tem lorigas sarrace*nas*,
a maiori*a* é de tripla espessu*ra*.
Vestem elmos tão bons de Sarago*ça*,
de vianês *o* aço, cingem suas espa*das*.
Os escu*dos* belos, lanças de Valên*cia*,
o gonfalão *tem* cores branca, azul e verme*lha*.
Claro é o dia e bela é a auro*ra*,
não há ar*mas* que de todo não relu*za*.
Deixam seus palafréns e suas mu*las*,
nos destrei*ros* montam, estreita é a cavalga*da*.
Mil clarins soam e em tudo há mais bele*za*,
o estron*do é* forte, ouvem os da Fran*ça*.
"Companhei*ro, eu* creio" – Oliveiro fa*la* –
"*que os* sarracenos nos possam dar bata*lha*".
Diz Roldão: "Pois que Deus nos a conce*da*!
*A*qui estaremos, ao rei, em deferên*cia*,
o vassa*lo* deve ao seu senhor angús*tias*,
suportar *gran*des calores e friú*ras*;
deve, o ho*mem*, perder couro e cabelei*ra*.
Cada qual *seu* melhor golpe asseste ago*ra*,
que não cantem de nós canção maldo*sa*.

da apresentação dos elmos, estes sim, */*arraguzei*/*. Sendo tão claro o lapso do copista, optamos por proceder à adequação, como a maioria dos editores.

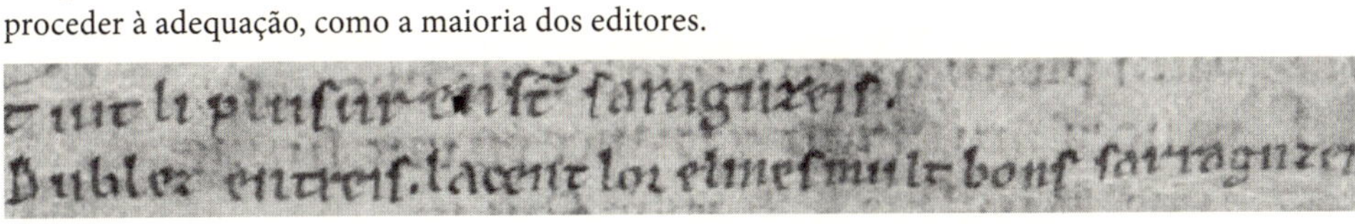

Fl. 18v; vv. 995-996

998-999. Essas descrições poéticas da luminosidade são uma fórmula recorrente da estética épica, sempre sugerindo a valorização do caráter bélico nessa visão de mundo. Jerusa Pires Ferreira (Jerusa Pires Ferreira, *Cavalaria em Cordel*, pp. 146-153) dedica um importante capítulo de seu livro sobre a espada, o corte e o brilho no cordel. **1009-1016.** Nesses versos, Roldão apresenta-se em seu temperamento épico, próprio de um herói. A coragem como virtude máxima, a vaidade, e o ímpeto à batalha quase juvenil – frente a como se comportará Oliveiro na série seguinte – estão nele patentes.

Paien unt tort y xpĭenſ unt dreit.
Maluaiſe eſſample nen ſerat ia de mei. AOI.

LXXX

Oliuer ~ deſur un pui [haut mŭtet]
Guardet ſu[z] deſtre ꝑ mi un ual herbuſ.
Si ueit uenir cele gent paienur.
Sin apelat Rolł ſun cŭpaignun.
Deuerſ eſpaigne uei uenir tel bruur.
tanz blancſ oſbercs tanz elmeſ flambiuſ.
Jciſt ferunt noſ franceiſ grant irur.
Gueneſ li ſout li fel li traitur
Ki nuſ iugat deuant lempeur.
taiſ oliuer li quenſ rolł reſpunt.
Miſ parraſtre .ĕ. ne uoeill que mot en ſunſ.

LXXXI

Oliuer eſt deſur un pui muntet.
or ueit il ben deſpaigne le regnet.
E ſarrazinſ ki tant ſunt aſemblez.
Luiſent cil elme ki ad or ſunt gĕmez.
e cil eſcuz e cil oſƀcſ ſafrez.
E cil eſpiez cil gunfanun fermez.
Sul leſ eſcheleſ ne poet il acunter.
tant en i ad que meſure nen ſet.
e lui meiſme en eſt mult eſguaret.
cŭ il einz pout del pui eſt aualet.
Vint aſ franceiſ tut lur ad acuntet.

1015. Verso lapidar na abordagem do contexto do direito feudal em que o autor imprimiu seu poema. Para além de um espírito cruzado – que Menéndez Pidal quis refutar (vide nota aos vv. 1117-1119 e 1129) – dos cristãos, é a justiça, porque Marsílio é um traidor que jurou converter-se e fazer-se vassalo de Carlos, mas tratou com outro traidor, Galalão, o ataque à retaguarda. Nesse verso temos o parecer conceitual de Roldão acerca do que sejam esses direitos e deveres entre senhores e vassalos da época da composição do prototípico cantar. **1032.** O termo *safrez* deve ser derivado de *safre* (safira), pedra que apresenta colorações diver-

Têm pagãos *o* mal, cristãos têm a justi*ça*,
mau exemplo de mim não há notí*cia*!" AOI.

LXXX

Sobe nu*ma* *al*ta colina Olivei*ro*,
à direi*ta* olha para um vale herbo*so*,
*a*quela gente pagã então vê vin*do*,
logo chama a Roldão seu companhei*ro*:
"Da Espa*nha* vejo vir grande tumul*to*,
brilham brancas lorigas, brilham el*mos*!
Causarão *gran*de tormento aos nossos fran*cos*,
Galalão o sabia, o falso, infi*do*,
por isso an*te o* rei nos quis designa*dos*!"
Respondeu *Rol*dão: "Calai, oh Olivei*ro*!
Eu não que*ro* que o mencione, é meu padras*to*!"

LXXXI

Oliveiro subiu numa coli*na*,
vê ago*ra* bem o reino da Espa*nha*,
e a hos*te* sarracena aglomera*da*.
De ouro ornados, os elmos cintila*vam*,
quais escu*dos*, quais lorigas de safi*ra*!
E gonfalões fixados em quais lan*ças*!
Nem poderiam contar só as esqua*dras*,
tantos há que nem sabem a quanti*a*.
No seu íntimo, tanto se inquie*ta*,
quando pôde, desceu da alta coli*na*;
foi tão logo contando aos da Fran*ça*.

sas, entre branco, azul, vermelho, dourado etc. Bédier e Moignet traduzem como *hauberts safrés*, adjetivo relacionado ao tom dourado da loriga. Riquer, em nota, reconhece essa etimologia de *safrán* como "açafrão", e traduz como "lorigas jalde", de tom dourado ou amarelo intenso. Essas traduções contrastam, no entanto, com os vv. 1022 e 1042, em que se adjetivam as mesmas lorigas como *blancſ* (brancas), cuja dupla adjetivação, de *ſafre* e *blancſ*, se repete no v. 2499. Ainda considerando que a safira pode ser translúcida, de coloração esbranquiçada, optamos pela tradução com o genitivo "de safira".

LXXXII

Diſt oliuer io ai paienſ ueuz
Vnc maiſ nulſ hom en tere nen uit pluſ.
cil deuant ſunt .c. milie ad eſcuz.
helmeſ laciez e blancſ oſbcſ ueſtuz.
Dreiteſ cez hanſteſ luiſent cil eſpiet brun.
Bataille aürez uncheſ maiſ tel ne fut.
Seignurſ franceiſ de deu aiez uertut.
el camp eſtez que ne ſeium uencuz.
Dient franceiſ dehet ait ki ſen fuit.
Ja pur murir ne uuſ en faldrat unſ. AOI.

LXXXIII

Diſt oliuer paien unt grant eſforz.
de noz franceiſ mi semblet aueir mult poi.
cũpaign roll kar ſunez urẽ corn.
Si lorrat carleſ ſi returnerat loſt.
Respunt Roll io fereie que folſ
en dulce france en ꝑdreie mun loſ.
Sempreſ ferrai de durendal granz colpſ.
Sanglant en ert li branz entreſ qua'l or.
Felun paien mar uindrent aſ porz
Jo uoſ pleuiſ tuz ſunt iugez a mort. AOI.

LXXXIV

Cumpainz Roll lolifan car ſunez.
Si lorrat carleſ ferat loſt returner.

1043. Nesse verso, a tradução apresenta uma pequena alteração no padrão de assonância, ao concluí-lo como feminino, com palavra paroxítona. **LXXXIII-LXXXV.** Essas três séries similares representam o que Bédier chamou de o "minuto sagrado" em que o autor concebeu o conflito entre Roldão e Oliveiro, o núcleo fundamental de toda a obra (*apud* Martín de Riquer, *Los Cantares de Gesta Franceses*, p. 84). Com a mesma fórmula das séries XL-XLII, com a pergunta de Marsílio a Galalão, a altercação entre Oliveiro e Roldão parece deter a narrativa num momento decisivo do argumento do cantar, acumulando nessas séries a carga dramática da mesma cena sucessiva, se não se admitir com isso apenas um recurso de

LXXXII

Oliveiro falou: "Eu vi os pagãos,
*ja*mais se viu *na* terra tal concentração!
Na vanguarda hostil cem mil estão,
*lo*riga al*va* de elmo posto eles virão.
*Po*lidas as hastas, alçadas lanças bri*lham*,
*te*reis bata*lha*, qual não houve até então.
Recebei, *de* Deus, oh francos, sua bên*ção*,
*per*manecei *no* campo ou eles vencerão!"
Francos di*zem*: "Ao que fuja, a maldição!
Pra morrer *não* faltará disposição!" AOI.

LXXXIII

"Grandes for*ças*, têm pagãos" – diz Olivei*ro* –
"e tão pou*cos* me parecem nossos fran*cos*!
Soai já, *ca*ro Roldão, o vosso cor*no*,
Carlos vai *ou*vi-lo e retornar o gro*sso*".
Diz Roldão: "*Eu* agiria como um to*lo*!
Na Doce Fran*ça*, perderia o meu prestí*gio*.
Co'a Durinda*na*, tanto golpe, hei desferi-*los*,
que sangrarei sua lâmina até o ou*ro*.
Em má ho*ra* vêm, infidos sarrace*nos*,
condena*dos* a morrer estão, eu ju*ro*!" AOI.

LXXXIV

"O olifante, Roldão, soai ago*ra*,
ao ouvi-*lo, a* hoste de Carlos retor*na*;

oralidade. **1051.** O *corn* de Roldão é o olifante, parecido a um berrante, mas que, na realidade, não é um corno e sim um marfim (Figura 6), daí o nome olifante, *olifant, elefant, eliphant*. O cantar não discrimina essa etimologia e trata os termos como sinônimos. **1052.** Traduzimos *l'ost* (a hoste) por "o grosso", pois se trata, efetivamente, do grosso do exército, sendo a retaguarda um destacamento mais exíguo, por isso vulnerável. **1056.** "Até o ouro", como aparece também em anglo-normando (*qua'l or*), refere-se à guarda forjada em ouro, na empunhadura da espada (vide nota ao v. 966).

Succurrat noſ li reiſ od, [tut] ſun barnet.
Reſpont Rolł ne placet damnedeu.
Que mi parent pur mei ſeient blaſmet.
Ne france dulce ia cheet en uiltet.
einz i ferrai de durendal aſez.
Ma bone eſpee que ai ceint al coſtet.
tut en uerrez le brant enſanglentet.
Felun paien mar i ſunt aſemblez.
Jo uoſ pleuiſ tuz ſunt a mort liủrez. AOI.

LXXXV

Cumpainz Rolł ſunez urĕ olifan.
Si lorrat carleſ ki eſt aſ porz paſſant.
Je uoſ pleuiſ ia returnerunt franc.
Ne placet deu co li reſpunt Rollant.
Que co ſeit dit de nul hume uiuant.
Ne pur paien que ia ſeie cornant.
Ja nen aurunt reproece mi parent.
Quant io ſerai en la bataille grant.
e io ferrai e mil colpſ e .vii. cenz.
De durendal uerrez lacer ſanglent.
Franceiſ ſunt bon i ferrunt uaſſalment.
Ja cil deſpaigne naủrunt de mort guarant.

LXXXVI

Diſt oliủ dico ne ſai io blaſme.
Jo ai ueut leſ ſarrazinſ deſpaigne.
cuuerz enſunt li ual y leſ muntaigneſ.
e li lariz y treſtuteſ leſ plaigneſ.
Granz ſunt leſ oz de cele gent eſtrange.
Nuſ i auum mult petite cŭpaigne.
Reſpunt Rolł miſ talenz en ~ graigne.

1072. Traduzimos *returnerunt franc* (retornarão os francos) por "retorna num instante", recuperando o sujeito "Carlos" do verso anterior.

que venha o rei *com* seus barões e nos soco*rra*".
Diz Roldão: "Que o nosso Deus não quei*ra*,
que por mim *a*frontem minha parente*la*,
ou que a Do*ce* França seja avilta*da*.
Ao contrá*rio, a*tacarei com Durinda*na*,
a boa espa*da* que a meu lado vai cingi*da*;
sua lâ*mi*na a vereis ensanguenta*da*.
Maus pagãos, reuniram-se em má ho*ra*,
têm a morte, vos juro, assegura*da*". AOI.

LXXXV

"*So*ai agora, Roldão, vosso olifan*te*,
já nos á*trios*, ouvirá Carlos, distan*te*;
eu vos ju*ro* que retorna num instan*te*".
"Que não quei*ra* Deus" – Roldão é replican*te* –
"que isso diga qualquer homem viven*te*,
que por pagãos soei este meu berran*te*;
e não repro*chem*-me nenhum de meus paren*tes*.
Quando eu *es*teja na batalha gran*de*,
*des*ferirei mais de mil golpes cortan*tes*;
na Durindana vereis sangue brilhan*te*.
São bons os francos e lutam bravamen*te*,
os da Espa*nha*, não há quem salve da mor*te*".

LXXXVI

Olivei*ro* diz: "Não vejo aqui vergo*nha*,
pois eu vi *os* sarracenos da Espa*nha*.
*Es*tão cober*tos* esses vales e monta*nhas*,
e as planí*cies* e também essas encos*tas*.
Grande é a hos*te* dessa gente estrangei*ra*,
e nós va*mos* com minguada companhi*a*".
Roldão diz: "*A*ssim meus ânimos aumen*tam*!

1078. Em trad. lit.: "Desferirei mil e setecentos golpes".

Ne placet dănedeu ne ſeſ angleſ.
Que ia pur mei ꝑdet ſa ualur france.
Melz uoeill murir que huntage me uenget.
pur ben ferir lemꝑere pluſ noſ aimet.

LXXXVII

Rolł ⁊ ꝑz y oliů eſt ſage.
ambedui unt meueilluſ uaſſelage.
puiſ que il ſunt aſ cheualſ y aſ armeſ.
Ja pur murir neſchiuerunt bataille.
Bon ſunt li cunte y lur paroleſ halteſ.
Felun paien par grant irur cheualchent.
Diſt oliuer Rolł ueez en alqueſ.
ciſt nuſ ſunt preſ maiſ trop nuſ eſt loinz carleſ.
Voſtre olifan ſuner uoſ nel deignaſteſ.
Fuſt i li reiſ ni ouſſum damage.
Guardez amunt deuerſ leſ porz deſpaigne.
Veeir poez dolente ⁊ la rereguarde.
Ki ceſte fait ia maiſ nen ferat altre
Reſpunt Rollant ne diteſ tel ultrage
Mal ſeit del coer ki el piz ſe cuardet.
Nuſ remeindrum en eſtal en la place.
Par noſ i ert y li colpſ y li capleſ. AOI.

LXXXVIII

Quant Rolł ueit que la bataille ſerat.
pluſ ſe fait fierſ que leon ne leupart.
Franceiſ eſcriet oliuer apelat.

1091. Traduzimos *uenget* (vergonha) por "alguma mancha". **1093.** Esse verso é um dos centrais no cantar, epigráfico. Assim como o v. 1015, este tem uma eficiente estrutura retórica de contraste por coordenação. Pode ser sintetizado pela fórmula *fortitudo et sapientia* que perpassa toda a literatura cavalheiresca como ideal ético. Aqui a vemos, nesse contraste, dissociada no par épico Roldão e Oliveiro, o que, como veremos no verso seguinte (1094), não pressupõe a covardia deste último. Apesar de constituir um tema tradicional, a *fortitudo et sapientia* no cantar não é só revestida de um outro valor quando em oposição complementária de um par

Nem o Deus, nem seus anjos isto quei*ram*:
Que, por mim, perca seu valor a Fran*ça*,
antes mo*rro* que me alcance alguma man*cha*;
por bem ferir *o Im*perador tanto nos a*ma*".

LXXXVII

É Roldão *va*lente, é sábio Olivei*ro*,
de coragem excepcional são am*bos*.
Quando estão *com* suas armas a cava*lo*,
não se fur*tam* à batalha pelo me*do*.
São tão bons *os* condes, de falar alti*vo*,
já cavalgam pagãos em ira, infi*dos*.
Olivei*ro* diz: "Roldão, alguns já ve*jo*,
estão perto e, tão longe de nós, Car*los*.
Não dignastes ao corno vós soá-*lo*,
se o rei vie*sse* não receberíamos da*no*.
*O*lhai aci*ma*, da Espanha, esses á*trios*,
podeis ver *na* retaguarda um lamen*to*,
de quem for*ma* esta, não o fará de no*vo*".
Diz Roldão: "Não sejais tão ultrajo*so*!
*Mal*dito o peito de coração medro*so*.
Ficaremos aqui em nosso pos*to*,
haverá *de* nós os golpes e o esfor*ço*!" AOI.

LXXXVIII

Quando vê *Rol*dão que haverá bata*lha*,
vai feroz, *mais* que o leão ou a pante*ra*.
Grita aos francos e a Oliveiro cha*ma*:

épico, mas constitui uma peça chave na arquitetura do poema. Roldão acaba causando a morte de vinte mil franceses na retaguarda em nome de sua própria honra, lançando, a si e aos outros, a uma batalha perdida, preterindo de qualquer ajuda possível e da prudência de Oliveiro, quem deixa isto bastante claro (vv. 1101 e 1102). Nada disso , porém, diminuirá a virtude do paladino em quem toda a retaguarda se espelha e se quererá amparar. **1096.** Traduzimos *pur murir* (por morrer) por "pelo medo". **1109.** Traduzimos *li caplef* (a batalha) por "o esforço". **1111.** Traduzimos *leupart* (leopardo) por "pantera". Para espécies felinas, vide nota ao v. 30.

Sire cŭpainz amiſ nel dire ia.
Li empere ki franceiſ noſ laiſat.
Jtelſ .xx. milie en miſt a une part.
Sun eſcientre nen i out un cuard.
pur ſun ſeignur deit hŏ ſuſfrir granz malſ.
E endurer y forz freiz y granz chalz.
Sin deit hŏ ꝑdre del ſanc y de la char.
Fier de ta lance y io de durendal.
Ma bone eſpee que li reiſ me dunat.
Se io i moerc dire poet kil aůrat.
[E] ꝥrunt [dire] que ele fut a noble vaſſal.

LXXXIX

Daltre part eſt li arceueſqueſ turpin.
Sun cheual broche y muntet un lariz
Franceiſ apelet un sermun lur ad dit.
Seignurſ barunſ carleſ nuſ laiſſat ci.
pur noſtre rei devum nuſ ben murir.
xpĭentet aidez a ſuſtenir.
Bataille aůrez uoſ en eſteſ tuz fiz.
kar a uoz oilz ueez leſ ſarrazins.
clamez uoz culpes ſi preiez deu ḿcit.
Aſoldrai uoſ pª uoſ anmeſ guarir.
Se uoſ murez eſterez ſeinz martirſ.
Siegeſ aůrez el greignor pareiſ.
Franceiſ deſcendent a tere ſe ſunt miſ.
e larceueſque de deu leſ beneiſt.
Par penitence leſ cumandet a ferir.

1115. Traduzimos *en miſt a une part* (separou por um lado) por "escolheu", e acrescento "retaguarda".
1117-1119. Nesses versos, Roldão apresenta o paradigma do bom e nobre vassalo, assim como o Arcebispo o fará na série seguinte. Ramón Menéndez Pidal (*apud* Gérard Moignet (ed.), *Chanson de Roland*) reconhece aqui o credo de Roldão à batalha, a qual não se lança por Deus ou pela cristandade, mas por Carlos, este por quem se deve perder carne e sangue. Todas essas ideias, conclui, não pertencem aos

“*S*enhor, ami*go e* par, não me digais mais na*da*!
*O Im*perador *que* nos deixou estes da Fran*ça*,
vinte mil *que* escolheu pra retaguar*da*,
o fez saben*do* que covarde algum havi*a*.
O homem de*ve, a* seu senhor, sofrer desdi*ta*,
e suportar *bru*tal calor, feroz friú*ra*.
Deve o ho*mem* perder sangue e a carne su*a*,
com a lan*ça*, ide, e eu co’ a Durinda*na*,
a que o rei *me* deu, tão boa a minha espa*da*;
quem a tenha, dirá, acaso eu mo*rra*,
que a um nobre vassalo pertenci*a*”.

LXXXIX

Do outro la*do é o* Arcebispo Dom Turpi*no*,
sobe o aclive picando seu cava*lo*.
Chama os fran*cos* e um sermão lhes dá iní*cio*:
“Meus senhores, aqui nos deixou Car*los*,
pelo no*sso* rei devemos nós morrer*mos*;
ajudai *a* sustentar o cristianis*mo*.
*De ha*ver bata*lha* podeis vós estar segu*ros*,
com vossos *olhos* vede, pois, os sarrace*nos*.
Confessai *a* culpa a Deus, o piedo*so*,
pelas vo*ssas* almas, absolverei-*vos*.
Se morrer*des* sereis mártires e san*tos*,
e tereis *lu*gar no alto paraí*so*”.
*A*peiam francos à terra, submi*ssos*,
e os bendisse em Deus, o Arcebis*po*;
em penitên*cia*, os ordena atacá-*los*.

tempos cruzados, mas estão imbuídos de um ideal cavalheiresco feudal que nem sempre pode ter correspondido a esse modelo perfeito. **1123.** Nota-se intervenção de segunda mão. Em trad. lit.: “E poderão dizer que ela foi de um nobre vassalo”. **1129.** Nesse verso, o Arcebispo, como única personagem a fazê-lo, invoca a batalha como uma tarefa cristã, mas num segundo grau de importância frente ao rei (v. 1128).

XC

Franceiſ ſe drecent ſi ſe metent ſur piez.
Ben ſunt aſolſ equiteſ de lur pecchez.
e larceueſque de deu leſ ad ſeignez.
Puiſ ſunt muntez ſur lur curanz deſtrerſ.
adobez ſunt a lei de cheualerſ.
e de bataille ſunt tuit apareillez.
Li quenſ Rolł apelet oliuer.
Sire cŭpainz mult ben le ſauiez.
Que guenelun noſ ad tuz eſpiez.
Priſ en ad or y aueir y denerſ.
Li empere noſ deureit ben uenger.
Li reiſ marſilie de noſ ad fait marchet.
Maiſ aſ eſpeeſ leſtuůrat eſleger. AOI.

XCI

Aſ porz deſpaigne en .ĕ. paſſet Rolł.
Sur ueillantif ſun bon cheual curant.
portet ſeſ armeſ mult li ſunt auenanz.
Maiſ ſun eſpiet uait li berſ palmeiant.
cuntre le ciel uait la mure turnant.
Laciet en ſu un gunfanun tut blanc.
Leſ rengeſ li batent ioſquaſ mainſ.
corſ ad mult gent le uiſ cler y riant.
Sun cŭpaignun apreſ le uait ſiuant.
y cil de france le cleiment a guarant.
verſ ſarrazinſ reguardet fierement
e uerſ franceiſ humeleſ y dulcement.
Si lur ad dit un mot curteiſement.

1147. Em trad. lit.: "Que Galalão nos traiu a todos". **1153.** A etimologia do nome do cavalo de Roldão não é unívoca. Riquer apoia-se na expressão provençal *velh antic* para sustentar a hipótese de que *ueillantif* significasse "velho", "antigo"; e aponta uma segunda hipótese, da qual não compartilho, de ser um superlativo de *vaillant*, algo como "valentão" e, em qualquer caso, opta, como Bédier e Moignet, por manter o nome em anglo-normando. Para nossa tradução, consideramos a entrada *veillant* no AND, traduzida por "vigilante". Na tradição do cordel, esse cavalo se chama Bridadeouro, por influência dos

XC

Sobre os pés, endireitam-se os fran*cos*,
estão li*vres*, dos pecados perdoa*dos*.
Já, em Deus, os bendisse o Arcebis*po*,
e monta*ram* em seus céleres destrei*ros*.
Vão arma*dos* como tão bons cavalei*ros*,
à bata*lha*, estão todos prepara*dos*.
*Con*de Roldão vai chamar o Olivei*ro*:
"Muito bem *sa*beis, senhor, meu companhei*ro*,
que Galalão, *a* todos nós, nos quer perdi*dos*.
Aceitou ouro, haveres e dinhei*ro*,
pelo Impe*ra*dor devemos ser vinga*dos*.
Rei Marsí*lio* fez conosco seu negó*cio*,
co' as espa*das* deveremos ser-lhe ca*ros*". AOI.

XCI

Roldão pa*ssa*, na Espanha, pelos va*les*,
sobre seu *ca*valo bom, o Vigilan*te*;
cai-lhe tão bem as armas que ele ves*te*.
Eis que empu*nha*, o barão, a sua has*te*,
contra o céu, ergue a sua extremida*de*,
na que ata*do* leva um branco estandar*te*.
Na bai*nha* vai roçando a mão de*le*,
belo o cor*po*, rosto claro e sorriden*te*,
logo em pós, *seu* companheiro ali o se*gue*.
É clama*do* "protetor" pelos france*ses*,
vai olhan*do os* sarracenos, tão valen*te*,
fita os francos, humilde e docemen*te*;
as pala*vras*, lhes dizia gentilmen*te*:

textos italianos *Orlando Innamorato* e *Orlando Furioso*, datados do final do século XV e início do XVI, em que o animal se chama Bride d'Or. **1155.** Traduzimos *efpiet* por "haste", como variação em língua portuguesa de "hasta" (vide nota ao v. 541). **1158.** Todos os editores consultados, exceto Moignet, traduzem o termo *rengef* como as franjas do estandarte. Discordando expressamente, Moignet esclarece que *rengef* significa os fixadores da espada. Efetivamente, no *AND*, encontramos a tradução como *sword-belt* (cinto da espada), de modo que seguimos Moignet, traduzindo *rengef* como "bainha".

Seignurʃ baronʃ suef le paʃ [alez] tenant
ciʃt paien uont grant martirie querant.
encoi aủrŭ un eʃchec bel e gent.
Nulʃ reiʃ de france nout unkeʃ ʃi uaillant.
acez paroleʃ uunt leʃ oz aiuʃtant. AOI.

XCII

Diʃt oliuer nai cure de parler.
Voʃtre olifan ne deignaʃteʃ ʃuner.
Ne de carlun mie uoʃ nen auez.
Jl nen ʃet mot ni ad culpeʃ li berʃ.
cil ki la ʃunt ne funt mie a blaʃmer.
kar cheualchez a quanque uoʃ puez
Seignorʃ barunʃ el căp uoʃ retenez
pur deu uoʃ pri ben ʃeiez purpenʃez
de colpʃ ferir de receiủre y de duner.
Lenʃeigne carle ni deuŭ ublier.
aiceʃt mot ʃunt franceiʃ eʃcriet.
ki dunc oiʃt munioie demander.
de uaʃʃelage li pouʃt remembrer.
puiʃ ʃi cheualchent d'ʃ par ʃi grant fiertet.
Brochent ad ait pur le pluʃ toʃt aler.
Si uunt ferir que fereient il el.
e ʃarrazinʃ neʃ unt mie dutez.
Francʃ y paienʃ aʃ leʃ uuʃ aiustez.

1165. A palavra *alez* (território limítrofe, fronteira) está posta por mão de revisor, a que traduzimos apenas pelo advérbio de local, por haver subentendido o cabal sentido de *alez*. Ao que parece, o revisor quis adequar a métrica do verso ao decassílabo. **1179.** *Lenʃeigne* ou *l'enseigne* significa tanto o estandarte da marca quanto o grito de armas de um exército, como aqui. Essa polissemia tem sua origem em que do grito surge a bandeira, ou o inverso. **1181.** *Munioie* ou *monjoie*, *monjoye*, *montjoie*, no século XVI, se

"Meus senhor*es*, suave o passo aqui ten*de*,
*e*sses pagãos, um martírio grande que*rem*.
Havere*mos* logo tão bela pilha*gem*,
que jamais *tão* rica o rei da França te*ve*!"
Dito isso, encontraram-se as hos*tes*. AOI.

XCII

"Não impor*ta o* que digais" – diz Olivei*ro* –
"o olifan*te* não quiseste vós soá-*lo*,
não tereis nada vós de Carlos Mag*no*.
Nada sa*be*, nem tem culpa o rei bra*vo*,
e os daqui *não* devem ser vitupera*dos*;
cavalgai *quan*to podeis, pois é preci*so*!
Oh barões, resisti vós nesse cam*po*.
Eu vos pe*ço em* Deus que sede vós propen*sos*,
a receber *os* golpes e mais assestá-*los*;
não esqueça*mos* a insígnia do rei Car*los*".
Gritam to*dos* os franceses, isso di*to*:
"Monjoié!" – Quem então ouviu o chama*do*,
do que é valentia foi lembra*do*;
cavalga*ram* logo, oh Deus, são tão ousa*dos*!
Aguilha*ram* forte, querem ir mais lo*go*,
ao ata*que* vão, que mais podia ser fei*to*?
Os sarracenos, em nada os vão temen*do*,
eis junta*rem*-se ali pagãos e fran*cos*!

tornou efetivamente o grito de guerra dos reis da França na forma "Mont Joie! Saint Denis!" presente nas armas da França desde o ano 1119, em referência ao santo mártir Dionisio de Paris, primeiro bispo a evangelizar a região no século III. A etimologia de *monjoiê* – conforme traduzimos por adequação métrica – não é consensual, mas o cantar oferece uma explicação: vide vv. 2501-2510 e, mais adiante, vv. 3092-3095.

XCIII

Li nieſ marſilie il ad a num aelroth.
tut þmereins cheualchet deuant loſt.
de noz franceiſ uait diſant ſi malſ moz.
Felunſ franceiſ hoi iuſterez aſ noz.
trait uoſ ad ki a guarder uoſ out.
Folſ eſt li reiſ ki uoſ laiſſat aſ porz
enquoi ꝑdrat france dulce ſun loſ.
charleſ li magneſ le deſtre braz del corſ.
Quant lot Rołł d'ſ ſi grant doel en out.
Sun cheual brochet laiſet curre a eſforz.
vait le ferir li quenſ quanq^{e} il pout.
Leſcut li freint y loſberc li deſclot,
trenchet le piz ſi li briſet leſ oſ.
tute leſchine li deſeủret del doſ.
od ſun eſpiet lanme li getet forſ.
enpeint le ben fait li brandir le corſ.
pleine ſa hanſte del cheual labat mort,
en douſ meitiez li ad briſet le col.
Ne leſerat co dit q^{e} ni parolt
vltre culuert carleſ neſt mie fol.
Ne traiſun unkeſ amer ne uolt.
Jl fiſt que ꝑz q'l nuſ laiſad aſ porz

XCIII-CIV. Nas sucessivas séries em que serão mortos os pares sarracenos pelos pares francos, à exceção de Margarino (s. CIII), podemos identificar estruturas formulárias, com algumas variações: a injúria do par sarraceno, o ataque do par francês e a resposta verbal à injúria cometida pela personagem já sem vida. O ataque de lança, por sua vez, também segue sua fórmula: aguilhoa o cavalo na direção do adversário, quebra seu escudo, desmalha sua loriga, atravessa seu corpo, brande a lança (vide nota ao v. 1204) e derruba o morto. Essas repetições formulárias, embora possam parecer monótonas, demonstra uma predileção do cantar pelos combates singulares tão extraordinariamente explorados, caracterizando o heroísmo épico individual, apesar da ocorrência dos movimentos de conjunto. **1189.** O sobrinho de Marsílio lhe havia pedido a honra do primeiro golpe no v. 866. **1195.** Assim como no v. 597, Aécio está aqui se referindo a Roldão, braço direito de Carlos Magno, no mando da retaguarda. **1999.** A expressão *loſberc li deſclot* (desmalha a loriga) significa quebrar os cravos em que estão atadas as placas de aço de que se compõe a loriga (vide

PRIMEIRO ESQUADRÃO SARRACENO

XCIII

O sobri*nho* de Marsílio é o Aé*cio*,
cavalgan*do* frente à hoste vai primei*ro*,
vai dizen*do* seus ultrajes contra os fran*cos*:
“Falsos fran*cos*, hoje justareis conos*co*!
Quem devi*a* proteção a vós, traiu-*vos*,
tolo é o rei *que* vos deixou nesses penhas*cos*.
Perde ho*je a* Doce França seu prestí*gio*,
e o rei Car*los*, do seu corpo, o destro bra*ço*!”
Quando ouviu, *Rol*dão, oh Deus, quão dolori*do*!
Corre forte aguilhando seu cava*lo*,
vai o con*de, o* quanto pode, atacá-*lo*.
Já desmalha a loriga, roto o escu*do*,
quebra os o*ssos*, arrebenta-lhe o pei*to*,
toda a espi*nha* lhe arranca do seu dor*so*.
Com sua lan*ça*, tira a alma, fica o mor*to*;
bem lhe enterra e faz sacudir o cor*po*.
Chapa a haste e o derruba do cava*lo*,
em duas meta*des* foi quebrado o seu pesco*ço*.
Não deixou *de* lhe falar, assim foi di*to*:
“Vade re*tro*, Coiso! Carlos não é to*lo*,
da traição, jamais foi enamora*do*.
Foi valente ao deixar-nos nos penhas*cos*,

nota ao v. 384). **1202.** Nesse verso, à expressão *li getet forſ* (joga-lhe fora), que sintetizamos com o verbo tirar, acrescentamos “fica o morto”, condição óbvia de Aécio nesse momento (*mort*), antecipando o v. 1204. **1203.** Havendo atravessado o corpo do adversário com a lança, é necessário sacudi-lo (sentido que cobra aqui o verbo *brandir*) a fim de recuperar a arma e seguir lutando. **1204.** A expressão *pleine ſa hanſte* não é consensual e foi objeto de insuperáveis discussões filológicas neste e em outros cantares de gesta franceses. Admitimos a hipótese adotada por Riquer de que, após recuperar a lança do corpo do morto, se lhe deveria infringir outro golpe, não com a ponta, mas com a haste longitudinal da lança, um golpe lateral a fim de derrubar do cavalo o corpo do defunto bem seguro pelos estribos, considerando *pleine* como o verbo *planer*, *pleiner* (aplainar). Moignet, por outro lado, admite a hipótese da expressão significar a distância a que é arremessado o corpo do adversário com o golpe, a de uma lança inteira, considerando *pleine* como o adjetivo *plein*, *pleyne* (inteiro). **1209.** A palavra *colpſ* (golpe) foi omitida na tradução por adequação métrica, mas é pressuposta.

Oj nen ꝑdrat france dulce ſun loſ
Ferez i francſ noſtre eſt li premerſ colpſ.
Noſ auū dreit mais ciſt glutun unt tort. AOI.

XCIV

Vn duc i eſt ſi ad nū falſaron.
Jcil er frere al rei marſiliun.
Jl tint la tere datliun y balbiun.
Suz cel nen at plꝰ encriſme felun.
entre leſ douſ oilz mult out large le front.
Grant demi pied meſurer i pout hŏ.
aſez ad doel quant uit mort ſun neuold.
Jſt de la preſe ſi ſe met en bandun.
e ſeſ eſcriet lenſeigne paienor.
enuerſ franceiſſ ~ mult cuntrariuſ.
enquoi ꝑdrat france dulce ſonur.
Ot le oliuer ſin ad mult grant irur.
Le cheual brochet deſ oriez eſꝑrunſ.
vait le ferir en guiſe de baron.
Leſcut li freint y loſbc li derŭpt.
el corſ li met leſ panſ del gunfanun,
pleine ſa hanſte labat mort deſ arcunſ.
Guardet a tere ueit geſir le glutun.
Si li ad dit par mult fiere raiſon.
De uoz manaceſ culuert io nai eſſoign.
Ferez i Francſ kar treſ ben leſ ueintrŭ.
Munioie eſcriet co eſt lenſeigne carlun. AOI.

XCV

Vnſ reiſ i ~ ſi ad num corſablix.
barbarinſ ~ dun eſtrage paiſ.
Si apelad leſ altreſ ſarrazinſ.

1215. Topografia incerta. Diferente do que se lê no manuscrito, Bédier transcreve, em lugar de *datliun y balbiun*, "Dathan e Abiron" (Números, 16: 25-34), personagens bíblicas que se levantaram contra Moisés e foram

hoje a França não perde seu prest*ígio*.
Atacai, francos, que o primeiro é no*sso*!
Temos a *jus*tiça, o mal têm os monstren*gos*!" AOI.

XCIV

Há um du*que a*li, se chama Falastrão,
de Marsílio, ele era o irmão,
tinha as te*rras* Datilônia e Balbisião,
sob o céu *não* há mais feio histrião.
Entre o*lhos* tem tão largo o testão;
meio pé *se* pode dar de medição.
*Cau*sou-lhe, a mor*te* do sobrinho, aflição,
*e*le se expõe, sai da sua formação,
e grita forte a insígnia dos pagãos.
Muito hostil, *dos* francos toma a direção:
"Hoje a Do*ce* França perde o galardão!"
Olivei*ro es*cuta em muita irritação,
de ouro a espo*ra*, aguilhoa o alazão.
O acome*te à* guisa de um bom barão,
rompe o escu*do e* da loriga faz fração.
No corpo enfi*a*-lhe o pano do pendão,
chapa a has*te e o* morto cai do seu cilhão.
Olha o chão *e* vê jazer o tal glutão,
e lhe diz *com* muito justa sua razão:
"Sua amea*ça* não me assusta, seu vilão.
Francos, fá*cil* venceremos, ide então!"
"Monjoiê!" – *Da* sua insígnia dá um berrão. AOI.

XCV

Há um rei *a*li, seu nome é Corsá*lio*,
berebe*re*, de país tão estrangei*ro*.
Logo chama os outros sarrace*nos*:

engolidos pela terra sob seus pés. Moignet, transcrevendo "Dathun e Balbium" – ligeiramente diferente do manuscrito – traduz como Bédier e anota tratarem-se se nomes comuns em fórmulas de maledicência.

ceſte bataille ben la puum tenir.
kar de franceiſ i ad aſez petit.
celſ ki ci ſunt deuŭ aueir mult uil.
Ia pur charleſ ni ert un ſul guarit.
Or eſt le iur quelſ eſtuůrat murir.
Ben lentendit li arceueſqueſ turpin.
Suz ciel nat hume que tant uoeillet hair.
Sun cheual brochet deſ eſꝓrunſ dor fin.
par grant uertut ſil eſt alet ferir.
Leſcut li freinſt loſƀc li deſcumfiſt.
Sun grant eſpiet par mi le corſ li miſt.
empeint le ben que mort le fait brandir.
pleine ſa hanſte labat mort el chemin.
Guardet a rere ueit le glutun geſir.
Ne laiſſerat que ni parolt co dit.
culuert paien uoſ i auez mentit.
carleſ mi ſire nuſ .ĕ. guarant tuz diſ.
Nrĕ franceiſ nunt talent de fuir.
Voz cŭpaignunſ ferunſ treſtuz reſtiſſ.
Nuueleſ uoſ di mort uoſ eſtoet ſuſfrir.
Ferez franceiſ nul de uuſ ne ſublit.
ciſt premer colp ~ nrĕ deu mercit.
Munioie eſcriet por le căp retenir.

XCVI

Engelerſ fiert malþmiſ de brigal.
Siſ bonſ eſcuz un dener ne li ualt.
tute li freint la bucle de criſtal.

1257. Referência à segunda morte descrita em Apóstolos, 20: 12-14: "E vi os mortos grandes e pequeninos em pé diante do trono, e os livros foram abertos, e outro livro foi aberto, o da vida; e julgados foram os mortos por isso, pelas coisas que escritas estavam no livro, segundo a obra deles. E deu mortos, o mar, os que eram nele; e a morte e o inferno deram os mortos seus, que eram neles, e cada um foi julgado, segundo sua obra. E o inferno e a morte foram jogados num tanque de fogo. Essa é a segunda morte" (*Et vidi mortuos magnos, et pusillos stantes in conspectu throni, et libri aperti sunt : et alius liber apertus est qui est vitae : et iudicati sunt mortui ex his, quae scripta erant in libris secundum opera ipsorum : et dedit mare mortuos, qui in eo erant : et mors et infernus dederunt mortuos suos, qui in ipisis erant : et iudicatum*

"Sustentar *e*ssa batalha bem pode*mos*,
porque há muito poucos desses fran*cos*.
Os que aqui *es*tão por vis, vamos tomá-*los*,
nenhum de*les* vai ser salvo por rei Car*los*,
hoje vão *mo*rrer, seu dia é chega*do*".
Entendeu-*o o* Arcebispo Dom Turpi*no*,
sob o céu *não* há quem o odeie tan*to*.
Finca esporas de ouro em seu cava*lo*,
por virtude ele vai acometê-*lo*.
O escudo e a loriga decompos*tos*,
sua grande lan*ça a* mete no meio do cor*po*;
crava-a bem e a sacode do defun*to*.
Chapa a has*te e*, no caminho, lança o mor*to*,
olha atrás *e* vê jazer o odio*so*;
não deixari*a* de falar, isto foi di*to*:
"Seu pagão, seu velhaco, haveis menti*do*!
Sempre nos *pro*tege meu senhor, o Car*los*,
não pretendem fugir os nossos fran*cos*.
Vossos pares serão todos venci*dos*,
outra mor*te* devereis haver sofri*do*.
De nenhum esquecei, avante fran*cos*!
Glória a Deus, *e*sse primeiro golpe é no*sso*!"
"Monjoiê!" – Grita pra manter o cam*po*.

XCVI

*A*taca Ger*son*, Malprimis, o de Barbas*tro*,
seu escudo não vale um dinhei*ro*.
*Es*tilhaçou o cristal do seu broca*do*,

est de singulis secundum opera ipsorum. Et infernus et mors missi sunt in stagnum ignis. Haec est mors secunda).**1261.** *Engelerſ*, o par francês, cujo nome traduzimos por Engels, reaparece na série C atacando o par sarraceno Excremildo. Todos os editores são unânimes em ler aqui o par *Gerinſ*, como lapso do copista, a fim de manter o padrão dos ataques de par a par. Mantivemos a transcrição conforme o manuscrito, mas traduzimos conforme a correção proposta pelos editores consultados. **1262.** São muito comuns na literatura medieval as comparações com objetos ou unidades monetárias de escasso valor para reforçar uma negação. **1263.** A palavra *bucle* (brocal) faz referência à parte central do escudo (vide nota ao v. 526), de aço, circular e saliente, onde geralmente eram incrustadas as pedras e metais de valor.

Lune meitiet li turnet cuntreual.
Loſberc li rũpt entreſque a la charn.
Sun bon eſpiet enz el corſ li enbat.
Li paienſ chet cuntreual a un quat.
Lanme de lui en portet ſathanaſ. AOI.

XCVII

E ſiſ cũpainz gererſ fiert lamurafle.
Leſcut li freint y loſberc li deſmailet.
Sun bon eſpiet li ment en la curaille.
empeint le bien ꝑmi le corſ li paſſet.
Que mort labat el camp pleine ſa hanſte
Diſt oliuer gente ~ noſtrẽ bataille.

XCVIII

Sanſun li dux il uait ferir lalmacur.
Leſcut li Freinſt ki ~ a flurſ y ad or.
Li bonſ oſbcſ ne li ~ guarant prod.
trenchet li le coer le firie y le pulmun.
Que labat mort q'quen peiſt u qui nun.
Diſt larceueſque ciſt colp ~ de baron.

XCIX

E anſeiſ laiſet le cheual curre.
Si uait ferir turgiſ de turteluſe.
Leſcut li freint deſuz loree bucle:
De ſun oſbc li derũpit leſ dubleſ.
Del bon eſpiet el corſ li met la mure.
empeinſt le ben tut le fer li miſt ultre.

1265-1266. Na tradução desses versos alteramos os termos *charn* (carne) e *corſ* (corpo) por "corpo" e "entre os ossos", respectivamente. **1267.** Moignet esclarece que a expressão *a un quat* deve ser traduzida por "comme une masse"; assim havia traduzido Bédier, e Riquer propõe: "El pagano cae al suelo pesa-

a metade lhe cai toda abai*xo*.
A lori*ga* se desgarra até o cor*po*,
sua lan*ça en*fia bem entre seus o*ssos*.
O pagão, num só golpe, cai pesa*do*,
sua alma a carrega o Dia*bo*. AOI.

XCVII

O Emir *é* atacado por Geral*do*,
pra desmalhar a loriga, quebra o escu*do*,
sua lança a enfia nos de den*tro*,
*a*funda bem *e* atravessa o corpo intei*ro*.
Chapa a has*te e* lança o morto ali no cam*po*.
"Belo é o no*sso* lidiar!" – diz Olivei*ro*.

XCVIII

*Du*que Sansão acomete o Almançor,
rompe o escu*do* que é de ouro ornado em flor.
Nem a boa loriga o resguardou,
os pulmões *e o* coração lhe arrebentou.
Doa a quem *do*er, já morto o derrubou.
"Golpe de *ba*rão!" – Turpino assim falou.

XCIX

*An*selmo corre a cavalo em ofensi*va*,
acomete o Turgão de Tortelo*sa*,
o escudo em broquel d'ouro destro*ça*,
descompõe *as* dobras da sua lori*ga*.
Bem no cor*po en*fia a ponta da sua lan*ça*,
*em*purra até *sa*ir o ferro nas suas cos*tas*,

damente". O AND traduz a entrada *quat* por *crash, blow* (acidente, golpe) e utiliza esse verso como exemplo. Tentamos sintetizar todas as hipóteses, traduzindo a expressão *chet cuntreual* (vai abaixo), por "cai".

pleine ſa hanſte el căp mort le treſturnet.
co diſt Rolł ciſt colp eſt de produme.

C

Et engelerſ li guaſcuinz de burdele.
Sun cheual brochet ſi li laſchet la reſne.
Si uait ferir eſcremiz de ualterne.
Leſcut del col li freint y eſcantelet.
De ſun oſberc li rompit la uentaille.
Sil fiert el piz entre le douſ furceleſ.
pleine ſa hanſte labat mort de la ſele.
apreſ li diſt turnet eſteſ a perdre. AOI.

CI

E gualter fiet un paien eſtorganſ.
Sur ſun eſcut en la pene deuant.
Que tut li trenchet le uermeill y le blanc.
de ſun oſbc li ad rumput leſ panſ.
el corſ li met ſun bon eſpiet trechant.
Que mort labat de ſun cheval curant.
apreſ li diſt ia ni aurez guarant.

CII

E berenger il fiert aſtramariz.
Leſcut li freinſt loſbc li deſcumfiſt.
Sun fort eſcut par mi le corſ li miſt.

1293. O termo *ventaillei* (camal) se refere à proteção utilizada sob o elmo e sobre a loriga, como um capacete feito em malha de aço que cobria a cabeça, parte do rosto e os ombros do cavaleiro. **1297.** Nota-se nesse verso um lapso do copista, pois, Gualter, o Huno, foi destacado da hoste por Roldão para ocupar, com mil francos, uma outra posição nas montanhas (vv. 803-811), de onde retornará na série CLII. Seguimos a correção consensual entre os editores, atribuindo a Otto essa série. **1300.** O fraldão é uma defesa complementar às malhas de aço que envolve toda a área do baixo-ventre e deve ser fendida para melhor acomodação na montaria. **1306.** O copista repete aqui a palavra *eſcut* (escudo), já quebrado no verso anterior. É necessário, pois, proceder a essa correção, conforme o padrão formu-

chapa a has*te*, que no campo o morto cai*a*.
"Esse gol*pe é* de valente!" – Roldão fa*la*.

C

O gascão, é o Engels de Bordéus,
finca a espo*ra e a*frouxa a rédea do corcel.
Ao Excremil*do* de Valterra acometeu,
seu escu*do* no pescoço ele moeu;
e o camal da loriga se rompeu.
O seu pei*to, en*tre as clavículas, fendeu,
chapa a has*te e* cai da sela, pois morreu;
depois di*sse: "O* condenado se perdeu!" AOI.

CI

Otto ata*ca* um pagão, o Esturgão,
bem na fren*te* do escudo, no brasão.
*Par*tiu-lhe to*do*, desde o branco ao vermelhão,
a lori*ga* lhe rasgou até o fraldão.
No seu cor*po en*fia sua lança-arpão
e o derru*ba*, morto já, do alazão.
Depois diz: "Não tereis mais salvação!"

CII

*A Es*tramarim, *o* Berenguer lhe dá assal*to*,
rompe o escu*do*, faz loriga aos peda*ços*.
A forte lança, no meio, fura o cor*po*,

lário dessas séries. Mantivemos a forma do manuscrito e substituímos, na tradução, o *eſcut* (escudo) por "lança", conforme figura nas outras séries. **CIII.** Essa série canta o único combate que não termina com sangue aos borbotões. Margarino, que é um dos poucos sarracenos que merecem uma descrição laudatória (v. 960), trava um combate singular contra Oliveiro, que, curiosamente, não lhe oferece contraofensiva. O sarraceno se retira para reunir os seus (vv. 1318-1319) e não volta a aparecer no cantar. Podemos supor, no plano do narrado, que fosse relatar a Marsílio a derrocada do primeiro esquadrão e dos pares sarracenos, conforme aparece em V4, e então fique isento dos combates seguintes.

Que mort labat entre mil ſarrazinſ.
Deſ .xii. ꝑſ li .x. en ſunt ociſ.
Ne meſ que douſ nen i ad remeſ viſſ.
co ⁓ chernubleſ y li quenſ margariz.

CIII

Margariz eſt mult uaillant cheualerſ.
e belſ y forz y iſnelſ y legerſ
Le cheual brochet uait ferir oliuer.
Leſcut li freint ſuz la bucle dor mer.
Lez le coſtet li conduiſt ſun eſpiet.
D'ſ le guarit quell corſ ne lad tuchet.
La hanſte fruiſſet mie nen abatiet.
Vltre ſen uait quil ni ad deſtᵘrber.
Sunet ſun greſle pur leſ ſoenſ ralier.

CIV

La bataille ⁓ merueilleuſe y cumune.
Li quenſ Rolł mie ne ſaſouret.
Fiert del eſpiet tant cume hanſte li duret.
a .xv. colſ lad fraite y ꝑdue.
trait durendal ſa bone eſpee nue.
Sun cheual brochet ſi uait ferir chernuble.
Lelme li freint u li carbuncle luiſent.
trenchet le corſ y la cheueleure
Si li trenchat leſ oilz y la faiture.
Le blanc oſƀc dunt la maile eſt menue.
e tut le corſ treſquen la furcheure.
enz en la ſele ki eſt a or batue.
el cheual eſt leſpee areſteue.
trenchet leſchine hunc ni out (q'ſ iointure).

1333. Trecho com legibilidade comprometida. Aceitamos a paleografia consensual dos editores consultados (*quis jointure*) propondo pequenas alterações. **A HIPERBÓLICA ESPADADA** – Rota a lança, Roldão

entre mil sarracenos cai defun*to*.
Dez dos Do*ze* Pares já ali são mor*tos*,
dois apenas resistem entre os vi*vos*:
O Chernublo e o conde Margari*no*.

CIII

Margari*no é* tão valente cavalei*ro*,
é gentil, forte, rápido e ligei*ro*.
Mete espo*ras* pra atacar a Olivei*ro*,
fende o escu*do* no brocal de ouro pu*ro*;
sua lan*ça* lhe roçou bem o costa*do*.
Deus guardou-lhe o corpo intoca*do*,
parte a lança, mas não é derruba*do*.
Sai dali sem que seja bloquea*do*,
soa a trom*pa* para os seus ver agrupa*dos*.

CIV

A batalha é geral e espanto*sa*,
o Roldão, *o* conde, em nada se resguar*da*,
com a lan*ça a*taca o quanto a haste aguen*ta*,
aos quinze gol*pes* a quebrou e está perdi*da*.
Durinda*na, a* boa espada, ele a desnu*da*,
aguilho*a e* a Chernublo ele ata*ca*.
O elmo on*de* brilham os rubis se ra*cha*,
corta o corpo e a sua cabelei*ra*,
*en*tão separa *os* olhos, fende a criatu*ra*;
a lori*ga* branca, pois é fina a ma*lha*,
e todo o cor*po* atravessa até a viri*lha*,
e a se*la* que é de ouro incrusta*da*,
só no cava*lo* se deteve a espa*da*.
Onde não há joelhos, parte a espi*nha*

desembainha Durindana e seu desempenho se torna ainda mais épico, executando aquilo que Menéndez Pidal chamou de a "hiperbólica espadada de Roldão", que se repetirá nos vv. 1374 com Oliveiro, e

tut abat mort el pred ſur lerbe drue.
apreſ li diſt culŭt mar i mouſteſ.
de mahumet ia ni aůrez aiude.
par tel glutun nert bataille oi uencue.

CV

Li quenſ Rolł par mi le chăp cheualchet.
tient durendal ki ben trenchet y taillet
Deſ ſarrazinſ lur fait mult grant damage.
Ki lui veiſt lun geter mort ſu laltre.
Li ſanc tuz clerſ geſir par cele place.
Sanglant en ad y loſbc y la brace.
Sun bon cheual le col y leſpalleſ.
y oliuer de ferir ne ſe target.
Li .xii. ꝑ nen deiuent aueir blaſme.
y li franceiſ i fierent ᵉſi caplent.
Moeret paien y alquăz en i paſment.
Diſt larceueſque ben ait nrĕ barnage.
Munioie eſcriet co ~ lenſeigne carle. AOI.

CVI

E oliuer cheualchet par leſtor.
Sa hanſte ~ fraite nen ad qᵉ un truncun.
e uait ferir un paien malũ
Leſcut li freint ki ~ ad or y a flur
Forſ de la teſte li met leſ (oilz a'ſdouſ)
e la ceruele li chet aſ piez (deſuz.)
(Mort) le treſturnet od tut .vii. c. deſ lur.
poiſ ad ociſ turgiſ y eſtuʳguz.

1545 e 1606 novamente com Roldão. A vemos também em outras gestas, como, no *Cantar de Mio Cid,* em que, nos vv. 2421-2424, vai o herói montado em Babieca ao confronto com o rei Bucar e "Para cima alçou a Colada, e forte o golpeou, / o rubi do elmo lhe arrancou, / fendeu o elmo e tudo cortou / e na cintura, a espada então parou" ("arriba alçó Colada, un grant colpe dado.l' há, / las carbonclas del yelmo, tollidas ge las há, / cortól' el yelmo e, librado todo lo ál, / fata la cintura el espada llegado há".); já na *Chanson de*

e os derru*ba* mortos sobre a relva espe*ssa*.
Disse então: "*Bo*có, vieste em má ho*ra*!
De Maomé não tereis jamais aju*da*,
tal glutão *não* vence hoje a bata*lha*!"

CV

*Con*de Roldão, por ali vai e campei*a*,
a Durinda*na*, que bem corta e talha, empu*nha*.
Grande da*no* causa à gente sarrace*na*,
lançar mor*to um* sobre outro, quem o ve*ja*!
E o sangue claro correr naquela te*rra*!
*En*sanguentados, o braço e a lori*ga*,
e o cava*lo*, do pescoço até as an*cas*.
Oliveiro não cessa sua pele*ja*,
aos Doze Pares não deve haver censu*ra*.
Os france*ses* acometem, vão à lu*ta*,
os pagãos morrem, sempre algum desmai*a*.
O Arcebis*po* disse: "Qual nossa nobre*za*!
Monjoiê!" – *De* Carlos, grita a sua insíg*nia*. AOI.

CVI

Na batalha, cavalga Olivei*ro*,
sua lan*ça es*tá quebrada, só no to*co*.
De um pagão, o Malão, vai no encal*ço*,
rompe o escudo de flor ornada em ou*ro*.
Desorbita da cara os ambos *olhos*,
e a seus pés, esparramam-se os mio*los*;
com setecentos dos seus, derruba o mor*to*.
*De*pois matou *o* Esturgão e o Turgi*no*,

Guillaume (vv. 1849-1851), o pequeno Guiot golpeia um sarraceno e "todo o fendeu, inteiro até a chincha / do destreiro corta a sela e as costas / e no campo em quatro metades os joga" ("Tut le purfent desque enz al baldré, / Colpe la sele e le dos del destrer, / En mi le champ em fist quatre meitez"). **1355-1357**. Trechos ilegíveis. Seguimos a paleografia consensual entre os demais editores.

La hanſte briſet y eſclicet ioſqªz poïz.
co diſt Rolł cũpainz q' faiteſ uoſ
en tel bataille nai cure de baſtun.
Ferſ y acerſ ideit aueir ualor.
v ⁓ urẽ eſpee ki halteclere ad num.
Dor ⁓ li helz y de c'ſtal li punz
Ne la poi traire oliů li reſpunt.
kar de ferir oi io ſi grant boſoign. AOI.

CVII

Danz oliuer trait ad ſa bone eſpee.
Que ſeſ cũpainz Rolł li ad tant demandee.
e il li ad cũ cʰeualer muſtree.
Fiert un paien iuſtin de ụal ſerree.
tute la teſte li ạd par mi ſeůree.
trenchet le corſ y bronie ſafree.
La bone ſele ki a or eſt gemmee.
y al ceval a leſchine trenchee.
tut abat mort deuant loi en la pree
co diſt Rolł uoſ recᵉⁱᶠ io frere.
por itelſ colpſ noſ eimet li emꝑere.
de tuteſ parz eſt munioe eſcriee. AOI.

CVIII

Li quenſ gerinſ ſet el ceual ſorel.
y ſiſ cumpainz gererſ en paſſe cerf.
Laſchent lor reiſneſ brochent amdui a ait.
e uunt ferir un paien timozel
Lun en leſcut y li altre en loſberc.
Lur douſ eſpiez enz el corſ li unt frait.
Mort le treſturnent treſ enmi un guaret.

1370. No manuscrito, *ụal ſerree*, é consensualmente transcrito como Val Ferree e traduzido por Riquer como Valferrera. A toponímia é, em todo caso, desconhecida. **1372.** Para o termo *ſafree*, o manuscrito apre-

*e a*té as mãos, estilhaça a lança-to*co*.
Roldão di*sse: "O* que fazeis vós, companhei*ro*?
Nada va*le, em* tal batalha, esse tron*co*,
tem valor *so*mente o aço e o fe*rro*;
a Altacla*ra*, vossa espada, está convos*co*?
De ouro a guar*da e* de cristal é o seu pu*nho*!"
"Não a pude sacar" – diz Olivei*ro* –
"*em* atacar, pois, estava ocupa*do*". AOI.

CVII

Olivei*ro* saca a sua boa espa*da*,
que Roldão, *seu* companheiro, demanda*va*,
a ele, co*mo* cavaleiro, bem a mos*tra*,
e ataca o Justino de Valsse*rra*.
Bem no mei*o* lhe reparte a cabe*ça*,
corta o corpo e a cota de safi*ra*,
e a boa se*la* que é de ouro craveja*da*.
Do cavalo, lhe talha a espi*nha*,
*de*rruba os mor*tos* diante de si lá na rel*va*.
"Meu irmão, *vos* reconheço!" – Roldão fa*la* –
"*O Im*perador, *por* esses golpes, mais nos a*ma*!"
"Monjoiê!" – *Em* toda parte já se gri*ta*. AOI.

CVIII

Vai o Ger*son* em Sorel, o seu cava*lo*,
e Geral*do*, o seu par, em Passo-Cer*to*.
Aguilho*am* forte, afrouxam rédeas am*bos*,
e acome*tem* um pagão, o Teimozel*do*,
um na loriga e o outro no escu*do*.
As duas lan*ças* as quebraram no seu cor*po*,
num roçado, reviram ele mor*to*.

senta as seguintes variações: *safrez* (v. 1032), *safret* (v. 2499), sempre adjetivando a cota ou a loriga; vide notas aos versos citados.

Nel oi dire ne io mie nel ſai.
Liquelſ delſ douſ en fut li pluſ iſnelſ.
eſpuerſ icil fut filz burdel
e larceueſque lor ociſt ſiglorel.
Lencanteur ki ia fut en enfer.
par artimal li cundoiſt iupiter.
co diſt turpin iciſt noſ ert forſfait.
Reſpunt Rolł uencut eſt le culuert.
oliuer frere itelſ colpſ me ſunt bel.

CIX

La bataille eſt aduree endementreſ.
Franc y paien merueiluſ colpſ i rendent.
Fierent li un li altre ſe defendent.
tant hanſte i ad y fraite y ſanglente.
tant gunfanun rūpu y tant enſeigne.
tant bon franceiſ i ꝑdent lor iuuente.
Nịe reuerrunt lor mereſ ne lor fēmeſ.
Ne celſ de france ki aſ porz leſ atendent. AOI.

Liquelſ delſ douſ en fut li pluſ iſnelſ.
eſpuerſ icil fut filz burdel.
e larceueſque lor ociſt ſiglorel.

Fl. 25v; vv. 1387-1390.

1388-1389. Bédier considera esse verso ininteligível. A sua hipótese, consensualmente aceita entre os editores do cantar, é de que *eſpuerſ* devesse se tratar de um nome próprio, a fazer sentido como uma unidade semântica apartada dos versos anteriores, e que devesse faltar ainda outro verso depois do 1388, razão porque contam-se aqui dois versos. Desse modo, Riquer transcreve: *Esperveris, icil fut filz Burel* (Esperveris, que foi o filho de Borel) e, conforme a hipótese de Bédier, acrescenta um novo verso (v. 1389): *celui ocist Engelers de Burdel* (mataram a Engelier de Bordéus); nenhum dos quais menciona em nota seu procedimento de tradução para esses versos. Moignet, por sua vez, anota ser um trecho ininteligível e apresenta as reticências na tradução para o termo *eſpuerſ* e para um hipotético verso 1389, conforme fizera Bédier. A análise ultravioleta do manuscrito proposta por Samaran (Charles Samaran, "Lectures sous les Rayons Ultra-Violets", p. 406) referenda nossa transcrição. O sentido do verso, não obstante, constitui um desafio filológico. A proposta de tradução que apresentamos, segue o seguinte prin-

Eu não sei, pois jamais me fora di*to*,
qual dos dois foi ali o mais ligei*ro*,
[*1388-1389*] persistiram, pois de Bordéus são fi*lhos*.
Siglorel *foi* morto pelo Arcebis*po*;
um mandin*go* que esteve no infer*no*;
foi por Jú*pi*ter levado com feiti*ço*.
Diz Turpi*no*: “Nos havia, este, ofendi*do*!”
*Rol*dão replica: “O canalha está venci*do*,
Oliveiro, irmão, são golpes be*los*!”

CIX

Entretan*to*, *en*durecia a bata*lha*,
*pa*gãos e fran*cos* graves golpes assesta*vam*.
Ataca*vam* uns e outros defendi*am*,
há tantas lanças sangrentas e alquebra*das*;
aos farra*pos*, gonfalões e as insíg*nias*.
Tantos jo*vens*, francos bons, ali extravi*am*,
não verão *mais* suas mães nem as espo*sas*;
nem os fran*cos* que nos átrios os aguar*dam*. AOI.

cípio: no *AND*, encontramos a entrada *apuier*, *espuer*, cuja sétima acepção é *to persist* (persistir). No mesmo dicionário, o termo *icil* pode ter o sentido de “man, woman, people (etc.) from” (homem, mulher, gente (etc.) de um país, localidade). Entendendo assim, o sujeito desse verso poderia ser “Gerson e Geraldo” e eles seriam também bordaleses como o outro par francês, Engels. Seguimos, porém, a contagem dos versos considerando o hipotético 1389 de Bédier, a fim de manter o padrão dos editores do cantar. **1391.** Além de se tratar de um idioma da família nígero-senegalesa muito presente na África ocidental, o termo “mandingo” ou “mandinga” faz referência a uma miscigenação étnica berbere-etíope, cujos indivíduos sofreram grande influência maometana. Acreditava-se que os mandingos eram feiticeiros muito poderosos, razão pela qual se dá a profusa derivação do étimo em língua portuguesa no sentido de feitiçaria. **1392.** Moignet anota que Júpiter é comumente citado nos cantares de gesta como um deus sarraceno.

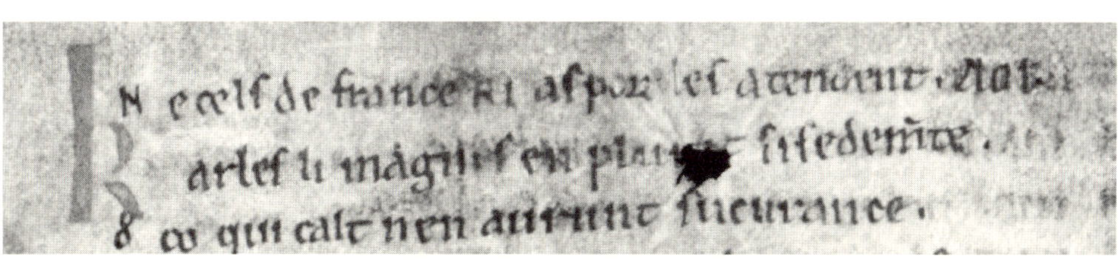

Fl. 26r; vv. 1403, 1405.

[...]

Karleſ li magneſ en pluret ſi ſe demte.
co qui calt nen aurunt ſucurance.
Maluaiſ ſerurſ le iur li rendit gueneſ.
Quen ſarraguce ſa maiſnee alat uendre.
puiſ en ꝑdit e ſa uie y ſeſ membreſ.
el plait ad aiſ en fut iuget a pendre.
De ſeſ parĕz ensĕblod lui telſ trente
ki de murir nen ourent eſperance. AOI.

CX

La bataille ~ merueilluſe e peſant.
Mult ben i fiert oliů y Rollant.
Li arceueſqueſ pluſ de mil colpſ irent.
Li .xii. ꝑ ne ſen targent nient.
y li franceiſ i fierent cumunement.
Moerent paien a millere y a cent
ki ne ſen fuit de mort ni ad guarent.
voillet o nun tut i laiſſet ſun tenſ.
Franceiſ i ꝑdent lor meillorſ garnemenz
Ne re uerrunt lor ꝑeſ ne lor parenz.
Ne carlemagne ki aſ porz leſ atent.
en france en ad mult mueill torment.
orez i ad de tuneire y de uent,
pluieſ y greſilz deſmeſureement.
Chiedent i fuildreſ y menut y ſuuent.
y terremoete co i ad ueiremt.
de ſeint michel del pariſ ioſquaſ ſeinz.
Deſ beſentun treſqual de guitſand.

1404. Todos os editores consultados seguem aqui como a série CIX, a despeito do início do verso com letra capitular, de ser apresentado, a partir deste verso, um novo bloco semântico, e da grafia das letras AOI no verso anterior, em que pese o manuscrito guardar exceções quanto à posição final delas. Há, portanto, a ocorrência de todos os critérios para se considerar o início uma nova série. Nenhum dos editores consultados anota qualquer aspecto acerca disso. Isto posto, marcamos a suposta passagem de série, mas seguimos a contagem de acordo com os demais editores. **1428-1429.** A fim de oferecer uma dimensão hiperbólica

[...]

Carlos Magno se desespera e cho*ra*,
e o que importa? Pois não terão aju*da*.
Mau favor *fez* Galalão naquele di*a*,
ao vender, *em* Saragoça sua mesna*da*.
Perderá, *tão* logo, os membros e a vi*da*,
em Aquisgrão, condenado em juízo à for*ca*.
Seus paren*tes*, juntos dele, foi uns trin*ta*,
que a mor*te* não esperavam nem queri*am*. AOI.

CX

O comba*te* é sinistro, é seve*ro*,
bem ata*cam* o Roldão e o Olivei*ro*,
mais de mil golpes lança o Arcebis*po*,
os Doze Pares não deixarão por me*nos*;
e os franceses atacam em conjun*to*.
Dos pagãos, morrem mais de mil, a cen*tos*,
quem não foge, já não é preserva*do*;
a vida dei*xam* todos, mesmo não queren*do*.
Francos per*dem* os melhores dos solda*dos*,
que não verão *nem* pais e nem aparenta*dos*;
nem a Car*los*, que os espera já nos á*trios*.
Cai na França, assombroso aguacei*ro*,
ouvireis haver lá trovões e ven*to*,
*des*mesurados, a chuva e o grani*zo*,
amiú*de e* tão frequentes caem rai*os*;
ali há *um* verdadeiro terremo*to*.
De São Miguel de Paris até em San*tos*,
de Besançon *a*té o porto de Vissan*to*,

da tormenta – e do dolo de Roldão (v. 1437) – o autor traça um quadrilátero dos limites geográficos da França, em sentido linguístico de prevalência da *langue d'oil*, à época da composição do cantar. Para *ſeint michel del pariſ*, conforme se encontra no manuscrito, os editores reconhecem a comuna Saint-Michel, na Normandia; a hipótese mais aceita para o topônimo *ſeinz* é a que o relaciona com *Saintes*, que traduzimos livremente por "Santos", ao norte de Bordéus; *beſentun* e *guitſand*, reconhecidas como Besançon e Wissant, que livremente traduzimos por Vissanto, encontram-se no oposto extremo oriental do território *d'oil*.

Nen ad recet d’t del mur ne crauent.
Cuntre midi tenebreſ i ad granz.
Ni ad clartet ſe li cielſ nen i fent
hume nel ueit ki mult ne ſeſ [ſpant]
Dient pluſor co ⁓ li definement.
La fin del ſecle ki nuſ eſt en preſent
Jl nel ſeuent ne dient ueir nient
co eſt li grāz dulorſ por la mort de Rolł.

CXI

Franceiſ i unt ferut de coer y d uigur
paien ſ’t morz a millerſ y a fulſ.
De cent millerſ nen poent guarir douſ.
Rolł Diſt nrĕ hume ſunt mult proz.
Suz ciel nad home pl^{ɔ} en ait de meillorſ.
Jl eſt eſcrit en la geſte francor
Que uaſſalſ ⁓ li nrĕ emꝑeur.

Fl. 26v; vv. 1432-1433.

1433. Mão de corretor; Bédier, Moignet e Riquer, transcrevem, respectivamente, como *s'espaent*, *s'espoant*, e *s'espoent*, empregando a mesma tradução. Trata-se do verbo *espoenter* (espantar-se). **1437.** A descrição hiperbólica da tempestade foi comumente comparada por comentadores do cantar ao apocalipse, e a antecipação da morte de Roldão, ao anúncio da paixão de Cristo. Essa antecipação, como anota Moignet (Gérard Moignet (ed.), *Chanson de Roland*, p. 121), não se trata apenas do tópico recurso da retórica clássica, a *praemonitio*, mas, sobretudo, de um modo poético de envolver o auditório nesse efeito patético. As personagens desconhecem seu destino, mas no auditório já é criada a expectativa que o envolve irredutivelmente na narrativa, tornando-o cúmplice do drama.

Fl. 26v; vv. 1440-1442.

não há recin*to* sem haver rotos os mu*ros*.
Ao meio-dia é tudo tão escu*ro*,
só há luz quando é o céu fendi*do*.
Vendo, não *há* como não sofrer espan*to*,
muitos dizem: "É esse o fim do mun*do*!
É presente o fim dos nossos tem*pos*!"
Eles não sabem, nem dizem o fa*to*:
Pela mor*te* de Roldão, esse é o do*lo*!

CXI

Francos lu*tam* com vigor e coração,
em massa mo*rrem*, e aos milhares, os pagãos,
de cem mil sequer dois se salvarão.
"Nossos homens são bravos" – diz Roldão –
"sob o céu, *quais* homens os superarão?
Da gesta franca o escrito cantarão,
que o no*sso Im*perador é um durão!"

1441. Todos os editores consultados atribuem esse discurso ao Arcebispo Turpino, dentre os quais, apenas Moignet anota que o termo *L'arcevesque*, conforme todos o transcrevem, está omitido no manuscrito de Oxford, com uma segunda mão marcando à margem esquerda o nome *Rollant* [sic]. A despeito do que possa constar nos demais manuscritos que pudesse justificar essa alteração, optamos por admitir o que se lê no manuscrito, conquanto o sentido não seja comprometido. **1443.** A hipótese referente a essa *geſte francor* é que pode referir-se à mesma gesta citada em outros versos (vv. 1685, 2095, 3181, 3262, 3742 e 4002) e ser uma fonte consultada pelo autor do poema primitivo, talvez com o nome latino *Gesta Francorum*.
1444. A tradução aqui não é consensual. Havendo Bédier apresentado as reticências, Moignet anota estar opaco o verso, aventando a possibilidade de que esteja alterado, mas o traduz sem conjecturas, como o faz Riquer. Nossa tradução considera o termo *uaſſalſ*, não como o óbvio substantivo "vassalo", mas como o adjetivo, traduzido no AND por *brave* (bravo, durão). Desse modo, estamos de acordo com a tradução de Moignet e de Riquer.

Fl. 26v; v. 1444.

Vunt par le camp ſi requerent leſ lor
Plurent deſ oilz de doel y de tendrur
Por lor parenz. par coer y par amor.
Li reiſ marſilie od ſa graṫ oſt lor ſurt. AOI.

CXII

Marſilie uient par mi une ualee
od ſa grant oſt que il out aſemblee.
.xx. eſcheleſ ad li reiſ anŭbreeſ.
Lacent cil elme aſ perreſ dor gėmeeſ.
y cil eſcuz y cez bronieſ ſaſfreeſ.
.vii. milie graiſleſ i ſunent la menee
Grant eſt la noiſe par tute la contree.
co diſt Rolł oliu̇ compaign frere.
Geneſ li felſ ad nrĕ mort iuree.
La traiſun ne poet eſtre celee.
Mult g'nt ueniance en ꝑndrat lemꝑere.
bataille aůrŭ y forte aduree.
vncheſ maiſ hŏ tel ne uit aiuſtee.
Jo i ferrai de durendal meſpee.
y uoſ cŏpaĭz fĕrez de halteclere
en tanz liuſ leſ auŭ noſ porteeſ.
tanteſ batailleſ en auŭ afineeſ.
Male chancun nen deit eſtre cantee. AOI.

1452. Moignet anota a correção dos editores para a palavra *lacent*, considerando-a inadequada na frase. Todas as edições consultadas transcrevem, nesse ponto, *Luísent* (brilham) e assim traduzem. Não há indícios de corrupção nesse verso, de modo que preservamos o étimo do manuscrito, como particípio do verbo *lacer* (atado, vestido, amarrado), cujo contexto alcança o sentido de "envergado".

Fl. 26v; vv. 1451-1453.

*Bus*car os seus, pelos campos, eles vão,
dos olhos choram, em dor e aflição,
por seus paren*tes*, por amor, de coração;
a seu encon*tro* vai Marsílio e um batalhão. AOI.

ESQUADRÃO DE MARSÍLIO

CXII

Pelo meio do vale vem Mars*ílio*,
grande hoste havia reuni*do*.
Tem contados seus vinte agrupamen*tos*,
co' envergа*dos* elmos, incrustados d'ou*ro*;
co' as doura*das* cotas e com seus escu*dos*.
Sete mil, *à* carga, soam os seus cor*nos*,
por toda *área* grande é o estampi*do*.
"Olivei*ro, ir*mão" – Roldão diz –, "companhei*ro*,
nossa mor*te*, Galalão jurou, o infi*do*.
Esse eng*ano* não será desconheci*do*,
fará grande vingança Carlos Mag*no*.
Um comba*te* duro e forte nós tere*mos*,
nenhum ho*mem* jamais viu igual encon*tro*.
Com Durinda*na*, minha espada, eu ata*co*,
*e a*tacareis *com* Altaclara, companhei*ro*.
A tantos sí*tios* nós havemo-las leva*do*,
e bata*lha* tanta havemos dado ca*bo*.
Delas, mau *can*tar jamais será canta*do*!" AOI.

1453. Para *bronieſ ſaffreeſ*, que traduzimos aqui por "cotas douradas"; vide nota ao v. 1372. **1454.** A expressão *ſunent la menee* (soam à carga) indica chamamento à batalha ao soar dos clarins.
1459. Em trad. lit.: "Tão grande vingança empreenderá o Imperador".

CXIII

Marſilieſ ueit de ſa gent le martirie.
Si fait ſuner ſeſ corſ y ſeſ buiſineſ.
Puiſ ſi cheualchet od ſa grant oſt banie.
Deuant cheualchet un ſarrazin abiſme.
pluſ fel de lui nout en ſa cŭpagnie.
Te'cheſ ad maleſ y mult gªnz felonieſ.
Ne creit en deu le filz ſeinte marie.
Jſſi eſt neirſ cume peiz ki eſt demiſe.
pluſ aimet il traiſun y murdrie.
Q'il ne feſiſt treſtut lor de galice.
vncheſ nulſ hŏ nel uit iuer ne rire.
vaſſelage ad e młt gªnt eſtultie.
por co ≈ drud al felun rei marſilie.
Sun dragun portet a qui ſa gent ſalient.
Li arceueſque ne lamerat ia mie.
cŭm il le uit a ferir le deſiret.
Mult quiement le dit a ſei meiſme.
cel ſarraz me ſemblet młt herite.
Mielz eſt mult que iol alge ocire.
vncheſ namai cuard ne cuardie. AOI.

CXIV

Li arceueſque cumcet la bataille.
Siet el cheual quil tolit a groſſaille.
co ert unſ reiſ quil ociſt en denemarche.

CXIII. A partir desse ponto até a s. CXXVI, Riquer, seguindo outros editores, como Segre, altera a ordem das séries nessa segunda fase da batalha, acreditando conferir maior coerência na progressão narrativa, supondo com isso equívocos do copista. Essa, a CXIII, que apresenta o sarraceno Abismo, e a seguinte, CIV, com a atuação do Arcebispo em matá-lo, são postas, respectivamente, antes da série CXXVII, na que Roldão canta um elogio a Turpino. Assim como em Riquer, poderemos encontrar também em alguns editores a seguinte sequência de séries, segundo a enumeração que aqui dispomos de acordo com a ordem do manuscrito de Oxford: CXII, CXV, CVI, CVII, CVIII, CXIX, CXX, CXXI, CXXII, CXXIII, CXXIV, CXXVI, CXXV, CXIII, CXIV e CXXVII. Prescindimos dessa medida, reputando desnecessárias essas alterações, de acordo com Moignet (Gérard Moignet (ed.), *Chanson de Roland*, pp. 122-134; nota crítica na p. 133), já

CXIII

Vê Marsílio, os seus, em tal mart*írio*,
faz soar suas cornetas e seus cor*nos*,
seu exér*ci*to cavalga embandeira*do*.
Na vanguar*da, um* sarraceno, o Abis*mo*,
é o mais pér*fi*do do seu ajuntamen*to*.
Tem a marca do mal, é muito fal*so*,
não crê em Santa Maria, Deus ou fi*lho*.
É tão ne*gro* como o piche derreti*do*,
ama mais *a* traição e o assassí*nio*,
do que va*lha*, da Galícia, todo o ou*ro*.
*Ja*mais se viu, nele, diversão ou ri*so*,
tão valente e é muito furio*so*.
Eis porque *é o* preferido de Marsí*lio*:
*Le*va o dragão *em* torno ao qual são reuni*dos*.
Não amará *ja*mais a este o Arcebis*po*,
quando o vê, já deseja acometê-*lo*.
*Se*cretamen*te*, ele disse a si mes*mo*:
"Muito heré*ti*co parece o sarrace*no*,
é melhor *que* seja eu quem vá matá-*lo*;
*ja*mais amei o covarde, ou o timora*to*". AOI.

CXIV

A bata*lha*, começou o Arcebis*po*,
conquistou seu cavalo de Grossá*lio*,
que era um rei *di*namarquês que havia mata*do*.

que esse procedimento, reservado às edições mais modernas do cantar, não encontrou consenso entre a crítica. **1469.** A expressão *oft banie* (hoste embandeirada) pressupõe a relação de vassalagem entre o rei Marsílio e esses esquadrões, que, como veremos no cantar, provêm de diversas regiões, as mais exóticas para o imaginário românico medieval. Tal relação implica serviços militares quando demandados ao suserano, quem, por sua vez, deve proteção ao vassalo. Signo dessa relação é o estandarte que levam esses esquadrões, por isso se trata de uma hoste embandeirada (vide nota ao v. 190). Essa estrutura vassálica aplicada aos povos muçulmanos é, não obstante, fantasiosa. **1480.** Apesar de que os dragões sejam, no bestiário medieval, emparentados ao demônio e que estarão mais presentes na matéria da Bretanha, nesse verso, sua referência é metonímica. Trata-se do estandarte do sarraceno Abismo, que leva estampado um dragão. As relações semiológicas que se possam inferir da presença dessa imagem são diversas.

Li deſtrerſ eſt y curanz y aateſ.
piez ad copiez y leſ gambeſ ad plateſ
curte la quiſſe y la crupe bien large.
Lungſ leſ coſtez y leſchine ad ben halte.
Blanche la cue y la crignete ialne.
petiteſ leſ oreilleſ la teſte tute falue.
Beſte neneſt nule ki encontre lui alge.
Li arceueſq[e] brochet par tant grant vaſſelage.
Ne laiſſerat quabiſme nen aſaillet.
vait le ferir en leſcut amiracle.
pierreſ i ad ametiſteſ y topazeſ.
eſterminalſ y carbuncleſ ki ardent.
en ual metaſ li dunat unſ diableſ.
Si li tramiſt li amiralz galafeſ.
turpinſ i fiert ki nient nel eſparignet.
enpreſ ſun colp ne quid que un den[s] uaillet.
Le corſ li trenchet treſ lun coſtet qual altre.
Que mort labat en une uoide place.
Dient franceiſ ci ad grant uaſſelage.
en larceueſque eſt ben la croce ſalue.

CXV

Franceiſ ueient que paienſ i ad tant.
de tuteſ parz en ſunt cuuert li camp.

1490. Um destreiro se define não pela raça, mas pelo tipo de treinamento que o animal recebera antes de estar pronto para servir ao cavaleiro. Um corcel (v. 1290), tipo com o qual não se deve confundir o destreiro, é um animal rápido, também utilizado em torneios e batalhas, porém, sem as qualidades de um destreiro, que é mais valorizado, pois é preparado às manobras mais ágeis, capaz de suportar facilmente o peso extra do arnês do cavaleiro e destemido diante de ataque adversário. Partindo dessa distinção, o termo *aate*, traduzido no AND por *suitable, well-formed* (adequado, bem formado), define bem o tipo de animal descrito, em cuja tradução não se deve ler um par adjetivo com *curranz* (corredor), como traduz Bédier (*bien allant, rapide*), Moignet (*rapide et ardente*), e Riquer (*corredor y veloz*). **1491.** O termo *plateſ*, traduzido do AND por *plate, sheet of metal, plate armour* (placa, folha de metal, armadura de placa), refere-se às placas de metal utilizadas na guarnição complementar do lorigão, que poderiam também ser usadas como proteção dos cavalos, nesse caso, chamadas, na armeria medieval portuguesa, de "solhas", quando eram atadas sobre a malha ou o couro que vestia o animal. Para os cascos, o termo *copiez*, do verbo *copier* (copiar) faz referência à qualidade do trato dos cascos, que devem ser idênticos entre si, os dianteiros e os traseiros, à pique e bem alinhados ao solo, nem longos ou curtos demais, o que garante bom equilíbrio e resposta rápida de movimentos. **1499.** Para o termo *miracle* (no AND, milagre, evento maravilhoso), Bédier apresenta as reticências;

O destrei*ro é* corredor e bem treina*do*,
guarneci*das* pernas, cascos apruma*dos*,
bem largas ancas e curtos os seus quar*tos*.
A espinha bem alta e largo o lom*bo*,
branca a cauda e a crina em tom doura*do*.
*O*relhas curtas e o chanfro acinzenta*do*,
animal *ne*nhum a este é compara*do*.
Com valor, aguilhoa o Arcebis*po*,
não deixará *de* assaltar ao tal Abis*mo*.
Dá uma carga estupenda em seu escu*do*,
em que há pe*dras*: ametistas e topá*zios*,
esmeral*das* e rubis tão abrasa*dos*,
que em Valhures lho dera um dia*bo*,
onde o re*ce*bera do Emir Galá*fio*.
Para não semear-se vai Turpi*no*,
dado o gol*pe*, já não vale um dinhei*ro*,
pois lhe corta em dois o corpo intei*ro*;
e o morto derruba em ponto er*mo*.
"Eis que gran*de* valentia!" – dizem fran*cos* –
"Bem segu*ra es*tá a cruz co' o Arcebis*po*!"

CXV

Os france*ses* veem que os pagãos são tan*tos*,
que em todas as partes cobrem cam*pos*.

Moignet, por aproximação, traduz *leſcut amiracle* como *l'écu de l'émir* e acrescenta uma interrogação após o verso; Riquer traduz como *portentoso escudo*. Trata-se, porém, de uma locução adverbial, *a miracle*, traduzida no AND por *in a most amazing way* (de uma forma muito surpreendente), e utiliza esse verso como exemplo. **1501.** É consensual entre os editores do cantar compreender *eſterminalſ* como uma pedra preciosa rara, embora não haja nada documentado a respeito. Certo é que não se trata de esmeralda, mas optamos por adotar o termo hipotético a fim de preservar a oralidade do cantar. Os carbúnculos (*carbuncleſ*) traduzimos por "rubis" por se tratarem rigorosamente da mesma pedra, visto que o étimo original nesse sentido esteja modernamente em desuso, guardando hoje sinonímia com uma enfermidade infecciosa bacteriana (*clostridium cladovei*) que ataca principalmente a pecuária. O sintagma *carbuncleſ ki ardent* (rubis que brilham), por sua vez, que traduzimos por "rubis tão abrasados", faz referência a um *topos* na literatura medieval que consiste na propriedade de os rubis emitirem luz na escuridão (vide vv. 2633-2634). **1502.** *Val metaſ* é toponímia desconhecida; no AND, a entrada *metaſ* está traduzida por limite de território ou fronteira; a tradução por Valhures é uma composição desse sentido. **1504.** Nesse verso nos deparamos com uma rara metáfora no cantar: O termo *eſpargnié, eſparignet* é traduzido no AND por *semée* (semeado), com o sentido de reproduzir-se, fazer descendência.

Suuent regretent oliuer y Rolł.
Leſ .xiiI. pſ quil lor ſeient guarant.
e larceueſque lur diſt de ſun ſemblant.
Seignorſ baronſ nen alez meſpenſant.
pur deu uoſ pri que ne ſeiez fuiant.
Que nulſ prozdom maluaiſemt nen chant.
aſez eſt mielz que moerium cŭbatant
pramiſ nuſ eſt fin prendrŭ a i tant.
vltre ceſt iurn ne ſerŭ pluſ uiuant.
Maiſ dune choſe uoſ ſoi io ben guarant.
Seint pareiſ uoſ eſt abandunant.
aſ innocenz uoſ en ſerez ſeant.
a iceſt mot ſiſeſbaldiſſent franc.
cel nen i ad munioie ne demant. AOI.

CXVI

Vn ſarrazin i out de ſarraguce.
De la citet lune meitet eſt ſue.
co eſt climborinſ ki paſ ne fut pdume.
Fiance pſt de guenelun le cunte.
par amiſtiet len baiſat en la buche.
Si len dunat ſespee y ſeſcarbuncle.
tere maior co dit metrat a hunte.
a lempere ſi toldrat la curone.
Siet el ceual q'l cleimet barbamuſche.
pluſ eſt iſnelſ que eſpreuer ne arunde.
Brochet le bien le frein li abandunet
Siuait ferir engeler de guaſcoigne.

1525. O verso original é uma oração negativa. Em trad. lit: "Não há quem monjoiê não proclame". **1530.** Para o beijo, vide nota ao v. 601. **1534.** É possível que o nome do cavalo de Climborino seja uma composição dos étimos *barbe* (folhas do alho-poró) e *musche* (mosca). Admitindo essa hipótese, haveremos de considerar que a mosca do alho-poró é uma praga comum nessa cultura, que entra pelas folhas e instala-se no bulbo, consumindo a planta internamente. O vegetal é também o símbolo do País de Gales, cujos combatentes, segundo a lenda, em defesa do território contra os saxões – que nunca conseguiram submetê-los – envergaram alhos-porós em seus elmos a fim de distinguirem-se dos inimigos no campo de batalha. Shakespeare faz uma referência ao alho-poró como símbolo galês na peça *Henrique V*, ato IV, cena VII. **1537.** Em trad. lit.: "Vai ferir a Engels da Gascunha". A alteração da "Gascunha" por "aquitano"

A Olivei*ro* e Roldão vão imploran*do*
os Doze Pares: "Guardai-nos, paladi*nos*!"
Seu parecer, deu a eles, o Arcebis*po*:
"Meus senhores, não vades mal pensan*do*!
Por Deus, eu ro*go* não sejais vós fugidi*os*,
que ninguém, digno, cante um mau can*to*;
é melhor que morramos combaten*do*.
Promete*ram* nosso fim, será cumpri*do*!
*De*pois de hoje já não seremos vi*vos*,
de uma coisa, porém, sois garanti*dos*:
É aberto *a* vós o santo paraí*so*,
e os inocen*tes* sentarão ao vosso la*do*".
Dito assim, francos são fortaleci*dos*:
"Monjoiê!" – Todos vão já proclaman*do*. AOI.

CXVI

Eis ali *de* Saragoça, um sarrace*no*,
da meta*de* da cidade ele é o do*no*,
Climbori*no* chama e não é valoro*so*.
Com o con*de* Galalão tomou acor*do*,
por amizade, na boca, deu-lhe um bei*jo*.
A espa*da e* seus rubis quis regalá-*los*,
diz que à Terra Maior fará opró*brio*,
e roubará a coroa do rei Car*los*.
Monta o Bul*bo*mosca, que é o seu cava*lo*,
que o gavião *e a* andorinha é mais ligei*ro*.
Finca bem *a es*pora e abandona o frei*o*,
acomete a Engels, o aquita*no*.

se dá a fim de manter o padrão da assonância. Essa região dos antigos bascos, ou vascões (da Vascônia), integrou o império romano, foi invadida pelos visigodos no século V até se tornar, em 671, o ducado independente da Aquitânia. Carlos Magno, em 781, transformou esse ducado no reino de Aquitânia, sob a coroa de seu herdeiro infante Ludovico I, o Piedoso, possivelmente em resposta ao ataque que sofrera na sua retaguarda em Roncesvales anos antes, que deu origem ao cantar. Com muitas dissensões, apenas em 877 o reino de Aquitânia voltaria a se dividir em dois ducados, o de Aquitânia e o de Gascunha, integrando-se, novamente, em 1058. É evidente que a topografia *guafcoigne* é ligeiramente anacrônica aos tempos de Carlos Magno, mas é compatível ao período de composição do cantar. Em todo caso, a alteração não está fora de contexto.

Nel poet guarir ſun eſcut ne ſa bronie.
De ſun eſpiet el corſ li met la mure.
empeint le ben tut le fer li miſt ultre.
pleine ſa hanſte el căp mort le t^e^ſturnet.
apreſ eſcriet ciſt ſt' bon a cunfundre.
Ferez paien pur la ꝑſſe derumpre.
Dient franceiſ d'ſ quel doel de ꝓdome. AOI.

CXVII

Li quenſ Rolł en apelet oliuer.
Sire cŭpainz ia .ĕ. morz engeler.
Nuſ nauiŭ pluſ uaillant cheualer.
Reſpont li quenſ d'ſ le me doinſt ueng^z^
Sun cheual brochet deſ eſꝑrunſ dor mier.
tient halteclere ſanglent en eſt lacer.
par grant uertut uait ferir le paien.
Brandiſt ſun colp y li ſarrazinſ chiet.
Lanme de lui en portent auerſerſ.
puiſ ad ociſ le duc alphaien.
eſcababi i ad le chef trenchet.
vii. arrabiz i ad deſcheualcet.
cil ne ſunt ꝑz ia maiſ pur guerreier.
co diſt Rolł mis cŭpaĭz eſt irez.
encuntre mei fait aſez a pĭſer.
pur itelſ colpſ noſ ad charleſ pluſ cher.
a voiz eſcriet ferez i cheualer. AOI.

CXVIII

Daltre part eſt un paien ualdabrun.
celoi leuat le rei marſiliun.
Sire ~ par mer de .iiii.c. drodmunz.

1563. O verbo *leuat*, com o sentido de "armar cavaleiro" (vide nota ao v. 618), aqui é traduzido por "deu a sagração", admitindo com isso os mesmos ritos cristãos desta investidura de estrato social

Não lhe podem guardar a cota e o escu*do*,
crava a ponta da lança no seu cor*po*.
*A*funda bem *e o* ferro sai do outro la*do*,
chapa a has*te e* lança o morto ali no cam*po*.
Depois gri*ta: "É* fácil! Eu vou alquebrá-*los*!
Atacai, *pa*gãos, pra massacrar o gru*po*!"
Francos di*zem*: "Deus, que bravo! Deus, que lu*to*!" AOI.

CXVII

Roldão chama o conde Olivei*ro*:
"Meu Senhor, companheiro, é Engels mor*to*,
não havi*a* mais valente cavalei*ro*!"
*Con*testa o con*de*: "Deus permita ser vinga*do*!"
Finca em seu *ca*valo esporas de ouro pu*ro*,
Altacl*ara em*punha, há sangue no seu a*ço*.
Por virtude, o pagão é ataca*do*,
brande o golpe e cai o sarrace*no*.
Sua alma a leva os demô*nios*,
matou logo o duque Alfaie*no*;
e a cabeça cortou de Escababi*no*.
Setecen*tos* são os árabes ca*ídos*,
pra guerrear já não são apropria*dos*.
Roldão diz: "*Meu* companheiro está ira*do*,
junto a mim deve ser muito estima*do*.
Por tantos gol*pes*, Carlos tem-nos mais ama*do*".
Grita forte: "Atacai, meus cavalei*ros*!" AOI.

CXVIII

Valdebrum, do outro lado, é um pagão,
que a Marsílio, lhe deu a sagração,
de quatrocen*tos* dromos, no mar, é patrão,

para uma cultura islâmica, o que, evidentemente, trata-se de uma distorção dessa realidade cultural. **1568.** A locução adverbial *deuant lef funz* (diante das fontes) refere-se às fontes batismais, onde um assassinato, sobretudo do patriarca, seria uma grave profanação das águas sagradas.

Ni ad eſchipre quiſ cleimt ſe par loi nun.
Jerłm p'ſt ia par traiſun.
Si uiolat le temple ſalomon.
Le pat'arche ociſt deuant leſ funz.
cil ot fiance del cunte guenelon.
Jl li dunat ſeſpee y mil manguns.
Siet el cheual quil cleimet ᵃmimund.
pluſ ⁓ iſnelſ que neneſt unſ falcunſ.
Brochet le bien deſ aguz eſpunſ.
Si uait ferir li riche duc Sanſun.
Leſcut li freint y loſberc li derŭpt.
el corſ li met leſ panſ del gunfanun.
pleine ſa hanſte labat mort deſ arcunſ.
ferez paien car treſ ben leſ ueintrum
dient franceiſ d'ſ quel doel de baron. AOI.

CXIX

Li quenſ Rolł qᵃnt il ueit ſanſun mort.
poez ſaueir que mult grant doel en out.
Sun ceual brochet ſi li curt ad eſforz.
tient durendal q' pluſ ualt que fin or.
vait le ferir li berſ quanque il pout.
Deſur ſun elme ki gĕmet fut ad or.
trenchet la teſte y la bronie y le corſ.
La bone ſele ki eſt gĕmet ad or.
y alcheual parfundem̍tᵉ le doſ.
ambure ocit ki qᵉl blaſme ne quil lot.
Dient paient ciſt colp nꝯ ⁓ mult fort.
Reſpont Rolł ne poiſ amer leſ uoz.
Deuerſ uoſ ⁓ li orguilz y li torz. AOI.

CXX

Daffrike i ad un affrican uenut.
co eſt malquiant le filz al rei malcud.
Si guarnem̍t ſ't tut a or batud.

não há nau*ta* que não o queira capitão.
Já tomou *Je*rusalém por traição,
violou *o* templo do rei Salomão;
o patriar*ca* matou em profanação.
A fian*ça* recebeu de Galalão,
mil mancu*sos* e a espada deu-lhe então.
Monta o seu *ca*valo, o chama Mundião,
é mais rá*pi*do do que qualquer falcão.
Com agu*da es*pora dá-lhe um picão,
vai então *a*cometer duque Sansão.
Rompe o escudo e tresmalha o lorigão,
e lhe cra*va os* panos do seu gonfalão.
Chapa a has*te e o* morto joga do arção:
"Vencere*mos* fácil! Atacai pagãos!"
Francos di*zem*: "Deus, que dolo, que barão!" AOI.

CXIX

Já Roldão, *o* conde, vê o Sansão mor*to*,
*po*deis saber qual a dor que vai sentin*do*.
Corre muito, aguilhando seu cava*lo*,
com Durinda*na*, vale mais que ouro fi*no*.
*A*tacará o barão com todo esfor*ço*,
sobre o ou*ro* incrustado no seu el*mo*.
Parte a cara e a cota e o seu cor*po*,
e a boa se*la*, incrustada, igual de ou*ro*,
e o cava*lo*, bem adentro do seu dor*so*;
mata os dois, por maldito ou bem louva*do*.
Os pagãos dizem: "Eis golpe tão du*ro*!"
E responde Roldão: "Não posso amar-*vos*,
sobre vós *é a* injustiça e o orgu*lho*!" AOI.

CXX

Um africano, da África é vin*do*,
o Malpensante, que é filho do Malcui*do*.
Do seu arnês, *que* todo em ouro é bati*do*,

cuntre le cięl ſur tuz leſ altreſ luiſt.
Siet el ceual quil cleimet ſalt ꝑdut.
Beſte neneſt ki poiſſet curre alui.
Jl uait ferir anſeiſ en leſcut.
tut li trenchat le uermeill e lazur.
De ſun oſberc li ad leſ panſ rumput.
el corſ li met e lefer y le fuſt.
Morz eſt li quenſ de ſun tenſ ni ad pluſ.
Dient franceiſ barun tant mare fuſ.

CXXI

Par le camp uait turpin li arceueſque.
tel coronet ne chantat uncheſ meſſe.
ki de ſun corſ feiſt danteſ proecceſ.
Diſt al paien d'ſ tut mal te tramette.
tel ad ociſ dunt al coer me regrette.
Sun bon ceual i ad fait eſdemetre.
Si lad ferut ſur leſcut de tulette.
Que mort labat deſur le herbe uerte.

CXXII

De laltre part eſt un paien grandonieſ.
Filz capuel le rei de capadoce. neez
Siet el cheual que il cleimet marmorie.
pluſ eſt iſnelſ que neſt oisel ki volet.
Laſchet la reſne deſ eſꝑunſ le brochet.
Si uait ferir gerin par ſa grant force.
Leſcut uermeill li freint de col li portet.
aꝑf li ad sa bronie deſcloſe.
el corſ li met tute lenſeĭgne bloie.

1602. A expressão *lefer y le fuſt* (o ferro e o fuste) refere-se à ponta (em aço) e à haste da lança. 1603. Verso construído sob estrutura de par sintagmático em *oppositum* (vide nota ao v. 724). **1610.** O verbo *eſdemetre* é traduzido no *AND* pela expressão *to give a horse its head* (soltar as rédeas do cavalo) e utiliza esse verso como exemplo. **1611.** Toledo, município da província de Castela-Mancha na Espanha, sob domínio mu-

contra o céu, mais que os outros, vê-se o bri*lho*.
Monta o seu *ca*valo, o Saltoperdi*do*,
não há besta que corra pareci*do*.
Contra Ansel*mo*, no escudo, é ofensi*vo*,
o verme*lho* do azul já é parti*do*.
Da loriga, os anéis estão rompi*dos*,
no corpo ente*rra o* ferro e o fuste compri*do*;
morto é o conde, já não será mais vi*vo*.
Francos dizem: "Em má hora sois vin*do*!"

CXXI

Pelo cam*po* vai Turpino, o Arcebis*po*,
que jamais cantou missa tonsura*do*,
e proe*zas* tantas fez com o seu cor*po*.
Ao pagão *diz*: "Deus te envie o malefí*cio*,
meu coração *la*menta quem haveis mata*do*".
Lança, à bri*da* solta, o seu bom cava*lo*,
e atacou-*o* sobre o escudo de Tole*do*;
sobre a rel*va* verde já o derruba mor*to*.

CXXII

*Es*tá o pagão Grandonildo noutra ban*da*,
*fi*lho do rei, o Capuz da Capadó*cia*.
Seu cava*lo* monta, de Marmório o cha*ma*,
que é mais rá*pi*do que o pássaro que vo*a*.
Solta as rédeas e as esporas fin*ca*,
com sua for*ça* tanta ao Gerson lhe ata*ca*.
No pesco*ço*, rubro escudo lhe arreben*ta*,
sua cota então é desmalha*da*.
No seu cor*po en*terra toda a azul insíg*nia*,

çulmano desde o século VIII, foi um importante centro de fabricação de armas em todo o período médio.
1612. Após esse verso, Riquer conjectura: *Dicen los franceses: "¡Bien lidia nuestro arzobispo!"*, como um verso de tipo conclusivo de que careceria a série. Bédier, nesse mesmo ponto, acrescenta reticências, sem anotar nada.

Que mort labat en une halte roche.
Sun cŭpaignun gererſ ocit uncore.
y berenger y guiun de ſeit' antonie.
puiſ uait ferir un riche duc auſtorie.
ki tint ualeri y enuerſ ſur le roſne.
Jl labat mort paien en unt grant ioie.
dient franceiſ mult decheent li noſtre.

[CXXIII]

(L)i quenſ Rolł tint ſeſpee ſanglente.
Ben ad oit que franceiſ ſe dementent.
Si gªnt doel ad que par mi quiet fendre.
Diſt al paien d'ſ tut mal te conſente.
tel aſ ociſ que mult cher te q'd uendre.
Sun ceual brochet ki [oit] del cuntence.
ki quel cumꝑt uenuz en ſ't enſemble.

CXXIV

Grandonie fut y prozdom y uaillant
y uertuuſ y uaſſal cumbatant.
en mi ſa ueie ad encuntret Rolł.

1626. A região de Ródano-Alpes limita, com o rio Ródano, os reinos da França e Alemanha; Valéria é toponímia desconhecida. **1628.** Em trad. lit.: "Dizem os franceses: 'Muito decaem os nossos!'"

Fl. 30r; vv. 1629-1631.

1634. Moignet considera o sentido deste verso obscuro no segundo hemistíquio, e acrescenta um signo de interrogação na sua tradução, como fizera Bédier. Riquer emenda a transcrição (...*curre cuntance*) e traduz: ...*que rivaliza en correr*. Nossa hipótese de tradução considera o termo *cuntence* como variação de *cuntinance*, traduzido no AND por *behaviour* (comportamento); *ki oit del* não deixa margem à dúvida: "pois escutou [falar] acerca de...". **1635.** O verbo *cumper* (*cumpt*) é traduzido do AND pelas expressões *to pay for, be punished for* (pagar por, ser punido por); *ki quel* estão na sua acepção pronominal interrogativa indireta.

e o derru*ba* morto numa grande ro*cha*.
Seu companheiro, Geraldo, o mata ain*da*,
a Berenguer e a Guido de Antoni*na*;
e depois *ao* rico duque Austório assal*ta*,
tinha em feu*do En*vers de Ródano e Valé*ria*,
mas cai mor*to e* os pagãos têm alegri*a*.
Francos dizem: "Decai a retaguar*da*!"

[CXXIII]

*Rol*dão, o con*de, em*punha a espada toda em san*gue*,
bem ouviu *que* se lamentam os france*ses*.
Sente tal dor que ao meio, crê, se fen*de*,
ao pagão *diz*: "Deus, o mal, vos encomen*de*,
muito ca*ro* pagarás por quem matas*tes*!"
Aguilho*a* pois ouviu quais seus costu*mes*,
vem a seu *en*contro, pague quem o pa*gue*.

CXXIV

Era bravo e valente o Grandonil*do*,
um guerrei*ro* muito forte e virtuo*so*.
A Roldão, encontrou em seu cami*nho*,

CXXIII-CXXVI. Considerando a estrutura formulária dessas séries sucessivas, os editores admitem ler aqui um equívoco do copista ao não iniciá-las por letra capitular, pois os versos 1628 e 1652, imediatamente anteriores ao início das séries CXXIII e CXXV, são tipicamente versos conclusivos, e os versos 1629 e 1653, que as iniciam, são tipicamente versos de entonação. No início do que deve ser a série CXXIII, nota-se, no manuscrito, a ausência da letra /L/, que seria a inicial, com a lacuna de uma letra capitular (haveria faltado a tinta vermelha da capitular e olvidara-se o copista de voltar a ela?), mas se repete a mesma assonância da série anterior – coincidências não raras no cantar, contudo. No início do que deve ser a série CXXV, por sua vez, não há sinal de equívoco, não há espaço para letra capitular e mantém-se a assonância como se de uma mesma série se tratasse. Quanto às séries CXXV e CXXVI – que em Riquer aparecem, respectivamente, na posição das séries CXXIV e CXXIII, mas que aqui se enumeram na sequência do manuscrito (vide nota à s. CXIII) – todos os editores consultados invertem sua posição, pois a fuga dos sarracenos na série CXXV parece mais lógica depois do pedido de socorro (v. 1672). Consideramos desnecessárias para a apreciação do cantar tanto umas quanto outras alterações, porém, seguimos a numeração das séries consensual entre os editores, indicando entre colchetes as atribuídas como tais sem letra capitular e mantendo-as rigorosamente na ordem de versos do manuscrito.

enceiſ nel uit ſil recunut ueirement.
al fier uiſage y al corſ quil out gent.
y al reguart y al contenement.
Ne poet muer q'l ne ſen eſp[a]ent.
Fuir ſen uoel maiſ ne li ualt nient.
Li quenſ le fiert tant uertuuſement.
treſqual naſel tut le elme li fent.
trenchet le neſ y la buche y leſ denz.
treſtut le corſ y loſbc iazerenc.
De loree ſele le douſ alueſ dargent.
y al ceual le doſ parfundement.
ambure ociſt ſeinz nul recoeủrement.
e cil deſpaigne ſen cleimt tuit dolent.
Dient franceiſ ben fiert nrĕ guarent.

[CXXV]

La bataille ≈ e merueilloſe y grant.
Franceiſ i Ferent deſ eſpiez bruniſant.
La ueiſſez ſi grant dulor de gent
tant hume mort y naſfret y ſanglent
Lun giſt ſur laltre y enuers y adenz.
Li ſarrazin nel poent ſuſfrir tant
voelent unun ſi guerpiſſent le căp.
par uiue force leſ encacerent franc. AOI.

CXXVI

La bataille eſt merueilluſe y haſtive.
Franceiſ i Ferent par uigur y par ire.
trent cez poinz cez coſtez cez eſchineſ
cez ueſtemĕz entreſque aſ charſ uiueſ

nunca o vi*ra e* lhe reconheceu, segu*ro*,
tão gentil *o* corpo é, altivo o ros*to*,
o olhar e o seu comportamen*to*.
Já não pode evitar o seu espan*to*,
quer fugir, *de* nada vale, nem um pou*co*.
Pelo con*de*, fortemente é acometi*do*,
e até o nasal, lhe fende o el*mo*.
O nariz, *a* boca e os dentes são parti*dos*,
a loriga argelina e todo o cor*po*,
a doura*da* sela e o prateado pi*to*,
e do cavalo, profundamente o dor*so*.
Mata a ambos e sem nenhum indul*to*,
e os da Espa*nha, em* dor, lamentam-se eles to*dos*.
"Bem lidi*a o* protetor!" – dizem os fran*cos*.

[CXXV]

A batalha *é* grande e aterrorizan*te*,
*a*ssaltam francos com suas lanças brilhan*tes*,
tanta dor lá veríeis dessa gen*te*.
Homens mortos, feridos são em san*gue*,
empilha*dos*, cara abaixo e arriba o ven*tre*.
Sarrace*nos* com sofrer tanto não po*dem*,
já desertam, se sim ou não o que*rem*;
em viva força os caçam os france*ses*. AOI.

CXXVI

A batalha é terrível e vai depre*ssa*,
francos lutam com ira e com for*ça*,
cortam mãos, cortam dorsos, cortam cos*tas*,
as vestimentas até a carne vi*va*.

Sur lerbe uerte li cler ſancſ ſen afilet.
tere maior mahŭmet te maldie.
Sur tute gent eſt la tue hardie.
cel neniad ki ne criet marſilie.
ceualche rei boſuign auŭ daie.

CXXVII

Li quenſ Rolł apelet oliuer.
Sire cumpaign ſel uolez otrier.
Li arceueſque eſt mult bon cheualer.
Nen ad meillor en tere ne ſuz cel.
Ben ſet ferir y delance y deſpiet.
Reſpunt li quenſ kar li alunſ aider.
a iceſt mot lunt francſ recuḿcet.
Dur ſunt li colpſ y li capleſ eſt greſſ
Muůlt grant dulor i ad de xpĭenſ.
Ki puiſ ueiſt Rolł y oliuer.
De lur eſpeeſ e ferir y capler.
Li arceueſque i fiert de ſun eſpiet.
celſ quil unt mort ben leſ poet hom þiſer.
Jl ⁓ eſcrit eſ cartreſ y eſ breſſ.
co dit la geſte pluſ de .iiii. millierſ.
aſ quatre turſ lor eſt auenut ben.
Li quint apreſ lor eſt peſant y gref.
tuz ſunt ociſ ciſt franceiſ cheualerſ.
Ne meſ ſeiſante que d'ſ i ad eſparmiez.
einz que il moer gent ſe uendrŭt mult cher. AOI.

1665-1666. Théodor Müller acrescenta aqui um verso (v. 1666): *Dient paien: "Nus nel sufrirum mie!"* (Dizem os pagãos: "Já não podemos sofrer mais!"), supondo a ausência de um paralelismo necessário com o v. 1658. Bédier reputa como uma hipotética reconstituição inútil e apresenta as reticências no lugar onde Müller conta o v. 1666. Moignet, de acordo com Bédier, o anota, seguindo apenas a numeração proposta por Müller. Riquer, por sua vez, incluindo o verso, limita-se em anotar: "*Falta este verso en el manuscrito de Oxford*". Considerando que o verso de Müller não passa de uma conjectura,

Claro san*gue* corre sobre a relva ver*de*:
"*Te*rra Maior, Maomé que te maldi*ga*!
Sobre to*da a* gente a tua é coraj*osa*".
Nenhum dei*xa* de gritar ao rei da Espa*nha*:
"Cavalgai, *Mar*sílio, vinde em nossa aju*da*!"

CXXVII

*Con*de Roldão invocou o Olivei*ro*:
"Se consen*tes*, meu senhor e companhei*ro*,
é tão bom, *o* Arcebispo, cavalei*ro*,
não há melhor, *na* terra nem no firmamen*to*!
Em atacar *com* gládio e lança é bem sabi*do*".
*Res*ponde o con*de: "Ha*vemos ir lá ajudá-*lo*!"
Recomeçam os francos isso di*to*.
A pele*ja é* grave, os golpes são mui du*ros*,
os cristãos sentem tão grande seu do*lo*.
Quem, pois, visse a Roldão e Olivei*ro*,
co' as espadas lutar bem golpean*do*!
Com a lança acomete o Arcebis*po*,
é possí*vel* saber quantos foram mor*tos*:
*Es*tá escrito em cartas, documen*tos*,
mais de qua*tro* mil, na gesta isso foi di*to*.
Foram mui*to* bem em quatro dos assal*tos*,
porém grave e pesado foi o quin*to*:
Todos mor*tos*, dos franceses cavalei*ros*,
só sessen*ta*, por Deus, foram preserva*dos*;
*ven*der-se-ão, *an*tes que morram, muito ca*ro*. AOI.

apenas seguimos a numeração convencional. **1684-1685.** Tratam-se de cartas e documentos (v. 1684) nos quais estaria relatado (*co dit*) o que se cantava na primitiva gesta de transmissão oral (*geste* seria a *geste francor* do v. 1443?). Para essas hipóteses, vide vv. 2095-2098. Quatro mil mortos pelas mãos de três franceses é um número hiperbólico até para os cantares de gesta. Na *Chanson de Guillaume*, o conde Guilherme mata sozinho sessenta e Vivieno mata mil; já o pequeno Guiot não mata tantos, mas, só com alguns golpes, põe em fuga vinte mil.

CXXVIII

Li quenſ Rolł deſ ſoenſ i ueit gªnt ꝑte. AOI.
Sun cũpaignun oliuer en apelet.
Bel ſire cherſ cumpainz p' Deu que uoſ en haitet.
tanz bonſ uaſſalſ ueez geſir par tere.
pleindre poumſ france dulce la bele.
De telſ baronſ cum or remeint deſerte.
e reiſ amiſ que uoſ ici nen eſteſ.
oliuer frere cũ le prũ nus faire.
cũfaitement li manderũ nuueleſ.
Diſt oliủ io nel ſai cuḿt quere.
Mielz uoeill murir que hunte nꝯ ſeit retraite. AOI.

CXXIX

Co diſt Rolł cornerai lolifant.
Si lorrat carleſ ki ~ aſ porz paſſant.
Jo uoſ pleuiſ ia returnert' franc.
Diſt oliuer uergoigne ſereit grant.
y reꝑuer a treſtuz uoz parenz.
Jceſte hunte dureit al lur uiuant.
Qnt' iel uoſ diſ nen feiſteſ nient.
Maiſ nel ferez par le men loement.
Se uoſ cornez nerᵗ mie hardement.
Ja auez uoſ ambſ douſ leſ braz ſanglanz.
Reſpont liquenſ colpſ i ai fait mult genz. AOI.

1693. Todos os editores do cantar consultados atribuem a esse verso um sentido interrogativo. Bédier traduz o segundo hemistíquio (*...p' Deu que uoſ en haitet*) como "*...par Dieu, que vous en semble?*", assim como Moignet o fará depois. Riquer, por sua vez, traduz: "*...por Dios ¿qué os parece?*" No AND, porém, o verbo *haiter, haitet* é traduzido por *gladden; to exhilarate; to be happy* (alegrar-se, exultar, ser feliz). A preposição *en* não contribui para confirmar a hipótese de tradução dos editores consultados.
1697. Bédier e Riquer traduzem esse verso como sendo interrogativo, mas Moignet é expressamente

SEGUNDA ALTERCAÇÃO ENTRE ROLDÃO E OLIVEIRO

CXXVIII

*Rol*dão, o con*de*, vê, dos seus, a grande per*da*, AOI.
seu companhei*ro*, Oliveiro, ele cha*ma*:
"Belo e ca*ro* par, por Deus, que em vós exul*ta*,
tantos bons *va*ssalos jazem, vede, à te*rra*!
*Cho*rar pode*mos* pela França Doce, a be*la*,
visto que, *de*sses barões, ficou deser*ta*,
e o rei, vosso amigo, aqui não há!
Olivei*ro, ir*mão, o que faremos já?
De que modo o vamos avisar?"
Diz Oliveiro: "Não sei como o encontrar,
morro an*tes* que nos possam censurar!" AOI.

CXXIX

Diz Roldão: "Tocarei o olifan*te*,
ouvirá Carlos que está tão distan*te*,
*re*tornarão, com certeza, os france*ses*".
Olivei*ro* diz: "Seria um vexa*me*
e afron*ta a* todos os vossos paren*tes*;
tal deson*ra* dura a vida do viven*te*.
Não fizes*te* nada quando eu vos di*sse*,
e ago*ra* não fareis com que eu vos lou*ve*.
*So*á-lo ago*ra* não é ato de cora*gem*,
tendes já, ambos braços só em san*gue*".
Diz o con*de*: "Desferi tão belos gol*pes*!" AOI.

contrário a essa leitura, em razão da posição do pronome sujeito, que indica uma característica de proposições explicativas. A partir desse verso até o final dessa série, a tradução apresenta uma alteração no padrão anterior de assonância, passando para a masculina, terminada em oxítona. **1703.** O segundo hemistíquio, *...eſt aſ porz paſſant*, em trad. lit.: "...está passando pelos desfiladeiros". **1708.** Vide as séries similares LXXXIII, LXXXIV e LXXXV.

CXXX

Co dit Rolł forz eſt nrĕ bataille.
Jo cornerai ſil orrat li reiſ karleſ.
Diſt oliuer ne ſereit vaſſelage.
Quant iel uoſ diſ cŭpainz uoſ ne deignaſteſ.
Si fuſt li reiſ ni ouſum damage.
cil ki la ſunt nen deiuent aueir blaſme.
diſt oliuer par ceſte meie barbe.
Se puiſ ueeir ma gente ſorur alde.
Ne ierreiez ia maiſ entre ſa brace. AOI.

CXXXI

Co diſt Rolł por quei me portez ire.
[E] il reſpont cumpainz uoſ le feiſteſ.
kar uaſſelage par ſenſ neneſt folie.
Mielz ualt meſure que ne fait eſtultie.
Franceiſ ſť morz par urĕ legerie.
Jamaiſ karlon de nuſ naurat ſeruiſe.
Sem creiſez uenuz i fuſt mi ſire.
ceſte bataille ouſum faite y priſe.
V ꝑſ u mort i fuſt li reiſ marſilie.
Vrĕ ꝑecce Rolł mar la ueineſ.
karleſ li magneſ de noſ naůrat aie.
Nert maiſ tel home deſ qua deu iuiſe.
Voſ i murrez y France en ert hunie.
oi nuſ defalt la leial cŭpaignie.
einz le ueſꝓre mult ert gref la departie. AOI.

CXXXII

Li arceueſ leſ oť cuntrarier.
Le cheual brochet deſ eſꝑunſ dor mer.

1714. Está implícito que o verbo *cornerai* (soarei) refere-se ao olifante. **1719.** Não é de estranhar a repetida indicação de discurso direto da mesma personagem, *diſt oliuer*, que vimos no v. 1715. **1720.** A bela Alda,

CXXX

Diz Roldão: "Esforçada é a bata*lha*,
eu soarei *e* ouvirá o rei da Fran*ça*".
"Não haverá" – *diz* Oliveiro – "valenti*a*.
Eu quis e não *vos* dignasteis, camara*da*,
*ha*vendo o rei *não* sofreríamos ru*ína*.
Dos que aí *es*tão, não deve haver blasfê*mia*".
Olivei*ro* diz: "Por esta minha bar*ba*,
se volto a ver *a* minha irmã gentil, a Al*da*,
vós jamais dormireis entre seus bra*ços*!" AOI.

CXXXI

Diz Roldão: "Por que vos zangais comi*go*?"
*E*le repli*ca*: "Vós buscastes, companhei*ro*,
pois bravu*ra* com bom senso não é enga*no*,
vale mais a mesura que o arro*jo*.
Francos morrem por vosso estouvamen*to*,
Carlos já não terá nossos servi*ços*.
Se me crê*sseis*, meu senhor teria vin*do*,
*e*ssa batalha, haveríamos ganha*do*;
ou preso ou morto estaria o rei Marsí*lio*.
A bravu*ra* vossa, em má hora a vi*mos*,
não terá nossa ajuda, Carlos Mag*no*;
não haverá *um* homem tal até o Juí*zo*.
Morto vós, *e a* França posta em opró*brio*,
do leal *com*panheirismo, nós priva*dos*;
essa tar*de, em* dor, seremos separa*dos*. AOI.

CXXXII

A discussão toda escuta o Arcebis*po*,
que finca a espo*ra* de ouro puro no cava*lo*,

irmã de Oliveiro, é a prometida de Roldão que voltará a aparecer nas ss. CCLXVIII e CCLXIX; vide nota ao v. 104. **1733.** A expressão é *deu iuise* (juízo de Deus), apenas pressuposta na tradução com a ideia do Juízo Final.

Vint treſ qua elſ ſiſ ꝑſt a caſtier.
Sire Rolł y uoſ ſire oliuer.
pur deu uoſ pri ne uoſ cuntraliez.
Ja li cornerſ ne noſ aureit meſter.
Maiſ nepurquant ſi eſt il aſez melz.
Venget li reiſ ſi nuſ purrat uenger.
Ja cil deſpaigne ne ſen deiuent tᵘner liez.
Nrĕ franceiſ i deſcendrut' a pied.
truuert' noſ y morz y detrenchez.
Leuerunt noſ en biereſ ſur ſumerſ.
Si nuſ plurrunt de doel y de pitet.
enfuerunt en aitreſ demuſterſ
Nen mangerunt ne lu ne porc ne chen.
Reſpunt Rolł ſire mult diteſ bien. AOI.

CXXXIII

Rolł ad miſ lolifan a ſa buche.
empeint le ben par grant uertut le ſunet.
halt ſunt li pui y la uoiz eſt młt lunge.
Granz .xxx. liweſ loirent il reſpundre.
karleſ loit y ſeſ cŭpaigneſ tuteſ.
co dit li reiſ bataille funt nrĕ hume.
e guenelun li reſpundit encuntre.
Saltre le deſiſt ia ſemblaſt grant mencunge. AOI.

CXXXIV

Li quenſ Rolł par peine y par ahanſ.
par grant dulor ſunet ſun olifan.
par mi la buche en ſalt forſ li cler ſancſ.

CXXXIV. Essa série contém trechos de legibilidade comprometida. Sigo com apoio da transcrição dos editores consultados e da leitura de Waters (E. G. R. Waters, "Gleanings from MS. Digby 23", *The Modern*

e até e*les* vai, começa a repreendê-*los*:
"*Se*nhor Roldão e senhor, caro Olivei*ro*,
não brigueis, pelo Deus Senhor, vos pe*ço*.
Se de na*da* servirá soar o cor*no*,
mesmo assim é melhor ainda fazê-*lo*.
Que venha o rei e possamos ser vinga*dos*,
e os da Espanha não fiquem jubilo*sos*.
*A*pearão *a*qui chegados, nossos fran*cos*,
e encontrar-*nos*-ão já mortos, mutila*dos*.
*Le*var-nos-ão sobre paletes em as*nos*,
e, por lás*ti*ma e dolo, irão choran*do*
enterrar-nos no pátio de um mostei*ro*;
não nos co*me*rão os porcos, cães ou lo*bos*".
Roldão diz: "Meu senhor, haveis bem di*to*!" AOI.

ROLDÃO TOCA O OLIFANTE E CARLOS EMPREENDE O RETORNO

CXXXIII

O Roldão leva o olifante à bo*ca*,
*em*punha bem e o soa assaz com for*ça*.
É prolongado o som nas cimas al*tas*,
a ressonância se escuta em trinta lé*guas*.
Ouviu Carlos e toda a mesna*da*,
disse o rei: "Nossos homens têm bata*lha*!"
Galalão dá a réplica contrá*ria*:
"*Di*ssesse-o outro, pareceria menti*ra*". AOI.

CXXXIV

*Con*de Roldão, com empenho fadiga*do*,
o olifan*te* soa, muito dolori*do*.
Pela boca lhe brota o sangue cla*ro*,

Language Review, vol. 25, n. 1, pp. 95-99, 1930). **1763-1764.** Aqui tem início a dilatada morte de Roldão, que termina no v. 2396.

Del corn quil tient loie en eſt mult grant.
De ſun ceruel le tẽple en ⁊ rũpant.
karleſ lentent ki eſt aſ porz paſſant.
Naimeſ li duc loid ſil eſcultent li franc.
ce diſt li reiſ io oi le corn Rolł
Vnc nel ſunaſt ſe ne fuſt cůbatant.
Gueneſ reſpunt de bataille ⁊ nient.
Ja eſteſ ueilz y fluriz y blancſ.
par telſ paroleſ uꝯ reſemblez enfant.
aſez ſauez le grant orgoill Rollant.
co ⁊ merueille que d'ſ le ſoefret tant.
Ja priſt il nopleſ ſeinz le urẽ comant.
Forſ ſen eiſſirent li ſarrazinſ dedenz.
(Siſ cumbatirent) al bon uaſſal Rolł.
puiſ od leſ eweſ lauat leſ prez del ſanc.
pur cel le fiſt ne fuſt (ariſſant).
pur un ſul leůre (uatz) tute iur cornant.
Deuant ſeſ pſ uait il ore gabant.
Suz cel nad gent ki (oſaſt requerre en champ).
car (ceualcez) pur qualez areſtant.
tere maior mult eſt loinz ca deuant. AOI.

CXXXV

Li quenſ Rolł ad la buche ſanglente.
De ſun ceruel rũput en eſt li tẽpleſ.
Lolifan ſunet a dulor y a peine.

1775-1779. Galalão se remete, nesses versos, a um episódio narrado na versão irlandesa da lenda de Roldão, a *Karlomagnús saga*, em que Carlos envia Roldão e Oliveiro para sitiar a cidade de Nobilis (ou *Nopleſ*, vide nota e v. 198), com a expressa ordem de não matar seu rei Fourré. Como houvesse esse rei resistido ao sítio, Roldão acaba descumprindo a ordem, dando cabo de sua vida e, após ocupar a cidade, lava com água o campo de batalha, coberto em sangue, a fim de omitir sua insubordinação. Chegado Carlos, ante a confissão de Roldão, o rei dá-lhe uma bofetada. **1788.** O segundo hemistíquio, ... *franceiſ lentendent* – em trad. lit.: "...os franceses reconhecem" – está traduzido com uma metonímia a fim de manter o padrão de assonância. **1779.** Segundo a leitura de Waters (E. G. R. Waters, "Gleanings from MS. Digby 23", *The Modern Language Review*, vol. 25, n. 1, p. 97, 1930), a perífrase verbal que se lê é *fuſt ariſſant* e, claramente, não há nada entre as duas palavras. Cabe a possibilidade de se tratar de uma abreviação de escribas para *fuſt apariſſant* (verbo *apareir*, traduzido no AND como "aparecer, ser

suas têm*po*ras, as rompe dos mio*los*.
À distân*cia* magna escuta-se o cor*no*,
*pa*ssando os átrios, o reconhece Car*los*.
*Du*que Nemé ouve e escutam francos to*dos*,
disse o rei: "De Roldão é esse cor*no*!
Não soaria jamais, não combaten*do*".
Galalão diz: "Não há nenhum confron*to*,
já sois velho, grisalho e flori*do*,
mas com tais *pa*lavras parece um meni*no*.
Conheceis *a*ssaz Roldão, tão orgulho*so*,
é incrível que Deus suporte-o tan*to*.
Conquistou Noples sem vosso coman*do*,
para fora, saíram sarrace*nos*,
combaten*do* com Roldão, o bom vassa*lo*.
Com água, o sangue lavou daquele pra*do*,
para que *na*da vos fosse revela*do*.
Só por u*ma* lebre soa o dia to*do*,
a seus pa*res* deve estar só se gaban*do*.
Sob o céu *não há* quem requeira-lhes o cam*po*,
cavalgai ou, por que nos retrasa*mos*?
*T*erra Maior *é* tão à frente desse pon*to*". AOI.

CXXXV

*Con*de Roldão tem a boca ensanguenta*da*,
e o seu cé*re*bro, as têmporas vaza*das*.
O olifante soou com dor e pe*na*,

revelado, se tornar visível") – conforme transcrevem Moignet e Riquer – em todo caso, o sentido do verbo que aqui empregamos é o mesmo.

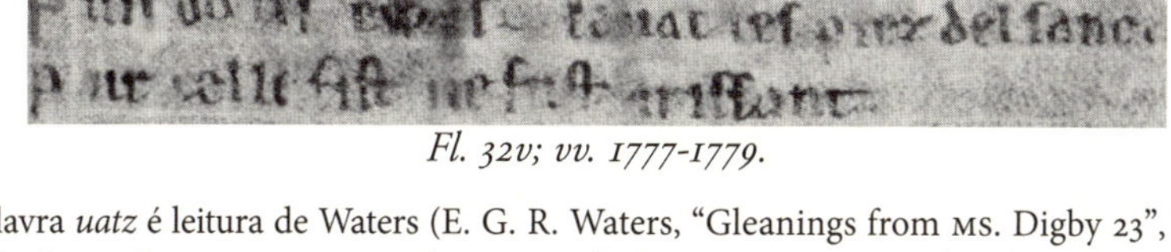

Fl. 32v; vv. 1777-1779.

1780. A palavra *uatz* é leitura de Waters (E. G. R. Waters, "Gleanings from MS. Digby 23", *The Modern Language Review*, vol. 25, n. 1, p. 97, 1930*)*, mas a grafia é incomum para o verbo *aler*. Os editores consultados transcrevem a forma comum *vait*. Em trad. lit.: "Por uma só lebre vai, o dia todo, soando".

karleſ loit y ſeſ franceiſ lentendent.
co diſt li reiſ cel corn ad lunge aleine.
Reſpont dux neimeſ baron i fait la peinte.
Bataille i ad par le men eſcientre.
cil lat trait ki uoſ en roeuet feindre.
adubez uoſ ſi c'ez urẽ enſeigne.
Si ſucurez urẽ maiſnee gente.
aſez oez que Rolł ſe demented.

CXXXVI

Li emꝑereſ ad fait ſuner ſeſ cornſ.
Franceiſ deſcendent si adubent lor corſ.
doſƀercſ y de helmeſ y deſpeeſ a or.
eſcuz unt genz y eſpiez granz y forz.
e gunfanunſ blancſ y uermeilz y bloiſ.
eſ deſtrerſ muntent tuit li barun del oſt.
Brochent ad ait tant cũ durent li port.
Ni ad celoi al altre ne parolt.
Se ueiſſum Rolł einz quil fuſt mort.
enſemblod lui i durriumſ granz colpſ
De co qui calt car demuret i unt trop.

CXXXVII

Eſclargiz eſt li ueſpreſ y li iurz.
cuntre le ſoleil reluiſent cil adub.
oſbercſ y helmeſ i getent grant [flambur].
y cil eſcuz [ki] ben ſunt peinz a flurſ.
y cil eſpiezz cil oret gunfanun.
Li emꝑeres ceualchet par irur.

1789. Apesar das feridas, da dor e da pena, Carlos ouve que Roldão soa com vigor o olifante. A expressão *lunge aleine* (longo alento, fôlego) contrasta com o v. 2104. **1790.** Na palavra *peinte* (ataque), a letra *t* distingue-se claramente a partir da leitura de Waters (E. G. R. Waters, "Gleanings from MS. Digby 23", *The Modern Language Review*, vol. 25, n. 1, p. 97, 1930), que altera o sentido empregado nas edições de Bédier, Moignet e Riquer, que leem *peine* (pena), empregando o sentido de que Roldão coloca toda sua pena no sopro do olivante. **1809.** Esse verso tem a legibilidade muito comprometida, pois o fólio apresenta uma

ouve Car*los* e o reconhece a Fran*ça*.
Disse o rei: "Esse corno extenso so*pra*!"
*R*eplica o duque Nemé: "O barão ata*ca*!
Ciente eu, *es*tá havendo uma bata*lha*,
nos traiu quem a quer dissimula*da*.
*Ar*mai-vos já, e gritai a vossa insí*gnia*,
socorrei *a* vossa tão gentil arma*da*;
já ouvis*teis* que Roldão assaz lamen*ta*".

CXXXVI

*O Im*perador faz soar todos os cor*nos*,
descavalgam e armam-se os fran*cos*,
com lorigas, espadas e com el*mos*.
Lanças gran*des*, fortes, belos os escu*dos*;
gonfalões, os azuis, vermelhos, bran*cos*.
Os barões *da* hoste estão em seus destrei*ros*,
picam for*te ao* longo dos desfiladei*ros*.
*A*li não há quem não diga um ao ou*tro*:
"Se a Roldão virmos antes de que mor*to*,
*des*ferire*mos* grandes golpes a seu la*do*!"
De que adian*ta*, se tardaram demasia*do*?

CXXXVII

*O en*tardecer e o dia são tão cla*ros*,
os armamen*tos*, contra o sol, são reluzi*dos*.
Muito lu*zem* as lorigas e os el*mos*,
e de flo*res* bem pintados os escu*dos*,
e as lan*ças* e os gonfalões doura*dos*.
*O Im*perador *vai* cavalgando tão ira*do*,

cesura. A última palavra é transcrita por Bédier e Moignet como o substantivo *flabur* (luzes), já Riquer o faz como *flambur* (brilhando, piscando) que, a despeito da corrupção do trecho no manuscrito, parece possível. Na acepção do substantivo *flambur* no AND, esse verso é usado como exemplo. Considerando, além de Riquer e do AND, a plausibilidade lexical, adotamos essa transcrição.

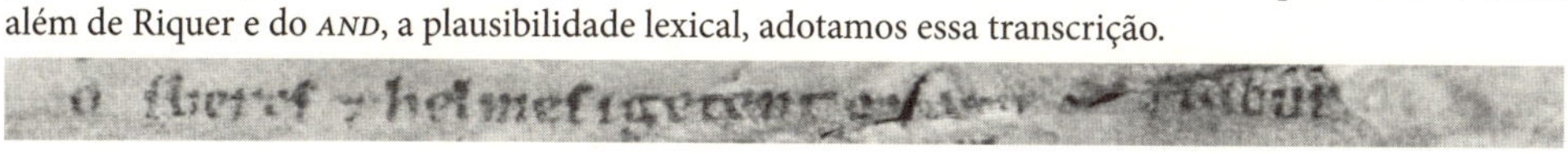

Fl. 33r; v. 1809.

e li franceiʃ dolenz y curiuʃ.
Ni ad celoi ki durement ne plurt.
y de Rolł ʃunt en grant pour.
Li reiʃ fait prendre le cunte guenelun.
Sil cumandat aʃ couʃ de ʃa maiʃun.
tut li plꝰ maiʃtre en apelet beʃgun.
Ben le me guarde ʃi cume tel felon.
De ma maiʃnee ad faite traiʃun.
cil le receit ʃi met .c. cumpaignonʃ.
De la quiʃine deʃ mielz y deʃ peiurʃ.
Jcil li peilent la barbe y leʃ gernunʃ.
caʃcun le fiert .iiii. colpʃ de ʃun puign.
Ben le batirent a fuz y a baʃtunʃ.
e ʃi li metent el col un caeignun.
Si lencaeinent altreʃi cum un urʃ.
Sur un ʃumer lunt miʃ adeʃhonor.
tant le guardent quel rendent acharlun.

CXXXVIII

Halt ʃunt li pui e tenebruʃ e grant. AOI.
Li ual parfunt eleʃ eweʃ curant.
Sunent cil graiʃle y derere y deuant.
e tuit rachatent encuntre lolifant.
Li emꝑereʃ cheualchet ireement.
e li franceiʃ curiuʃ y dolent.
Ni ad celoi ni plurt y ʃe dement.

Fl. 33r; v. 1814.

1813. O termo que transcrevemos como *curiuʃ* é lacunar, sendo a terminação em *-iuʃ* posta por mão de revisor. Bédier e Moignet transcrevem *curoçus*, e traduzem como *courroucès* (coléricos); Riquer transcreve *curuçus* e traduz como "angustiados" – étimo que aparece no v. 2614. No *AND*, contudo, a entrada *curios, curius*, é traduzida, em sua segunda acepção, como "*caring, concerned (with); anxious, sorrowful...*" (cuidadoso, preocupado, ansioso, triste), razão pela qual seguimos o manuscrito. **1823.** Depois desse verso, como última linha do fólio, consta no manuscrito o seguinte verso: *Morz est turpinʃ le guer-*

e os franceses, tão tristes, ansio*sos*.
Nenhum deles segura o duro pran*to*,
por Roldão, tanto estão apreensi*vos*.
O rei dei*xa o* conde Galalão deti*do*,
aos cozinhei*ros* da sua casa é confia*do*.
O Vesgão, *que é o* master-chefe, foi chama*do*:
"*Guar*dai-o como convém a um fingi*do*.
Meu exér*ci*to, por ele, foi traí*do*".
Por cem serven*tes* ele é custodia*do*,
na cozi*nha, en*tre os melhores e os mais bai*xos*.
Sua bar*ba e* seus bigodes são corta*dos*,
cada um deu-lhe quatro bons sopa*pos*.
Bem bate*ram* com porretes e com mas*tros*,
e lhe me*tem* um grilhão no seu pesco*ço*.
Depois di*sso, o en*cadearam como um ur*so*,
por deson*ra*, o jogaram num jumen*to*,
e o guardam até darem-no a Car*los*.

CXXXVIII

São tão al*tas* cimas, tetras e tão gran*des*,
corredias as águas, fundos va*les*.
Os clarins *so*am detrás e adian*te*,
respondendo de volta o olifan*te*.
*O Im*perador *ca*valga furiosamen*te*,
e os france*ses*, ansiosos e dolen*tes*;
nenhum dei*xa* de chorar, todos gemen*tes*.

reier charlun (em trad. lit.: "Morto é Turpino, o guerreiro de Carlos"). Nenhum editor apresenta tal verso nessa posição, já que se mostra totalmente inapropriado aqui. É consensual, portanto, colocá-lo como v. 2242, e assim procedemos.

Fl. 33v; v. 1835.

1835. Curiosamente, a exemplo do verso que é a esse similar (v. 1813), há uma lacuna que divide a mesma palavra, porém sem mão de corretor. Nesse ponto fica mais claro tratar-se de *curiuſ* (ansiosos) e não *curoçus* ou *curuçus* (angustiados) como aqui novamente transcrevem Bédier, Moignet e Riquer.

y pent deu q'l guariſſet Rolł.
Joſ que il uengent el camp cumunement.
Enſemblod lui i ferrunt ueirement.
De co qui calt car ne lur ualt nient.
Demurent trop ni poedent eſtre atenſ. AOI.

CXXXIX

Par grant irur cheualchet li reiſ charleſ.
deſur ſa brunie li giſt ſa blanche barbe.
puignent ad ait tuit li barun de france.
Ni ad icel ne demeint irance.
Que il ne ſunt a Rolł le cataigne.
ki ſe cũbat aſ ſarrazinſ deſpaigne.
Si eſt blecet ne quit que anme i remaigne.
D'ſ quelſ ſeiſante humeſ i ad en ſa cũpaigne.
Vncheſ meillurſ nen out ʳeiſ ne caigneſ. AOI.

CXL

Rolł reguardet eſ munz y eſ lariz.
De celſ de france i ueit tanz morz geſir.
e illeſ pluret cũ cheualer gentill.
Seignorſ baronſ de uoſ ait d'ſ mercit.
tuteſ uoz anmeſ otreit il pareiſ.
en ſeinteſ flurſ illeſ facet geſir.
Meillorſ uaſſalſ de uoſ unkeſ ne ui.
Si lungement tuz tenſ mauez ſeruit.
a oeſ carlon ſi granz paiſ cunquiſ.
Li emꝑereſ tant mare uoſ nurrit.

1843. Ostentar a barba sobre a cota parece ser um gesto de desafio ao inimigo (vide nota ao v. 48). **1850.** O termo *caigneſ* é corrigido pelos editores por *cataignes*, como consta no v. 1846, pressupondo que o co-

Rogam por *Rol*dão, que Deus ali o resguar*de*,
*a*té que ao cam*po*, todos juntos, eles che*guem*,
e junto de*le* acometam francamen*te*.
A que i*sso* serve, se de nada va*le*?
Retrasa*ram* muito, em tempo ser não po*dem*. AOI.

CXXXIX

O rei Car*los*, iracundo, já cavalg*a*,
sobre a cota ostenta a branca bar*ba*.
*Es*poras cra*vam* todos os barões da Fran*ça*,
entre e*les* não há quem não se ressin*ta*,
por Roldão *que a*li não os capitane*ia*,
pois comba*te os* sarracenos na Espa*nha*;
tão feri*do*, creio, a alma não susten*ta*.
Quais sessen*ta*, *oh* Deus, em sua companhi*a*,
melhor rei *ou* capitão não haveri*a*! AOI.

O ESQUADRÃO DE MARSÍLIO DESERTA

CXL

*Rol*dão contem*pla* as montanhas e os penhas*cos*,
dos seus france*ses* vê, tombados, tantos mor*tos*.
Ele chora *à* guisa de bom cavalei*ro*:
"Deus vos se*ja*, meus senhores, piedo*so*,
e às vossas al*mas* todas dê o paraí*so*,
e entre san*tas* flores vosso bom repou*so*.
Jamais vi, ante vós, tão bons vassa*los*,
pois tanto tempo a mim haveis servi*do*,
e por Car*los*, quais países conquista*do*;
em má ho*ra*, pelo rei, fostes cria*dos*.

pista saltou uma sílaba. A entrada do étimo *cataigne* (capitão) no *AND* utiliza esse verso como exemplo; *caignef*, por outro lado, não apresenta entrada no *AND*. Adotamos a correção consensual na tradução e mantivemos a grafia do copista.

tere de france mult eſteſ dulz paiſ.
oi deſertet a tant ruboſt'l exill.
Baronſ franceiſ pur mei uoſ uei murir.
Jo ne uoſ poiſ tenſer ne guarantir.
ait uoſ d'ſ ki unkeſ ne mentit.
Oliuer frere uoſ ne dei io faillir.
de doel murra ſe altre ne mi ocit.
Sire cŭpainz alum i referir.

CXLI

Li quenſ Rolł el champ ~ repairet
tient durendal cume vaſſal i fiert.
Faldrun de pui i ad par mi trenchet.
e .xxiiii. de tuz leſ melz þſez.
Jamaiſ niert home pluſ ſe uoeillet uenger.
Si cŭ li cerfſ ſen uait deuant leſ chienſ.
deuant Rolł ſi ſen fuient paienſ.
Diſt larceueſq; aſez le faiteſ ben.
Jtel ualor deit aueir cheualer.
ki armeſ portet y en bon cheual ſet.
en bataille deit eſtre forz y fierſ.
V altrement ne ualt .iiii. denerſ.
einz deit monie eſtre en un de cez muſtierſ.
Si þerat tuz iurz por noz peccez.
Reſpunt Rollant ferez neſ eſparignez.
a icect mot lunt francſ recumencet.
Mult grant damage iout de xpĭenſ.

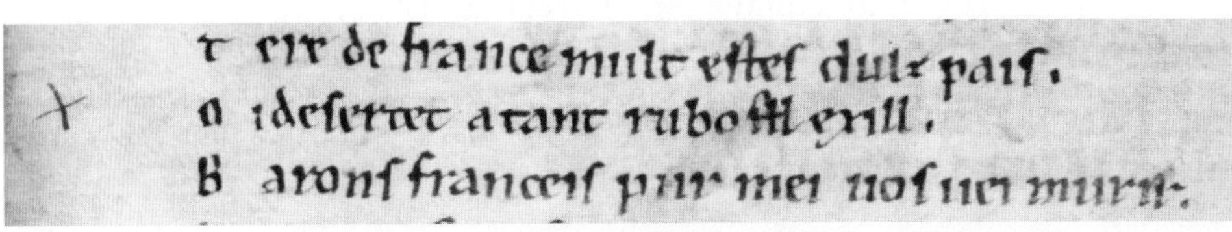

Fl. 34r; vv. 1861-1863.

1862. O segundo hemistíquio parece claro no que transcrevemos por *ruboſt'l.* Bédier, contudo, insere a interrogação; Moignet anota uma possível aproximação do étimo com *rubeste, rubestre,* por derivação de *rupestris,* como "selvagem" e, assim, traduz a expressão *ruboste exill,* conforme transcreve, por

Franca Te*rra*, sois país tão mavio*so*,
*a*bandona*da* hoje em tão rugoso exí*lio*.
Por mim, vejo morrerdes, meus bons fran*cos*!
Defender-*vos* ou salvar-vos já não po*sso*,
Deus aju*de*-vos, pois não é mentiro*so*.
Olivei*ro, ir*mão, não vou falhar convos*co*,
morrerei *de* dor se não me mata ou*tro*.
Ao combate voltemos, companhei*ro*!"

CXLI

*Rol*dão, o conde, no campo está presen*te*,
a Durinda*na em*punha e ataca tão valen*te*.
Fraldalhão, de Cebola, ao meio fen*de*,
e vinte e quatro melhores dos viven*tes*;
não há ho*mem* que vingança mais dese*je*.
E como os por*cos*, que dos cães correm à fren*te*,
*a*ssim pagãos, diante de Roldão bem co*rrem*.
O Arcebis*po* diz: "Fazeis tão habilmen*te*!
Ter valor tal, o cavaleiro de*ve*,
o que mon*te* bom cavalo e armas por*te*.
Deve ser, na batalha, duro e for*te*,
do contrá*rio*, quatro pratas sequer va*le*;
que se faça, antes, num mosteiro, mon*ge*,
e ore sempre por nossa iniquida*de*".
Roldão diz: "Atacai, que não semei*em*!"
Isso di*to*, recomeçam os france*ses*;
dos cristãos, ali há calamida*de*.

dur malheur (ruim infortúnio). Riquer, por sua vez, transcreve *rebostl*, e traduz a expressão *rebostl exill* como "áspera ruína". Nossa hipótese está embasada na leitura dessa expressão, *ruboſt'l exill* com o étimo *ruboste* (áspero); o advérbio locativo *illoc, illonquez, ill*, na sua forma contracta em *'l*; e *exill* (exílio, ruína); em todo caso, na entrada de ambos os substantivos no AND, encontramos esse verso como exemplo. **1865.** *Qui non mentitur, Deus* (Deus, aquele que nunca mentiu), na carta de São Paulo a Tito, 1: 2. **1871.** Puig pode ser o município valenciano de El Puig, de domínio árabe desde a invasão berbere no século VIII. Conquistada por el Cid, foi identificada naquele cantar como Cebolla, por deformação popular da toponímia em árabe *Gubayla* (Alberto Montaner (ed.), *Cantar de Mio Cid*, p. 73, v. 1150). **1883.** Para o termo *eſparignez*, vide nota ao v. 1504. **1891.** Beaune e Dijon são comunas de Borgonha.

CXLII

home ki co ʃet que ia naůrat priʃun.
en tel bataill fait grant defenʃion.
pur co ʃunt francʃ ʃi fierʃ cume leunʃ.
aʃ uuʃ marʃilie en guiʃe de ba-runt.
Siet el cheual quil apelet gaignun.
Brochet le ben ʃi uait ferir beuon.
Jcil ert ʃire de belne y de digun.
Leʃcut li freint y loʃberc li derŭpt.
Que mort labat ʃeinz altre deʃcunfiʃun.
puiʃ ad ociʃ ẏuoerieʃ y ivon.
enʃemblod elʃ Gerard de ruʃʃillun.
Li quenʃ Rolł ne li eʃt guaireʃ loign.
Diʃt al paien dăneʃ d'ʃ mal te duinʃt.
a ʃi grant tort mociz meʃ cŭpaignunʃ.
colp en aůraʃ einz que noʃ departum.
e de meʃpee enquoi ʃaůraʃ le nom.
vait le ferir en guiʃe de baron.
trenchet li ad li quenʃ le deʃtre poign.
puiʃ prent la teʃte de iurfaleu le blund.
Jcil ert filz al rei marʃiliun.
paien eʃcrient aíe noʃ mahum.
Li nrĕ deu uengez noʃ de carlun.
en ceʃte tere nuʃ ad miʃ telʃ felunʃ.
Ja pur murir le camp ne guerpirunt.
Diʃt lun al altre e car noʃ en fuiumʃ.
a iceʃt mot telʃ .c. milieʃen uunt.
ki queʃ rapelt ia nen returnerunt. AOI.

1896. Girard de Rossilhão viveu no século IX sob o império de Luís I, o Piedoso, sucessor de Carlos Magno. Presente em diversos cantares de gesta, essa personagem histórica protagoniza um extenso cantar

CXLII

É sabido: não haverá prisão;
em tal bata*lha* se faz grande defensão,
francos são, *por* isso, bravos qual leão.
Eis Marsílio, à guisa de barão,
o cavalo que monta é o Gagão.
Mete espo*ras* e acomete o Belvon,
que é senhor de Beaune e de Dijon.
Fende o escudo e a loriga lhe é em vão,
*de*rruba-o morto, sem mais qualquer lesão.
*De*pois matou *tam*bém o Ivo e seu irmão,
junto com *Gi*rard, o de Rossilhão.
Muito longe dali não é Roldão:
"Deus te quei*ra* fazer mal!" – diz ao pagão –
"*In*justamente matastes meus irmãos.
*Gol*pearei-*vos* antes da separação,
sabereis, *da* minha espada, o nome então!"
Acomete-o à guisa de barão,
e cerceou-lhe a sua destra mão.
*De*capitou *de*pois o Jurfaláz Lourão,
de Marsílio era filho e sucessão.
"Maomé, *so*corro!" – gritam os pagãos –
"*Oh* deuses, dai *a* Carlos a retaliação!
Nessa te*rra* nos deixou com tal vilão,
que nem por mor*te, o* campo, não entregarão!"
Dizem uns *aos* outros: "Demos deserção!"
Dito isso, bem uns cem mil se vão;
que os chamem, já não retornarão. AOI.

provençal, *Girart de Roussillon.* **1903.** Esse cerceamento da mão direita de Marsílio por Roldão recorda as ameaças de que Carlos perderia seu braço direito, nos vv. 597 e 1195.

CXLIII

De co qui calt ʃe fuit ʃen eʃt marʃilieʃ.
Remeʃ i eʃt ʃiʃ uncleʃ marganiceʃ.
ki tint kartagene al frere garmalie.
e ethiope une tere maldite.
La neire gent en ad en ʃa baillie.
Granz unt leʃ neʃ y leeʃ leʃ oreilleʃ.
e ʃunt enʃemble pꝫ de cinqªnte milie.
Jcil cheualchent fierement e aíre.
puiʃ eʃcrient lenʃeigne paenime
co diʃt Rolł ci receůrumʃ matyrie.
y or ʃai ben nauonʃ guaireʃ auiůre.
Maiʃ tut ʃeit fel cher ne ʃe uende ꝥmeʃ.
Ferez ʃeignurʃ deʃ eʃpeeʃ furbieʃ.
Si calengez [e uoz] y morz y uoz uieʃ.
Que dulce france par nuʃ ne ʃeit hunie.
Quant en ceʃt camp uendrat carł mi ʃire.
De ʃarrazinʃ uerrat tel diʃcipline.
cuntre un deʃ noz en truuerat morz .xv.
Ne leʃʃerat que noʃ ne beneiʃʃe. AOI.

CXLIV

Qvan Rolł ueit la contredite gent.
ki pꝫ ʃunt neirʃ que nen eʃt arrement.
Ne nunt de blanc ne maiʃ que sul leʃ denz.
co diʃt li quenʃ or ʃai io ueirement.
Que hoi murrum par le mien eʃcient.
Ferez franceiʃ car iol uoʃ recumenz.

1914. A personagem *Marganiceʃ* (Margonício), tio de Marsílio, fora, até aqui, chamada pelo seu cargo, *algalifes* (para califa, vide nota ao v. 453), e é sobre quem Galalão inventa uma inverossímil história para justificar sua ausência entre os reféns de Carlos pelo acordo com Marsílio, vide nota aos vv. 681-691. **1915-1916.** Exceto Cartago, a atual Tunísia, e Etiópia, as toponímias não são reconhecidas. **1926.** Bédier

O CALIFA MARGONÍCIO
E O TERCEIRO ESQUADRÃO

CXLIII

De que adian*ta* se deserta rei Marsí*lio*?
Permane*ce*, pois, seu tio, o Margoní*cio*,
que possui *Al*-Frer, Garmália e Carta*go*,
e Etió*pia*, uma terra de maldi*tos*.
A gente negra está sob seu domí*nio*,
de ore*lhas* e narizes bubali*nos*.
Uns cinquen*ta* mil ou mais são todos jun*tos*,
e caval*gam* firmemente tão ira*dos*.
A insíg*nia* dos pagãos já vão gritan*do*,
diz Roldão: "*Te*remos hoje tal martí*rio*,
e bem sei, muito mais não vivere*mos*;
é infiel, *po*rém, quem não se vender ca*ro*.
Atacai *co 'es*padas claras, cavalei*ros*,
*re*queiram, pois, vossos mortos, vossos vi*vos*!
Que, por nós, *não* caia a França em opró*brio*.
Quando Car*los*, meu senhor, chegar ao cam*po*,
*a*qui verá tal martírio sarrace*no*:
Por cada um *de* nós vão quinze deles mor*tos*,
e assim *não* deixará de bendizer-*nos*!" AOI.

CXLIV

Quando vê *Rol*dão aquela ímpia gen*te*,
que mais negros do que o negro pi*che* –
não há bran*co* que se veja exceto os den*tes* –
disse o conde: "Estou agora cren*te*,
morrere*mos* hoje, sendo eu cien*te*.
Atacai, *fran*ceses, que eu vou na fren*te*!"

segue o manuscrito, traduzindo: *et disputez et vos morts et vos vies*. Moignet e Riquer, por outro lado, seguem a correção proposta por Lecoy (*apud* Gérard Moignet (ed.), *Chanson de Roland*) do termo *morz* (morte), substituindo-o por *cors* (corpos). Encontramos, porém, que o verbo *chalenger, calenger*, apresenta, no AND, *to claim*, como primeira acepção se seguimos o manuscrito, como aqui fizera Bédier.

diſt oliuer dehet ait li pluſ lenz.
A iceſt mot franceiſ ſe fierent enz.

CXLV

Qvant paien uirent que franceiſ i out poi.
entrelſ en unt y orgoil y cunfort.
Diſt lun al altre lempeor ad tort
Li marganiceſ ſiſt ſur un ceual ſor.
Brochet le ben deſ eſprunſ a or.
Fiert oliuer derere en mi le doſ.
Le blanc oſberc li ad deſcuſt el corſ.
par mi le piz ſun eſpiet li miſt forſ.
e dit apreſ un col auez priſ fort.
carleſ li magneſ mar uoſ laiſſat aſ porz.
tort noſ ad fait nen eſt dreiz quil ſen lot.
kar de uoſ ſul ai ben uenget leſ noz.

CXLVI

Oliuer ſent que a mort eſt ferut.
tient halteclere dunt li acer fut brunſ.
Fiert marganiceſ ſur lelme a or agut.
e flurſ [e criſtauſ] en acrauentet iuſ.
trenchet la teſte dici quaſ denz menuz.
Brandiſt ſun colp ſi lad mort abatut.
e diſt apreſ paien mal aieſ tu.
Jco ne di que karleſ ni ait ꝑdut.
Ne a muiler ne a dame quaieſ ueud.
Nen uanteraſ el regne dunt tu fuſ.

1943. O adjetivo *ſor* refere-se especificamente a cavalos de coloração castanho-escuro, como o cerne de um jacarandá, aos que se chamam zainos. **CXLVI-CXLVII.** São séries similares com destaque para os versos de entonação, perfeitamente semelhantes, apenas alterada a assonância. Note-se a bravura épica de

Diz Oliveiro: "O mais lento é um indolen*te*!"
Isso di*to*, recomeçam os france*ses*.

A MORTE DE OLIVEIRO

CXLV

Quando veem *pa*gãos que os francos eram pou*cos*,
sentem mui*to or*gulho e é grande seu confor*to*:
"*O Im*perador tem o mal!" – diz um ao ou*tro*.
Margoní*cio* monta um cavalo zai*no*,
finca bem, as esporas são de ou*ro*.
Pelas costas ataca Olivei*ro*,
a lori*ga* branca rasga-lhe no cor*po*.
Faz a lança sair pelo seu pei*to*,
disse então: "Recebestes golpe du*ro*!
Em má ho*ra a*qui vos deixa Carlos Mag*no*.
Injusti*ça* fez, gabar-se não é cer*to*,
*por*tanto só *em* vós bem me vinguei dos no*ssos*".

CXLVI

*Sen*te Olivei*ro* que de morte está feri*do*,
a Altacla*ra em*punha, de aço poli*do*.
No elmo agudo acomete a Margoní*cio*,
e as flo*res* e os cristais lhe são caí*dos*.
A cabe*ça* corta até os dentes miú*dos*,
brande o golpe, já o derruba mor*to*.
Depois disse: "Pagão, sejais maldi*to*!
Não que Car*los* nada haja aqui perdi*do*.
A dama algu*ma* que sejais ver permiti*do*,
não vos van*glo*riareis em qualquer rei*no*

Oliveiro que, com uma lança atravessada no peito por um golpe covardemente desferido pelas costas (v. 1945), segue lutando e empilhando mortos (v. 1971) até que, no limite, chama a Roldão (vv. 1964, 1975).
1954. Para o modelo de elmo agudo, vide nota ao verso 629.

Vaillant a un dener que mi aieſ tolut.
Ne fait damage ne de mei ne daltrui.
apreſ eſcriet Rolł quil li aiut. AOI.

CXLVII

Oliuer ſent quil ≈ a mort naſfret.
de lui uenger ia maiſ ne li ert ſez.
en la grant ꝓſſe or i fiert cume ber.
trenchet cez hanſteſ y cez eſcuz buclerſ.
e piez y poinz y ſeleſ y coſtez.
ki lui ueiſt ſarrazinſ deſmembrer.
Vn mort ſur altre geter.
de bon uaſſal li pouſt remembrer.
Lenſeigne carle ni uolt mie ublier.
Munioie eſcriet e haltement y cler.
Rolł apelet ſun ami y ſun per.
Sire cũpaign amei car uuſ iuſtez
a grant dulor ermeſ hoi deſeůrez. AOI.

CXLVIII

Rolł reguardet oliuer al uiſage.
teint fut e ꝑſ deſculuret y pale.
Li ſancſ tuz clerſ par mi le corſ li raiet.
encunťe tere en cheent leſ eſclaceſ.
D'ſ diſt li quenſ or ne ſai ió que face.
Sire cũpaïz mar fut uoſtre barnage.
Jamaiſ niert hume ki tun corſ cuntreuaillet.
e france dulce cun hoi remendraſ guaſte.
de bonſ uaſſalſ cunfundue y chaiete.
Li emꝑere en aůrat grant damage.
a iceſt mot ſur ſun cheual paſmet AOI.

1968. Para os escudos broquelados, vide nota aos versos 526 e 1263. **1979.** *ꝑſ* é contração de *pers*, traduzido no *AND* por lívido, descolorido, de tom azulado decorrente da carne machucada.

de ceifar-*me* por que vale um dinhei*ro*,
ou aos ou*tros* ou a mim de haver feri*do*".
Depois grita a Roldão por seu auxí*lio*. AOI.

CXLVII

*Sen*te Olivei*ro* que ferido está de mor*te*,
nunca mais *se* vingará completamen*te*.
Por barão, *na* grande turba acome*te*,
lanças e *es*cudos broquelados fen*de*,
e as mãos *e* pés e selas e lomba*res*.
Desmembran*do* sarracenos, quem o vi*sse*,
*a*rremessar *um* sobre outro em mortanda*de*,
poderi*a* recordar-se de um valen*te*.
Da real *in*sígnia não quer esquecer-*se*:
"Monjoiê!" – grita claro e fortemen*te*.
De Roldão, seu amigo e par, care*ce*:
"Companheiro, senhor, junto a mim vin*de*,
vamos já *nos* separar, a dor é gran*de*". AOI.

CXLVIII

O Roldão *con*templa o rosto de Olivei*ro*,
macera*do*, *es*quálido e descolori*do*.
Pelo corpo, borbota o sangue vi*vo*,
e pelo chão esparramam-se os coá*gulos*.
Diz Roldão: "*Deus*! Que fazer nesse momen*to*?
Em má ho*ra* fostes nobre, companhei*ro*.
Ninguém vai *se* comparar nunca conti*go*!
Doce Fran*ça*, sois país tão devasta*do*,
de bons vassa*los*, confundido, arruina*do*;
*re*ceberá *o Im*perador tão grande da*no*".
Isso di*to*, desmaiou sobre o cava*lo*. AOI.

1988. Para desmaio, vide nota ao v. 27.

CXLIX

Aʃ uuʃ Rolł ʃur ʃun cheual paʃmet
e oliuer ki ∻ a mort naffret.
tant ad ʃeine^{ri}t li oil li ʃunt trublet.
Ne loinz ne þieʃ ne poet uedeir ʃi cler.
Que reconoiʃtre poiʃʃet nulʃ hom mortel.
Sun cumpaignun cum il lat encuntret.
Sil fiert amunt ʃur lelme a or gemet.
tut li detrenchet dici qual naʃel.
Maiʃ en la teʃte nel ad mie adeʃet.
a icel colp lad Rolł reguardet
Si li demandet dulcement e ʃuef.
Sire cũpain faiteʃ le uoʃ degred.
Ja eʃt co Rolł ki tant uoʃ ʃoelt amer.
par nule guiʃe ne mauiez deʃfiet.
diʃt oliuer or uoʃ oi io parler.
Jo ne uoʃ uei ueied uuʃ dănedeu.
Ferut uoʃ ai car le me pardunez.
Rolł reʃpunt io nai nient de m^{a}l.
Jol uoʃ parduinʃ ici y deuant deu.
a icel mot lun al altre ad clinet.
par tel amur aʃ leʃ u^{ɔ} d^{e}ʃeůred.

CL

Oliuer ʃent que la mort mult langoiʃʃet.
anʃ douʃ leʃ oilz en la teʃte li turnent.
Loíe pert y la ueue tute.
deʃcent a piet al tere ʃe culchet.
Durement en halt ʃi recleimet ʃa culpe
cuntre le ciel ambeʃdouʃ ʃeʃ mainʃ iuinteʃ.
Si priet deu que pareiʃ li dunget.

2002. Pelo código ético da cavalaria, um golpe não se dá em desaviso; afora uma batalha, requer-se antes

CXLIX

Eis Roldão, desmaiado no cava*lo*,
e ferido de morte, Olivei*ro*;
sangrou tanto que enturvam os seus *olhos*,
nem de lon*ge* nem de perto vê bem cla*ro*,
para assim *re*conhecer mortal huma*no*.
Quando então encontrou seu companhei*ro*,
golpeou *seu* elmo em ouro craveja*do*,
desde o to*po a*té o nasal está fendi*do*,
mas o crânio sequer lhe foi toca*do*.
Golpeado, Roldão quer contemplá-*lo*,
e lhe pergun*ta* com doçura e com afe*to*:
"Companheiro, o fizeste de arbí*trio*?
Sou Roldão que vos tanto tenho ama*do*,
de modo algum me haveis desafia*do*!"
"Só ago*ra* vos ouvi" – diz Olivei*ro* –
"que vos ve*ja o* Senhor Deus, eu não vos ve*jo*!
Perdoai-*me*, não queria cutelar-*vos*!"
Diz Roldão: "Eu não tenho nenhum da*no*,
bem aqui, e ante Deus eu vos perdo*o*!"
Isso di*to,* inclinaram-se um ao ou*tro*,
ei-vos, pois, por amor tal, separa*dos*.

CL

Olivei*ro* sente, a morte lhe angusti*a*,
os dois *olhos* na cabeça se extravi*am*.
Perde to*da a* audição, também a vis*ta*,
*des*monta so*bre os* pés, na terra então se pros*tra*.
Em alta voz *a*li confessa suas cul*pas*,
contra o céu *am*bas as mãos, as mantêm jun*tas*.
Pede a Deus *que o* paraíso lhe conce*da*,

um desafio. **2015.** A face contra a terra é um *topos* como atitude de contrição; *adenz*, do lat. *ad dentes*.

e beneiſt karlun y France dulce.
Sun cũpaignun Rolł ſur tuz humeſ.
Falt li le coer le helme li embrunchet.
Treſtut le corſ a la tere li iuſtet.
Morz eſt li quenſ que pluſ ne ſe demuret.
Rolł li ber le pluret ſil duluſet.
Jamaiſ en tere norrez pluſ dolent hume.

CLI

Or ueit Rolł que mort eſt ſun ami.
Geſir adenz ala tere ſun uiſ.
Mult dulcement a regreter le priſt.
Sire cũpaign tant mar fuſteſ hardiz.
enſemble auum eſtet y anz y diſ.
Nem feſiſ mal ne io nel te forſfiſ.
Quant tu eſ mor dulur .ĕ. que io uif.
a iceſt mot ſe paſmet li marchiſ.
Sur ſun ceual qe cleimet ueillantif.
afermet ∻ a ſeſ eſtreuſ dor fin.
Quel part quil alt ne poet mie chair.

CLII

Ainz que Rolł ſe ſeit aperceut.
De paſmeiſunſ guariz ne reuenuz.
Mult grant damage li eſt apareut.
Morz ſunt franceiſ tuz leſ i ad ꝑdut.
Senz larceueſque y ſenz gualter del hum.
Repairez eſt deſ muntaigneſ iuſ.
a celſ deſpaigne mult ſi eſt cũbatuz.
Mort ſunt ſi hume ſiſ unt paienſ uencut.

2039-2040. Gualter, o Huno, retorna de haver sido destacado por Roldão para combater nas

e que bendig*a a* Carlos e a Doce Franç*a*,
e a Roldão, sobre toda a criatu*ra*.
Cai o elmo e seu coração lhe fa*lha*,
e todo o corpo reúne-se à te*rra*.
Morto é o conde, que já não mais perdu*ra*.
O barão *Rol*dão o chora e o lamen*ta*,
não ouvireis mais dolente homem na te*rra*!

CLI

*A*gora vê *Rol*dão que seu amigo é mor*to*,
e jaz entrado na terra o seu ros*to*.
Docemente, invoca o seu lamen*to*:
"Em má ho*ra* bravo fostes, companhei*ro*,
dias, anos, nós juntos estive*mos*,
não vos o*fen*di, nem me causastes da*no*,
*ha*vendo morto vós, dói-me seguir vi*vo*".
Desmaiou o marquês ao dizer i*sso*,
sobre Vigilante, que é o seu cava*lo*.
Está fir*me* nos estribos de ouro fi*no*,
onde quer *que* vá não haverá caí*do*.

A FUGA DOS SARRACENOS

CLII

Antes que *Rol*dão houvesse recobra*do*,
e despertasse curado do desmai*o*,
um desastre lhe foi manifesta*do*:
Todos mor*tos*, os franceses são perdi*dos*,
*ex*ceto Gual*ter*, Huno e o Arcebis*po*,
quem da montanha, descendo, é retorna*do*.
Os da Espanha ali foram combati*dos*,
os pagãos *ven*ceram, seus homens são mor*tos*,

montanhas; vide vv. 803-811 e notas aos vv. 800 e 1297.

Voeillet [ill] o nun deſuz cez ualſ ſen fuit.
Si reclaimet Roll quil li aiut.
e gentilz quenſ uaillanz hom ú ieſ tu.
Vnkeſ nen oi pour la u tu fuſ.
co ~ gualter ki cunquiſt maelgut.
Li nieſ droun al uieill y al canut.
pur uaſſelage ſuleie eſtre tun drut.
Ma hanſte eſt fraite y percet mun eſcut.
e miſ oſbercſ deſmailet e rumput.
par mi le corſ hot [une] lance [ferut]
Sempreſ murrai maiſ cher me ſui uendut.
a icel mot lat Roll entendut.
Le cheual brochet ſi uient poignant uerſ lui. AOI.

CLIII

Roll ad doel ſi fut maltalentiſſ.
en la grant preſſe cumencet a ferir.
De celſ deſpaigne en ad getet mort .xx.
y gualter .vi. e Larceueſque .v.
Dient paien felun felunſ humeſ ad ci.
Guardez ſeignurſ q'l nen algent uif.
tut par ſeit fel ki neſ uait enuair.
e recreant ki leſ lerrat guar(ir).
Dunc recumencent ele hu e lecri.
de tuteſ parz le reuunt enuair. AOI.

CLIV

Li quenſ Roll fut noble guerrer.
Gualter de humſ eſt bien bon cheualer.

2047. Aebisher (*apud* Martín de Riquer, *Chanson de Roland, Cantar de Roldán y el Roncesvalles Navarro*, p. 217) anota a possibilidade de *maelgut* referir-se tanto a uma cidade, como à espada da personagem, ou mesmo a uma dama. **2052.** É possível que as palavras *hot*, *une* e *ferut* sejam de segunda mão e, em qualquer caso, o sentido não é claro. Bédier e Moignet apresentam reticências. Riquer apresen-

*que*rendo ou não, *des*ceu ao vale já fugin*do*,
e reclama a Roldão o seu auxí*lio*:
"Onde estás *con*de gentil, homem tão bra*vo*?
*Ja*mais temi onde quer fosse convos*co*.
Sou eu, Gualter, quem conquistou Malgú*rio*,
*ne*to de Droom o tão velho e grisa*lho*.
Por valentia eu era seu dile*to*,
*que*brei a lança e perdi o meu escu*do*.
A lori*ga* desmalhada, o aço ro*to*,
pela hos*te, em* lança, tenho leso o cor*po*.
Morrerei já, mas me vendi tão ca*ro*!"
Tais palavras, Roldão estava ouvin*do*,
em direção *a* ele vai esporean*do*. AOI.

CLIII

*Es*tá Roldão furibundo e tão tris*te*,
contra turba ataca e inves*te*.
Dos da Espanha já liquidou com vin*te*,
quatro o Ar*ce*bispo e mais seis o Gual*ter*.
"Cruéis ho*mens* há aqui" – os pagãos di*zem* –
"*que* não conser*ve*-se nenhum, cuidai senho*res*!
*A*quele que *não* acometa é um ver*me*!
E quem deixá-*los* se salvar é um covar*de*!"
Recome*ça a* gritaria e os urros de*les*,
e volta*ram a* acometer por toda par*te*. AOI.

CLIV

É o conde Roldão nobre guerrei*ro*,
Gualter, Huno, é bem bom cavalei*ro*,

ta a seguinte reconstrução: *par mi cors de lance sui ferut* (*Estoy herido de lanza en medio del cuerpo*).

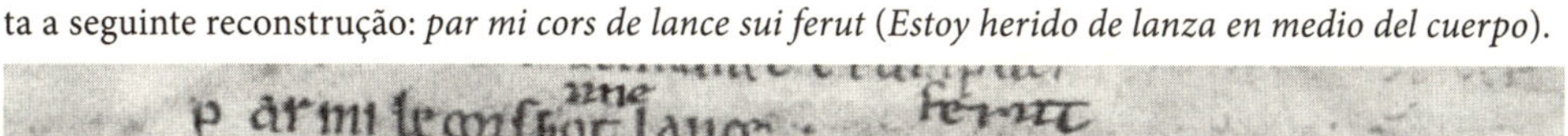

Fl. 37v; v. 2052.

Li arceueſque ꝑzdom y eſſaiet.
Li unſ ne uolt laltre nient laiſſer.
En la grant preſſe i fierent aſ paienſ.
Mil ſarrazinſ i deſcendent a piet
e a cheual ſunt .xL. millerſ.
Men eſcientre neſ oſent aꝑiſmer.
Jl lor lancent y lanceſ y eſpiez.
e wigreſ y darz y muſeraſ y agiez y gieſer.
aſ premerſ colpſ i unt ociſ gualter.
turpinſ de reinſ tut ſun eſcut percet.
Quaſſet ſun elme ſil unt naſfret el chef
e ſun oſberc rumput y deſmailet.
par mi le corſ naſfret de .iiii. eſpiez
D'deſuz lui ocient ſun deſtrer.
or eſt grant doel quant larceueſque chiet. AOI.

CLV

Turpinſ de Reinſ quant ſe ſent abatut.
de .iiii. eſpiez par mi le corſ ferut.
Jſnelement li ber reſailit ſuſ.
Rolł reguardet puiſ ſi li ~ curut.
e diſt un mot ne sui mie uencut.
Ja bon uaſſal nen ert uif recreut.
Jl trait almace ſeſpee de acer brun.
en la grant ꝑſſe mil colpſ
i fiert y pluſ.
puiſ le diſt carleſ quil nen eſparignat nul.

2074-2075. Armas de choque, próprias a cavaleiros, como lanças (*lanceſ*) e alabardas (*eſpiez*), entre as que figuram na tradução desses versos (vide nota ao v. 541), só poderiam ser lançadas em situações limite. Já a proposta de tradução para as armas de arremesso é um ensaio das obscuras especificidades de cada uma: são os virotes (*wigreſ, weiggeſ*), como dardo por acionamento, utilizados em besta ou balestra; os, propriamente, dardos (*darz*), de propulsão muscular; a acha, ou acha de armas (*agiez*), semelhante a uma alabarda, porém mais curta, em forma de lança com ponta de machado em meia-lua; e o venábulo (*muſeraſ*), uma pequena lança de arremesso, própria para montaria (Josué Callender dos Reis, "Noções da Arte da Armaria"). A ordem dessas armas que figura na tradução segue princípios métricos e de assonância. **2090.** Há uma cesura no fólio que obrigou o copista a desmembrar os hemistíquios desse verso

é um bra*vo* veterano o Arcebis*po*,
nenhum quer *a*bandonar ali o ou*tro*;
na peleja, os pagãos são ataca*dos*.
*A*li apei*am* sobre os pés mil sarrace*nos*,
*qua*renta mil vão ainda a cava*lo*.
Ciente eu, *de* aproximar não são ousa*dos*,
*e a*gora lançam as lanças e os dar*dos*,
*vi*rotes, a*chas*, alabardas e vená*bulos*.
Ao primei*ro* golpe Gualter já é mor*to*,
e de Turpi*no a*travessaram o escu*do*.
Sua cabe*ça es*tá ferida, roto o el*mo*,
e a loriga já desmalhou o a*ço*;
por quatro hastes, o corpo é feri*do*.
*De*baixo de*le* lhe mataram seu destrei*ro*,
*a*gora sen*te* grande dor o Arcebis*po*! AOI.

CLV

Quando cai o Turpino, lá de Reims,
de quatro lan*ças* o seu corpo lesões tem,
*in*corporado tão presto o barão, eis!
Vai corren*do a*té Roldão, pois logo o vê,
e lhe diz: "*Ven*cido não estou de vez,
sou bom vassa*lo e* vivo não me renderei!"
Puxa a espada polida, Almacém,
na pele*ja*, de mil golpes...
... dá além.
*Di*rá o rei, *de*pois, que não poupou ninguém,

em duas linhas; nada sugere, contudo, que se trate de mais de um verso. Todos os editores consultados integram a transcrição na apresentação de um mesmo verso. Reproduzimos a apresentação que se lê no manuscrito, mas consideramos as duas linhas, como se faz consensualmente, um único verso.

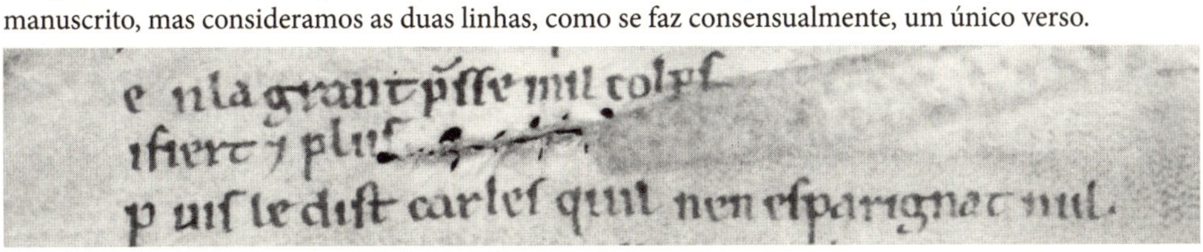

Fl. 38r; vv. 2090-2091.

telſ .iiii. cenz i troeuet entur lui
alquanz nafrez alquanz par mi ferut.
Si out dicelſ ki leſ cheſſ unt ꝑdut.
co dit la geſte e cil ki el camp fut.
Liber Gilie por qui d'ſ fait uertuz
e fiſt la chartre el muſter de loum.
ki tant ne ſet nel ad ꝑd entendut.

CLVI

Li quenſ Roll gentement ſe combat.
Maiſ le corſ ad treſſuet y mult chalt.
en la teſte ad e dulor y grant mal.
rumput ~ li tēpleſ por co que il cornat.
Maiſ ſaueir uolt ſe charleſ i uendrat
trait lolifan fieblement le ſunat.
Li empere ſeſtut ſil eſcultat.
Seignurſ diſt il mult malement noſ uait.
Roll miſ nieſ hoi ceſt iur nꝰ defalt.
Jo oi al corner que gua(i)reſ ne uiůrat.
ki eſtre i uoelt iſnelement cheualzt.
Sunez uoz graſleſ tant q' en ceſt oſt ad.
Seiſante milie en i cornent ſi halt.
Sunent li munt y reſpondent li ual.
paien lentendent nel tindrent mie en gab.
Dit lun a laltre karlun aůrū nuſ ia.

CLVII

Dient paien lempere repairet. AOI.
de celſ de france oēz ſuner leſ graiſleſ.

2092. No verso original em anglo-normando, são *.iiii. cenz* (quatrocentos) os mortos por Turpino ao seu redor. **2095-2098.** Como autoridade de verdade à façanha de Turpino, de matar quatrocentos sarracenos já ferido de morte, o autor do cantar lança mão de dois documentos do ocorrido, a *Gesta Francorum* – que pode ser a mesma mencionada, até aqui, nos vv. 1443 e 1685 – e Carta de São Gil, a quem Bédier (*apud* Gérard Moignet (ed.), *Chanson de Roland*, p. 161), em sua tese das cantilenas, atribui autoridade documental

pois verá *em* volta dele mais de cem.
Fez ferir e partir ali e aquém,
e outros há que a cabeça já não têm –
diz a ges*ta e* quem no campo houve também,
*B*arão São Gil *por* quem Deus fez sua mercê,
que em Laon, quis sua carta escrever;
quem não sa*be* disso, pouco há de entender.

CLVI

*Rol*dão, o conde, combate bravamen*te*,
mas o corpo *es*tá suado e tão quen*te*.
Muito mal *tem* a cabeça excrucian*te*,
*rom*peu as fon*tes* com o sopro do olifan*te*,
mas quer saber *se o* rei será ou não presen*te*.
Pega o corno e o sopra debilmen*te*,
para ouvir, o rei para de repen*te*.
Diz: "Senho*res*, eu vou muito desconten*te*,
meu sobrinho Roldão é expiran*te*,
sua mor*te ou*vi no sopro do olifan*te*.
Quem quiser *che*gar cavalgue velozmen*te*,
os clarins, quantos há, soai na hos*te*!"
*S*essenta mil soam juntos, estriden*tes*,
os montes so*am*, e ressoam junto os va*les*,
sem debo*che* os pagãos bem o enten*dem*;
um ao ou*tro* dizem: "Logo é o rei presen*te*!"

CLVII

*Pa*gãos murmu*ram: "O* Imperador já não espe*ra*,
os clarins *que es*tão soando são da Franç*a*.

para a composição do cantar. Não obstante, o anacronismo é patente: Saint Gille, ermitão de Provença, viveu dois séculos depois do desastre de Roncesvales, embora em *Vita Sancti Egii*, do final do século x, ele apareça como contemporâneo de Carlos Magno. **2113.** *Gab, gaber* (deboche) é um jogo de corte medieval que consiste em disputar quem pode dizer a maior barbaridade entre os participantes. No cantar *Pélérinage de Charlemagne*, Oliveiro ganha a disputa dizendo que cometeria cem proezas sexuais com a filha do Impe-

(Se carł) uiet de nꝯ i aủrat ꝑte.
Se .R. uit nrĕ gue're nouelet.
ꝑdud auŭſ eſpaigne nrĕ tere.
telſ .iiii. cenz ſen aſemble a helmeſ.
e deſ meillorſ ki el căp quient eſtre.
a Rolł rendent un eſtur fort y peſme.
or ad li quenſ endreit ſei aſez que faire. AOI.

CLVIII

Li quenſ Rolł quant il leſ ueit uenir.
tant ſe fait fort y fierſ y maneuiz.
Ne lur [ler]at tant cŭ il ſerat uif.
Siet el cheual quŏ cleimet ueillantif.
brochet le bien deſ eſꝑunſ dor fin
en la grant ꝑſſe leſ uait tuz enuair.
enſemblod lui arceueſqueſ turpin.
diſt lun a laltre ca uuſ traiez ami.
de celſ de france leſ cornſ auunſ oit.
carleſ repairet li reiſ poeſteifſ.

CLIX

Li quenſ Rolł unkeſ namat cuard.
Ne orguilloſ ne maluaiſ hume d[e] male part.
Ne cheualer ſe il ne fuſt bon uaſſal.
Li arceueſqueſ turpin en apelat.
Sire a pied eſteſ y io ſui a ceual.
pur urĕ amur ici ꝑndrai eſtal.
enſemble aurunſ y le ben y le mal.
Ne uoſ lerrai pur nul hume de car.
encui rendrunſ a paienſ ceſt aſalt.
Leſ colpſ deſ mielz celſ ſunt de durendal

rador de Constantinopla, de quem são hóspedes, numa mesma noite. Entre os participantes do jogo, Oliveiro é o único que leva a cabo seu *gab* (Para o *gab* de Oliveiro, vide Paul Aebischer, "Le Gab d'Olivier", *Revue*

Se vem Car*los* será grande a nossa per*da*,
se Roldão ficar vivo volta a gue*rra*;
perderemos a Espanha, nossa te*rra*”.
Dos com el*mo*, quatrocentos já se ajun*tam*,
os melho*res* que no campo estive*ram*.
A Roldão *dão* uma dura investi*da*,
muito o que *fa*zer o conde tem ago*ra*. AOI.

CLVIII

Quando o conde os vê aproxima*dos*,
já se faz *a*lerta, forte e muito bra*vo*,
não irá se dobrar enquanto vi*vo*.
Monta o Vig*i*lante que é o seu cava*lo*,
crava bem as esporas de ouro fi*no*.
Na pele*ja* grande vai para assaltá-*los*,
vai com *ele o* Arcebispo Dom Turpi*no*.
Dizem um *ao* outro: “Achegai, ami*go*,
são da França esses cornos que ouvi*mos*;
Carlos vol*ta*, nosso rei tão podero*so*!”

CLIX

*Rol*dão, o con*de*, não amou nunca o covar*de*,
nem orgulho*so*, nem malvado ou de má cla*sse*,
nem cavalei*ro* que vassalo bom não fo*sse*.
Ao Arcebis*po* Dom Turpino ele di*sse*:
“*Se*nhor, eu vou a cavalo e vós andan*te*,
por vosso amor *eu* estarei aqui bem fir*me*,
*se*remos juntos no bem e no desas*tre*.
Não vos dei*xa*rei por homem feito em car*ne*,
*re*tornare*mos* aos pagãos hoje o ata*que*;
da Durindana os golpes são melho*res*”.

Belge de Philologie et d’Histoire, t. 34, fasc. 3, pp. 659-679, 1956). **2117.** O início deste verso está parcialmente comprometido por uma cesura no fólio. Aceitamos a consensual reconstrução dos editores consultados.

Diʃt larceueʃque fel ʃeit ki ben ni ferrat.
carleʃ repairet (ki) ben uuʃ uengerat.

CLX

Paien dient ʃi mare fumeʃ nez.
cum peʃ(me) iurz nꝰ eʃt hoi aiurnez.
ꝑdut auũ noz ʃeign[a]ʃ y noz perʃ
carleʃ repeiret od ʃa grant oʃt li ber.
de celʃ de france odum leʃ graiʃleʃ clerʃ
Grant eʃt la noiʃe de munioie eʃcrier.
li quenʃ Rollant ~ de tant grant fiertet.
Ja nert uencut pur nul hume carnel.
lancunʃ a lui puiʃ ʃil laiʃʃums eʃter
y il ʃi firent darz y wigreʃ aʃez.
eʃpiez y lanceʃ y muʃeraz enpennéz.
Le [eʃcut] Rolł unt frait y eʃtroet.
e ʃun oʃberc rũput y deʃmailet.
Maiʃ enz el corʃ nel ad mie adeʃet.
Maiʃ ueillantif unt en .xxx. liuʃ nafret.
Deʃuz le cunte ʃi li unt mort laiʃʃet.
paien ʃen fuient puiʃ ʃil laiʃent eʃter.
Li quenʃ Rolł i eʃt remeʃ a pied. AOI.

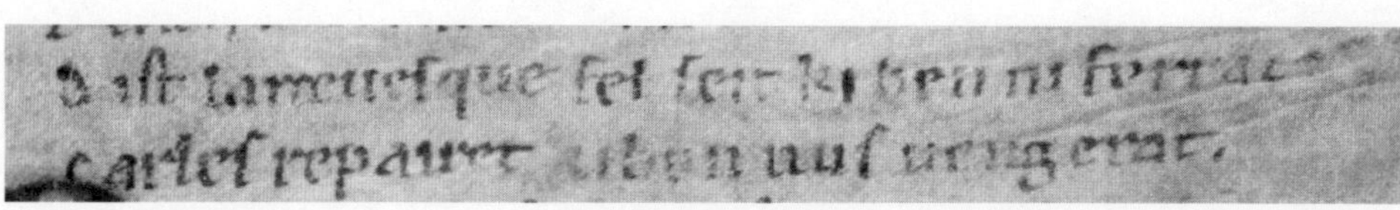

Fl. 39r; vv. 2144-2145.

2145. Pela leitura de Walter (E. G. R. Waters, "Gleanings from MS. Digby 23", *The Modern Language Review*, vol. 25, n. 1, p. 97, 1930), *uuʃ* (vos) ao invés de *nuʃ* (nos). Para a conjunção *ki*, sigo os editores consultados. **2147.** Acatamos a correção consensual do termo *peʃ*, sem referência léxica em anglo-normando, para *peʃme* (terrível).

O Arcebis*po* diz: “É vil quem não acome*te*!
Vai vingar-*vos* Carlos pois pronto ele vol*ve*!”

CLX

Dizem os *pa*gãos: “Em má hora nasce*mos*!
Dia terrí*vel* nos é hoje amanheci*do*,
nossos pa*res* e senhores nós perde*mos*.
Com sua gran*de* hoste volta o rei Car*los*,
os clarins dos da França ouvimos cla*ro*.
Grande é o *fra*gor de Monjoiê seu gri*to*,
e o conde Roldão é tão feri*no*,
que não o ven*ce* nenhum homem em carne e o*sso*;
lançare*mos* contra ele e o deixare*mos*”.
E lhe atir*am* os virotes e os vená*bulos*,
alabar*das*, lanças, dardos empluma*dos*.
O escu*do* de Roldão é perfura*do*,
sua lori*ga* rota, o aço desmalha*do*.
Bem não con*se*guiram alcançar seu cor*po*,
mas Vigilan*te em* trinta pontos foi feri*do*;
sob o conde, já morto está caí*do*.
Os pagãos deixam estar, saem fugi*dos*,
resta o conde Roldão descavalga*do*. AOI.

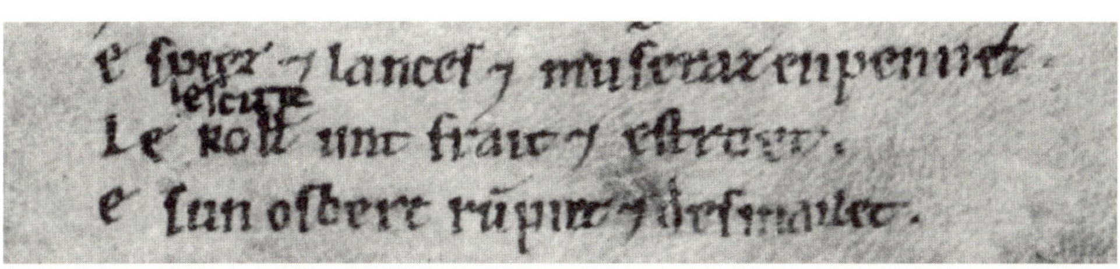

Fl. 39r; vv. 2156-2158.

2155-2156. Para armas de impacto e arremesso, vide nota aos vv. 2074-2075; para o termo *enpennéz*, vide nota ao v. 439.

CLXI

Paien ſen fuient curuçus y irez.
enuerſ eſpaigne ten[dēt] del eſpleiter.
Li quenſ Rolł neſ ad dunt encalcer.
ꝑdut i ad ueillantif ſun deſtrer.
Voellet o nun remeſ i eſt apiet
a larceueſque turpin alat aider.
ſun elme ad or li deſlacat del chef.
ſi li tolit le blanc oſberc leger
e ſun blialt li ad tut detrenchet
en ſeſ granz plaieſ leſ panſ li ad butet.
cuntre ſun piz puiſ ſil ad enbracet
Sur lerbe uerte puiſ lat ſuef culchet.
Mult dulcement li ad Rolł preiet.
e gentilz hom car me dunez cunget.
Noz cũpaignunſ que oumeſ tanz cherſ.
or sunt il morz neſ i deuunſ laiſer
Joeſ uoell aler querre y entercer.
Dedeuant uoſ iuſter y enrenger.
Diſt larceueſque alez y repairez
ciſt camp eſt urẽ mercit deu y mien.

CLXII

Rolł ſen turnet par le camp uait tut ſulſ.
cercet leſ ualſ y ſi cercet leſ munz.
Jloec truvat gerin y gerer ſun cũpaignun.

O MINUTO TRIUNFAL – A dramática cena de Roldão caminhando sobre os tombados, sozinho entre cristãos e sarracenos, buscando pelos seus Pares da França, revela um grande privilégio reservado apenas a um herói épico, o mestre do campo. Morrerá o herói, mas não por combate singular, pois a ninguém é dado matar Roldão (vide vv. 2152-2153). Se bem Roldão não pôde salvar a vida de seus Pares e vassalos, empenhará suas últimas forças em perfilá-los, inanimados, ante o Arcebispo, a fim de uma suprema bênção fúnebre, o que garante a salvação de suas almas; se faltou à retaguarda por excesso de valentia (v. 1731), por isso mesmo se redime nessa cena triunfal. **2170.** Traduzimos o termo *deſlacat*, do verbo *lacer*

CLXI

Os pagãos vão irados e ofendi*dos*,
em chegar *na Es*panha estão tão empenha*dos*.
A Roldão, persegui-los, não lhe é da*do*,
pois perdeu *o* Vigilante, seu destrei*ro*;
queira ou não, resta o homem apea*do*.
Foi socorrer *o* Arcebispo Dom Turpi*no*,
*de*senvergou, da cabeça, o seu el*mo*,
da lori*ga* leve e branca foi despi-*lo*.
Seu laudel, teve de rasgá-lo to*do*,
e as feridas, vendou-as com seus pa*nos*.
Abraçou-o então contra o seu pei*to*,
sobre a ver*de* relva o deita cuidado*so*.
Docemente, Roldão fez-lhe um pedi*do*:
"Gentil ho*mem*, dai-me o vosso permiti*do*,
os companheiros que foram tão queri*dos*,
*não a*bandone*mos* quando jazem todos mor*tos*.
Quero ir *bus*cá-los e reconhecê-*los*,
e ante vós, *em* formação, já reuni-*los*".
"Ide, pois, e voltai" – disse o Arcebis*po* –
"vosso e meu, por mercê de Deus, é o cam*po*!"

CLXII

Vai sozi*nho* pelo campo o Roldão,
busca em va*le*, busca em monte e espigão.
Encontrou *Ge*raldo e Gerson, quase irmãos,

(amarrar) por "desenvergou", no sentido que cobra em língua portuguesa o termo "envergadura" e o verbo "envergar", próprios para referência de todo arnês do cavaleiro, das vestimentas defensivas às armas ofensivas ("...a adarga [sic] potenciou a ameaça de quem a envergava..." (Pedro Agostinho, *Vestidos para Matar*, p. 49) e também, "... a cota é envergada pelos principais actores das contendas..." (*idem*, p. 94), entre outras passagens). **2172.** Traduzimos aqui o termo *blialt* por "laudel"; vide nota ao v. 282. **2183.** Roldão e Turpino são os únicos que restam vivos no campo de batalha quando todos os inimigos estão mortos ou desertaram, o que explica o sentido da expressão do Arcebispo. **2186-2189.** Supõe-se aqui a falta de

e ſi truuat berenger y atuin.
Jloec truvat anſeis y ſansun.
truuat gerard le ueill de ruſſillun.
par unſ y unſ leſ ad priſ le barun.
a larceuesque en eſt uenuz a tut.
ſiſ miſt en reng de deuant ſeſ genuilz.
Li arceueſque ne poet muer nen plurt.
Lieuet ſa main fait ſa beicun.
apreſ ad dit mare fuſteſ ſeignurſ.
tuteſ uoz anmeſ ait d'ſ li gloriuſ.
en pareiſ leſ metet en ſenteſ flurſ.
La meie mort me rent ſi anguiſſuſ.
Ja ne uerrai le riche empereur.

CLXIII

Rolł ſen turnet le camp uait recercer
Sun cŭpaignun ad truuet oliuer.
encuntre ſun piz eſtreit lad enbracet.
Si cum il poet a larceueſqueſ en uent,
Sur un eſcut lad aſ altreſ culchet.
e larceueſque leſ ad aſolſ e ſeignet.
Jdunc agreget le doel y la pitet.
co dit Rolł belſ cumpainz oliuer
Voſ fuſteſ filz al duc reiner.
ki tint la marche del ual de runerſ.
pur hanſte freindre y pur eſcuz peceier
pur orgoilloſ ueintre y eſmaier.
e pur ꝑzdomeſ tenir y cunſeiller.
e pur glutun ueintre y eſmaier.
en nule tere nad meillor cheualer.

um ou dois versos que incluiriam os pares Ivan, Ivo, mortos por Marsílio no verso 1895, e Engels, morto por Climborino no verso 1541. Figurando em outros manuscritos do cantar, eles totalizariam aqui os Doze Pares da França. Pode o copista haver saltado essas linhas? Ou admitimos que o prototípico cantar já os desprezara? **2197.** Assim como no v. 1856, a relação entre flores e paraíso é um *topos* litúrgico. **CLXIII.** Depois de já dada a bênção fúnebre conjunta aos Pares da França, o autor oferece uma série exclusiva para a bênção e a despedida de Roldão a Oliveiro. **2208-2209.** A origem e a genealogia de Oliveiro como uma das cinquenta e duas personagens ficcionais do cantar é desconhecida e não consensual na tradição oral e

e o Otto *e o* Berenguer ali estão;
encontrou *tam*bém o Anselmo e o Sansão.
Vê o velho Girard de Rossilhão,
um a um *vai* recolher quem é barão.
Ao Arcebis*po* os levou todos então,
diante dele, os pôs em formação.
O Arcebis*po* chora sem consolação,
dá a bên*ção*, levantando as suas mãos,
depois diz: "Desditosos esses são!
Queira Deus, vossas almas em perdão,
ao paraí*so* ide em santa floração!
A morte cau*sa*-me tamanha aflição,
ao nosso ri*co* *Im*perador verei mais não!"

CLXIII

*Rol*dão se afas*ta e* vai sozinho pelo cam*po*,
encontrou *seu* companheiro Olivei*ro*.
Estreitou-*o*, abraçando contra o pei*to*,
já retor*na*, como pode, ao Arcebis*po*.
Junto aos ou*tros* o recosta num escu*do*,
por Turp*ino é* perdoado e abençoa*do*.
*P*esar e con*tri*ção lhes são acrescenta*dos*,
diz Roldão: "Belo amigo Olivei*ro*,
de Renê, *o* duque, vós fostes o fi*lho*,
tinha a marca no Vale do Rio Re*no*.
Para lanças romper, quebrar escu*dos*,
pra vencer e esvair o orgulho*so*,
para os bra*vos* acolher e dar conse*lho*,
pra vencer *e* esvair os esgana*dos*,
em terra algu*ma* se vê tão bom cavalei*ro*!"

literária. A despeito disso, o cantar oferece, nessa despedida de Roldão, algumas evasivas informações: filho do duque Reiner, do Val de Runers. Sem qualquer referência histórica ou toponímica, nossa proposta de tradução, atenta à excepcionalidade de Oliveiro como único nome latino entre os guerreiros de Carlos, localiza sua marca no Vale do Rio Reno, a fronteira setentrional do Império Romano, que também convém, evidentemente, à proposta de assonância do verso 2209. **2213.** Riquer (Martín de Riquer, *Chanson de Roland, Cantar de Roldán y el Roncesvalles Navarro*, p. 229) suprime esse verso na sua tradução e anota haver sido copiado equivocadamente no manuscrito, dada a semelhança com o v. 2211.

CLXIV

Li quenſ Rolł quant il ueit mort ſeſ perſ.
e oliuer quil tant poeit amer.
tendrur en out cumencet a plurer.
En ſun uiſage fut mult deſculurer.
Si grant doel out que maiſ ne pout eſter.
Voeillet o nun a tere chet paſmet.
Diſt larceueſq; tant mare fuſteſ ber.

CLXV

Li arceueſqueſ quant uit paſmer Rolł.
dunc out tel doel unkeſ maiſ nout ſi grant.
tendit ſa main ſi ad priſ lolifan.
en renceſualſ ad un ewe curant.
aler i uolt ſin durrat a Rolł.
Sun petit paſ ſen turnet cancelant.
Jl eſt ſi fieble quil ne poet en auant.
Nen ad uertut trop ad perdut del ſanc
einz queom alaſt un ſul arpent de camp.
Falt li le coer ſi eſt chaeit auant.
La ſue mort li uait mult angoiſſant.

CLXVI

Li quenſ Rolł reuient de paſmeiſunſ.
Sur piez ſe drecet maiſ il ad grant dulur.
Guardet aual y ſi guardet amunt.
Sur lerbe uerte ultre ſeſ cŭpaignunſ.
La ueit geſir le nobilie barun.
co ⁓ larceueſque q' d'ſ miſt en ſun num.
cleimet ſa culpe ſi reguardet amunt.

CLXIV

Quando viu, *con*de Roldão, seus pares mor*tos*,
e Olivei*ro, a* quem queria, tão ama*do*,
começou a chorar enterneci*do*.
O seu ros*to* ficou tão descolori*do*,
e tal pesar não será mais suporta*do*.
Queira ou não, caiu já desfaleci*do*,
o Arcebis*po* diz: "Barão tão desdita*do*!"

A MORTE DE TURPINO

CLXV

O Arcebis*po, ao* ver Roldão desvanecen*te*,
*sen*tiu tal dor que jamais outra tão gran*de*.
*Es*tica a mão pra pegar o olifan*te*,
há um curso de água em Roncesva*les*,
a Roldão quis dali então levar-*lhe*.
Em curtos passos voltou cambalean*te*,
*es*tá tão débil, não pode ir adian*te*;
não tem for*ças* pois perdera muito san*gue*.
Antes que u*ma* milha em campo percorre*sse*,
falha o co*ra*ção e cai o homem à fren*te*;
sua mor*te* lhe vem tão angustian*te*.

CLXVI

Do desmaio, Roldão se reani*ma*,
fica em pé, mas já tudo lhe doí*a*.
Olha abaixo e olha para ci*ma*,
mais adian*te*, vê seus Pares pela gra*ma*.
Vê que o nobre barão ali jazi*a*,
o Arcebis*po* que, em seu nome, Deus queri*a*.
Para cima olhando, as culpas cla*ma*,

cuntre le ciel amſdouſ ſeſ mainſ ad iuinz.
Sþet deu que pareiſ li duinſt.
(Morz eſ turpin le guerreier charlun.)
par granz batailleſ y par mult belſ ſermonſ.
cuntre paienſ fut tuz tenſ campiunſ.
d'ſ li otreit la sue ſeinte beneicun. AOI.

CLXVII

Li quen ſ Rolł ueit larceueſque a tere.
deforſ ſun corſ ueit geſir la buele
deſuz le frunt li buillit la ceruele.
deſur ſun piz entre leſ douſ furceleſ.
cruiſiedeſ ad ſeſ blancheſ leſ beleſ.
Forment le pleignet a la lei de ſa tere.
e gentilz hom cheualer de bon aire.
hoi te cumant al głiuſ celeſte.
Jamaiſ nert hume p[lɔ] uolenterſ le ſerue.
Deſ leſ apoſtleſ ne fut hŏ tel ꝑphete.
pur lei tenir y pur humeſ atraire.
Ja la urĕ anme nen ait ſufraite.
de pareiſ li ſeit la porte uuerte.

CLXVIII

Co ſent Rolł que la mort li eſt preſ.
par leſ oreilleſ forſ ſe iſt la ceruel.
De ſeſ perſ p'et deu queſ apelt.
e poiſ de lui al angle gabriel.
priſt lolifan que reꝑce nen ait.

2242. *Vide* nota ao verso 1823. Seguimos o consensual posicionamento desse verso entre os editores do cantar. Aqui traduzimos *charlun* (Carlos) como "coroa", por princípio metonímico. **2250.** É consensual entre os editores do cantar transcrever esse verso com um acréscimo: *cruiſiedeſ ad ſeſ blancheſ* [mains] *leſ beleſ*, incluindo o termo *mains* (mãos) por óbvia pressuposição. Admitindo a pressuposição, não obstante de traduzir com a mesma omissão do manuscrito, compreendemos o gesto de cruzar as mãos sobre o peito

para o céu, as mãos juntas as levan*ta*,
e pede a Deus *que o* paraíso lhe conce*da*.
*Mor*to é Turpi*no*, o guerreiro da coro*a*,
por tão belos sermões, grandes bata*lhas*,
campeão *con*tra os pagãos, foi toda vi*da*;
Deus conceda sua bendição mais san*ta*. AOI.

CLXVII

*Con*de Roldão vê o Arcebispo em te*rra*,
vê pra fora do corpo escorrer tri*pas*,
e derrama*rem*-se os miolos pela tes*ta*.
Sobre o peito, entre as suas duas clavíc*ulas*,
são cruzadas as brancas, ambas be*las*.
Fortemen*te* chora ao uso de sua te*rra*:
"*Oh*, gentil ho*mem*, cavaleiro boa cas*ta*,
encomen*do*-vos ao Pai da eterna gló*ria*,
não haverá quem o sirva com mais ga*na*.
*Des*de os Após*to*los não houve tal profe*ta*,
em manter *a* Lei, pastorear ove*lhas*.
Que sua alma em nada vá priva*da*,
do paraí*so* que vos abram-se as por*tas*".

A MORTE DE ROLDÃO

CLXVIII

Roldão sen*te* que a morte se aproxi*ma*,
os mio*los* vazam por suas ore*lhas*
Roga a Deus que a seus Pares rece*ba*,
e a Gabriel, o arcanjo, por si re*za*.
Que não o ultrajem, o olifante aga*rra*,

como um ritual funerário destinado a clérigos e cavaleiros, como nos mostram diversos relevos de tumbas no século XII, com possível relação à Cruz de Santo André, apóstolo, irmão de Pedro, que haveria sido morto numa cruz em forma de /x/ por sentir-se indigno de um martírio que emulasse o de Cristo. **2256.** A tradução do segundo hemistíquio segue a parábola bíblica: *Dominus pastor meus* (Salmos, 23).

y durendal ſeſpee en laltre main.
Dun arcbaleſte ne poet traire un q^a^rrel.
deuerſ eſpaigne en uait en un guaret.
Muntet ſur un tertre deſuz un arbre bele.
Quatre ꝑrunſ i ad de marbre faite.
Sur lerbe uerte ſi eſt caeit enuerſ.
La ſeſt paſmet kar la mort li eſt preſ.

CLXIX

halt ſunt li pui e mult halt leſ arbreſ.
Quatre ꝑrunſ i ad luiſant de marbre.
Sur lerbe uerte li quenſ Rolł ſe paſmet.
Vnſ ſarrazinſ tute ueie leſguardet.
Si ſe feinſt mort ſi giſt entre leſ altreſ.
Del ſanc luat ſun corſ y ſun uiſage.
Met ſei en piez y de curre ſaſtet.
Bels fut y forz y de grant uaſſelage.
par ſun orgoill cumencet mortel rage.
Rolł ſaiſit y ſun corſ y ſeſ armeſ.
y diſt un mot uencut eſt li nieſ carleſ.
Jceſte eſpee porterai en arabe.
encel tirereſ li quenſ ſaꝑcut alqueſ.

CLXX

Co ſent Rolł que ſeſpee li tolt.
Vůrit leſ oilz ſi li ad dit un mot.
Men eſcientre tu nieſ mie deſ noz.
tient lolifan que unkeſ ꝑdre ne uolt.
Sil fiert en lelme ki gēmet fut a or.
Fruiſſet lacer e la teſte y leſ óſ.
amſdouſ leſ oilz del chef li ad mi forſ.

2265. Medida comparativa de distância. As bestas ou balestras eram temidas por atingir maior alcance que os arcos, com maior precisão. **2268; 2272.** O termo *ꝑrunſ* (*perruns*) está em sentido diferente do que cobra no v. 12, pois é acrescentado aqui o particípio do verbo *faiter*, *faite* (feito, construído),

e com a ou*tra* mão, a espada Durinda*na*
*A*onde a bes*ta* não alcança sua fle*cha*,
num baldio, vai em direção à Espa*nha*.
Entre ár*vo*res subiu a ribancei*ra*,
de bom mármore, há quatro solei*ras*.
Cai de costas ali na verde rel*va*,
desmaiou, pois a morte não espe*ra*.

CLXIX

Muito al*tas* são as montanhas, são as ár*vores*,
as solei*ras* são brilhantes, são de már*more*;
sobre a ver*de* relva o conde desmaiou-*se*.
Um sarrace*no o* fita tão atentamen*te*,
finge mor*to*, com os corpos permane*ce*.
Suja em san*gue* o seu corpo e sua fa*ce*,
fica em pé *e* corre apressadamen*te*.
Era belo *e* forte e também valen*te*,
por orgu*lho*, mortal raiva ali já sen*te*.
Do corpo e ar*mas* de Roldão ele se va*le*:
"É Roldão *ven*cido!" – vai maledicen*te* –
"Co' esta espa*da*, para Arábia, vou conten*te*!"
Mas ao puxá-*la*, de algo o conde se adver*te*.

CLXX

Roldão sen*te* que lhe tira a espa*da*,
*a*briu os o*lhos* e lhe disse essas pala*vras*:
"Vós não sois *ne*nhum dos nossos, que eu sai*ba*".
O olifan*te*, que não quer perder, agar*ra*.
No elmo em ou*ro* cravejado ele golpei*a*,
quebra o aço, o osso e a cabe*ça*.
Os dois olhos da cara desorbi*tam*,

com o qual se pressupõe algo mais do que uma pedra de mármore (vide nota ao v. 12). **2280-2281.** Em trad. lit.: "a Roldão agarra, e seu corpo e suas armas / e diz: 'vencido é o sobrinho de Carlos'".

Juʃ a ʃeʃ piez ʃi lad treʃturnet mort.
apreʃ li dit culuert paien cŭ fuʃ unkeʃ ʃi óʃ.
Que me ʃaiʃiʃ ne a dreit ne a tort.
Ne lorrat hume ne ten tienget por fol.
Fenduz en ~ miʃ olifanʃ el groʃ.
caiuz en eʃt li criʃtalʃ y li orʃ.

CLXXI

Co ʃent Rolł la ueúe ad ꝑdue.
Met ʃei ʃur piez quanquil poet ʃeʃuertuet.
en ʃun uiʃage ʃa culur ad perdue.
dedeuant lui ad une ꝑre byʃe.
.x. colpʃ i fiert par doel e par rancune.
cruiʃt li acerʃ ne freint neʃgruignet.
e diʃt li quenʃ ʃtĕ marie aiue.
e durendal bone ʃi mare fuʃteʃ.
Quant io mei ꝑd de uoʃ nen ai maiʃ cure.
tanteʃ batailleʃ en căp en ai uencueʃ.
e tanteʃ tereʃ largeʃ eʃcumbatueʃ.
Que carleʃ tient ki la barbe ad canue.
Ne uoʃ ait hume ki pᵘ altre fuiet.
Mult bon uaʃʃal uoʃ ad lung tenʃ tenue.
Jamaiʃ nert tel en france laʃolue.

CLXXII

Rolł ferit el ꝑrun de ʃardónie.
cruiʃt li acėʃ ne briʃet ne neʃgrunie.
Quant il co uit que nen pout mie freindre
a ʃei meiʃme la cumencet a pleindre.
e durendal cum eʃ bele y clere y blanche.
cuntre ʃoleill ʃi luiʃeʃ y reflambeʃ.
carleʃ eʃteit eʃ ualʃ de moriane.

2312. A calcedônia é uma variedade de quartzo cristalino, normalmente confundido com o mármore-ônix, o que, evidentemente, ocorre no cantar (vv. 2268, 2272). **2316.** O discurso de Roldão começa com um vocativo (*e durendal*) que introduz um diálogo estabelecido com a personificação da espada. Mais adiante (v.

sob os seus pés, já morto, o desmante*la*
Depois diz: "*Pa*gão, patife! Que ousadi*a*!
Com ou sem *ra*zão de mim assim tomá-*la*!
Não haverá *quem* não vos creia idio*ta*.
Meu olifan*te es*tá gretado na campa*na*,
e caí*ram* o seu ouro e suas pe*dras*.

CLXXI

Roldão sente que a vista foi perdi*da*,
esforçou-*se a* levantar quanto podi*a*.
O seu ros*to* todo já descolori*a*,
diante de*le* uma pedra cinza havi*a*.
Dá dez golpes com dor e muita i*ra*,
range o aço, não rompe ou arruí*na*.
Disse o conde: "Ajudai, Santa Mari*a*!
Oh Durinda*na*, sois tão boa na desdi*ta*!
Não poderei *cui*dar de vós quando eu mo*rra*.
Nós vencemos, no campo, tantas li*das*,
conquista*mos* tanta terra desmedi*da*,
já de Car*los*, quando a barba floresci*a*.
Não vos terá homem que, de igual des*via*;
envarga*da*, bom vassalo vos mantin*ha*,
não haverá *i*gual na França, a divi*na*".

CLXXII

Golpeou *Rol*dão os degraus de calcedô*nia*,
range o aço, não rompe nem arra*nha*.
Quando viu que quebrá-la não podi*a*,
a si mesmo começa a ladain*ha*:
"*Oh* Durinda*na*, bela, branca e luzidi*a*,
contra o sol, vosso brilho ilumi*na*.
*Es*tava Carlos no Vale Moria*na*,

2335), Roldão se refere à Durindana em terceira pessoa. Não é de estranhar, contudo, essa alternância no cantar, já que poderia passar inadvertida na divulgação oral. **2318-2332.** Relação parcialmente ficcional das conquistas de Carlos Magno que, efetivamente, conquistou a Lombardia e a România (v. 2326), a Baviera

Quan d'ſ del cel li mandat par ſun agle.
Quil te dunaſt a un cunte cataignie.
dunc la me ceĭſt li gentilz reiſ li magneſ.
Jo len cunquiſ namon y bretaigne
Si len cunquiſ e peitou e le maine.
Jo len cunquiſ normendie la franche.
Si len cunquiſ prouence y equitaigne
e lumbardie y treſtute romaine.
Jo len cunquiſ baiuer et tute flandreſ
e burguigne y treſtute puillanie.
coſtentinnoble dunt il out la fiance
y enſaiſonie fait il co quil demandet.
Jo len cunquiſ y eſcoce y [ualeſ iſlonde]
y engletere que il teneit ſa cambre.
cunquiſ len ai paiſ y tereſ tanteſ.
Que carlł tient ki ad la barbe blanche.
pur ceſte eſpee ai dulor y peſance.
Mielz uoeill murir quentre paienſ remaigne.
d'ſ ꝑre nen laiſeit chunir france.

CLXXIII

Rolł ferit en une ꝑre biſe.
pluſ en abat que io ne uoſ ſai dire.
Leſpee cruiſt ne fruiſſet ne ne briſe.
cuntre ciel amunt eſt reſortie.
Quant ueit li quenſ que ne la freindrat mie.
Mult dulcement la pleinſt a ſei meiſme.
e durendal cum eſ bele y ſeintiſme.
en loriet punt aſez i ad relique ſ.
La dent ſeint ꝑre y del ſanc ſeint baſilie.
e deſ cheuelſ mun ſeignor ſeint deniſe.
Del ueſtem̃t i ad ſeinte marie.

(v. 2327), e a Saxônia (v. 2330), que se trata da Baixa Saxônia, atual Vestfália, e que, ao contrário do que diz esse verso, foi para o reinado de Carlos uma região sempre insubmissa. Maine, Anjou (por correção dos editores para a desconhecida toponímia *namon*, v. 2322), Bretanha, Escócia e Inglaterra

quando Deus, por um anjo, lhe dizi*a*,
que vos de*sse a um* conde que capitanei*a*;
o rei Mag*no e* belo assim me vos cingi*a*.
Para e*le* conquistei Anjou e Breta*nha*,
e lhe con*quis*tei Le Maine e Aquitâ*nia*.
Conquistei *pra* ele a franca Normandi*a*,
e conquistei-lhe inteira a Occitâ*nia*,
a Lombardia e toda a Româ*nia*.
Conquistei *pra* ele Flandres, Bavie*ra*,
e Borgonha e toda a Polô*nia*.
*Cons*tantinopla, que o recebeu com vê*nia*,
e a subserviente Saxô*nia*.
Para e*le* conquistei Escócia, Islân*dia*,
e Inglate*rra* que a tem por camari*nha*.
Conquistei *paí*ses, terra em abundân*cia*,
para Car*los*, quando a barba já flori*a*.
Por esta espa*da*, sinto dor e agoni*a*,
morro an*tes* que um pagão dela se cin*ja*.
Deus defen*da a* França dessa má vergo*nha*!"

CLXXIII

*Na es*cura pedra Roldão desfere um gol*pe*,
nem direi quão profundo aquele cor*te*.
Range o aço, mas não quebra nem rom*pe*,
contra o céu, alto é o seu rebo*te*.
Não a pode romper, percebe o con*de*,
docemen*te en*tão a ela lamentou-*se*:
"*Oh* Durindana, santíssima e tão no*bre*,
d'ouro po*mo* suas relíquias são melho*res*:
De São Pe*dro o* sangue, São Basílio o den*te*,
de São Dioní*sio* o cabelo é presen*te*.
De Maria um pedaço da sua ves*te*,

são conquistas de Guilherme I, o Conquistador, enquanto a conquista de Constantinopla por Carlos é ficcionalmente narrada no cantar *Pélerinage de Charlemagne*. *Valeſ iſlonde* (v. 2331) é mão de revisor, e traduzimos como Islândia, conforme Moignet e Riquer.

Jl nen eſt dreiz que paienſ te bailliſent.
De xpĭenſ deuez eſtre ſeruie.
Ne uoſ ait hume ki facet cuardie.
Mult largeſ tereſ de uuſ au̇rai ꝯquiſeſ.
q'e carł tent ki la barbe ad flurie.
e li emꝑeres en ~ ber y richeſ.

CLXXIV

Co ſent Rolł que la mort le treſprent.
Deuerſ la teſte ſur le qᵉr li deſcent.
Deſuz un pin i eſt alet curant.
Sur lerbe uerte ſi eſt culchet adenz.
Deſuz lui met ſeſpee y lolifan enſumet.
turnat ſa teſte uerſ la paiene gent.
pur co lat fait que il uoelt ueirement.
Que carł diet y treſtute ſa gente.
Li gentilz quenſ quil fut mort cunquerant.
cleimet ſa culpe e menut y ſuuent.
pur ſeſ pecchez deu enpur offrid lo guant. AOI.

CLXXV

Co ſent Rolł de ſun tenſ ni ad pluſ.
Deuerſ eſpaigne eſt en un pui agut.
al une main ſi ad ſun piz batud.
d'ſ meie culpe uerſ leſ tueſ uertuz.
De meſ pecchez deſ granz y deſ menuz.
Que io ai fait deſ lure que nez fui.
treſqua ceſt iur que ci ſui conſout.
Sun deſtre guant en ad uerſ deu tendut.
angleſ del ciel i deſcendent a lui. AOI.

2360-2636. Carlos recordará que Roldão já manifestara esses propósitos para sua morte (vide s. CCIV).

não é jus*to* que um pagão a vós empu*nhe*;
de um cristão vale mais que se acompa*nhe*.
Não vos tenha um homem se covar*de*,
*con*vosco conquistei terras abundan*tes*,
que tem Car*los*, o da barba florescen*te*;
*o Im*perador é, por elas, rico e no*bre*.

CLXXIV

Que a mor*te* lhe apodera, Roldão sen*te*,
ao coração, *des*de a cabeça ela descen*de*.
Sob um pinheiro ele foi rapidamen*te*,
*a*li deitou *de* bruços sobre a relva ver*de*;
*de*baixo de*le o* olifante e a espada escon*de*.
Para a gente pagã volta a fron*te*,
isso fez *por*que queria realmen*te*,
que Carlos diga e toda sua gen*te*,
que morre*ra* conquistando, o belo con*de*.
*Cla*mou suas cul*pas* amiúde e várias ve*zes*,
por seus peca*dos*, sua luva a Deus esten*de*. AOI.

CLXXV

Roldão sen*te* que se esvai o seu tem*po*,
põe-se à *Es*panha em face a um escarpa*do*,
com a mão *e*le golpeia-se no pei*to*:
"Ante vosso poder, Deus, sou culpa*do*,
por miúdos e grandes, meus peca*dos*,
de nuelo e aqueles consuma*dos*,
até hoje, aqui tão alquebra*do*".
*Es*tende a luva em gesto eleva*do*,
*an*jos do céu até ele são baixa*dos*. AOI.

2365. Com o oferecimento da luva (vide nota ao v. 247), como símbolo de submissão feudal, Roldão rende sua última homenagem a Deus.

CLXXVI

Li quenſ Rolł ſe iut deſuz un pin
enuerſ eſpaigne en ad turnet ſun uiſ.
De pluſurſ choſeſ a remembrer li þſt.
De tanteˢ tereˢ cum li berſ ꝯquiſt.
De dulce france deſ humeſ de ſun lign.
De carlemagne ſun ſeignor kil nurrit.
Ne poet muer nen plurt y ne ſuſpirt.
Maiſ lui meiſme ne uolt mettre en ubli.
cleimet ſa culpe ſi priet deu mercit.
veire patene ki unkeſ ne mentiſ.
Seint lazaron de mort reſurrexiſ.
e daniel deſ leonſ guareſiſ.
Guar(iſ) de mei lanme de tuz ꝑilz.
pur leſ pecchez que en ma uie fiſ.
Sun deſtre guant a deu en puroffrit.
Seint gabriel de ſa main lad priſ.
Deſur ſun braz teneit le chef enclin.
Junteſ ſeſ mainſ eſt alet a ſa fin.
D'ſ tramiſt ſun angle cherubin.
e ſeint michel del ꝑil.
enſemblod elſ ſent gabriel i uint.
Lanme del cunte portent en pareiſ.

2384. As orações são comuns nos cantares de gesta, conhecidas como "credo épico", como a de Ximena no *Cantar de Mio Cid* (vv. 330-365), em que se enumeram os mistérios do novo e do velho testamento. Assim também o faz Vivien, na *Chanson de Guillaume*, quando, à beira da morte e arrastando sob os pés seus intestinos, implora a Jesus pela vinda de Willame ou do Imperador Lowis, sucessor de Carlos Magno, em oração (s. LXXII). Nesse credo de Roldão, pode-se ainda identificar a fórmula litúrgica da ordem de comenda da alma (*ordo commendationis animae*). **2385.** Campa é a pedra sepulcral que cobria a caverna onde jazia Lázaro, quando foi ordenado por Jesus que de lá saísse ressuscitado (João. 11:25). E Jesus lhe disse: "Eu sou a ressurreição e a vida. Aquele que crê em mim, ainda que esteja morto, viverá" (*Dixit ei Iesus: Ego sum resurrectio et vita: qui credit in me, etiam si mortuus fuerit, vivet*). **2386.** Deuteronômio. 6. Compare-se com a oração que Ximena faz ao Campeador, no *Cantar de Mio Cid*: "salvest a Daniel, con los leones en la mala cárcel" (v. 340). **2395.** *ſeint michel del ꝑil* (São Miguel dos Perigos) trata-se de São Miguel Arcanjo, em referência à Abadia normanda situada no Monte

CLXXVI

*Con*de Roldão, sob um pinho se esti*ra*,
e voltou o seu cenho à Espa*nha*,
a lembrar começou de coisas quan*tas*:
Das terras que, *co*mo barão, tomou em sa*nha*,
dos seus ho*mens*, sua casta e a Doce Fran*ça*.
De Carlos Mag*no* que o criou desde crian*ça*,
não evita chorar e já suspi*ra*.
Recordou-se de si, não se abando*na*,
a Deus pede perdão e as culpas cla*ma*:
"Verdadei*ro* pai, que não mentiu em na*da*,
que a Lá*za*ro, o tiraste da sua cam*pa*.
A Daniel, dos leões, fostes guari*da*,
dos perigos, guardai a alma mi*nha*,
por pecados que eu cometi em vi*da*".
*O*fereceu *a* Deus a sua destra lu*va*,
São Gabriel, de sua mão a recolhi*a*,
a cabe*ça*, sob o seu braço, susti*nha*.
Mãos juntadas, ali seu tempo fin*da*,
e um an*jo* querubim Deus lhe envi*a*.
Eis São Miguel, do perigo que havi*a*,
com Gabriel, que então já descendi*a*;
sua al*ma ao* paraíso já subi*a*.

Saint-Michel, uma ilha rochosa originalmente ligada ao continente por um istmo em marés baixas. A Abadia foi chamada de *Mons Sancti Michaeli in periculo mari*, devido a uma lenda do século VIII de um maremoto que haveria dado origem a essa ilha, onde então havia apenas o monte Tombe, em que se construíra o oratório dedicado a São Miguel. **2396.** Compare-se com o que se lê na *História del Emperador Carlos Magno...* de Nicolás de Piemonte: "[Roldán] dio el ánima a su Criador a once días del mes de junio, año del Señor de ochocientos y diez años" (Nicolás de Piemonte, *Historia del Emperador Carlo Magno...*, p. 181). Data diferente também do que se lê na "Nota Emilianense" (vide nota 90). A MORTE DE ROLDÃO – Nesse episódio culminante do cantar, vemos como Roldão enaltece suas conquistas, rendendo, com isso, homenagem mais à espada do que a qualquer pessoa. Durindana é mais do que uma arma, é um objeto sagrado que, com cujas relíquias (vv. 2346-2348), lhe fora confiada pelo próprio Deus (vv. 2318-2321). Mais adiante, Carlos Magno encontrará com o corpo de Roldão o olifante e o fará depositar na Basílica de São Severino, em Bordeaux, mas Durindana já não volta a aparecer no cantar, a despeito da importância que lhe confere o paladino. Na versão irlandesa *Karlomagnus saga*, no entanto, ela está de tal modo segura pela mão direita de Roldão que nenhum cavaleiro é capaz de soltá-la até que o tente Carlos Magno, quando a mão se relaxa; um possível paralelo se fará com a espada do mítico Rei Arthur. Conta-se que, porque alguém em La Mancha não houvera compreendido a prosopopeia dos versos em que Roldão se dirige à espada, surgiu no *Romancero* espanhol um cavaleiro chamado Durandarte (tradução de *durendal* para o castelhano), morto em Roncesvales. Tal foi sua repercussão nas terras ibéricas que o fidalgo *Don Quijote de La Mancha* conta como o conheceu, já morto, porém encantado pelo mago Merlin, no episódio da Cueva de Montesinos (Segunda Parte, cap. XXIII). Depois de frustradas as tentativas de romper Durindana e da justa elegia, Roldão inicia seu credo épico em confissão de culpas (ss. CLXXIV-CLXXVI), mas é notória a sua indiferença quanto à prometida Alda, a quem sequer um verso é consagrado (vide nota ao v. 3721). A detenção do narrado, com as séries similares, ganha aqui uma espetacular dimensão, abolindo o tempo, progredindo o idêntico e prolongando a morte do herói, a que presenciamos com mais intensidade. Inadvertidas perspectivas nos são paulatinamente reveladas com as pequenas alterações do mesmo, no detalhe, no íntimo, no aprofundamento do sentido. **HIPERBÓLICOS MORIBUNDOS** – Se parece fantástico que Roldão siga combatendo e derrubando inimigos após haver rompido as têmporas (vv. 1764, 1786, 2102) e ter a boca ensanguentada (v. 1785); que fenda um elmo e um crânio, arrancando os olhos num golpe de olifante a um sarraceno que lhe quis tomar as relíquias (vv. 2287-2290), mesmo com os miolos vazados (v. 2260); e que, já perdidas as vistas, empreenda, dessa vez sem sucesso, romper Durindana a fim de preservá-la de mãos inimigas, devemos recordar os hiperbólicos moribundos da *Chanson de Guillaume*. Quando, no fragor da batalha, Vivieno percorre a cima da colina e se depara com trezentos dos seus, vê que não há quem não leve a sela vermelha de sangue e que "Sobre seus braços, sustêm os intestinos / que não os destrocem pela terra seus cavalos" ("Devant as braz sustenent lur bouele, / Que lur chevals nes desrunpent par tere", vv. 498-499); e, em seguida: "Setecentos mais encontram da sua terra, / entre os pés, arrastavam suas tripas. / Os seus cérebros lhes saem pela boca, / e pelo escudo escorrem até a relva. / Turvas vistas e pálidas bochechas, / desencaixados os olhos, pendem das cabeças" ("Tels set cenz homes trovent de lur terre, / Entre lur pez trainant lur bowele; / Par mi lur buches issent fors lur cerveles / e de lur escuz se courent sur l'erbe; / Trubles unt les vis e palles les meisseles, / Turnez les oilz qui lur sistrent as testes", vv. 529-534) e, nessas condições incitados, voltam ao combate e matam mais quinze mil sarracenos (v. 552).

III

A Vitória

CLXXVII

Morz ≈ Rolł d'ʃ en ad lanme eʃ celʃ.
Li empere en rence[ʃ]ual paruient.
Jl nen i ad ne ueie ne ʃenter.
Ne uoide tere ne alne illi plein pied.
Que il ni ait o franceiʃ ó paien.
carł eʃcriet ú eʃteʃ uoʃ belʃ nieʃ.
v ≈ larceueʃque y li quenʃ oliuer.
v eʃt gerinʃ y ʃiʃ cũpainz gererʃ.
v eʃt oteʃ y li quenʃ berengerʃ
Jue y ivorie que io aueie tant cherʃ.
Que eʃt deuenuz li guaʃcuinz engeler.
Sanʃun li dux y anʃeiʃ li berʃ.
v eʃt gerard de ruʃʃillun li ueilz.
Li .xii. per que io aueie laiʃet.
De co qui chelt qªnt nul nen reʃpundiet.
d'ʃ diʃt li reiʃ tãt me poiʃ eʃma[i]er.
Que io ne fui al eʃtur cumencer.
tiret ʃa barbe cũ hom ki eʃt iret.
plurent deʃ oilz ʃi baron cheualer.
encuntre tere ʃe paʃment .xx. millerʃ.
Naimeʃ li dux en ad mult grant pitet.

CLXXVIII

IL nen i ad cheualer ne barun.
Que de pitet mult durement ne plurt.
plurent lur filz lur frereʃ lur neuolz.
y lur amiʃ y lur lige ʃeignurʃ.
encuntre tere ʃe paʃment li pluʃur.
Naimeʃ li dux dico ad fait que proz.

2415. Para a expressão "chorar dos olhos", vide nota ao v. 773. **2421.** Traduzimos por "senhor de condição"

LAMENTANDO OS MORTOS

CLXXVII

Tem Roldão *com* Deus sua alma, pois é mor*to*.
*O Im*perador *em* Roncesvales já é vin*do*,
onde não há vereda nem cami*nho*,
nem pé nem jarda ou sítio que vazi*o*,
que não haja pagãos, não haja fran*cos*.
Carlos grita: "Onde estais, gentil sobri*nho*?
Onde está o Arcebispo e o Olivei*ro*?
Onde estão *Ge*raldo e Gerson, companhei*ros*?
Onde está *o* Berenguer, conde, e o O*tto*?
O Ivan, mais o Ivo, quem ado*ro*?
Co' o gascão *En*gels, o que haverá ocorri*do*?
E co' o duque Sansão e com Ansel*mo*?
Onde está, *de* Rossilhão, Girard, o ve*lho*?
E os Doze Pa*res* que eu havia aqui deixa*do*?"
Se lhe não *res*pondem, de que adianta i*sso*?
Diz o rei: "*Deus*! Quanto eu fico transtorna*do*!
Pra peleja eu cheguei tão atrasa*do*!"
*A*rranca a bar*ba* como quem tão irrita*do*.
Dos olhos cho*ram* seus barões, os cavalei*ros*,
contra a te*rra*, vinte mil vão desmaia*dos*;
*du*que Nemé está tão desconsola*do*!

CLXXVIII

*A*li não há cavaleiro nem barão,
que não cho*re* muito por consternação.
Choram filhos, sobrinhos e irmãos,
e ami*gos* e senhor de condição;
a maiori*a* desvanece pelo chão.
*Du*que Nemé *se* comportou como um barão,

a expressão *lige ſeignur*, que faz referência ao estatuto de direito (ou à condição) de senhor feudal.

tuz premereinſ lad dit lempereur.
veez auant de douſ liweſ de nus.
ve(d)e(i)r puez leſ granz cheminſ puldruſ.
q' Quaſẽz i ad de la gent paienur.
car cheualchez uengez ceſte dulor.
e d'ſ diſt carleſ ia ſunt il ia ſi luinz.
cunſe l ez mei y dreit(ure) y honur.
De france dulce munt tolud la flur.
Li reiſ cumandet gebuin y otun.
tedbalt de reinſ y le cunte milun.
Guardez le chăp y leſ ualſ y leſ munz.
Leſſez geſir leſ morz tut iſſi cun il ſunt.
Que ni adeiſt ne beſte ne lion.
Ne ni adeiſt eſquier ne garcun.
Jo uuſ defend que ni adeiſt nuls hom.
Joſque d'ſ uoeil e que en ceſt căp revengum.
e cil reſpundent dulcement par amur.
Dreiz emꝑere cher ſire ſi ferum.
Mil cheualer i retienent deſ lur. AOI.

CLXXIX

Li emꝑereſ fait ſeſ graiſleſ ſuner.
puiſ ſi cheualchet od ſa grant oſt li ber.
De celſ deſpaigne unt lur leſ doſ turnez.

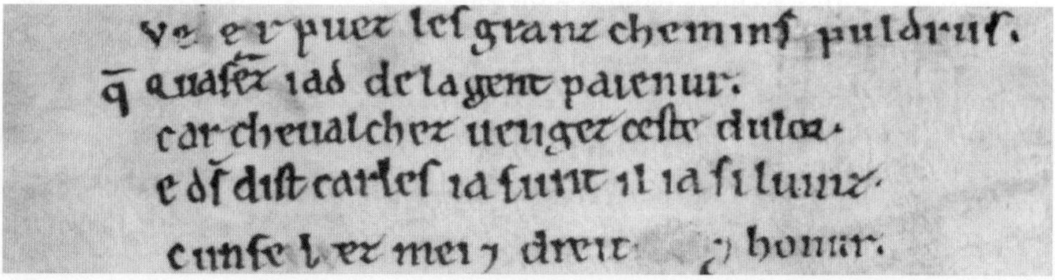
ve e r puez les granz chemins puldrus.
q' quasẽz i ad de la gent paienur.
car cheualchez uengez ceste dulor.
e ds dist carles ia sunt il ia si luinz.
cunse l ez mei y dreit y honur.

Fl. 44r; vv. 2426-2430.

2426. Para *vedeir* (ver) sigo a transcrição consensual entre os editores. **2430.** Moignet anota que o termo lacunar que aparece no manuscrito como *cunſe l ez* é obra de revisor mal inspirado. O termo original,

foi dizer *ao Im*perador de antemão:
“Adian*te*, vede, a duas léguas vão,
podeis ver *o* pó naquele veredão,
quantos há dessa raça de pagãos.
Cavalgai, pra vingar esta aflição!”
Disse o rei: “*Meu* Deus! Quão longe já estão!
Meus conselheiros, por honra e por razão,
eu perdi, *da* França, a flor e a perfeição!”
O rei coman*da a* Gebuíno e a Otão,
a Teobaldo e ao conde de Milão:
“*Guar*dai o campo, o vale e o espigão,
*dei*xai jazer *os* mortos como aí estão;
que não se acerque nem besta nem leão,
nem escudeiro e nem mesmo um garção.
Que os toquem eu não dou permissão,
*a*té voltar*mos*, queira Deus, pra esse chão”.
*E*les respon*dem*, docemente, em afeição:
“Justo Impe*ra*dor, será assim então!”
Mil cavaleiros, com eles, guardarão. AOI.

O ENCALÇO AOS PAGÃOS

CLXXIX

*O Im*perador faz soar suas trombe*tas*,
o barão com sua grande hoste cavalg*a*,
e os da Espa*nha* dão ali a meia-vol*ta*;

pela leitura de Walter (E. G. R. Waters, “Gleanings from MS. Digby 23”, *The Modern Language Review*, vol. 25, n. 1, p. 98, 1930), é *cunſeiliez* (aconselhai) e, no segundo hemistíquio, *dreiture* (justiça, lei, certo, correto, razão). **2439.** A letra *g* foi apagada da palavra *uoeilge*, segundo a leitura de Walter (*Idem, ibidem.*), por equívoco do copista. **2445.** A tradução desse verso não é consensual. Tanto o manuscrito, sem marcas de rasura ou revisão, quanto o sentido da expressão *leſ doſ turnez* (dar a meia-volta, virar as costas) são claros, sempre que se considere que a hoste de Carlos surgira de súbito diante dos sarracenos já em fuga, o que os obrigaria a mudar de rota. Supondo, por outro lado, que os versos iniciais já pressupõem uma perseguição não inadvertida, esse verso parece carecer de sentido, o que fez Riquer, seguindo uma correção proposta por F. Lecoy (*apud* Gérard Moignet (ed.), *Chanson de Roland*, p. 184), traduzir esse verso como: “Han encontrado las huellas de los de España” (Eles encontraram as pegadas dos da Espanha); Bédier e Moignet acrescentam uma interrogação ao final da tradução.

tenent lenchalz tuit en ſunt cumunel.
Quant ueit li reiſ le veſpreſ decliner.
Sur lerbe uerte deſcent li reiſ en un pred.
culchet ſei a tere ſi priet damnedeu.
Que li ſoleilz facet pur lui areſter.
La nuit targer y le iur demurer.
aiſ li un angle ki od lui ſoelt parler.
Jſnelement ſi li ad comandet.
Charle cheualche car tei ne fa(lt) clartet.
La flur de france aſ ꝑdut co ſet d'ſ.
Venger te poez de la gent criminel.
a icel mot eſt lemꝑere muntet. AOI.

CLXXX

Pur karlemagne fiſt d'ſ uertuz mult granz.
car li ſoleilz eſt remeſ en eſtant.
paien ſen fuient ben leſ chalcent franc.
el ual tenebruſ la leſ uunt ateignant.
verſ ſarraguce leſ enchalcent [ferant] franc.
a colpſ plenerſ leſ en uunt ociant.
tolent lur ueieſ y leſ cheminſ plꝰ granz.
Lewe de ſebre el lur eſt dedeuant.
Mult ~ parfunde merueille e currant.
Jl nen i ad barge ne drodmund ne caland.
paienſ recleiment un lur deu teruagant.
puiſ ſaillent enz maiſ il ni unt guarant.
Li adubez en ſunt li pluſ peſant.

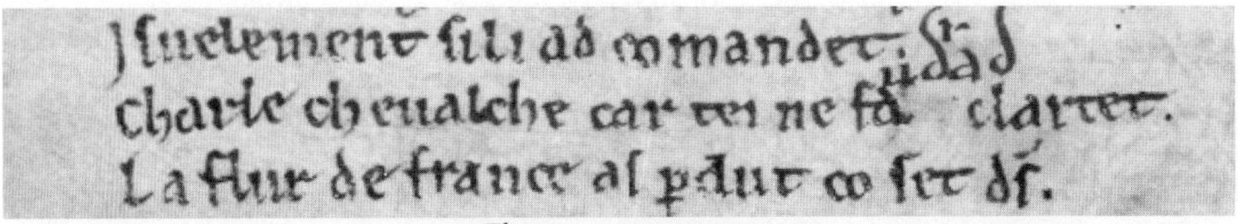
Jſnelement ſi li ad comandet.
Charle cheualche car tei ne fa clartet.
La flur de france aſ ꝑdut co ſet dſ.

Fl. 44v; vv. 2453-2455.

2454. Há uma intervenção de segunda mão no verbo, consensualmente corrigido pelos editores do cantar como *falt*, onde se lê a incompreensível grafia de fa^{udrad}. **DETENÇÃO DO SOL** – Não se quer representar Carlos apenas como um homem investido do poder temporal, mas como o defensor da cristandade. Como tal,

todos juntos persistem nessa aco*ssa*.
Quando no*ta o* rei que a tarde já decl*ina*,
sobre um pra*do em* relva verde o rei ape*ia*.
Roga a Deus *a*li prostrando-se à te*rra*,
que por e*le* faça que o sol se dete*nha*,
*re*tarde a noite e prolongue-se o di*a*.
Eis que um an*jo*, que com ele sempre fa*la*,
prontamente, então já lhe orde*na*:
"*Rei*, cavalgai *que a* claridade não vos fal*ta*!
Que perdes*tes*, sabe Deus, a flor da Fran*ça*,
*po*deis vingar-*vos*, dessa gente crimino*sa*".
*O Im*perador monta ouvindo essas pala*vras*. AOI.

CLXXX

Deus fez grande milagre a Carlos Ma*gno*,
pois o sol se deteve, então, para*do*.
Os pagãos fogem, francos vão no encal*ço*,
vão alcançan*do*-lhes no Vale Tenebro*so*
e até Saragoça segue o aco*sso*.
A plenos golpes, são mortos, massacra*dos*,
e obstru*em*-lhes as vias e os cami*nhos*.
Diante deles, só resta o rio E*bro*,
tão terrível, tão rápido e profun*do*.
Não há barcas, chalanas, não há dro*mos*,
*pa*gãos, por Ter*va*gão, seu deus, vão invocan*do*,
*en*tão se jo*gam* dentro, mas não serão sal*vos*.
Os de armadu*ras* postas são os mais pesa*dos*,

Deus está de sua parte, como em seus sonhos premonitórios (ss. LVI, LVII), nos conselhos dos anjos do Senhor (vv. 3599-3601) e na operação de milagres que não deveriam espantar os ouvintes dos séculos XI e XII. A detenção do sol para perseguição dos inimigos do Senhor está também em Josué (10:1 2-16), mas Riquer (Martín de Riquer, *Chanson de Roland, Cantar de Roldán y el Roncesvalles Navarro*, pp. 248-249), seguindo os argumentos de Menéndez Pidal, nega essa referência e anota como preferente uma lenda de Roncesvales acerca de uma vitória de Carlos em Saragoça, de meados do século X, em que estaria registrado esse milagre em anais de um monastério na França occitana: *et de hora nona factus est sol hora secunda*, quando, ao pôr do sol (a hora nona, na cronologia medieval) adveio o amanhecer (hora segunda). Essa reflexão, não obstante, não nos faz desmerecer a possível influência da tradição bíblica na matéria lendária.

enůerſ leſ funz ſen turnerent alquanz.
Li altre en uunt cuntreual flotant.
Li miez guariz en unt boud itant.
tuz ſunt neiez par merueilluſ ahan.
Franceiſ eſcrient mare fusteſ Rolł. AOI.

CLXXXI

Quant carleſ ueit que tuit ſunt mort paiens
alquanz ociſ y li pluſur neiet.
Mult grant eſchec en unt ſi cheualer
Li gentilz reiſ deſcendut ⁓ a piet.
culchet ſei a tere ſin ad deu graciet.
Quant il ſe drecet li ſoleilz eſt culchet.
Diſt lem̧pere tenſ eſt del herƀger.
en renceſualſ ⁓ tart del repairer.
Noz cheualſ ſunt e laſ e ennuiez.
tolez lur leſ ſeleſ le freinſ q'l unt eſcheſſ.
e par cez prez leſ laiſez refreider.
Reſpundent franc ſire uoſ diteſ bien.

CLXXXII

Li em̧pere ad ꝑſe ſa herberge.
Franceiſ deſcendent en la tere deſerte.
a lur cheualſ unt toleiteſ leſ ſeleſ.
Leſ freinſ a or emetent iuſ leſ teſteſ.
Liůrent lur prez aſez i ad freſche herbe.
Daltre cunreid ne lur poeent pluſ faire.
ki mult eſt laſ il ſe dort cuntre tere.
Jcele noit nunt unkeſ eſcalguaite.

CLXXXIII

Li em̧pere ſeſt culcet en un pret.
Sun grant eſpiet met a ſun chef li ber.
Jcele noit ne ſe uolt il deſarmer.

e se revolvem até o mais profun*do*;
e os ou*tros*, cara abaixo, vão boian*do*.
Sorvem tanto os que ainda preserva*dos*,
que em terrível afã serão afoga*dos*.
Francos gri*tam*: “Roldão, fostes malogra*do*!” AOI.

CLXXXI

Quando Car*los* vê que todos são já mor*tos*,
*e*xecuta*dos* uns, os mais já afoga*dos*,
que bom butim tem ali seus cavalei*ros*.
É, o gentil rei, sobre os pés, descavalga*do*,
dá a Deus, graças, na terra prostra*do*.
Quando em pé, se levanta, o sol é pos*to*,
diz o rei: “Acampai, pois já é tem*po*,
é tarde pa*ra, em* Roncesvales, retornar*mos*.
São cansa*dos* e exauridos os cava*los*,
*ti*rai as se*las*; das cabeças, os seus frei*os*;
*dei*xai-os re*fres*car aqui por esses pra*dos*”.
“Senhor, vós *di*ssseste bem!” – respondem fran*cos*.

CLXXXII

*O Im*perador assentou sua campa*nha*,
desmonta*ram* francos na terra deser*ta*,
dos cava*los*, já tiraram as suas se*las*,
freios d’ou*ro*, desenfrenam das suas ca*ras*.
Entrega*dos* sobre o prado em fresca er*va*,
não lhe po*dem* ofertar melhor caute*la*.
Os mais cansa*dos* adormecem sobre a te*rra*,
*na*quela noite nem fazem sentine*la*.

CLXXXIII

Recostou-*se* sobre o prado o Imperador,
sua lan*ça*, à cabeça, o rei juntou,
*na*quela noi*te* ele não se desarmou.

Si ad ueſtut ſun blanc oſberc ſaſfret.
Laciet ſun elme ki eſt a or gĕmet.
ceinte ioiuſe uncheſ ne fut ſa per.
ki caſcun iur muet .xxx. clartez.
aſez ſauum de la lance parler.
Dunt nrĕ ſire fut en la cruiz naſfret.
carleſ en ad la mure mercit deu.
en loret punt lad faite manuůrer.
pur ceſte honur y pur ceſte bontet.
Li numſ ioiuſe leſpee fut dunet.
Barunſ franceiſ nel deiuent ublier.
enſeigne en unt de munioie crier.
pur co neſ poet nule gent cuntreſter

CLXXXIV

Clere eſt la noit y la lune luiſant.
Carleſ ſe giſt maiſ doel ad de Rolł.
e doliů li peiſet mult forment.
Deſ .xii. perſ y de la franceiſe gent.
en renceſualſ ad laiſet morz ſangenz.
Ne poet muer nen plurt y neſ demente.
e ꝓet deu quaſ anmeſ ſeit guarent.
Laſ eſt li reiſ kar la peine eſt mult grant.
endormiz eſt ne pout maiſ en auant.
par tuz leſ prez or ſe dorment li franc.
Ni ad cheual ki puiſſet eſter en eſtant.
ki herbe uoelt illa ꝓnt en giſant.
Mult ad apriſ ki bien conuiſt ahan.

2499. Para a dupla adjetivação *blanc* (branca) e *ſaſfret* (safira) da loriga (*oſberc*), vide nota ao v. 1032; essa tradução tem por hipótese que as pedras de safira compusessem, com os anéis de aço, a malha da loriga.
2501-2510. Segundo essa explicação, o grito de armas dos franceses recorda o nome de sua espada, Joiosa, que por sua vez, fora batizada em homenagem à Lança do Destino ou Lança Sagrada, utilizada para transpassar o lado de Jesus (João, 19:34) "mas um soldado perfurou o seu lado com a lança" (*sed unus militum lancea latus eius aperuit*). Parte dessa lança, como relíquia, haveria sido forjada na lança de Carlos

*Lo*riga bran*ca* posta é de safira a cor,
feito em ou*ro, o* elmo não desenvergou.
A Joio*sa a*li, nenhuma a pareou,
por dia, trin*ta* vezes muda o seu fulgor.
*Mui*to se sabe, da lança se falou
que, na cruz, *da* que feriu nosso Senhor,
Carlos tem *o* ferro em graça e louvor,
com o qual, *a* ponta em ouro, ele forjou.
Por essa honra e por esse favor,
de Joio*sa*, sua espada batizou.
*Qual*quer barão *fran*cês é um conhecedor,
*de*vem gritar "Monjoiê", que é seu clamor,
*por*que nenhu*ma* gente possa-lhes se opor.

CLXXXIV

A noite é clara, a lua é brilhan*te*,
Carlos dei*ta*, por Roldão, tão peniten*te*,
de Olivei*ro*, pesa muito fortemen*te*,
dos Doze Pares e da francesa gen*te*.
Em Roncesva*les* jazem com sangue verten*te*,
não evi*ta* de chorar tão condolen*te*;
pede a Deus *que as* almas deles, todas guar*de*.
*Es*tá cansado *o* rei, a pena é muito gran*de*,
*a*dormeci*do es*tá já não é vigilan*te*;
por todo o pra*do* já os francos adorme*cem*.
Não há cava*lo* que, por força, se levan*te*,
o que quer pasto, come ali jacen*te*;
quem conhe*ce o* sofrimento, muito apren*de*.

Magno por graça de Deus. Considerando uma antiga tradição que identificava a lança de Carlos Magno como a própria da paixão, o material lendário no entorno dessa relíquia é vasto, presente em diversos cantares de gesta e havendo motivado grandes buscas desde a trama de *Perceval*, de Chrétien de Troyes, que a vira gotejando sangue no castelo do rei pescador, passando por pretextos das históricas cruzadas em Jerusalém, até o argumento de *Parsifal*, o drama musical de Richard Wagner.

CLXXXV

Karleſ ſe dort cũ hume traueillet.
Seint gabriel li ad d'ſ enueiet.
Lempeur li cumandet a guarder.
Li angleſ eſt tute noit a ſun chef.
par auiſiun li ad anunciet.
Dune bataille ki encuntre lui ert.
Senefiance len demuſtrat mult gref.
carleſ guardat amunt enuerſ le ciel.
veit leſ tuneireſ y leſ uenz y leſ gielſ.
e leſ orez leſ merueillꝯ tempez.
e fouſ y flambeſ i eſt apareillez.
Jſnelement ſur tute ſa gent chet.
Ardent cez hanſteſ de fraiſne y depumer.
e cez eſcuz ieſqªſ bucleſ dor mier.
Fůiſez cez hanſteſ de cez trenchanz eſpiez.
cruiſſent oſbercſ e cez helmeſ dacer.
engªnt dulor i ueit ſeſ cheualerſ.
vrſ y leuparz leſ uoelent puiſ manger.
Serpenz y guiůreſ dragun y auerſer.
grifunſ i ad pluſ de trente millerſ.
Nen i ad cel a franceiſ ne ſagiet.
e franceiſ crⁱent carlemagne aidez.
Li reiſ en ad e dulur y pitet.
aler i uolt maiſ il ad deſturber.
Deuerſ un gualt unſ granz leonſ li uint.
Mult par ert peſmeſ y orguilluſ y fierſ.
Sun corſ meiſmeſ i aſalt y requert.
e prenent ſei abraz ambeſdouſ por loiter.
Maiſ co ne ſet liquelſ abat ne quelſ chiet.
Li empere neſt mie eſueillet.

NOVAS PREMONIÇÕES DE CARLOS MAGNO (ss. CLXXXV-CLXXXVI) – Assim como nas séries LVI e LVII, nesses sonhos, Carlos tem mais visões premonitórias e enigmáticas, mas dessa vez com intervenção di-

NOVAS PREMONIÇÕES DE CARLOS MAGNO

CLXXXV

Carlos dor*me* como um homem transtorna*do*,
por Deus, São Gabriel foi-lhe envia*do*,
pra cuidar *do Im*perador como um solda*do*.
À noite, jun*to à* cabeceira, está o an*jo*,
em visão ele faz anunciá-*lo*,
de um embate que a ele será da*do*.
Demonstrou-*se* grave o significa*do*,
o rei olhou, para cima, o firmamen*to*,
viu trovões, viu granizos e viu ven*to*,
e depois viu um temporal horren*do*.
Já preparadas as chamas e os rai*os*,
sobre to*da a* gente são, ágeis, ca*ídos*.
Ardem lanças de macieira e frei*xo*,
e o brocal de ouro puro dos escu*dos*.
Estilha*çam* hastes de aço afia*do*,
e as lori*gas* rangem e também os el*mos*,
o rei vê *em* grande angústia os cavalei*ros*.
Por devorá-*los* estão ursos, leopar*dos*,
*ser*pentes, ví*bo*ras, dragões e os dia*bos*.
Também há trinta mil ou mais de gri*fos*,
e nenhum deixa de atacar os fran*cos*.
Eles gri*tam*: “Ajudai-nos, Carlos Ma*gno*!”
O rei sen*te* muita dor e sofrimen*to*,
quer ajudar, mas encontra impedimen*to*.
Desde um bosque um leão grande é vin*do*,
tão feroz, tão perverso e orgulho*so*.
Sobre o seu próprio corpo incita o assal*to*,
pra lutar, tomam-se ambos pelos bra*ços*,
mas não se sa*be* qual bateu, qual é ca*ído*;
todavi*a o Im*perador não é acorda*do*.

vina, pois é o próprio anjo Gabriel quem lhe mostra as visões, cuja tormenta é o pano de fundo. A intervenção do leão que impede o Imperador de ir ao socorro de seus suplicantes francos (vv. 2549-2553)

CLXXXVI

Apreſ icel li uien unaltre auiſiun.
Quil ert en france ad aiſ a un ꝑrun.
en douſ chaeineſ ſi teneit un brohun.
Deuerſ ardene ueeit uenir xxx. urſ.
caſcun parolet altreſi cume hum.
Diſeient li ſire rendez le nuſ.
Jl nen eſt dreiz que il ſeit maiſ od uoſ.
Nrĕ parent deuum eſtre a ſucurſ.
De ſun paleiſ uerſ leſ altreſ acurt.
entre leſ altreſ aſaillit le greignur.
Sur lerbe uerte ultre ſeſ cŭpaignunſ.
La uit li reiſ ſi merueilluſ eſtur.
Maiſ co ne ſet liquelſ ueint ne quelſ nun.
Li angleſ deu co ad muſtret al barun.
carleſ ſe dort treſqual demain al cler iur.

CLXXXVII

Li reiſ marſilie ſen fuit en ſarraguce.
Suz un oliue eſt deſcendut en lumbre.
Seſpee rent eſun elme eſa bronie.
Sur la ůte herbe mult laidement ſeculcet.
La deſtre main ad ꝑdue treſtute.
Del ſanc quen iſt ſe paſmet y angoiſet.

é uma clara referência à intervenção do Emir Balalão e do combate singular entre os senhores representantes da cristandade e do paganismo, cujo resultado, até aqui, está indefinido. Qualquer questionamento acerca do episódio de Balalão deveria supor essa passagem como apócrifa. A visão seguinte é uma premonição do que ocorrerá nas ss. CCLXXVII-CCLXXXIV, que é o juízo de Galalão num combate singular entre Pinabel, da parte do réu, e Teodorico, da parte de Roldão. Galalão, portanto, é o urso mantido preso por Carlos Magno, cuja liberdade será reclamada por seus parentes, os demais ursos. Entre as bestas, Teodorico entra em combate com o maior dos ursos (vide nota aos vv. 3839-3840), Pinabel, mas o sonho não revela o desfecho. **2556.** Novamente, sobre o étimo *prun*, *perrun*, diferente do que lemos no v.

CLXXXVI

A essa visão, sucedeu-lhe uma ou*tra*:
Sob um pór*ti*co em Aquisgrão, na Fran*ça*,
*ha*via um ur*so* pardo preso em duas colei*ras*.
Trinta ursos vê vindo de Arde*nas*,
como um ho*mem*, cada um dos quais, fala*va*.
"Senhor" – di*zem* – "devolvei-nos ele ago*ra*,
não é jus*to* que convosco permane*ça*;
nós deve*mos* ajudar a parente*la*".
No seu paço, umas bestas se acoco*ram*,
a mais forte, ao maior urso ata*ca*,
diante das suas iguais na verde rel*va*.
Viu o rei *tal* terrorífica pele*ja*,
mas não sa*be* qual vencido, qual derro*ta*.
Tudo i*sso, o* anjo ao rei lhe põe à mos*tra*,
Carlos dorme até sair a auro*ra*.

REI MARSÍLIO EM SARAGOÇA

CLXXXVII

Rei Mars*ílio* se mandou pra Sarago*ça*,
desmontou sob a sombra da olivei*ra*.
Desenver*ga a* cota, o elmo e a espa*da*,
humilhado, se prostra à verde rel*va*.
*A*té o toco, a destra mão perde*ra*,
*ver*tendo san*gue e*le desmaia em angús*tia*.

12 (vide nota) e no cenário do v. 2268, aqui o substantivo antecede o palácio de rei. Considerando que a sala da assembleia do Palácio de Aquisgrão, como edificação principal do complexo palaciano, seguiu o projeto arquitetônico da Basílica de Tréveris, na Alemanha, que é um retângulo aporticado, e que ambas, tanto a edificação romana quanto a carolíngia, não possuem elevação do pórtico para a presença de escadas, optamos pela tradução como "pórtico", diferente dos editores consultados que incluem aqui as escadarias. **2563.** Todas as traduções consultadas optam por cão-de-caça (*lebrel*, *levrel*, galgo), para o que se faz necessária uma alteração na transcrição: *De sun paleis uns veltres i acut*. Seguimos o manuscrito. Para *uerf*, vide nota ao v. 727. **2570.** Quinto dia na cronologia do cantar.

Dedeuant lui ʃa muiller bramimunde
pluret y criet mult forment ʃe doluʃet.
enʃemblod li pl⁹ de .xx. mil humeʃ.
Si maldient carlun y france dulce.
ad apolin en curent en une crute.
tencent a lui laidement le deʃꝑʃunent
e maluaiʃ d'ʃ por quei nuʃ faiʃ tel hunte.
ceʃt nrĕ rei por quei leʃʃaʃ cunfundre.
ki mult te ʃer[T] maluaiʃ luer len duneʃ.
puiʃ ʃi li tolent ʃeʃ ceptre y ʃa curune.
par [ler] mainʃ le pendent ʃur une culŭbe.
entre lur piez a tere le treʃturnent.
a granz baʃtunʃ le batent y de fruiʃent.
e t'uagan tolent ʃun escarbuncle.
e mahumet enz en un foʃʃet butent
e porc y chen le mordent e defulent.

CLXXXVIII

De paʃmeiʃunʃ unʃ ~ uenuz marʃilieʃ.
Fait ʃei porter en ʃa cambre uoltice.
pluʃurʃ culurʃ i ad peinz y eʃcriteʃ.
e bramimunde le pluret la reine.
trait ʃeʃ cheuelʃ ʃi ʃe cleimet caitiue.
al altre mot mult haltement ʃeʃcriet.
e ʃarraguce cum ieʃ oi deʃguarnie.
del gentil rei ki taueit en baillie.
Li nrĕ deu i unt fait felonie.
ki en bataille oi matin le faillirent.
Li amiralz i ferat cuardie.
Sil ne cŭbat a cele gent hardie.
ki ʃi ʃunt fierʃ nunt cure de lur uieʃ.
Li emꝑere od la barbe flurie.
Vaʃʃelage ad e mult grant eʃtultie.
Sil ad bataille il ne ʃen fuirat mie
Mult eʃt grant doel que nen eʃt ki lociet.

Diante de*le*, sua mulher, a Bramimon*da*,
fortemen*te* se condói e grita e cho*ra*.
Mais de vin*te* mil, os homens se ajun*tam*,
e maldi*zem* Carlos e a Doce Fran*ça*.
*A*té Apo*lo* correm, está em uma gru*ta*,
e com calú*nias* o derrubam por afron*ta*:
“Ah, malva*do* deus, por que a tal infâ*mia*?
Por que o no*sso* rei deixastes em vergo*nha*?
*Re*ceberá *o* mal aquele que vos sir*va*”.
*De*pois tira*ram*-lhe o cetro e a coro*a*,
suspende*ram*-no co’ as mãos sobre a colu*na*,
entre os pés, derrubaram-no à te*rra*.
Com porre*tes* o bateram e o quebra*ram*,
a Tervagão *lhe* tiram, de rubi, as pe*dras*.
A Maomé, *o* enfiaram numa fo*ssa*,
pisotei*am*-no e o mordem cães e por*cas*.

CLXXXVIII

Rei Marsí*lio* do desmaio se reco*bra*,
fez levar-*se a* sua alcova abobada*da*,
onde há *es*critos e cores pinta*das*.
E aos pran*tos* a rainha Bramimon*da*,
arrancan*do*-se os cabelos diz: “Coita*da*!”
De outro modo, tão fortemente gri*ta*:
“*Ai* Saragoça, estais desguarneci*da*,
do rei gentil que por seu dono a ti*nha*!
Nossos deu*ses* nos fizeram feloni*a*,
de manhã, malogrando a bata*lha*.
O Almirante fará tal covardi*a*,
se não comba*te a* essa gente tão ousa*da*;
são tão fero*zes* que desprezam suas vi*das*.
*O Im*perador *que* tem a barba tão flori*da*,
tão valente e de tanta imprudên*cia*,
não fugirá se lhe apresentar bata*lha*;
que não ha*ja* quem o mate é grande pe*na*!”

CLXXXIX

Li empere par ʃa grant poeʃtet.
.vii. anz tuz plenʃ ad en eʃpaigne eʃtet.
prent i chaʃtelʃ y alquanteʃ citez.
Li reiʃ marʃilie ʃen purcacet aʃez.
al premer an fiʃt ʃeʃ breʃʃ ʃeieler.
en babilonie baligant ad mandet.
co ~ lamiraill le uiel dantiquitet.
tut ʃur ueʃquiet y uirgilie y omer.
en ʃarraguce alt ʃucurre li ber
e ʃil nel faitʃ il guerpirat ʃeʃ d'ʃ.
e tuz ʃeʃ ýdeleʃ que il ʃoelt adorer.
Si receůrat ʃtẽ xpĭentet.
A charlemagne ʃe uuldrat acorder.
e cil ~ loinz ʃi ad mult demuret.
Mandet ʃa gent de .XL. regnez.
Seʃ granz drodmunz en ad fait apreʃter.
eʃchiez y bargeʃ y galieʃ y neʃʃ.
Suz alixandre ad un port iuʃte mer.
tut ʃun nauilie i ad fait apreʃter.
co ~ en mai al ꝑmer iur deʃted.
tuteʃ ʃeʃ oz ad empeinteʃ en mer.

O EPISÓDIO DE BALALÃO – A partir da série CLXXXIX, tem início o episódio de Balalão, que ocupa a quarta parte do cantar. Esse episódio foi objeto de sucessivas contestações por parte da crítica, que tentou imputar-lhe sentido apócrifo, talvez obnubilada por um título, esse sim tardio, que até bem poderia haver sido preterido pelos primeiros editores do cantar do século XIX por outros, como *La Chanson de Charlemagne* ou *La Chanson de Roncevaux*. Uma vez morto Roldão, bastariam poucas séries para punir Galalão e encerrar a gesta, mas por que então mais uma longa batalha sem a presença do paladino e dos Doze Pares da França? Se bem essa contestação é já superada entre a crítica, a reflexão dela decorrente é basilar para a compreensão da estrutura argumental do cantar. Martín de Riquer sintetiza, em um parágrafo, o imperativo de se admitir a autenticidade do episódio: "Sem o episódio de Balalão, *O Cantar de Roldão* que conservamos não tem razão de ser. Sem o episódio de Balalão, nosso cantar seria um engendro artístico e um despropósito dentro da hierarquizada mentalidade feudal dos séculos XI e XII. Imaginemos que depois da derrota da retaguarda em Roncesvales, o exército de Carlos Magno voltasse diretamente para França e que em Aquisgrão se julgasse e condenasse a Galalão. A traição haveria sido castigada, mas o desastre militar não haveria sido vingado. Que pouco glorioso seria o papel do Imperador! A flor de seus cavaleiros mor-

EMIR BALALÃO CHEGA À ESPANHA

CLXXXIX

*O Im*perador, por seu grande poderi*o*,
na Espanha ficou por sete a*nos*.
Conquistou *quan*tas cidades e caste*los*,
precaveu-se bastante o rei Marsí*lio*.
No primei*ro* ano fez a carta e o se*lo*,
em Babilô*nia*, Balalão foi avisa*do* –
que é o Emir, tão antigo e tão ve*lho*,
*so*breviveu a Virgílio e a Home*ro* –
pra que fo*sse a* Saragoça socorrê-*lo*.
Se não o faz *se*rá seu deus já renega*do*,
e os *ído*los também mais adora*dos*.
*Re*ceberá, *en*tão, de Cristo, o batis*mo*,
e ficará *da* parte do rei Carlos Mag*no*.
Mas ele está *lon*ge, tardou demasia*do*,
em convocar *sua* gente de quarenta rei*nos*.
Faz então prepararem os seus bar*cos*,
suas galeras, esquifes, naves, dro*mos*.
Junto ao mar, *na A*lexandria, há um por*to*,
onde faz preparar os barcos to*dos*.
Era em mai*o*, dia primeiro, do esti*o*,
os seus todos ao mar foram lança*dos*.

tos [sic] pelos sarracenos sem digna réplica; há apenas a vingança contra um de seus conselheiros mais próximos, por isso, traidor. *O Cantar de Roldão* seria a epopeia de uma derrota" (Martín de Riquer, *Los Cantares de Gesta Franceses*, p. 121). Mesmo considerando já não fazer sentido discutir a autenticidade de um episódio de uma gesta, cuja essência é o acúmulo de materiais lendários, a "hierarquizada mentalidade feudal" determina que um senhor supremo se enfrente com outro, quando os vassalos o necessitam. Se Carlos Magno é senhor supremo de todos os cristãos, o Emir Balalão é apresentado como equivalente sarraceno; Roldão é morto e Marsílio afrontado, só a justiça divina determinará com quem está a razão, pelo fio da espada do representante temporal do Deus verdadeiro, seja ele cristão, representado pelo Imperador Carlos Magno, seja o sarraceno, representado pelo Almirante Balalão, ambos em socorro e vingança de seus vassalos. **2609-2612.** Os três primeiros versos são paralelos aos três primeiros do cantar. Aqui, porém, mostra a atitude de Marsílio omitida no início que, do ponto de vista narrativo, confere a continuidade do cantar. **2615-2616.** Estabelece-se aqui a similitude entre os suseranos daqueles que lhes reivindicaram seu socorro. O Emir Balalão, como Carlos Magno, é apresentado como um homem muito velho, a despeito do vigor com que defenderá sua fé. Dá-se, portanto, o equilíbrio entre as forças.

CXC

Granz ʃunt leʃ oz de cele gent auerʃe.
Siglent a fort y nagent y guuernent.
en ʃum cez maz y en cez l^{ET}altes uerneʃ.
aʃez i ad carbuncleʃ e lanterneʃ.
La ʃuʃ amunt par getent tel luiʃerne.
par la noit la mer en eʃt pluʃ bele.
e cum il uienent en eʃpaigne la tere.
tut li paiʃ enreluiʃt y eʃclairet.
Jeʃqua marʃilie en paruunt leʃ noʃeleʃ. AOI.

CXCI

Gent paienor ne uoelent ceʃʃer unkeʃ.
Jʃʃent de mer uenent aʃ eweʃ dulceʃ.
Laiʃent marbroʃe y ʃi laiʃent marbriʃe.
par ʃebre amunt tut lur nauirieʃ turnent
aʃez i ad lanterneʃ y carbuncleʃ.
tute la noit mult grant clartet lur dunent.
a icel iur uenent a ʃarraguce. AOI.

CXCII

Clerʃ eʃt li iurz y li ʃoleilz luiʃant.
Li amiralz eʃt iʃʃut del calan.
eʃpaneliz forʃ le uait adeʃtrant.
.xvii. reiʃ apreʃ le uunt ʃiwant.
cunteʃ y dux i ad ben ne ʃai quanz.
Suz un lorer ki eʃt en mi un camp.
Sur lerbe uerte getent un palie blanc.
v faldeʃtoed i unt miʃ dolifan.
Deʃur ʃaʃiet li paien baligant.
tuit li altre ʃunt remeʃ en eʃtant.

2647. Balalão, por vezes, é chamado de Emir, por vezes de Almirante. Emir ou Amir é um título nobilitário do Estado Islâmico que responde diretamente ao Califa, este, representante de Maomé. Almirante, por sua

CXC

Grande é a hos*te* dessa gente inimi*ga*,
singram forte, navegam, timonei*am*.
Em seus mastros e nas suas altas ver*gas*,
há muitas pe*dras* de rubi como lanter*nas*.
Lá do alto, tal brilho se disper*sa*,
e noite adentro, as águas são mais be*las*.
Quando à te*rra* da Espanha eles che*gam*,
o país *to*do fulgura e clarei*a*;
a Marsílio, contaram a notí*cia*. AOI.

CXCI

Essa gente pagã não para mais,
*dei*xaram o mar para em água doce entrar,
já Maiorca e Menorca estão pra trás,
pelo E*bro* suas naus põem a singrar.
De rubis *e* faroletes, tantos há,
que à noi*te* tudo fazem clarear;
*nas*cendo o di*a*, Saragoça os verá. AOI.

CXCII

O dia é claro, é o sol brilhan*te*,
da chalana desceu o Almiran*te*.
*Es*paneli*no* é o seu acompanhan*te*,
dezesse*te* reis em pós são conseguin*tes*;
condes, du*ques*, quantos são não há quem con*te*.
Sob um loureiro que está numa planí*cie*,
um manto bran*co* sobre a relva verde esten*de*.
Põem ali *um* trono em dente de elefan*te*,
sobre o qual Balalão, pagão, sentou-*se*;
os demais, *to*dos em pé, já permane*cem*.

vez, é o comandante do mar ou o "amir dos mares" (ʾamīr *al-baḥr*), que cobra, no cantar, esse sentido etimológico e não o da patente militar da marinha, como se entende modernamente.

Li ſire delſ ꝑmer parlat auant
oiez ore franc cheualer uaillant.
carleſ li reiſ lempere deſ francſ.
Ne deit manger ſe io ne li cumant.
par tute eſpaigne mat fait guere mult grant.
en france dulce le uoeil aler querant.
Ne finerai en treſtut mun uiuant.
Joſquil ſeit mort utut uif recreant.
Sur ſun genoill en fiert ſun deſtre guant.

CXCIII

Puiſ quil lad dit mult ſen ~ afichet.
Que ne lairat pur tut lor deſuz ciel.
Que il ainz ad aiſ o carł ſoelt plaider.
Si hume li loent ſi li unt cunſeillet.
puiſ apelat douſ de ſeſ cheualerſ.
Lun clarifan y laltre clarien.
voſ eſteſ filz al rei maltraien.
ki meſſageſ ſoleit faire uolenterſ.
Jo uoſ cumant quen ſarraguce algez
marſiliun de meie part li nunciez.
cuntre franceiſ li ſui uenut aider.
Se io truiſ o mult ğnt bataille iert.
Si len dunez ceſt guant ad or pleiet.
el deſtre poign ſi li faiteſ chalcer.
Si li portez ceſtuncel dor mer.
e a mei uenget pur reconoiſtre ſun feu.
en france irai pur carł guerreier.
Sen ma mercit ne se culzt a meſ piez
e ne guerpiſſet la lei de xpĭenſ.

2657. Mantivemos, na tradução, a homonímia, que configura um evidente calembur do autor, entre os “francos cavaleiros” muçulmanos, e os cavaleiros “francos” cristãos. Riquer traduz *franc* por *nobles*, mantendo-se o sentido, mas perdendo o jogo de palavras que o autor nos propõe. **2667.** Traduzimos o verbo *plaider* (alegar, propor argumento), de acepção jurídica, pela expressão “fazer a corte” que,

Por falar *pri*meiro o Emir já adiantou-*se*:
"Ouvi, fran*cos* cavaleiros, tão valen*tes*,
Carlos Mag*no*, que é dos francos o regen*te*,
não deverá *co*mer até que eu orde*ne*.
Por toda a Espa*nha* me fez guerra irreveren*te*,
a Doce Fran*ça* quero eu ir requerer-*lhe*.
Eu não vou *pa*rar enquanto for viven*te*,
*a*té que eu morra ou ele se sujei*te*".
Sua des*tra* luva em seu joelho ba*te*.

CXCIII

Dito isso, está muito segu*ro*,
de que não dei*xa*rá, por quanto houver de ou*ro*,
de ir a *Aix* onde a corte faz rei Car*los*.
Aconse*lham*-no e o louvam seus vassa*los*,
*cha*mou então dois dos seus mais cavalei*ros*,
o Clarifa*no é* um e o outro, Clarie*no*:
"Vós sois filhos do rei que é o Maltraien*do*,
que as mensa*gens*, de levar, foi voluntá*rio*.
Ide vós, *a* Saragoça, eu vos orde*no*,
*e a*nunciai, *de* minha parte, ao rei Marsí*lio*,
que eu vim, *con*tra os franceses, ajudá-*lo*.
Haverá *gran*de batalha se há ense*jo*,
dai a ele essa luva de ouro em vin*co*,
e calçá-*la, em* sua destra mão, fazei-*o*.
*Le*vai também esse báculo em ou*ro*,
que venha, pois, *re*conhecer-me o seu feu*do*.
Vou à Fran*ça* guerrear contra o rei Car*los*,
se em mercê *de* mim aos pés não me é prostra*do*,
e se não for, *da* lei cristã, um renega*do*,

entre tantos sentidos possíveis num contexto feudal (galantear, recepcionar em corte etc.), aqui cobra valor jurídico de proceder a um julgamento. É em Aquisgrão, efetivamente, que Galalão será julgado na última parte do cantar (s. CCLXX e ss.). **2680.** Reconhecer em feudo significa o reconhecimento do suserano como senhor supremo das terras de onde se tem a posse, senhor por quem um vassalo fora

Jo li toldrai la corune del chef
paien reſpundent ſire mult diteſ bien.

CXCIV

Diſt Baligant car cheualchez barun.
Lun port le guant li alte le baſtun.
e cil reſpundent cher ſire ſi ferum.
tant cheualcherent que en ſarraguce ſunt.
paſſent .x. porteſ trauerſent .iiii. punz.
tuteſ leſ rueſ u li burgeiſ eſtunt.
cum il aproiſment en la citet amunt.
Verſ le paleiſ oirent grant fremur.
aſez i ad de cele gent paienur.
plurent e crient demeinent grant dolor.
pleignent lur d'ſ teruagan y mahum.
e apollin dunt il mie nen unt.
Diſt caſcun al altre caitifſ q^{e} deuendrŭ.
Sur nꝰ ~ uenue male confuſiun.
perdut auum le rei marſiliun.
Li quenſ Rolł li trenchat ier le deſtre poign.
Nuſ nauŭ mie de iurfaleu le blunt.
treſtute eſpaigne iert hoi en lur bandun.
Li dui meſſage deſcendent al ꝑrun.

CXCV

Lur cheualſ laiſent dedeſuz un oliue.
Dui ſarrazin par leſ reſneſ leſ priſtrent.
e li meſſage par leſ mantelſ ſe tindrent.
puiſ ſunt muntez ſuſ el paleiſ altiſme.
cum il entrerent en la cambre uoltice.
par bel am^{a} maluaiſ ſaluz li firent.

investido como possuidor de uma marca. **2698.** Em trad. lit.: "Cada um disse ao outro: 'Miseráveis! O que nos advirá?'" **2700.** Jurfalaz, o lourão, era filho de Marsílio e foi morto por Roldão no v. 1904. **2703.** Em trad. lit.: "Toda a Espanha esteve hoje sob sua bandeira". O sentido é de que Roldão foi o mestre do

da coro*a* da cabeça hei de livrá-*lo*”.
Os pagãos *con*vêm: “Senhor, está bem di*to*!”

CXCIV

“Cavalgai, *ba*rões!” Falou o Balalão,
um leve a luva e o outro o bastão.
Ao seu senhor, replicaram que o farão.
Cavalga*ram* tanto, em Saragoça estão,
já passa*ram* tanta ponte e portão,
que pelas ru*as* dos burgueses eles vão.
*Lo*go no al*to* da cidade chegarão,
já escu*tam* do palácio a agitação,
há ali tantos desses, os pagãos.
Gritam, cho*ram* e desmaiam em aflição,
esconju*ram* Maomé e Tervagão,
e Apo*lo*, quais por eles já não são:
“*Pa*tifes deuses! Quais males nos virão?
Sobre nós, advém má confusão!
Rei Marsílio caiu em perdição,
o Roldão cerceou sua destra mão,
já não te*mos* Jurfaláz, o mais lourão;
por toda a Espa*nha*, esteve hoje o seu pendão”.
Os mensagei*ros* descavalgam no portão.

CXCV

*Dei*xaram sob *u*ma oliveira os cava*los*,
pelas rédeas os têm dois sarrace*nos*.
Os mensagei*ros* seguraram-se em seus tra*jos*
e subiram no altíssimo caste*lo*.
Como entran*do* no aposento abobada*do*,
por amiza*de* fazem infeliz corte*jo*:

campo, dominando a batalha. Para “pendão”, vide nota ao v. 190. **2708.** Referência ao Palácio de Aljafería, em Saragoça, erigido na época de composição do cantar.

cil mahumet ki nuſ ad en baillie.
e teruagan y apollin nrĕ ſire.
Saluent le rei y guardent la reine.
Diſt bramimunde or oi mult grant folie.
ciſt nrĕ deu ſunt en recreantiſe.
en renceſual ᵐuaueſ uertuz firent.
Noz cheualerſ i unt leſſet ocire.
ceſt mien ſeignur en bataille faillirent.
Le deſtre poign ad ꝑdut nen ad mie.
Si li trenchat li quenſ Rolł li richeſ.
treſtute eſpaigne aůrat carł en baillie.
Que deuendrai duluruſe caitiue.
e laſſe que nen ai un hume ki mociet. AOI.

CXCVI

Diſt clarien dame ne parlez mie itant.
Meſſageſ ſumeſ al paien baligant.
Marſiliun co dit ſerat guarant.
Si len enueiet ſun baſtun y ſun guant.
en ſebre auum .iiii. milie calant.
eſchiez y bargeſ y galeeſ curant.
Drodmunz i ad ne uoſ ſai dire quanz.
Li amiralz ⁓ richeſ y puiſant.
en france irat carlemagne querant.
Rendre le quidet u mort o recreant.
Diſt bramimunde mar en irat itant.
pluſ preſ dici purrez truuer leſ francſ.
en ceſte tere ad eſtet ia .vii. anz.
Li empere eſt ber y cumbatant.
Meilz uoel murir que ia fuiet de camp.
Suz ciel nad rei quil ꝥſt a un enfant.
carł ne creint nulſ hŏ ki ſeit uiuant.

"*Por* Maomé, que nos tem sob o seu man*do*,
e os senho*res* nossos, Tervagão e Apo*lo*,
a rainha e o rei sejam guarda*dos*!"
Bramimon*da* disse: "Ouço muito enga*no*!
Esses deu*ses* nossos são acovarda*dos*!
Em Roncesva*les* nos fizeram mau prodíg*io*,
*lar*gando à morte os nossos cavalei*ros*,
na bata*lha* meu senhor, desampara*do*.
A destra mão, já não tem, é só o to*co*,
a cerceou *con*de Roldão, o podero*so*.
Toda a Espa*nha* terá Carlos por seu do*no*,
Miserá*vel* eu, qual é o meu desti*no*?
Ai! Que, pa*ra* me matar, não haja ami*go*!" AOI.

CXCVI

"*Se*nhora" – diz *Cla*rieno – "não faleis mais tan*to*.
Do pagão Balalão sou mensagei*ro*,
diz que será protetor do rei Marsí*lio*,
eis a luva e o bastão vos envia*dos*.
Quatro mil *cha*lanas temos no rio E*bro*,
*ga*leras rá*pi*das, esquifes e mais bar*cos*;
nem sei dizer quantos são os nossos dro*mos*.
O Almirante é rico e podero*so*,
na França irá *a* Carlos Magno requerê-*lo*;
dar-lhe morte ou então ali rendê-*lo*".
Bramimon*da* diz: "Tão longe, não é preci*so*,
muito perto daqui estão os fran*cos*,
nessa terra ficaram sete a*nos*.
*O Im*perador é um combatente bra*vo*,
*pre*fere a morte do que fugir do cam*po*.
Não há rei *que e*le não tome por meni*no*,
e não te*me* Carlos nenhum homem vi*vo*".

CXCVII

Laiſſez co eſter diſt marſilieſ li reiſ.
diſt aſ meſſageſ ſeign[a]ſ parlez a mei.
Ja ueez uoſ que a mort ſui deſtreit.
Jo ſi nen ai filz ne fille ne heir.
vn en aueie cil fut ociſ her ſeir.
Mun ſeignur diteſ quil me uienge ueeir
Li amiraill ad en eſpaigne dreit.
Quite li cleim ſe il la uoelt aueir.
puiſ la defendet encuntre li franceiſ.
verſ carłmagne li durrai bon conſeill.
cunquiſ laůrat doi ceſt iur en un meiſ
De ſarraguce leſ cleſſ li portereiz.
pui li diteſ il nen irat ſil me creit.
cil reſpundent ſire uuſ diteſ ueir. AOI.

CXCVIII

Co diſt Marſilie carł lemꝑere.
Mort mad meſ homeſ ma tere deguaſtee.
e meſ citez fraiteſ y uioleeſ.
Jl iut anuit ſur cel ewe de ſebre.
Jo ai cunte ni ad maiſ que .vii. liweſ.
Lamirail diteſ que ſun hoſt i amein
par uoſ li mand bataille i ſeit iuſtee.
De ſarraguce leſ cleſſ li ad liůreeſ.
Li meſſager ambedui lenclinerent.
prenent cuiget a cel mot ſen turnerent.

CXCIX

Li dui meſſage eſ cheualſ ſunt muntet.
Jſnelement iſſent de la citet.

2764. Todos os editores consultados corrigem *cuiget* (sem entrada no AND) por *cunget* (licença), admitindo um lapso do copista.

CXCVII

Rei Marsílio falou: "Deixai pra lá!"
Aos mensagei*ros* disse: "Comigo falai!
Vede, a morte me atormentará,
não tenho fi*lho ou* filha que de mim herdar.
Um que eu tinha, foi morto ontem lá,
*di*zei a meu *se*nhor que venha ver-me cá.
Sobre a Espanha, o direito do Emir há,
se ele a quer, a declaro livre já,
logo, con*tra os* francos, a defenderá.
Sobre Car*los* posso um bom conselho dar:
em um mês, sei que ele o vencerá.
De Saragoça, a chave ide levar,
e dizei-*lhe*, se me crer, que não se vá".
E respon*dem*-lhe: "Verdade nisso há!" AOI.

CXCVIII

*Mar*sílio diz: "Carlos, o Imperador,
*ma*tou meus ho*mens*, minha terra devastou,
minhas urbes varreu e violou.
Nessas margens do Ebro pernoitou,
sete léguas daqui não ultrapassou.
Ao Emir, *di*zei, que a hoste traga, pois,
que batalha os dê, quero propor".
De Saragoça a chave entregou,
os mensagei*ros* inclinaram-se, os dois;
pedem vê*nia e* retornados são depois.

CXCIX

Os mensageiros montaram a cava*lo*,
da cidade, saíram apressa*dos*,

MENSAGENS REITERADAS: As mensagens reiteradas são comuns na épica medieval e, assim como ocorre nas séries similares, essas mensagens atendem às necessidades da transmissão oral, cuja audiência, sempre

al amiraill en uunt eʃfreedenĭt.
De ʃarrace li preʃentent les cleʃ.
Diʃt baligant que auez uoʃ truuet.
v ~ marʃilie que io aueie mandet.
Diʃt clarien il ~ a mort naffret.
Li empere fut ier aʃ porz paʃʃer.
Si ʃen uu°l t en dulce france aler.
par grant honur ʃe fiʃt rereguarder.
Li quenʃ Rolł i fut remeʃ ʃiʃ nieʃ.
e oliuer e tuit li .xii. per.
De celʃ de France .xx. milie adubez.
Li reiʃ marʃilie ʃi cumbatit li berʃ.
Jl y Rolł el camp furent remeʃ.
De durendal li dunat un colp tel.
Le deʃtre poign li ad del corʃ ʃeủret.
Sun filz ad mort quil tant ʃuleit amer.
y li baron quil i out amente
Fuiant ʃen uint quil ni pout meʃ eʃter.
Li empere lad ench[ac]et aʃez
Li reiʃ uoʃ mandet q[e] uoʃ le ʃucurez.
Quite u[ɔ] cleimet deʃpaigne le regnet.
e baligant cum̉cet a penʃer.
Si grant doel ad por poi quil neʃt deʃuet. AOI.

CC

Sire amiralz diʃt clarienʃ
en renceʃualʃ une bataille out ier.
Morz ~ Rolł y li quenʃ oliue.r
Li .xii. per que carł aueit tant cher.
De lur franceiʃ i ad mort .xx. millerʃ.
Li reiʃ marʃilie le deʃtre poign i ꝑdit
e lempere aʃez lad enchalcet.

em movimento e sujeita a diversas interferências, pode frequentemente se dispersar dos eventos aqui reca-

ao Almirante chegaram assust*ados*.
Da chave de Saragoça vão port*ados*,
Balalão perguntou do averigu*ado*:
"E Marsílio? Eu não o havia cham*ado*?"
"*De* morte é *fe*rido" – diz o Clari*eno* –
"*e es*teve on*tem*, Carlos, nos desfiladei*ros*;
*que*ria ir *à* Doce França de retor*no*.
A retaguarda formou com tanto orgu*lho*,
*a*li ficaram Roldão, o seu sobri*nho*,
os Doze Pa*res* todos e o Olivei*ro*,
e vinte mil dos da França bem arm*ados*.
Os barões, *por* rei Marsílio, ataca*dos*,
o Roldão, *no* campo, e ele são sobr*ados*.
Da Durindana, um golpe tão bem da*do*,
cerceou *a* destra mão do rei, coita*do*!
O seu fi*lho* morto, que era tão ama*do*,
e os barões, que consigo havia leva*do*.
Não poden*do* mais, dali saiu fugin*do*,
pelo Impe*ra*dor, foi muito persegui*do*.
O Rei nos manda pedir a vós soco*rro*,
e vos decl*ara* da Espanha livre o rei*no*".
Balalão se coloca pensati*vo*,
em tanta dor, quase está enlouqueci*do*. AOI.

CC

Clari*eno* diz: "Senhor, meu Almiran*te*,
em Roncesvales, batalha houve on*tem*.
Oliveiro e Roldão ganharam mor*te*,
e os queridos por Carlos, Doze Pa*res*.
Vinte mil *a*li morreram dos france*ses*,
e quando a su*a* destra mão Marsílio per*de*,
*o Im*perador logo muito o perse*gue*.

pitulados. Sobre isso, comprova J. Rychner (*apud* Gérard Moignet (ed.), *Chanson de Roland*, p. 203) que essa fórmula é ainda presente nas epopeias modernas que se podem observar na Sérvia.

en ceſte tere neſt remeſ cheualer.
Ne ſeit ociſ o en ſebre neiet.
Deſur la riue ſ't franceſ herbgiez.
en ceſt paiſ nuſ ſ't tant aproeciez.
Se uoſ uolez li repaireſ ert greſſ.
e baligant le reguart en ad fierſ.
en ſun curage en eſt iouſ y liet.
Del faldeſtod ſe redrecet en piez.
puiſ eſcriet barunſ ne uoſ targez.
eiſſez deſ neſſ muntez ſi ch^{e}u^{a}lciez.
Sor ne ſen fuit karlemagne li ueilz
Li reiſ marſilie enqui ſerat uenget.
pur ſun poign deſtre len liuerai le chef.

CCI

Paien darabe deſ neſſ ſe ſ't eiſſut.
puiſ ſunt muntez eſ cheualſ y eſ mulſ.
Si cheualcherent que fereient il pluſ.
Li amiralz ki t^{e}ſtuz leſ eſmut
Sin apelet gemalfin un ſun drut.
Jo te cumant de tuteſ meſ oz lau^{u}ade
puiſ en un ſun deſtrer brun. est mũte
enſemblod lui em meinet .iiii. dux.
tant cheualchat quen ſaraguce fut.
a un ꝑron de marbre eſt deſ[cēdut].
e quatre cunteſ leſtreu li unt tenut.

2815. No final do verso, Bédier e Moignet transcrevem as reticências onde o manuscrito apresenta a segunda mão. Riquer, por sua vez, transcreve: *Jo te cumant de tute m'ost l'aün*. Todos traduzem pela hipótese que Moignet anota ler como *l'aünad*, do verbo *auner* (reunir), a qual, seguimos. Em todo caso, essa emenda não segue o padrão de assonância da série.

Fl. 51r; vv. 2815-2816.

Cavaleiro aqui não remanes*ce*,
que não fo*ra* morto ou no Ebro não soço*bre*.
Os franceses acampam às suas mar*gens*,
*ne*sse país nos estão tão iminen*tes*,
que voltar *se*rá difícil se quiser*des*".
O Balalão tem o olhar tão arrogan*te*,
no seu pei*to es*tá feliz e tão ale*gre*.
Do seu trono em pé então se er*gue*,
depois grita: "Barões, que não se tar*dem*,
em montar *e* cavalgar, saí das na*ves*!
Se o ve*lho* Carlos Magno não nos fo*ge*,
o rei Marsílio será vingado ho*je*;
por sua des*tra* mão uma cabeça eu dou-*lhe*".

CCI

*Sa*em dos bar*cos* os pagãos que são da Ará*bia*,
logo mon*tam* nos cavalos e nas mu*las*,
cavalgaram, ou tinham outra esco*lha*?
O Almirante, que a todos mobili*za*,
seu preferi*do, o* Gemalfino, ali cha*ma*:
"Vos orde*no*: reuni minha arma*da*!"
O destrei*ro* baio monta em segui*da*,
e quatro duques, consigo ainda le*va*.
*Tan*to caval*gam*, que chegaram em Sarago*ça*,
e num marmóreo portal descavalga*ram*.
Os estri*bos*, quatro condes apoia*ram*,

2816. Todos os editores consultados deslocam a emenda de segunda mão *est mūte* (*est munte*) para o primeiro hemistíquio, a fim de manter o padrão de assonância com *brun*, pois completa o sentido do verso. **2816.** O termo *brun* (escuro, moreno), procedente do germânico *brūn*, nesse contexto se refere à coloração do cavalo, assim como o termo *for* no v. 1943 (vide nota). Traduzimos por "baio" pois este pode apresentar variações de pelagem que vai do cinza e marrom claros até os quase negros. Etimologicamente, *brun* pode estar relacionado à variedade de "baio cebruno", de cor barro escuro com as quatro meias negras. **2822.** O nome próprio Bramidonie (Bramidona) se refere à rainha da Espanha, que a partir desse verso já não volta a ser chamada pelo nome de Bramimund (Bramimonda) conforme lemos até aqui (vv. 634, 2576, 2595, 2714 e 1734). Embora todos os comentadores e editores do cantar padronizem-na como Bramimonda, seja por lapso do copista ou simples variação de exatas cinco ocorrências para cada forma, reproduzimos na tradução a variante Bramidona a partir daqui, conforme lemos Bramidonie no manuscrito.

parleſ degrez el paleiſ muntet ſuſ.
e bramidonie uient curant cuntre lui.
Si li ad dit dolente ſi mare fui.
a itel hunte ſire mon ſeignor ai ꝑdut.
chet li aſ piez li amiralz la recut.
Suſ en la chambre ad doel en ſunt uenut. AOI.

CCII

Li reiſ marſilie cũ il ueit baligant.
dunc apelat dui ſarrazin eſpanſ.
ꝑnez maſ braz ſim ͤdrecez en ſeañt.
al puign ſeneſtre ad priſ un de ſeſ guanz.
co diſt marſilie sire reiſ amiralz
tereſ tuteſ ici [rengnes vos redemas]
y ſarraguce y lonur qui apent.
mei ai ꝑdut y tute ma gent.
e cil reſpunt tant ſy io pluſ dolent
Ne poiſ a uoſ tenir lung parlement.
Jo ſai aſez que carleſ ne matent.
e nepurquant de uoſ receif le guant.
al doel quil ad ſen ⁓ turnet plurant. AOI.

[...]

Par leſ degrez iuſ del paleiſ deſcent.
Muntet el ceual uient a ſa gent puignant

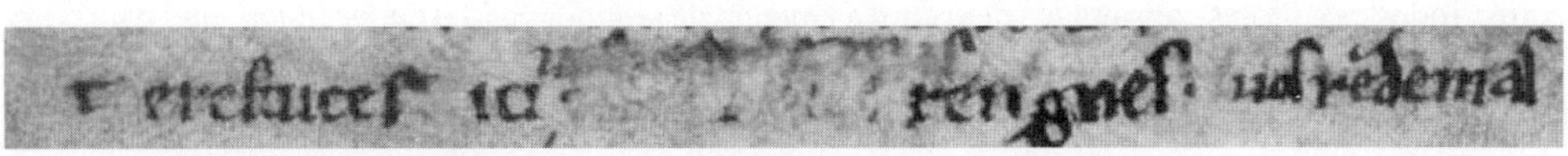

Fl. 51v; v. 2832.

2832. O segundo hemistíquio deste verso está raspado e completado por mão de corretor. Bédier apresenta as reticências na transcrição, assim como Moignet, que anota ser ininteligível a segunda mão. Riquer anota haver corrupção no manuscrito e propõe leitura "hipotética", omitindo esse verso e alterando o v. 2831, de modo a completar o sentido, mantendo a assonância: *Sire almiralz, tutes terres vos rant* ("Señor Emir, os entrego todas mis tierras"). Nossa tradução considera plausível a mão do corretor com os verbos *rengner* (reinar) e *redemer* (redimir, eximir).

*a*té o palácio subiram as esca*das*.
Ao encon*tro* deles corre Bramido*na*,
e lhes diz: “Mal-nascida, desgraça*da*!
Eu perdi meu senhor em tal vergo*nha*”.
Cai aos pés do Emir, quem a levan*ta*,
e subiram dolentes para a alco*va*. AOI.

CCII

Quando viu Balalão, o rei Marsí*lio*,
*en*tão chamou, da Espanha, os sarrace*nos*:
“Pelo braço, mantei-me aqui senta*do*!”
Uma luva segura ali, canho*to*:
“Almiran*te*, rei, senhor” – diz o Marsí*lio* –
“essa te*rra*, de reinar por vós me exi*mo*,
e Saragoça e todos os seus feu*dos*;
da minha gente eu fui aqui priva*do*”.
O Emir *res*ponde: “Sou-vos solidá*rio*,
mas delongar essa prosa já não po*sso*.
Eu bem sei, *não* permanecerá rei Car*los*,
e apesar *de* tudo, a luva eu acei*to*”.
Sente tan*ta* dor que retorna choran*do*. AOI.

[...]

Pela esca*da* desce, então, do seu palá*cio*,
vai montado, com sua gente aguilhan*do*,

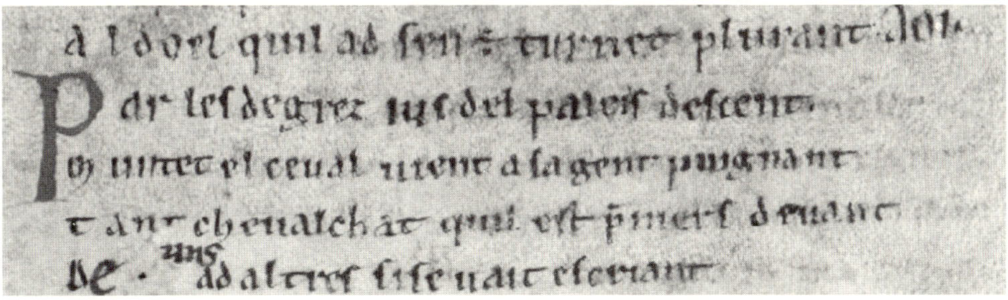

Fl. 51v; vv. 2839-2843.

2840. É consensual entre os editores do cantar que esse verso se trate ainda da s. CCII, a despeito da marca-

tant cheualchat quil eſt ꝑmerſ deuant.
De uns ad altreſ ſi ſe uait eſcriant.
Venez paien car ia ſen fuient f'anc. AOI.

CIII

Al matin quant ꝑmeſ pert li albe.
eſueillez eſt li ep̣ere carleſ.
Sein gabriel ki de part deu le guarde.
Leuet ſa main ſur lui fait ſun ſignacle.
Li reiſ deſcent ſi ad rendut ſeſ armeſ.
Si ſe deſarment par tute loſt li altre.
Puiſ ſunt muntet par grant ủtut cheualchent.
cez ueiez lungeſ y cez cheminſ mult largeſ.
Si uunt ue(d)eir le merueilluſ damage.
en renceſualſ la o fut la bataille. AOI.

CCIV

En renceſualſ en .ẽ. carł uenuz.
Deſ morz quil troeuet cuḿcet a plurer.
Diſt a franceiſ ſegnuſ le paſ tenez.
kar mei meiſme eſtoet auant aler.
pur mun neud que uuldreie truuer.
a eiſ eſteie a une féſte anoel

ção AOI e da presença da letra capitular. Embora não seja inédita nem a ocorrência de AOI após versos não finais de série, nem tampouco a de séries seguidas com a mesma assonância, a presença da letra capitular não deixa margem a dúvidas de que esse verso inicia uma nova série (vide nota ao v. 1404). Optamos por manter o padrão da contagem de séries como havendo aqui uma única, deixando, porém, marcada a clara indicação do manuscrito em contrário, em que pese o sujeito desses primeiros versos ser anafórico (Almirante Balalão). **2843.** Todos os editores consultados transcrevem *de ures as altres* no primeiro hemistíquio,

cavalgou tanto até ser o primei*ro*.
Uns aos outros se vão ali gritan*do*:
"*Vin*de, pagãos! Pois já fogem esses fran*cos*!" AOI.

DE VOLTA A RONCESVALES

CIII

De manhã, quando abre a prima al*va*,
Carlos Ma*gno, o Im*perador, já se desper*ta*.
São Gabriel, que, por Deus, tão bem o guar*da*,
leva a mão sobre ele e o persi*gna*.
De suas armas, o rei se desenver*ga*,
por toda a hoste os outros se desar*mam*.
Montam com *gran*de virtude e já caval*gam*,
pelos largos caminhos, longas vi*as*.
Eles vão ver a bárbara ru*ína*,
em Roncesva*les*, onde houve a bata*lha*. AOI.

CCIV

Em Roncesvales, o Carlos já é vin*do*,
vai chorando ao encontrar seus mor*tos*.
Diz aos francos: "Senhores ide ao pa*sso*,
adiante, convém que vá eu mes*mo*,
pois queria encontrar o meu sobri*nho*.
Em Aquisgrão, num festejo natal*ino*,

traduzindo esse trecho como uma expressão adverbial (de quando em quando). Está claro, porém, que *uns* trata-se de um artigo indefinido, mas, nesse caso, deve-se admitir, desde o verso anterior, uma inadvertida alteração do sujeito na série, o que os editores quiseram consensualmente evitar. **2845.** Sexto dia na cronologia do cantar. **2857.** A expressão *le paſ tenez* (ide ao passo) faz referência a uma das três andaduras do cavalo, o passo, o trote e o galope, em quatro, três e dois tempos, respectivamente. **2860.** Diferente de como traduz genericamente Riquer por "aniversário", *féſte anoel* é clara referência a uma das quatro festas do ano

Si ſe uanttent mi uaillant cheualer.
De granz batailleſ de forz eſturſ plenerſ.
Dune raiſun oi Rolł parler.
Ja ne murreit en eſtrange regnet.
Ne treſpaſſaſt ſeſ humeſ y ſeſ perſ.
Verſ lur paiſ aůreit ſun chef turnet
cunquerrantment ſi finereit li berſ.
pluſ quĕ ne poet un baſtuncel ieter.
Deuant leſ altreſ ∻ en un pui muntet.

CCV

Quant lĕꝑereſ uait querre ſun neuold.
De tanteſ herbeſ el pre truuat leſ florſ.
ki ſunt ůmeilz del ſanc de noz baronſ.
pitet en ad ne poet muer nen plurt.
Deſuz douſ arbreſ paruenuz eſt
Leſ colpſ Rolł conut en treiſ ꝑrrunſ. [li reiſ]
Sur lerbe uerte ueit geſir ſun neuuld.
Nen eſt merueille ſe karł ad irur.
Deſcent a pied aled i eſt pleinſ curſ.
entre ſeſ mainſ anſ douſ le þeſt ſuuſ
Sur lui ſe paſmet tant par eſt anguiſſuſ.

CCVI

Li emꝑereſ de paſmeiſunſ reuint.
Naimeſ li dux y li quenſ acelin.
Gefrei daniou y ſun frere henri.
prenent le rei ſil drecent ſuz un pin.
Guardet a la tere ueit ſun neuod geſir.

litúrgico: Natal, Páscoa, Pentecostes e Todos os Santos. **2878.** A expressão *pleinſ curſ* tem o sentido de correr a toda velocidade. **2879.** O manuscrito apresenta mão de corretor no segundo hemistíquio em trecho que não encontrou consenso de leitura e tradução entre os editores do cantar. Bédier apresenta reticências; Moignet anota pouca inteligibilidade de sentido do que ele lê como "ele o pegou" (*le prist suus*); e Riquer apresenta uma transcrição hipotética do verso: *si prent le cunte entre ses mains ansdous*

jacta*vam*-se meus nobres cavalei*ros*,
de bata*lhas* e combates tão feri*nos*.
*Ou*vi Roldão dizer o seu pensamen*to*:
não morreria em reino estrangei*ro*,
sem ir, dos seus *Pa*res e homens, avança*do*,
co' a cabeça voltada ao inimi*go*;
o barão morreria conquistan*do*".
Mais além *do* que se lançaria um dar*do*,
a ribancei*ra* vai adiante já subin*do*.

CCV

Seu sobrinho, buscava o Imperador,
sobre a relva encontrava tanta flor
que de san*gue* dos barões seus era a cor.
Não segu*ra o* pranto, sente tanta dor,
em duas ár*vo*res o rei se apoiou.
*Dis*tingue as três pedras que Roldão sulcou,
*ja*zendo ao chão, seu sobrinho encontrou;
não é estra*nho a*li sentir tanto furor.
Desmonta*do*, na corrida se lançou,
entre su*as* mãos o apresenta aos céus;
sobre e*le, em* tanta angústia, desmaiou.

CCVI

Recobrou-*se o Im*perador de seu desmai*o*.
*Ne*mé, o duque, e o conde Aceli*no*,
e os irmãos *d'An*jou, o Henri e o Godofre*do*
*pe*garam o rei e o levaram sob um pi*nho*,
onde olhan*do ao* chão viu morto seu sobri*nho*;

("y levanta al conde con sus dos manos"). Para nossa proposta de tradução, reconhecemos o termo *peſt* como abreviação do verbo *prester* (apresentar) e *ſuuſ* como variação do advérbio *sus* (para cima, aos céus). **2883.** Riquer anota que a maioria dos editores corrige o nome do irmão de Godofredo d'Anjou que aparece no verso como Henri, pelo já conhecido no cantar, Teodorico, quem voltará a aparecer no juízo de Galalão.

tant dulcement a regreter le ꝑſt.
Amiſ Rolł de tei ait d'ſ mercit
Vnqueſ nulſ hŏ tel cheualer ne uit.
por granz batailleſ iuſter y de fenir.
La meie honor eſt turnet en declin.
carł ſe paſmet ne ſen pout aſte(ni)r. AOI.

CCVII

Carleſ li reiſ ſe uint de paſmeiſunſ.
par leſ mainſ le tienent .iii. de ſeſ baronſ.
Guardet a tere uei geſir ſun neuld
corſ ad gaillard ꝑdue ad ſa culur.
turnez ſeſ oilz mult li ſunt tenebroſ.
carł le pleint par feid e par amur.
Ami Rolł d'ſ metet tanme en florſ.
en pareiſ entre leſ gloriuſ.
cum en eſpaigne ueniſ mal ſeignur.
Jamaiſ nert iurn de tei naie dulur
cum decarrat ma force e mabaldur.
Nen aurai ia ki ſuſtienget monur.
Suz ciel ne quid aueir ami un ſul.
Se io ai parenz nen i ad nul ſi proz.
Trait ſeſ crignelſ pleineſ ſeſ mainſ amſdouſ.
cent milie franc en unt ſi grant dulur.
Nen i ad cet ki durement ne plurt. AOI.

CCVIII

Ami Rolł io men irai en france.
cum io ſerai a loun en ma chambre

2889. O termo *iuſter* (justar) que traduzimos pelo mais comum "duelo" é uma instituição jurídica de combate singular para se buscar o direito de um dos contendentes pela ordália (justiça de Deus). Essa fórmula foi transposta aos torneios medievais em que cavaleiros mediam sua nobreza, primeiro com o choque de lanças a cavalo e, não havendo nenhum derrotado por queda ou ferimento grave, o torneio segue com as espadas. **2891.** A palavra *aſte(ni)r* está apresentada no manuscrito (fl. 52v) com a raspagem: *aſte r*. A emenda é consensual.

tão docemen*te* começou a lamentá-*lo*:
"Deus vos te*nha* compaixão, Roldão, ami*go*!
Nenhum ho*mem* jamais viu igual cavalei*ro*,
em bata*lhas* definir ou no due*lo*;
da minha hon*ra*, começou o seu declí*nio*".
*Des*maia Carlos, não pode evitá-*lo*. AOI.

CCVII

O rei Car*los*, do desmaio se desper*ta*,
três barões, pelas mãos, já lhe susten*tam*,
vê jazer seu sobrinho ali à te*rra*.
*Ro*busto é o corpo, a cor porém perdi*da*,
*o*lhos oblíquos, já postos tão em tre*vas*.
Com amor e com fé o rei lamen*ta*:
"*Rol*dão ami*go*, *em* flores Deus pôs sua al*ma*,
no paraíso, entre os que gozam da gló*ria*.
Como vieste, senhor, ao mal na Espa*nha*!
Sem por vós *do*er-me não haverá mais di*a*,
quão deca*em* meu valor e minha for*ça*!
Já não há quem sustente minha hon*ra*.
Sob o céu já nenhum amigo res*ta*,
só parentes, mas sem tal valenti*a*".
Seus cabelos, com ambas as mãos, pu*xa*,
cem mil francos estão em grande pe*na*
que não há quem as lágrimas não ver*ta*. AOI.

CCVIII

"Eu irei *à* França, amigo Roldão,
em Laudu*no ha*vendo, em minha habitação,

2900. É consensual entre os editores a emenda desse verso com a preposição *a*: *cum en eſpaigne ueniſ* a *mal ſeignur*, bem como a tradução do advérbio *cum* como uma preposição que rege ablativo de companhia (como). Nossa hipótese de tradução se afasta dessa leitura na medida em que *cum* é advérbio que denota admiração. Assim, *ſeignur* passa a ser lido como um vocativo. **2910.** Lauduno é a forma portuguesa da cidade de Laón, capital da comuna francesa de Aisne.

de pluſurſ regneſ uendrunt li hume eſtrange.
deman derunt u eſt li quenſ cataigneſ.
Jo lur dirrai quil eſt morz en eſpaigne.
a grant dulur tendrai puiſ mun reialme.
Jamaiſ nert iur q' ne plur ne nẽ pleigne.

CCIX

Ami Rolł ꝑzdoem iuuente bele.
cum io ſerai a eiſ em ma chapele.
vendrunt li hume demanderunt noueleſ.
Jeſ lur dirrai merueilluſeſ y peſmeſ.
Morz eſt miſ nieſ ki tant me fiſt cũquere
encuntre mei reuelerunt li ſeiſne.
y hungre y bugre y tante gent auerſe.
Romain puillain y tuit icil de palerne.
e cil daffrike e cil de califerne.
puiſ ent'runt meſ peineſ e meſ ſuffraiteſ
ki guierat meſ oz a tel poeſte.
Quant cil eſt (morz) ki tuz iurz noſ cadelet.
e france cum remeineſ deſerte.
Si grant doel ai que io ne uuldreie eſtre.
Sa barbe blanche cumencet adetraire.
ad ambeſ mainſ leſ cheuelſ de ſa teſte.
cent milie francſ ſen paſment cuntre tere.

CCX

Ami Rolł de tei ait d'ſ mercit.
Lanme de tei ſeit miſe en pareiſ

2912. Há uma raspagem no primeiro hemistíquio, que não compromete o sentido do verso.

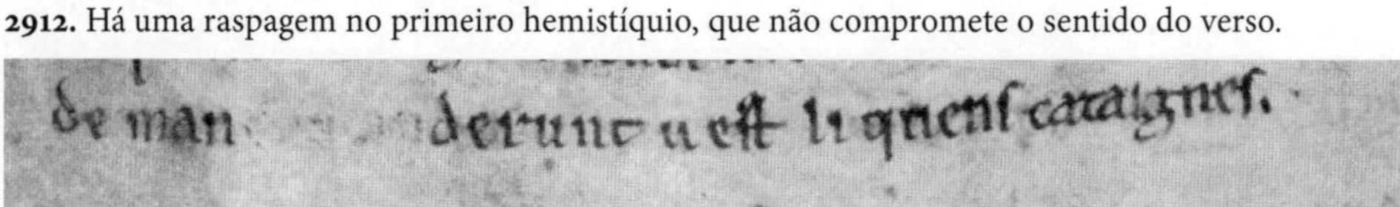

Fl. 52v; v. 2912.

estrangei*ros* de outros reinos lá irão,
perguntan*do* pelo conde capitão.
Eu direi que foi morto nesse chão,
com grande dor seguirei reinando então,
não haverá dia sem lamentação!"

CCIX

"*Rol*dão ami*go e* nobre, juventude be*la*!
*Quan*do eu houver *em* Aquisgrão, na minha cape*la*,
*vi*rão vassalos pedindo as notí*cias*,
e eu direi as terríveis, pavoro*sas*:
'*É* morto quem conquistar só me fazi*a*!'
E contra mim já virão os da Saxô*nia*,
da Bulgá*ria, Hun*gria, a gente inimi*ga*.
Os roman*os, os* de Palermo e os da Apú*lia*,
e os da *Áfri*ca e de Alepo, lá na Sí*ria*;
*co*meçarão *minhas* privações e minhas pe*nas*,
Quem guiará minha hoste com tal for*ça*,
quando é mor*to* quem nos capitanea*va*?
*Co*mo restais tão deserta, oh Doce Fran*ça*!
Quão grande a dor, estar vivo eu não queri*a*!"
Começou *a* arrancar sua barba bran*ca*,
e co' as mãos, os cabelos da cabe*ça*;
cem mil francos desmaiam sobre a te*rra*!

CCX

"*Rol*dão ami*go*, Deus lhe seja piedo*so*,
e sua alma, envie ao paraí*so*!

2924. O topônimo Californe foi objeto de muitas hipóteses e discussões, dentre as quais, adotamos Alepo, incluindo Síria por exigência de assonância; vide síntese anotada por Riquer em *Chanson de Roland, Cantar de Roldán y el Roncesvalles Navarro*, pp. 282-283.

Ki tei ad mort frăce ad miſ [en] exill.
Si gªnt dol ai que ne uoldreie uiůre.
de ma maiſnee ki þ mei ~ ociſe.
co duinſet deuſ le filz ſtĕ marie
einz que io uienge aſ maiſtreſ porz de sirie.
Lanme del corſ me ſeit oi departie.
entre leſ lur aluee y miſe
y ma car fuſt delez elſ enfuie.
ploret deſ oilz ſa blanche bar(b)e tiret.
y diſt dux naimeſ or ad carł grant ire. AOI.

CCXI

Sire empere co diſt gefrei daniou.
ceſte dolor ne demenez tant fo'ᵗ.
par tut le căp faiteſ querre leſ noz.
Qᵉ cil deſpaigne en la bataille unt mort.
en un carnel cumandez que hom leſ port.
co diſt li reis ſunez en urĕ corn. AOI.

CCXII

Gefreid daniou ad ſun greiſle ſunet.
frăceiſ deſcendent carł lad comandet.
tuz lur amiſ quil i unt morz truuet.
ad un carner ſempreſ leſ unt portet.
aſez i ad eueſqueſ e abez.
Munieſ canonieſ proueireſ coronez.
Siſ unt aſalſ y ſeignez de part deu.
Mirre y timonie i firent alumer.
gaillardement tuz leſ unt encenſez.
a grant honor poiſ leſ unt enterrez.
Siſ unt laiſez quen fereient il el. AOI.

2939. Em trad. lit.: "Antes que eu chegue aos grandes desfiladeiros de Cícera"; vide nota ao v. 583.

Arruinou *a* França quem vos quis por mor*to*,
tão grande a dor que não quero ser mais vi*vo*,
pois, por mim, mortos são meus cavalei*ros*.
*Per*mita Deus, de Maria Santa, o fi*lho*,
que em Cí*ce*ra já hoje não chegue*mos*,
sem que o espí*ri*to se arranque do meu cor*po*,
e entre os seus seja posto e guarda*do*,
e meu cor*po*, com o vosso, enterra*do*".
Puxa a bar*ba* branca e chora dos seus *o*l*hos*,
*Ne*mé o du*que* diz: "Em grande ira é Car*los*!" AOI.

CCXI

"*Im*perador" – diz, d'Anjou, o Godofre*do* –
"*não* demonstreis tão penoso esse lu*to*.
Pelo campo, fazei buscar aos no*ssos*,
que morre*ram* em batalha aos sarrace*nos*;
e ordenai que os deem um sepul*cro*".
Disse então *o* rei: "Soai o vosso cor*no*!" AOI.

CCXII

Godofredo d'Anjou soou a trom*pa*,
ao comando de Carlos, já desmon*tam*.
Todos os *a*migos mortos que encon*tram*,
já os le*vam* para dentro de uma fo*ssa*.
Ali bispos e abades tanto havi*a*,
padres, cô*ne*gos e monges de tonsu*ra*,
que, por Deus, absolvem e persig*nam*.
*Fi*zeram a*cen*der a mirra e a timia*ma*,
e belamente a todos perfuma*ram*.
Com grande honra, assim os enterra*ram*,
e são deixados ali, o que mais fari*am*? AOI.

2958. Timiama, como a mirra, é um tipo de incenso.

CCXIII

Li empere fait Rolł coſteir.
y oliuer y larceueſq; turpin
deuant ſei leſ ad fait tuz uu̇rir
e tuz leſ querſ y paile recuillir.
vn blanc ſarcou de marbre ſunt enz miſ.
e puiz leſ corſ deſ baronſ ſi unt pſ.
en quirſ de cerf leſ ſeignurſ unt miſ.
Ben ſunt lauez de piment y de uin.
Li reiſ cumandet tedbalt y gebuin.
Milun le cunte y oteſ le marchiſ.
en .iii. caretteſ leſ guiez t[r]es ben
bien ſunt cuuerz dun palie galazin. AOI.

CCXIV

Venir ſen uolt li empere carleſ.
Quant de paienſ li ſurdent leſ enguardeſ.
de celſ deuant i uindrent dui meſſageſ.
del am[i]rail li nuncent la bataille.
Reiſ orguilloſ nen eſt finſ que ten algeſ.
Veiz baligant ki apreſ tei cheualchet.
Granz [ſunt] leſ oz quil ameinet darabe
encoi uerrũ ſe tu aſ uaſſelage. AOI.

2962. O termo *coſteir* tem o sentido de oferecer o tratamento funerário, derivado de *custōdio* (custodiar, velar, proteger), em referência a procedimentos de tanatopraxia, semelhantes a uma mumificação. **2971.** Em trad. lit.: "O conde de Milão e Otão, o marquês". Para "embandeirado", vide nota ao v. 190. **2973.** A origem (*galazin*) se refere à Galácia, região central da Anatólia, a atual Turquia, ocupada

CCXIII

Em Roldão, *o Im*perador ordena os ri*tos*,
no Arcebispo, também no Olivei*ro*.
Ante si faz abrirem os seus cor*pos*,
e envolve*ram os* corações em puro li*nho*;
nas brancas tumbas de mármore são pos*tos*.
Os seus cor*pos* são, depois, dali toma*dos*,
pra envolvê-los com as peles de por*cos*,
co' aromáticos vinhos são lava*dos*.
O rei orde*na a* Gebuíno e a Teobal*do*,
ao Milanês e a Otão, o embandeira*do*:
"*Ca*rreá-los-eis no caminho, em três ca*rros*".
E são cober*tos* com o galaciano li*nho*. AOI.

FORMAÇÃO DAS HOSTES

CCXIV

O rei Car*los* quer iniciar a vol*ta*,
quando, dos *pa*gãos, lhe surge a vanguar*da*.
Dois mensagei*ros* vêm da linha avança*da*,
e, do Emir, lhe anunciam a bata*lha*:
"*Rei* orgulhoso, não é digno ir ago*ra*!
Balalão, vede, atrás de vós cavalg*a*.
Grandes hostes vos traz desde Ará*bia*,
*ve*remos logo, qual é vossa bravu*ra*!" AOI.

pelos povos celtas, denominados Galos pelos romanos. O tipo de tecido utilizado para a mortalha (*palie*), considerada a topografia, só pode ser o linho, produzido pelo talo de uma herbácea (*linum usitatissimum*) cujo cultivar é originário das regiões banhadas pelos rios Nilo, no cultivar egípcio, e Tigre e Eufrates, no cultivar mesopotâmico, onde está a Anatólia.

[...]

Carleſ li reiſ en ad ꝑſe ſa barbe.
Si li remembret del doel y damage.
Mult fiereḿt tute ſa gent reguardet.
puiſ ſi ſeſcriet a ſa uoiz grand e halte.
Baronſ franceiſ aſ cheualſ y aſ armeſ. AOI.

CCXV

Li emꝑereſ tuz ꝑmereinſ ſadubet
Jſnelement ad ueſtue ſa brunie.
Lacet ſun helme ſi ad ceinte ioiuſe.
ki pur ſoleill ſa clartet nen muet.
pent a ſun col un eſcut de biterne
tient ſun eſpiet ſin fait brandir la hanſte.
en tencendur sun bon cheual puiſ muntet.
Jl le cunquiſt eſ guez deſuz marſune.
Sin getat mort malpalin de nerbone.
Laſchet la reſne mult ſuuent leſꝑonet,
fait ſun eſlaiſ ueant cent mil humes. AOI.
Recleimet deu y lapoſtle de rome.

CCXVI

Par fut le chăp cil de france deſcendent.
pluſ de cent milie ſen adubent enſemble.
Guarnemenz unt ki ben lor atalentent.
ceualſ curanz y lur armeſ mult genteſ.

2982. Vide nota ao v. 2840.

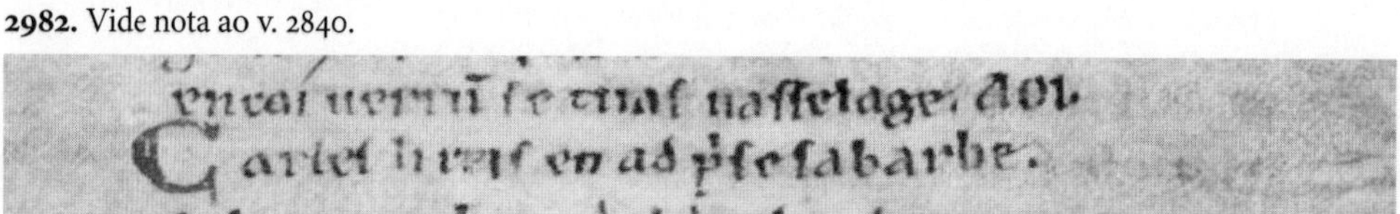

Fl. 54r; vv. 2981-2983.

[...]

O rei Carlos afaga a sua bar*ba*,
da sua dor *e* da ruína ele recor*da*.
*Al*tivamente, contempla sua mesna*da*,
então grita com voz forte e imposta*da*:
"Meus barões, aos cavalos e às ar*mas*!" AOI.

CCXV

*O Im*perador *ar*mou-se, de todos, primei*ro*,
sua co*ta* já vestiu-a tão ligei*ro*.
Envergou-*se* da Joiosa e do seu el*mo*,
que nem o sol pode ofuscar seu bri*lho*.
*Pen*dura, no *pes*coço, o escudo de Viter*bo*,
toma a lança e brande o seu tron*co*.
Depois mon*ta* Tencendor, seu bom cava*lo*,
em Marsô*nia o* conquistou sobre um pa*sso*;
derrubou dele morto o Malpali*no*.
*A*frouxa as rédeas e esporeia mui*to*,
o veem a todo galope cem mil fran*cos*; AOI.
*in*voca a Deus e ao apóstolo roma*no*.

CCXVI

Pelo cam*po* descavalgam os da Fran*ça*,
mais de cem mil, sincrônicos, se enver*gam*.
Seus arneses são bons e lhes agra*dam*,
são velo*zes* os cavalos, belas ar*mas*.

2991. "*Biteme*" foi identificada com Viterbo, uma comuna italiana na região do Lácio, hipótese de L. Foulet (*apud* Gérard Moignet (ed.), *Chanson de Roland). * **2993.** O nome do cavalo de Carlos Magno, Tencendor, é derivado do verbo *tencer* (briga, lutar, disputar). **2994.** *Marfune* é toponímia desconhecida; *guez* (vau, passo) é um alagado de pouca profundidade. **2998.** Pode ser uma referência ao Papa, hipótese de Riquer (Martín de Riquer, *Chanson de Roland, Cantar de Roldán y el Roncesvalles Navarro*, p. 288).

puiſ ſunt muntez y unt grant ſcience.
Sil troeuent oi bataille quident rendre.
cil gunfanun ſur leſ helmeſ lur pendent.
Quant carleſ ueit ſi beleſ cuntenanceſ
Sin apelat jozerã de ꝑvence.
Naimon li duc antelme de maience.
en telſ uaſſalſ deit hom aueir fiance.
aſez eſt folſ ki entrelſ ſe deme(n)te.
Si arrabiz de uenir ne ſe repentent.
La mort Rolł lur quid cherement rendre.
Reſpunt dux neimeſ e d'ſ le noſ cunſente. AOI.

CCXVII

Carleſ apelet rabe y guineman.
co diſt li reiſ ſeignurſ io uoſ cumãt.
Seiez es liuſ oliuer y Rolł.
Lun port leſpee y laltre lolifant.
Si cheualez el premer chef deuant.
enſemblod uoſ. xv. milie de franc[ei]ſ.
De bachelerſ de noz meillorſ uaillanz.
apreſ icelſ en aůrat altretant.
Siſ guierat gibuinſ y guinemanſ.
Naimeſ li dux y li quenſ jozeranſ.
Jcez eſchieleſ ben leſ uunt aiuſtant.
Sil troeuent oi bataille i ert mult g[a]nt. AOI.

3008. Mogúncia (Mainz) é a capital de um dos Estados Federais da Alemanha, o Renânia-Palatiano. **OS ESQUADRÕES DE CARLOS MAGNO** – Ao longo de oito séries (CCXVII-CCXXV) narra-se a formação dos dez esquadrões cristãos, sob o comando de algumas personagens inéditas no *Cantar*. A dinâmica, no passo das séries, é um *crescendo*, em virtude de cavaleiros e de armas, em número de contingente e em perspectiva narrativa que vai da suposição até a afirmação precisa. O décimo esquadrão, como ápice dessas forças, é acompanhado pelo próprio Imperador e composto pelos mais afamados anciãos da França, que ostentam as melhores armas. Toda essa gloriosa hoste parece contrastar enormemente com a lamentação do rei Carlos, de volta a Roncesvales (vide vv. 2902-2905; 2926-2928). Não é de es-

Logo montam com tão grande destre*za*,
se há ensejo hoje querem dar bata*lha*;
sobre os el*mos*, gonfalões eles osten*tam*.
Quando Car*los* viu tão bela a aparên*cia*,
já chamou o Jozerano da Proven*ça*,
*Ne*mé o duque e o Antelmo da Mogún*cia*:
"*Em* tais vassa*los*, posso eu ter confian*ça*,
tolo é quem, entre eles, se lamen*ta*.
Se não *arre*pendem mouros de sua vin*da*,
a morte de *Rol*dão será, tão caro, pa*ga*".
Diz Nemé, *o* duque: "Deus assim permi*ta*!" AOI.

CCXVII

Carlos chama a Ravel e a Ginemân*cio*,
diz o rei: "*Ou*vi, senhores, meu coman*do*:
Os postos, ten*des*, de Roldão e Olivei*ro*,
um a espa*da e o* olifante outro levan*do*.
Cavalgai *na* frente, sede então primei*ros*,
junto a vós, quize mil soldados fran*cos*,
*a in*fantari*a, os* mais valentes desses no*ssos*.
Depois de*les*, seguirão mais outros tan*tos*,
*gui*ados por Gebuíno e por Lorên*cio*".
*Ne*mé, o duque, e o conde Jozera*no*
seus esquadrões vão tão bem já reunin*do*;
haverá *ba*talha dura se há ense*jo*. AOI.

tranhar, porém, essa antípoda de facetas da personagem como incoerência narrativa; trata-se, antes, da apresentação do Imperador numa dimensão humana, que chora, desmaia e se desespera, até ser trazido à luz da razão por algum de seus melhores barões, como faz Nemé, o duque (vide vv. 2425-2428), e Godofredo d'Anjou (v. 2946), a partir do que sua glória é recuperada na narrativa. **3022.** Há um lapso do copista em repetir aqui o nome de *guinemanſ*, que já figura no mando do primeiro esquadrão (v. 3014). Bédier segue o manuscrito e inclui uma interrogação após a reiteração da personagem. Moignet e Riquer substituem, já na transcrição, *guinemanſ* por *Loranz*, correção que adotamos na tradução.

CCXVIII

Le franceiſ ſ't leſ þmereſ eſcheleſ.
apreſ leſ donſ eſtabliſent la terce.
en cele ſunt li uaſſal de baiuere.
A .xx. milie cheualerſ la preiſerent
Ja deuerſ elſ bataille nert leſſee.
Suz cel nad gent que carleſ ait pluſ chere.
Forſ celſ de france ki leſ regneſ cunquerent.
Li quenſ oger li daneis li puinnereſ.
Leſ guierat kar la cumpaigne eſt fiere. AOI.

CCXIX

Treiſ eſcheleſ ad lemꝑere c'arleſ.
Naimeſ li dux puiſ eſtabliſt la quarte
De telſ baronſ quaſez unt uaſſelage.
Alemanſ ſunt y ſi ſ't dalemaigne.
Vint milie ſunt co dient tuit li altre.
Ben ſunt guarniz e de cheualſ y darmeſ.
Ja por murir ne guerpirunt bataille.
Siſ guierat hermanſ li dux de trace.
einz i murat que cuardiſe i facet. AOI.

CCXX

Naimeſ li dux y li quenſ iozeranſ.
La quinte eſchele unt faite de normanſ
xx. milie ſunt co dient tuit li franc.
armeſ unt beleſ y bonſ ceualſ curanz
Ja pur murir cil nerent recreanz.
Suz ciel nad gent ki plꝰ poiſſe^{n}t en camp.
Richard li uelz leſ guierat el camp.
cil i ferrat de ſun eſpiet trenchant. AOI.

CCXVIII

De france*ses* são os esquadrões primei*ros*,
depois de*sses* dois, formado está o tercei*ro*,
em que vão, da Bavária, os vassa*los*,
do qual se estima uns vinte mil solda*dos*;
que se saiba, jamais vão deserta*dos*.
Sob o céu, *não* há mais quista gente a Car*los*,
*de*pois dos fran*cos*, que lhe conquistaram rei*nos*.
O lutador *da*nês, o conde Ogie*ro*
os guiará, pois o esquadrão é fe*ro*. AOI.

CCXIX

*O Im*perador Carlos tem suas esqua*dras*,
e o duque Nemé vai com a quar*ta*,
com barões *que* são de muita valenti*a*.
Alemães, que são vindos da Germâ*nia*,
vinte mil, dizem que são suas for*ças*,
guarneci*das* com cavalos e com ar*mas*.
Por não morrer *não* abandonam a bata*lha*,
os guiará *o* Hermes, duque lá da Trá*cia*;
morrerá *sem* incorrer em covardi*a*. AOI.

CCXX

*Ne*mé o duque e o conde Jozera*no*,
têm forma*da a* quinta esquadra de norman*dos*.
São vinte mil, dizem todos nossos fran*cos*,
belas ar*mas* e ligeiros seus cava*los*.
Nem por morte se deixarão rendi*dos*,
sob o céu *não* há quem possa mais no cam*po*;
os guiará *a*li tão velho, o Ricar*do*,
*que es*tá à lança afiada aferra*do*. AOI.

CCXXI

La ſiſte eſchele unt faite de bretunſ.
xxx. milie cheualerſ od elſ unt.
Jcil cheualchent en guiſe de baron.
peinteſ lur hanſteſ fermez lur gunfanun.
Le ſeignur delſ eſt apelet oedun.
Jcil cumandet le cunte neuelun.
tedbald de reinſ e le marchiſ otun.
Guiez ma gent io uoſ en faz le dun. AOI.

CCXXII

Li empere ad .vi. eſcheleſ faiteſ.
Naimeſ li dux puiſ eſtabliſt la sedme.
De peitevinſ y deſ baronſ daluerne.
xl. milie cheualerſ poeent eſtre.
cheualſ unt bonſ y leſ armeſ młt beleſ.
cil ſunt par elſ en un ual ſuz un tertre.
Siſ beneiſt carles de ſa main deſtre
elſ guierat iozeranſ y godſelmeſ. AOI.

CCXXIII

E loidme eſchele ad naimeſ eſtablie.
de Flamengſ .ĕ. deſ baronſ de friſe.
cheualerſ unt pluſ de .xl. milie.
Ja deuerſ elſ nert bataille guerpie.
co diſt li reiſ ciſt ferunt mun ſeruiſe.
entre rembalt y hamon de galice.
Leſ guierunt tut par cheualerie. AOI.

3055. Outros textos medievais documentam lanças pintadas e coloridas, como em *Li chevaliers de la charrete*, de Chrétien de Troyes (vv. 2403-2405): *Quant armez fu, sanz demorance / Monte et prant l'escu et la lance / Qui estoit grosse et roide et peint* (Assim que esteve armado sem tardança / monta e

CCXXI

Logo o sex*to* *a*grupamento é o bretão,
trinta mil cavaleiros ali são,
e cavalgam à guisa de barão.
*Pin*tadas lanças e fixo o gonfalão,
o senhor deles chama Odeão.
Ele ordena ao conde Novelão,
a Teobaldo e ao marquês Otão:
“*Gui*ai minha gente, pois vos concedo o dom”. AOI.

CCXXII

*O Im*perador já formou seis esquadrões,
logo o sé*ti*mo Nemé se apresentou,
co’ auvernhe*ses* e os barões de Poitou.
*Qua*renta mil cavaleiros, se supõe,
belas ar*mas*, seus cavalos são tão bons,
*es*tão à parte, entre cerros, bem no vão.
Com a des*tra* Carlos os persignou,
Jozerano e Goselmo os guiarão. AOI.

CCXXIII

Nemé leva ainda o oita*vo*,
com barões *de* Frise e com os flamen*gos*.
Passam de *qua*renta mil os cavalei*ros*,
por eles não *se*rá o combate deserta*do*.
Disse o rei: “Esses vão a meu servi*ço*!”
O Hamão da Galícia e o Riobal*do*
os guiarão *à* guisa de bons cavalei*ros*. AOI.

toma o escudo e a lança / que era pintada, grossa e longa). **3073.** Hamão da Galícia é a única personagem do cantar, até então desconhecida, que é cristã e de origem espanhola.

CCXXIV

Entre naimon et iozerā le cunte.
La noefme eſchele unt faite de ꝑzdomeſ.
De loherengſ y de celſ de borgoigne
.L. milie cheualerſ unt par cunte.
helmeſ laciez e ueſtueſ lor bronieſ.
eſpiez unt forz y leſ hanſteſ ſunt curteſ.
ſi arrabiz de uenir ne demurent.
cil leſ ferrunt ſil a elſ ſabandunent.
Siſ guierat tierriſ li dux dargone. AOI.

CCXXV

La diſme eſchele eſt deſ barunſ de france.
cent milie ſunt de noz meillorſ cataigneſ.
corſ unt gaillarz y fiereſ cuntenanceſ.
Leſ cheſſ Fluriz y leſ barbeſ unt blancheſ.
oſbercſ ueſtuz e lur brunieſ dubleineſ.
ceinteſ eſpeeſ franceiſeſ y deſpaigne.
eſcuz unt genz de multeſ cunoiſanceſ.
puiſ ſunt muntez la bataille demandent.
Munioie eſcⁱent od elſ ~ carlemagne.
Gefreid daniou portet lorie flambe.
Seint piere fut ſi aueit num romaine.
Maiſ de munioie iloec out priſ eſchange. AOI.

CCXXVI

Li empere de ſun cheual deſcent.
Sur lerbe uerte ſe ~ culchet adenz.

3083. Argonne, Pays d'Argonne, ou Argona, é uma comuna francesa de bosques e paragens naturais que foi palco de muitas batalhas e das sucessivas grandes guerras. Contígua ao Pays d'Argonne, no nordeste da França, está a comuna Chateau-Thierry, cujo nome fora atribuído quando ali, em 737, Carlos Martel, avô de Carlos Magno, sepultou o último rei merovíngio Teodorico IV, ou Thierry IV,

CCXXIV

O Nemé e o Jozerano, o con*de*,
*for*maram o nono esquadrão só de valen*tes*,
os lore*nos* e também os borgonhe*ses*.
São cinquen*ta* mil ali, exatamen*te*,
com os el*mos* e as cotas já se ves*tem*.
Levam for*tes* lanças, curtas suas has*tes*,
se os *ára*bes não mais se demora*rem*,
*a*tacarão, mesmo se eles deserta*rem*;
os guia Teo*do*rico, o duque de Argo*nne*. AOI.

CCXXV

São, no dé*ci*mo esquadrão, barões da Fran*ça*,
os cem mil capitães de maior fa*ma*.
Corpos belos, postura tão alti*va*,
as cabeças floridas, barbas bran*cas*.
*En*vergam du*plas* cotas e também lori*gas*,
e espadas da França e da Espa*nha*;
os escudos são belos, com insíg*nias*.
Quando mon*tam*, já demandam a bata*lha*,
"Monjoiê!" – Carlos lhes faz companhi*a*.
Godofredo d'Anjou leva a orifla*ma*,
de São Pe*dro* foi, quando era a "Roma*na*",
mas "Monjoiê", desde então assim se cha*ma*. AOI.

CCXXVI

*O Im*perador desmontou do seu cava*lo*,
sobre a relva, prostrou-se cara abai*xo*.

em francês, e tratou a sucessão hereditária dos pipinidas, marcando assim o início da dinastia carolíngia. **3088.** Fica claro, nesse verso, que os termos *osberc* (cota) e *brunies* (loriga) não se tratam da mesma proteção; vide nota ao v. 384. **3093-3095.** Conforme indica Bédier (*apud* Martín de Riquer, *Chanson de Roland, Cantar de Roldán y el Roncesvalles Navarro*, p. 299), no ano de 795 o papa Leão

Turnet ſun uiſ uerſ le ſoleill leuant
Recleimet deu mult eſcorduſement.
Veire paterne hoi ceſt ior me defend.
ki guareſiſ ionaſ fut ueirement.
de la baleine ki en ſun corſ laueit.
y eſparignaſ le rei de niniven.
e daniel del merueilluſ turment.
enz en la foſſe deſ leonſ o fut enz.
Leſ .iii. enfanz fut en un fou ardant.
La tue amurſ me ſeit hoi en preſent.
par ta mercit ſe tei plaiſt me cunſent.
Que mun neuold poiſ uenger Rolł.

[...]

Cum ad oret ſi ſe drecet en eſtant.
ſun chef de la uertut poiſant.
Muntet li reiſ en ſun cheual currant.
Leſtreu li tindrent neimeſ y ioceranſ.
prent ſun eſcut e ſun eſpiet trenchant.
gent ad le corſ gaillart y ben ſeant.
cler le uiſage y de bon cuntenant.
puiſ ſi cheualchet mult aficheement.
Sunent cil greiſle y derere y devant.
Surtuz leſ altreſ bundiſt li olifant.
plurent franceiſ pur pitet de Rolł.

CCXXVII

Mult gentem̄t li emꝑere cheualchet.
deſur ſa bronie forſ ad miſe ſa barbe.

III presenteou o rei Carlos com o Estandarte da cidade de Roma (*vexillum romanae urbis*), uma auriflama, seguramente, porque fora vermelho o estandarte francês até o século XV. Carlos Magno, por sua vez, teria depositado o presente no castelo de Monschau, que então se chamava Montjoie, numa vila homônima, em Aquisgrão. Se isso for assim, esses versos são claros: o papa presenteou um estandarte, então denominado "a Romana" que, em posse do rei, passou a se chamar Monjoiê, que se tornaria também o grito de armas

Para o sol *nas*cente volve o seu ros*to*,
vai clamando a Deus, tão fervoro*so*:
"Defendei-*me* hoje, oh, Pai verdadei*ro*,
pois a Jo*nas* mantiveste bem guarda*do*
da balei*a*, quando esteve no seu cor*po*;
e de Ní*ni*ve, por vós, foi o rei sal*vo*;
e o Daniel, quando esteve em atroz tormen*to*,
junto dos *fe*ros leões naquele fo*sso*;
e os três jovens, no mais ardente fo*go*.
Por vosso amor, *per*manecei hoje comi*go*,
*Quei*rais, por vossa mercê, ser concedi*do*,
que eu vingue Roldão, o meu sobri*nho*!"

[...]

Levantou-*se* quando já havia ora*do*,
na cabe*ça* se persigna, virtuo*so*.
O rei monta no seu veloz cava*lo*,
*sus*têm-lhe o estribo o Nemé e o Jozera*no*,
toma a lança afiada e o escu*do*.
Tem o corpo bonito e apruma*do*,
a postu*ra* boa e claro o seu ros*to*;
cavalgando, vai tão determina*do*.
Os clarins *já* soam por todos os la*dos*,
e o olifante ressoa sobre os ou*tros*;
por Roldão, choram penitentes fran*cos*.

CCXXVII

Muito nobre, o Imperador caval*ga*,
sobre a gro*ssa* cota pôs a sua bar*ba*.

dos franceses (vide notas aos vv. 1179 e 1181). **3100-3106.** Há diversas referências ao Velho Testamento nessa oração, nos livros de: Jonas, 1:15, 2:10 e 3:6-10; e Daniel, 3:12-27 e 6:16-23. Vide nota ao v. 2386. **3110.** Em que pese ser consensual entre os editores do cantar tratar-se ainda da s. CXXVI, esse verso inicia por letra capitular, o que consideramos indicativo de uma nova série (vide nota aos vv. 1140, 2840 e 2982). Mantivemos, contudo, a contagem padrão das séries. **3122.** A imagem da barba sobre a cota já havia aparecido no v. 1843, vide nota.

pur ſue amor altretel funt li altre.
cent milie francſ en ſ't reconoiſable.
paſſent cez puiſ y cez rocheſ plꝰ halteſ.
y cez parfunz cez ^{valees} deſtreiz anguiſableſ.
Jſſent deſ porz y de la tere guaſte.
deuerſ eſpaigne ſ't alez en la marche.
en un emplein unt þſe lur eſtage.
a baligant repairent ſeſ enguardeſ.
Vnſ ſulianſ ki ad dit ſun meſage:
Veud auŭ li orguilluſ uiſ carleſ.
Fierſ ſunt ſi hume nunt talent quil li faillent.
Adubez uuſ ſĕpreſ aủrez bataille.
Diſt baligant or oi grant uaſſelage
Sunez uoz graiſleſ que mi paien le ſacet.

CCXXVIII

Par tute loſt funt lur taburſ ſuner
e cez buiſineſ y cez greiſleſ mult cler.
paien deſcendent pur lur corſ aduber.
Li amiralz ne ſe uoelt demurer.
Veſt une bronie dunt li pan ſ't ſaſfret.
Lacet ſun elme ki ador eſt gĕmet.
puiſ ceint ſeſpee al ſeneſtre coſtet.
par ſun ^{or}goill li ad un num truuet.
ꝑ la ^{suee} carlun dunt il oit parler.
co ert ſenſeigne en bataille căpel.
Seſ c^{h}eualerſ en ad fait eſcrier.
pent a ſun col un ſoen g^{a}nt eſcut let.

3137. A presença dos tambores nesse verso foi um elemento decisivo para a datação do prototípico cantar. **3145.** Embasados no manuscrito V4, todos os editores consultados consideram faltar um verso imprescindível, que inclui o nome da espada de Balalão, a Preciosa, que será mencionada nos vv. 3298, 3471 e 3564. Bédier e Moignet apresentam reticências na transcrição após este verso e incluem uma tradução de V4 entre colchetes; já Riquer transcreve: *la sue fait Preciouse apeler* ("hace llamar la suya Preciosa"). Seguimos a contagem dos versos conforme os editores, mas mantivemos a omissão do manuscrito. **3149.** O adjetivo *let*, aqui referido ao escudo, está traduzido no AND por "feio, surrado, de qualidade inferior"

Por amor *a* ele todos o imi*tam*,
cem mil francos, assim, se identifi*cam*.
Passam cerros e as mais altas ro*chas*,
*es*treitos va*les*, angustia a profunde*za*.
Deixam as terras baldias das encos*tas*,
vão em di*re*ção à marca da Espa*nha*.
*Nu*ma planí*cie* vão tomando suas mar*cas*,
pra Balalão, volta-se essa avança*da*.
Eis que um Sírio levou-lhe a notí*cia*:
"O orgulho*so* Carlos já está às vis*tas*.
Os seus bra*vos* homens nunca lhe falha*ram*,
*ar*mai-vos, pois, logo haverá bata*lha*!"
Diz Balalão: "*A*gora ouvi grande bravu*ra*!
Os clarins *so*ai pra que os pagãos o sai*bam*!"

CCXXVIII

Por toda a hoste os tambores vão soan*do*,
as corne*tas* e os clarins são muito cla*ros*.
*Pa*gãos desmontam e armam os seus cor*pos*,
o Almirante não quer ser demora*do*.
Veste a cota com panos adorna*dos*,
*en*laça o el*mo* que é de ouro incrusta*do*.
Cinge a espada no seu direito la*do*,
por seu orgu*lho um* nome a ela é imputa*do*:
*Por*que ouviu *cha*mar aquela que é de Car*los*,
*tam*bém a sua *é o* grito da batalha em cam*po*;
fez gritar todos os seus cavalei*ros*.
Ao pesco*ço* leva o grande e largo escu*do*,

(*ugly, shabby, of inferior quality*). Os editores do cantar leem, por outro lado, uma latinização do adjetivo como derivado de *latus, latum* (amplo, largo), procedimento que adotamos, visto que o sentido literal posto pelo AND é contraditório com as demais descrições do arnês inimigo e da própria personagem Balalão. Como senhor de todos os sarracenos que protagonizará o embate final contra os cristãos, Balalão deve ser um inimigo à altura das virtudes de Carlos Magno, sob pena de diminuir a glória da vitória se fosse uma personagem, um arnês, ou apenas um escudo de "qualidade inferior".

Dor ∻ La bucle y de criſtal liſtet.
La guige en eſt dun bon palie roet.
tient ſun eſpiet ſi lapelet maltet.
La hăſte groſſe cume unſ tinel(ſ).
De ſul le fer fuſt unſ mulez truſſet.
en ſun deſtrer baligant ∻ muntet.
Leſtreu li tint marculeſ dultre mer.
La forc[h]eúre ad aſez grant li ber.
Graiſleſ eſ flancſ y largeſ leſ costez.
Groſ ad le piz beleḿt ∻ mollet.
Leeſ leſ eſpalleſ y le uiſ ad mult cler.
Fier le uiſage le chef recercelet.
tant par ert blancſ cume flur en eſtet.
de uaſſelage eſt ſiuient eſprouet.
d'ſ quel baron ſouſt xpĭentet.
Le cheual brochet li ſancſ en iſt tuz clerſ.
Fait ſun eſlaiſ ſi treſſalt un foſſet.
cinquante [pez i] poet hom meſurer.
paien eſcrient ciſt deit marcheſ tenſer.
Ni ad franceiſ ſi a lui u(i)ent iuster.
voeillet o nun ni ꝑdet ſun edet.
carleſ eſt folſ que ne ſen eſt alet. AOI.

CCXXIX

Li amiralz ben reſemblet barun.
Blanche ad la barbe enſeḿt cume flur.
e de ſa lei mult par ∻ ſaiueſ hom.
e en bataille eſt fierſ y orgoillus.
Seſ filz malꝥ[a]miſ mult eſt cheualeruſ.
Granz ∻ y forz y trait aſ [ceſ] anceiſurſ.
Diſt a sun ꝑre ſire car ceualchum.
mult me merueill ſe ia uerrŭ carlun.
Diſt baligant oil car mult ∻ proz.

3164. Verso célebre que nos é recordado pelo v. 20 (fl. 1) do *Cantar de Mio Cid*: *Dios q' bũe baſſalo*

o brocal de ouro e, de cristal, listra*do*;
as alças são do mais bem urdido li*nho*.
Toma a su*a* lança, a chama de Malti*no*,
é sua haste tão grossa feito um tron*co*;
*su*portaria *em* sua ponta até um bu*rro*.
Balalão já montou em seu destrei*ro*,
o Marcú*leo* de além-mar sustém o estri*bo*.
O barão é tão grande e tão forçu*do*,
*qua*dris estreitos e forte o seu dor*so*.
Grosso o pei*to*, belamente está molda*do*,
largos ombros e rosto muito cla*ro*.
*O*lhar altivo e os cabelos cachea*dos*,
como a flor do estio, já estão tão bran*cos*;
seu valor, muitas vezes, foi prova*do*.
Que barão, Deus, se cristianiza*do*!
Aguilhan*do, a*rranca sangue do cava*lo*,
a toda brida se lança e salta um fo*sso*;
*cin*quenta pés tinha, se bem mensura*do*.
Gritam os *pa*gãos: "Estamos defendi*dos*!
Não há francês que, a ele enfrenta*do*,
queira ou não, nem acabe derrota*do*;
por não haver *par*tido, Carlos é um to*lo*!" AOI.

CCXXIX

O Almiran*te a* um barão bem asseme*lha*,
exatamen*te* como a flor, tem branca a bar*ba*.
É tão sábio nas leis, as que profe*ssa*,
orgulhoso e bravo na bata*lha*.
*Ca*valheiresco é o filho Malprome*ssa*,
grande e for*te*, tem os traços da sua cas*ta*.
Disse então: "Cavalguemos, pai, ago*ra*!
Não ver a Carlos me admiraria".
Diz Balalão: "Sim, pois, nele há valenti*a*,

ſi ouieſſe büe Señor (Deus, que bom vassalo se tivesse bom Senhor!).

en plusurs gestes de lui sunt granz honᵘs.
Jl nen at mie de Roll sun neuold.
Naůrat uertut ques tienget cuntre nus. AOI.

CCXXX

Bels filz malpramis co li dist baligant.
Li altrer fut ocis le bon uassal Roll.
y oliuer li proz y li uaillanz
Li .xii. per qui carles amat tant
De cels de france .xx. milie cumbatanz.
trestuz les altres ne pris io mie un guant.

[...]

Li emperes repairet ueirement.
Sil mat nunciet [mes] mes li sulians.
.x. escheles enuŭnt mult granz.
cil est mult pz ki sunet lolifant.
Dun graisle cler racatet ses cumpaignz.
e si ceualcĕt el premer chef deuant.
ensemblod els .xv. milie de francs.
De bachelers que carl cleimet enfanz.
apres icels en i ad ben altretanz.
cil i ferrunt mult orgoillusement.
Dist malpramis le colp uos en demant. AOI.

CCXXXI

Filz malpramis baligant li ad dit.
Jo uos otri quanque mauez ci quis.

3189. Esse verso utiliza a mesma fórmula daqueles com comparações a objetos de escasso valor, como "um dinheiro", embora a luva, em outras situações, tenha uma simbologia muito importante (vide nota ao v. 1262). **SÍRIOS E ARMÊNIOS** – No seu comentário à *Chanson de Roland*, anota Bédier: "Mas entre esses persas, turcos, árabes, entre outros no cantar, para a nossa surpresa, como cristãos, o emir Balalão é informado sobre as forças de que dispõe Carlos Magno por um sírio (vv. 3131, 3191); e um dos seus esquadrões é formado por armênios (v. 3227). A nossa surpresa não é outra do que aquela de que se encheram os cruzados, quando eles

muitas honras se contam dele em ges*tas*.
Seu sobrinho, Roldão, já não tem vi*da*,
já não há *vir*tude que se opor a no*ssa*". AOI.

CCXXX

Diz Balalão: "Malpromessa, belo fi*lho*,
foram mortos Roldão, o bom vassa*lo*,
e o nobre e valente Olivei*ro*,
os Doze Pares, que tanto amava, Car*los*,
e, dos da França, mais vinte mil solda*dos*;
uma luva nem valem, creio, os ou*tros*".

[...]

"*O Im*perador está mesmo retornan*do*,
anunci*a*-me o meu enviado, o sí*rio*.
Dez esquadrões grandes são-nos destina*dos*,
o que so*a o* olifante é eleva*do*.
Com clarim *re*plica o seu companhei*ro*,
e caval*gam* frente à frente, os primei*ros*.
Junto deles, são quinze mil os fran*cos*,
tão jovens que o rei os chama de garo*tos*.
Depois desses ainda há outros tan*tos*,
lutarão muito, todos com orgu*lho*.
Diz Malpromessa: "O primeiro golpe eu que*ro*!" AOI.

CCXXXI

Balalão *diz*: "Malpromessa, belo fi*lho*,
do que pediste, a graça vos consin*to*,

constataram a presença de armênios e de sírios nas armadas de Corbaran e de Cassian [...] Os armênios e os sírios, apesar de cristãos, assediaram os comboios [...] abasteceram os turcos durante o cerco de Antioquia e lhes serviram de espiões; foi um grande escândalo, o que explica porque o poeta da *Chanson de Roland* os represente como auxiliares dos sarracenos" (*apud* Gérard Moignet (ed.), *Chanson de Roland*, p. 229); vide vv. 3190-3199. **3190.** Apesar de que continue o mesmo discurso de Balalão, porque os editores do cantar não considerem aqui uma passagem de série, esse verso inicia com letra capitular; vide nota ao v. 3110.

cuntre franceiſ ſempreſ irez ferir.
Si i merrez torleu le rei perſiſ.
y dapamort un altre rei leutiz.
le grăt orgoill ſe ia puez matir.
io uoſ durrai un pan de mun paiſ.
Deſ cheriant entreſquen ual marchiſ.
cil reſpunt ſire urĕ mercit.
paſſet auant le dun en requeillit.
co ⁓ de la terre ki fut al rei flurit.
a itel ore uncheſ puiſ ne la uit.
ne il nen fut ne ueſtut ne ſaiſit.

CCXXXII

Li amiraill cheualchet par cez oz.
Siſ filz le ſiut ki mult ad grant le corſ.
Li reiſ torleuſ y li reiſ dapamort.
.xxx. eſcheleſ eſtabliſſent mult toſt.
cheualerſ unt a merueilluſ eſforz.
en la menur .L. milie en out.
La premere eſt de celſ de butentrot.
e laltre apreſ de miceneſ aſ cheſſ groſ.
Sur leſ eſchineſ quil unt en mi leſ doſ.
Cil ſunt ſeiet enſement cume porc. AOI.

[…]

E la terce ⁓ de nubleſ y de bloſ.
e la quarte ⁓ de brunſ y deſclavoz.
e la quinte ⁓ de ſorbreſ y de ſorz.

3205. O topônimo *leutiz* refere-se à Lícia, na região da Anatólia, na Ásia Menor, atual Turquia. **3208.** Conforme anota Riquer, os topônimos, Cairuão, na Tunísia e Marraquexe, no Marrocos, são hipóteses de Atkinson T. Jenkins, em sua ontológica edição do cantar. **OS ESQUADRÕES DE BALALÃO** – O contraste é enorme. Com contingente muito superior, Balalão reúne gente dos lugares mais exóticos, e com características insólitas, bestiais até, o que talvez retrate algo do imaginário de um cristão medieval acerca dos povos médio-orientais, repleto de estereótipos e fabulações. Quanto à origem desses esquadrões, Riquer anota que todos esses lugares mencionados no cantar apenas permitem conjecturas de identificação, o mais das

*a*cometei os franceses, ao momen*to*.
O Torleu, *rei* persa, levareis convos*co*,
e Dapramorte, que é um rei let*ício*.
Se podeis extinguir aquele orgu*lho*,
do meu país, vos darei um bom peda*ço*,
de Cairuão *a* Marraquexe, no Marro*cos*".
*Res*ponde ele: "Senhor, vos agrade*ço*".
O dom rece*be*, dando à frente só um pa*sso*,
isto é, *as* terras do rei Florival*do*,
*a*gora, quando jamais as tenha vis*to*,
nem poderá *ser* delas dono, ou investi*do*.

CCXXXII

O Almirante cavalga pela hos*te*,
é segui*do* por seu filho, muito gran*de*.
O rei Torleu e também o Dapramor*te*
formam trinta esquadrões tão prontamen*te*,
de cavaleiros terrivelmente for*tes*.
*Cin*quenta mil há somente nos meno*res*,
da Capadó*cia é* o primeiro e vai à fren*te*.
Os cabe*ça*-gorda, da Boêmia os se*guem*,
no espinha*ço*, que no lombo eles exi*bem*,
são sedo*sos*, feito porcos, e sua*ves*. AOI.

[...]

No tercei*ro, os* azulões e os nubla*dos*,
e no quar*to* são escravos e são par*dos*.
Já no quin*to*, como o malte, avermelha*dos*,

vezes, muito audazes por parte dos editores e comentadores do cantar e, se essas coordenadas hoje nos parecem estranhas, tampouco da plateia original poderíamos imaginar alguma afinidade geográfica com elas, de modo que as mais suspeitas hipóteses se tornem plausíveis no cantar enquanto um ato poético de linguagem. Para a tradução das toponímias reconhecidas, seguimos a compilação das várias hipóteses de editores adotada por Riquer. **3224; 3232.** Apesar de seguirem com a enumeração das esquadras e com mesma assonância, esses versos estão grafados com letra capitular; vide nota ao v. 3110.

e la ſiſte ∻ dermineſ y de morſ.
e la ſedme ∻ de celſ de iericho.
y loitme ∻ de nigreſ y la noefme de groſ.
e la diſme ∻ de balide la fort.
co eſt une gent ki uncheſ ben ne uolt.

[…]

Li amiralz en iuret quanquil poet.
de mahumet leſ uertuz y le corſ.
karleſ de france cheualchet cume folſ.
bataille i ert ſe il ne ſen deſtolt.
Jamaiſ naurat el chef corone dor.

CCXXXIII

Diſ eſcheleſ eſtabliſent apreſ.
La þmere ∻ deſ caneliuſ leſ laiz.
De ual fuit ſun uenuz en trauer.
Laltre ∻ de turcſ y la t’ce de ꝑſ.
e la quarte ∻ de pinceneiſ y de ꝑſ.
e la quinte ∻ de ſolt’aſ y dauerſ.
e la ſiſte ∻ dormaleuſ y deugiez.
e la ſedme ∻ de la gent ſamuel.
Loidme ∻ de bruiſe y la noefme 8 clauerſ
y la diſme ∻ doccian la deſert.
co eſt une gent ki dănedeu ne ſert.
de pluſ felunſ norrez parler iamaiſ.
Durſ unt leſ quirſ enſement cume fer.
pur co nunt ſoign de elme ne doſƀc.
en la bataille ſunt felun y engreſ. AOI.

e no sexto, são mouros e armê*nios*.
Vão no sétimo os de Jericó,
no oitavo os negros, nono os gor*dos*.
E no dé*ci*mo, os de Bálida, o caste*lo*,
é uma gente que nunca quis o cer*to*.

[...]

O Almiran*te* vai jurando o quanto po*de*,
por Maomé, por seu corpo e sua virtu*de*:
"O rei Car*los* como um tolo vem adian*te*,
haverá *ba*talha se ele não fo*ge*;
não usará mais coroa áurea e brilhan*te*".

CCXXXIII

Depois formam mais dez outras esqua*dras*,
de cananeus, os tão feios, a primei*ra*,
desde o vale, que vindo, atrave*ssam*.
A segunda e a terceira, turcos, per*sas*,
e na quar*ta* pechenegos e mais per*sas*.
Na quinta os á*va*ros e os da Soltani*a*,
e na sexta os eslavos e os de Warmi*a*.
Vão na sé*ti*ma os de Samuel, profe*ta*,
na oita*va e* nona, eslavos e os da Prú*ssia*.
São da dé*ci*ma os niceus, os da deser*ta*,
é uma gente que nosso Deus não a*ma*,
ouvireis *fa*lar jamais de outra mais fal*sa*.
Como o fe*rro*, têm sua casca-derme du*ra*,
não precisam de elmo nem lori*ga*;
são selva*gens* e cruéis em qualquer bri*ga*. AOI.

3240-3241. Os cantares de gesta toleram a repetição do mesmo termo no lugar da assonância.

CCXXXIV

Li amiralz .x. eſcheleſ ad iuſtedeſ.
La ꝑmere ∻ deſ iaianz de malꝑſe.
Laltre ∻ de humſ y la terce de hungreſ
la quarte ∻ de baldiſe la lunge.
e la quinte ∻ de celſ de ual penuſe.
e la ſiſte ∻ de maruſe
e la ſedme ∻ de leu[ſ]e daſtrimonieſ.
Loidme ∻ dargoilleſ y la noefme de clarbone.
e la disme ∻ deſ barbez de fronde.
co ∻ une gent ki deu nen amat unkeſ
Geſte francor .xxx. eſcheleſ i numbrent.
Granz ſunt leſ oz u cez buiſineſ ſunent.
paien cheualchent en guiſe de ꝓdume. AOI.

CCXXXV

Li amiralz mult par ∻ richeſ hoem.
dedauant ſei fait porter ſun d[r]agon.
e leſtandart t[s]uagan y mahum.
e un ymagene apolin le felun.
deſ caneliuſ cheualchent enuirun.
Mult haltement eſcrient un ſermun.
ki par noz d'ſ uoelt aueir guariſon.
Siſ prit y ſeruet par grant afflictiun.
paien i baſſent lur cheſſ y lur mentun.
Lor helmeſ clerſ i ſuz clinent en brunc.
Dient franceiſ ſemꝑſ murrez glutun.
De uoſ ſeit hoi male confuſion.
Li nrĕ deu guarantisez carlun.
ceſte bataille ſeit vulget en sun num. AOI.

3265. Para *richeſ hoem* (rico-homem), vide nota ao v. 422.

CCXXXIV

O Almirante juntou mais dez esqua*dras*,
a primei*ra* dos gigantes de Marpré*sia*,
noutra hu*nos*, na terceira os da Hungri*a*,
e na quarta os de Bagdá, a vas*ta*.
Do vale do *Pe*loponeso é a quin*ta*,
e na sex*ta* vão os turcos da Anató*lia*.
Vão na sé*ti*ma, os trácios da Bití*nia*,
na oita*va e* nona, argólicos, clarbo*nas*.
E na dé*ci*ma, de Fronda, os de bar*ba*,
essa gente que Deus não ama nun*ca*.
*E*numerou *trin*ta esquadrões a gesta fran*ca*,
são grandes hos*tes* em que soam as corne*tas*;
à guisa de *ba*rão, pagãos assim caval*gam*. AOI.

CCXXXV

O Almiran*te é um* poderoso rico-ho*mem*,
faz levar seu dragão na sua fren*te*,
de Maomé *e* Tervagão, o estandar*te*,
e de Apolo, o pérfido, a ima*gem*.
Os canélios cavalgam em torno de*le*,
e aos be*rros* seu sermão eles profe*rem*:
“*A*queles que proteção do deuses que*rem*,
que os sir*va em* aflição e a eles re*zem*”.
As cabeças e os queixos deles pen*dem*,
cabisbai*xos*, pendem os elmos brilhan*tes*.
“*Já* morrereis, seus glutões” – dizem france*ses* –
“seja ho*je o* dia de vosso desas*tre*!
Que o no*sso* Deus, de Carlos, se encarre*gue*,
que se deci*da* por seu nome esse comba*te*!” AOI.

3266. Para *dragon*, vide nota ao v. 1480.

CCXXXVI

Li amiralz eſt mult de grant ſaueir.
a ſei apelet ſiſ filz e leſ douſ reiſ.
Seignurſ baronſ deuant cheualchereiz.
Meſ eſcheleſ tuteſ leſ guiereiz.
Maiſ deſ meillorſ uoeill io retenir treiſ.
Lun ert de turcſ y laltre dormaleiſ.
e la terce ⁓ deſ iaianz de malþiſ.
cil dociant ierent eſemblot mei.
Si iuſterunt a charleſ y a franceiſ.
Li emperere ſil ſe cumbat od mei.
Deſur le buc la teſte ꝑdre en deit.
treſtut ſeit fiz ni aůrat altre dreit. AOI.

CCXXXVII

Granz ſunt leſ oz y leſ eſcheleſ beleſ.
entrelſ nenat ne pui ne ual ne tertre.
Selue ne boiſ aſconſe ni poet eſtre.
Ben ſentreueient en mi la pleine tere.
Diſt baligant la meie gent auerſe.
car cheualchez pur la bataille quere.
Lenſeigne portet amborreſ do luferne.
paien eſcrient preciuſe lapelent.
Dient franceiſ de uoſ ſeit hoi grant ꝑte.
Mult haltement munioie renuuelent.
Li empere i fait ſuner ſeſ greiſleſ.
y lolifan ki treſtutuz leſ eſclairet.
Dient paien la gent całun eſt bele.
Bataille aůrum y aduree y peſme. AOI.

3284-3285. Compare-se aqui *dormaleiſ* e *malþiſ* com a forma dos mesmos topônimos *dormaleuſ* (v. 3243) e *malþſe* (v. 3253). Considerando o anotado por Riquer, os *ormaleus* ou *ormaleis* são os eslavos (v. 3243) da região da atual Polônia. **3295.** Não é de estranhar essa adjetivação pejorativa dos sarracenos na voz do próprio Balalão, assim como também se empreguem, não raro, o

CCXXXVI

É de gran*de* sapiência o Emir,
*cha*mou seu fi*lho e* os dois reis perto de si:
"Na avança*da*, meus barões, cavalgareis,
as esqua*dras* todas, vós que guiareis.
Mas, das melhores, eu quero levar três,
uma os tur*cos*, outra com os dormaleis.
A tercei*ra* de gigantes de Malpreis,
vão comigo também esses niceus.
Lutarão contra Carlos, o francês,
e se, comig*o, o Im*perador for combater,
a cabeça do tronco irá perder;
*ou*tro direi*to* não terá, já sabereis!" AOI.

CCXXXVII

Grandes hos*tes*, as esquadras são tão be*las*,
entre e*las* não há vale ou monta*nha*,
bosque ou sel*va* para haver uma embosca*da*,
bem se veem ali na terra pla*na*.
Balalão *diz*: "Gente minha tão cani*na*,
cavalgai pra travar essa bata*lha*!"
De Alepo, Amburro leva a insíg*nia*,
os pagãos gritam, chamam: "Precio*sa*!"
Francos di*zem*: "Tereis hoje grande per*da*!"
"Monjoiê!" – *re*petem com voz imposta*da*.
*O Im*perador faz soar as suas trom*pas*,
e o olifante que a todos glorifi*ca*.
Diz pagãos: "*De* Carlos, essa gente é be*la*!
Haverá *ba*talha dura e pavoro*sa*". AOI.

epíteto de "pagãos", numa perspectiva estritamente cristã (vide vv. 1542, 1578, 2844 e 3136). *Aver-se*, que aqui traduzimos por "canina", no AND, é traduzido como *enemy*, *wicked* (inimigo, ímpio), mas, conforme anota Moignet (Gérard Moignet (ed.), *Chanson de Roland*, p. 126), é um nome comumente atribuído ao diabo (vide v. 1553), o que apenas reforça a ideologia que imprime o cantar.

CCXXXVIII

Grant .ĕ. la plaigne y large la cuntree.
Luiſent cil elme aſ ꝑreſ dor g^e^mmeeſ.
y cez eſcuz e cez bronieſ ſafreeſ.
y cez eſpiez cez enſeigneſ fermeeſ.
Sunent cez greiſleſ leſ voiz en ſ't mult clereſ.
Del olifan halteſ ſunt leſ meneeſ.
Li amiralz en apelet ſun frere.
co ∻ canabeuſ li reiſ de floredee.
cil tint la terre entreſquen ual ſeŭree.
Leſ eſcheleſ charlun li ad muſtreeſ.
veez lorgoil de france la loee.
Mult fierement cheualchet li emꝑere.
Jl ∻ darere od cele gent barbee.
Deſur lur bronieſ lur barbeſ unt geteeſ.
altreſi blancheſ cume neif ſur gelee.
cil i ferrunt de lanceſ y deſpeeſ.
Bataille aŭrŭ y forte y aduree.
vnkeſ nulſ hŏ ne uit tel aiuſtee.
pluſ quŏ ne lancet une uerge pelee.
Baligant ad ſeſ cŭpaigneſ treſpaſſeeſ.
vne raiſun lur a dit y mustree.
venez paien kar ion irai en leſtree.
De ſun eſpiet la hanſte en ad branlee.
e nŭſ karlun la mure en ad turnee. AOI.

CCXXXIX

Carleſ li magneſ cŭ il uit lamiraill
y le dragon lenſeigne y leſtandart.

3330-3334. Estruturas subordinativas não são predominantes no cantar, cujos versos tendem à coordenação ou à unidade semântica. Nesses versos, de estrutura excepcionalmente subordinada, não obstante, devemos pressupor os pronomes relativos, eclipsados no manuscrito, sem estranhar a presença de

CCXXXVIII

A comar*ca é* grande, vasta a planu*ra*,
brilham el*mos* de pepitas incrusta*das*,
e seus escudos e as cotas de zafi*ra*,
e suas lanças, atadas as insíg*nias*.
Com timbres claros já soam suas trom*pas*,
alta é, do olifante, sua troa*da*.
Pelo seu *ir*mão, o Almirante cha*ma*,
o Canabeu*so*, que é o rei da Floredei*a*;
*a*té o Va*le* Sevre é a sua te*rra*.
Vai mostran*do*-lhe, de Carlos, as esqua*dras*:
"Vede o orgulho da França, a afama*da*!
*A*ltivamente o Imperador caval*ga*,
vai atrás *a*quela gente tão barba*da*.
Sobre a cota derramam suas bar*bas*,
como a ne*ve* sobre o gelo são tão cla*ras*.
*A*tacarão com suas lanças e espa*das*,
forte e du*ra* haveremos a bata*lha*;
*ja*mais se viu outra igual assim trava*da*".
Mais longe do *que al*cança a vara descasca*da*,
Balalão, *de* sua hoste, se adianta*va*;
suas razões lhes dizia e mostra*va*:
"Meus pagãos, vinde, que eu me ponho em mar*cha*!"
Vai brandindo a haste da sua lan*ça*,
e contra Car*los* direciona sua pon*ta*. AOI.

CCXXXIX

Carlos Mag*no*, quando viu o Almiran*te*,
seu dragão, sua insígnia e o estandar*te*,

um sujeito pleonástico *Li reiſ de france* (o rei da França), no v. 3334, que se liga ao verbo *eſcriet* (gritou), que é predicado também do sujeito da oração principal *Carleſ li magneſ* (Carlos, o Magno).

De celſ darabe ſi grant force ip̲ar ad.
De la contree unt ṗpriſeſ leſ parz.
Ne meſ que tant ſcue lemp̲eres en ad.
Li reiſ de france ſen eſcriet mult halt.
Baronſ franceiſ uoſ eſteſ bonſ uaſſalſ.
tanteſ batailleſ auez faiteſ en cãpſ.
veez paien felun ſunt y cuart.
tuteſ lor leiſ un dener ne lur ualt.
Sil unt grant gent dico ſeignurſ qui calt.
ki errer uoelt amei uenir ſen alt.
Deſ eſp̲onſ puiſ brochet le cheual.
e tence^nd^or li ad fait .iiii. ſalz.
Dient franceiſ iciſt reiſ eſt uaſſalſ.
cheualchez berſ nul de nuſ ne uuſ falt.

CCXL

Clerſ fut li iurz y li ſoleilz luiſanz.
Leſ oz ſunt beleſ y leſ cũpaigneſ granz.
Juſteeſ ſunt leſ eſcheleſ deuant.
Li quenſ rabelſ y li quenſ guinemanſ.
Laſcent leſ reſneſ a lor ceualſ curanz.
brochent a eit dunc laiſent c^a^re francſ.
Si uunt ferir de lur eſpiez trenchanz. AOI.

CCXLI

Li quenſ rabelſ ~ cheualer hardiz.
Le cheual brochet deſ eſp̲unſ dor fin.
Si uait ferir torleu le rei p̲ſiſ.
Neſcut ne bronie ne pout ſun colp tenir.

3333. O termo *ſcue* (?) não tem sentido claro, consensualmente corrigido por *cume*, formando a perífrase adverbial *tant cume* (tanto quanto). Seguimos o sentido consensual dos editores para a tradução, sem corrigir a transcrição. **3340.** Bédier corrige o verso para *Ki or ne voelt amei uenir ſen alt* (Aquele que agora não queira vir comigo, que se vá) e é seguido pelos demais editores do cantar. Apesar de o sentido não ser

e que dos á*ra*bes as forças são tão gran*des*,
que ocupa*ram* a comarca em toda par*te*,
*e*xceto aque*la em* que o rei tem sua hos*te*,
o rei da França gritou tão fortemen*te*:
"*Sois* bons vassalos, oh meus barões france*ses*!
Dado, em campo, batalhas tanto houves*tes*.
Os pagãos, vede, pérfidos, covar*des*!
Toda a su*a* lei, nem um dinheiro va*le*.
O que impor*ta* se há deles tanta gen*te*?
Quem para agir *quer* vir comigo se apru*me*!"
Em seu cava*lo*, finca a espora, nesse instan*te*,
e Tencendor deu ali quatro pino*tes*.
Dizem fran*cos*: "Nosso rei é tão valen*te*!
Cavalgai! Que nenhum a ele fa*lhe*!"

CCXL

Claro está *o* dia, o sol está brilhan*do*,
belas hos*tes*, grandes os agrupamen*tos*,
*a*vançam as *es*quadras para o enfrentamen*to*.
*Con*de Ravel e o conde Ginemân*cio*,
soltam ré*deas* aos cavalos tão ligei*ros*,
deixam já *co*rrer, aguilham forte fran*cos*,
vão, de lan*ças* afiadas, enfrenta*dos*. AOI.

CCXLI

*Ra*vel o conde tem muita ousadi*a*,
no cava*lo a es*pora de ouro fino fin*ca*,
e acomete o Torleu que é o rei da Pér*sia*,
não há escu*do ou* cota que ao golpe resis*ta*.

claro com o termo *errer* (viajar, errar, para agir), conjecturamos uma tradução que prescinde da hipótese de construção negativa do verso, por nada indicá-la. Por outro lado, a expressão *ſen alt* tampouco é plenamente satisfeita com a hipótese de Bédier, porque admitimos uma construção de particípio *ſe en alt* (esteja levantado), no sentido de aprumar-se para aguilhoar ao galope.

Leſpiet a or li ad enz el corſ miſ.
Que mort labat ſur un boiſſun petit.
Dient franceiſ dăneſd'ſ noſ ait.
carleſ ad dreit ne li deuom faillir. AOI.

CCXLII

E guineman iuſtet a un rei leutice.
tute li freint la targe ki eſt flurie.
apreſ li ad la bronie deſcunfite
tute lenſeigne li ad enz el corſ miſe.
Que mort labat ki quen plurt u kin riet.
A iceſt colp cil de france ſeſcrient.
Ferez baron ne uoſ targez mie.
carleſ ad dreit uerſ la gent ieſnie.
d'ſ nꝰ ad miſ al plꝰ uerai iuiſe. AOI.

CCXLIII

Malp^{a}miſ ſiet ſur un cheual tut blanc.
cunduit ſun corſ en la ꝓſſe deſ francſ.
&u^{un}ſ eſ altreſ granz colpſ i uait ferant.
Lun mort ſur laltre ſuuent uait treſceuant.
tut premereinſ ſeſcriet baligant.
Li mien baron nurrit uoſ ai lung tenſ.
veez mun filz carlun ^{le} uait querant.
a ſeſ armeſ tanz baronſ caluniant.
Meillor uaſſal de lui ia ne demant
Succurez le a uoz eſpiez trenchant.

3360. Segundo anota Riquer, os povos leutícios estão associados aos eslavos que habitavam o nordeste da Alemanha, em Mecklemburgo. **3361.** O termo *targe* se refere ao escudo. A diferença, porém, desse e do *eſcut* parece residir em que o *targe* é aquele que cobre todo o corpo, inteiriço e que, portanto, não é broquelado (vide nota aos vv. 526 e 1263). Esse modelo de escudo podemos observar na Tapeçaria de Bayeux (Figura 3). **3367.** O manuscrito não é claro onde se lê *gent ieſnie* (?). A correção consensual entre os editores do cantar altera a expressão por *gent paienne* (gente pagã); optamos, porém, por um sentido genérico. **3371.** O sentido do termo *&u^{un}ſ (devuns)* do verbo *deveir* (dever de um vassalo) é per-

Sua lança no corpo lhe enfi*a*,
e o derru*ba* morto sobre uma moi*ta*.
Dizem fran*cos*: "Nosso Deus nos auxili*a*,
justo é o rei, *sua* hoste não lhe falhari*a*!" AOI.

CCXLII

Ginemâncio ataca um rei esla*vo*,
fende todo o seu florido escu*do*.
*De*pois, da co*ta*, lhe desmalha todo o a*ço*,
*en*fia a insígnia inteira no seu cor*po*.
Doa a quem *do*er já o derruba mor*to*,
dado o golpe, os da França gritam to*dos*:
"Atacai, *ba*rões, não ide retrasa*dos*!
*So*bre essa gente, de Carlos é o direi*to*,
Deus nos pôs o juízo verdadei*ro*". AOI.

CCXLIII

Em seu cava*lo* branco, monta Malprome*ssa*,
e se lar*ga*, rumo aos francos, à pele*ja*.
Como os ou*tros*, deve dar grande investi*da*,
um sobre ou*tro*, tanto morto entremei*a*.
Balalão, *an*tes que qualquer outro gri*ta*:
"Meus barões, vos criei por toda a vi*da*!
Meu filho ve*de* requerendo o rei ago*ra*,
*tan*to barão, com suas armas desafi*a*.
Um vassalo melhor não pediri*a*,
socorrei-*o* com suas lanças afia*das*!"

dido quando da alteração, por parte dos editores do cantar, para a expressão *d'ures en altres* (de quando em quando) no primeiro hemistíquio, conforme se lê em Bédier, Moignet e Riquer. A despeito de as letras *un* estarem sobrescritas por corretor, a clareza do sentido desse termo e da conjunção *ef* (como), sugere-nos não ser necessária a alteração. Em trad. lit., portanto: "Devemos, como os outros, a grandes golpes ir atacando", em discurso direto. **3372.** Como anota Moignet, o verbo *trefceuant* (tecer, entrelaçar) foi corrigido por Bédier por *tresturnant*, do verbo *tresturner* (virar, tombar, derrubar morto), mais comum em passagens semelhantes do cantar. Assim também traduz Riquer. Admitindo, não obstan-

a iceſt mot paien uenent auant.
Durs colpſ i fierent mult eſt li capleſ granz.
La bataille eſt merueilluſe y peſant
Ne fut ſi fort enceiſ ne puiſ cel tenſ. AOI.

CXLIV

Granz ſunt leſ oz y leſ cũpaigneſ biereſ.
juſteeſ ſunt treſt[u]eſ leſ eſcheleſ.
y li paien merueilluſement fierent.
D'ſ tanteſ hanſteſ i ad par mi briſeeſ.
eſcuz fruiſez y bronieſ deſmailleeſ.
La ueiſez la tere ſi iunchee.
Lerbe del camp ki eſt verte e delgee
Li amiralz recleimet ſa maiſnee.
Ferez baron ſur la gẽt xpĩene.
La bataille eſt mult dure y afichee.
vnc einz ne puiſ ne fut ſi fort aiuſtee.
Joſqua la (nuit) nen ert finſ otriee. AOI.

CCXLV

Li amiralz la ſue gent apelet.
Ferez paien por el u[e]nud ni eſteſ.
Jo uoſ durrai muillerſ genteſ y beleſ.
Si uoſ durai feuſ y honorſ y tereſ.
paien reſpundent nuſ le deuunſ ben fere.
a colpſ plenerſ de lor eſpiez ꝑdent.
pluſ de cent milie eſpeeſ i unt traiteſ.
aiſ uoſ le caple y duluruſ y peſmeſ.
Bataille ueit cil ki entrelſ uolt eſtre. AOI.

te, tratar-se de uma rara metáfora, preferimos manter o sentido do termo, que é claro no manuscrito. **3389/3390.** Após o verso 3389, Théodor Müller (*apud* Gérard Moignet (ed.), *Chanson de Roland*, p. 240) supôs a ausência de outro, porque tradicionalmente se usa enumerá-lo duplamente. Riquer conjectura: *del*

Dito isto, os pagãos se adianta*ram*,
duros gol*pes* dão, é grande a refreg*a*.
É terrí*vel* e assombrosa a bata*lha*,
nem depois, *nem* antes, não se viu tão du*ra*. AOI.

CXLIV

Grandes hostes, as companhias for*tes*,
ali todos os esquadrões se emba*tem*.
Os pagãos *a*tacam prodigiosamen*te*,
Deus! Quantas lanças partidas na meta*de*!
*Des*malham cotas e os escudos fen*dem*,
*tu*do espalhado na terra ali verí*eis*,
no campo on*de a* relva é suave e muito ver*de*.
O Almirante chamou a sua hos*te*:
"*A*cometei, meus barões, a cristanda*de*!"
A batalha é dura e inclemen*te*,
*ja*mais se viu, antes ou depois, tão ru*de*;
consentir *não* vão seu fim até a noi*te*. AOI.

CCXLV

O Almirante, a sua gente cha*ma*:
"Atacai! Não haveis vindo a outra coi*sa*!
Vos darei *gen*tis mulheres e tão be*las*,
vos darei honra, feudos, muitas te*rras*".
"*De*vemos bem *fa*zer!" – pagãos então contes*tam*,
em plenos gol*pes* eles perdem suas lanç*as*.
Mais de cem mil sacaram as espa*das*,
eis aqui *a*troz e dura a refreg*a*;
quem ali haja vê o que é uma bata*lha*. AOI.

sanc qu'en ist est tute envermeille ("do sangue que está ali, tudo avermelha"). Prescindimos dessa reconstrução e de apresentar as reticências, lendo o verso como um adjunto adverbial do verso anterior. **3395.** A palavra *nuit* (noite), ausente no manuscrito, é uma conjectura amplamente admitida.

CCXLVI

Li empere recleimet ſeſ franceiſ
Seignorſ baronſ io uoſ aim ſi uoſ crei.
tanteſ batailleſ auez faiteſ pur mei.
Regneſ cunquiſ y deſordenet reiſ.
Ben le conuiſ que gueredun uoſ en dei.
e de mun corſ de tereſ y daueir.
vengez uoz fi(l)z uoz frereſ y uoz heirſ.
Quen renceſualſ furent morz laltre ſeir.
Ja ſauez uoſ cuntre paienſ ai dreit.
Reſpondent franc sire uoſ diteſ ueir.
Jtelſ xx. milierſ en ad od ſei.
cumuneḿt len prametent lor feiz.
Ne li faldrunt pª mort ne pª deſtreit.
Nen i ad cel ſa lance ni empleit.
De lur eſpeeſ i fierent demaneiſ.
La bataille eſt de merueilluſ deſtreit. AOI.

CCXLVII

E malpªmiſ par mi le căp cheualchet.
de celſ de france i fait mult grant damage
Naimeſ li dux fiereḿt le reguardet.
vait le ferir cum hume vertudable.
De ſun eſcut li freint la pene halte.
de ſun oſbc leſ douſ panſ li deſaffret.
el corſ li met tute lenſeigne ialne
Que mort (l'abat) entre .vii. c. deſ altreſ

CCXLVIII

Reiſ canabeuſ le frere al amiraill.
Deſ eſporunſ ben brochet ſun cheual.

3426. Para o étimo *panſ* (fraldas) da loriga, vide nota ao v. 1300; o termo *deſaffret*, que traduzimos por "desmantela", conforme anota Moignet, significa "fazer saltar as safiras", para as quais vide nota ao v. 1032.

CCXLVI

*O Im*perador *vai* arengando os seus fran*cos*:
"Meus senhores barões vos creio e a*mo*!
*Ba*talhas tantas haveis por mim trava*do*,
reis depostos e reinos conquista*dos*,
que vos de*vo* recompensa, reconhe*ço*,
desde terras, haveres e a mim mes*mo*.
*Vin*gai a vossos irmãos, filhos, herdei*ros*,
que outra tar*de, em* Roncesvales, foram mor*tos*!
Já sabeis, *con*tra os pagãos, meu é o direi*to*".
"*Di*zei verda*des*, meu senhor!" – respondem fran*cos*.
*A*queles vin*te* mil que Carlos tem consi*go*,
de sua fé lhe vão juntos prometen*do*:
Não lhe fa*lha*rão por morte nem por me*do*.
Não há quem *à* lança não lhe dê empre*go*,
e as espa*das* sacarão em justo momen*to*;
o comba*te* é terrível e tremen*do*. AOI.

CCXLVII

Pelo campo cavalga o Malprome*ssa*,
grande estrago fez aos barões da Fran*ça*.
*Ne*mé o du*que al*tivamente o obser*va*,
atacá-*lo* vai em sua virtude tan*ta*.
Fende o escu*do* do brocal à borda al*ta*,
da lori*ga*, desmantela as duas fral*das*.
No seu cor*po en*fia a insígnia amare*la*,
entre se*te*centos mais, morto o derru*ba*.

CCXLVIII

O irmão do Emir, rei Canabeu*so*,
finca bem as esporas no cava*lo*,

3428. O verbo *l'abat* (o derruba) está omitido no manuscrito por lapso do copista. Essa emenda é consensual entre os editores do cantar.

trait ad leſpee le punt eſt de criſtal.
Si fiert naimun en lelme ꝑncipal.
Lune meitiet len fruiſſed dune part.
al brant dacer len trenchet .v. deſ laz.
Li capelerſ un dener ne li ualt.
trenchet la coife entreſ que a la char.
Juſ a la tere une piece en abat.
Granz fut li colpſ li dux en eſtonat.
Semꝑſ caiſt ſe d'ſ ne li aidaſt.
de ſun deſtrer le col en enbracat.
Se li paienſ une feiz recuůraſt.
Semꝑſ fuſt mort li nobilieſ uaſſal.
Carł de france i uint kil ſucurrat. AOI.

CCXLIX

Naimeſ li dux tant par eſt anguiſſableſ.
y li paienſ de ferir mult le haſtet.
carł li diſt culuert mar le baillaſteſ.
Vait le ferir ꝑ ſun grant uaſſelage.
Leſcut li freint cuntre le coer li quaſſet.
De ſun oſbc li deſrŭpt la uentaille.
Que mort labat la ſele en remeint guaſte.

CCL

Mult ad grant doel carlemagneſ li reiſ.
Qua(n)t naimun ueit nafret deuant ſei.
Sur lerbe uerte le ſanc tut cler caeir.
Li empereſ li ad dit a cunſeill.
Bel ſire naimeſ kar cheualez od mei.
Morz ∻ li gluz ki en deſtreit uuſ teneit.

3433. Moignet anota como sendo "obscuro" o termo *ꝑncipal* (principal), como determinante do substantivo *elme* (elmo), e traduz por "elmo principal", embora ensaie em nota o sentido que adotamos em nossa tradução. Bédier adota as reticências e Riquer, por sua vez, traduz como "elmo principesco", o que não condiz com o título de Nemé, o duque; o sentido mais específico, que buscamos reproduzir com a expressão

saca a espa*da* que em cristal tem o seu po*mo*,
a Nemé *a*taca no supino el*mo*.
O destro*ça em* meia parte do seu to*do*,
corta as cin*co* cintas com seu fio de a*ço*.
Não lhe va*le* um dinheiro o cape*lo*,
corta a coi*fa*, corta a carne até o *osso*;
para o chão, vai caindo aos peda*ços*.
Foi tão for*te o* golpe, está o duque aturdi*do*,
se não ampa*ra* Deus, teria já caí*do*;
mas agarrou-*se* ao pescoço do destrei*ro*.
Se o pagão, *de* novo, houvesse insisti*do*,
já estari*a* morto tão nobre vassa*lo*;
o rei da Fran*ça*, porém, veio em seu soco*rro*. AOI.

CCXLIX

Tanto o duque Nemé se angusti*a*,
o pagão, de atacá-lo, muito o insti*ga*.
Carlos diz: "*Bil*tre, o feriste em má ho*ra*!"
Atacá-*lo* vai, por sua valenti*a*,
fende o escu*do e* contra o coração o aplas*ta*.
Da loriga, o camal todo desma*lha*,
e o derru*ba* morto, a sela esvazi*a*.

CCL

Muito se doeu Carlos Magno, o rei,
quando viu *Ne*mé ferido ante de si,
na relva ver*de*, sangue claro seu cair.
*O Im*perador, em segredo então lhe diz:
"Cavalgai junto a mim, senhor Nemé,
*o i*mundo que *lhe* pressionava, morto é,

"supino elmo", trata-se do elmo superior que está sobre o capelo (v. 3435), que é uma espécie de capacete metálico bem moldado ao crânio, que fica entre o elmo principal e a coifa (v. 3436), a parte superior do camal (vide nota ao v. 1293), como última proteção que antecede à cabeça.

el corſ li miſ mun eſpiet une feiz.
Reſpunt li dux ſire io uoſ en crei.
Se io uif alqueſ mult grant prod i aureiz.
puiſ ſunt iuſtez par amur y par feid.
enſemblod elſ telſ .xx. milie franceiſ.
Ni ad celoi q' ni fierge o ni capleit. AOI.

CCLI

Li amiralz cheualchėt par le căp.
Si uait ferir le cunte guneman.
cuntre le coer li fruiſſR leſcut blanc.
De ſun oſberc li derŭpit leſ panſ.
Leſ douſ coſtez li deſeiůret deſ flancſ.
Que mort labat de ſun cheual curant.
puiſ ad ociſ gebuin y lorain R
Richart le ueill li ſire deſ normanſ.
paien eſcrient preciuſe eſt uaillant.
Ferez baron nꝰ i auom guarant. AOI.

CCLIII

Ki puiſ ueiſt li cheualer darabe.
celſ docciant y dargoillie y de baſcle.
de lur eſpiez ben i fierent y caplent.
y li franceiſ nunt talent que ſen algent.
aſez i moerent y deſ unſ y deſ altreſ.
entreſqual ueſpre .ĕ. mult fort la bataille.
Deſ francſ baronſ i ad mult gran damage.
doel i aůrat enceiſ quele departed. AOI.

3474. Traduzimos o topônimo *baſcle* como Euskara, que é o nome do País Basco em língua basca. Essa região pirenaica, limítrofe, entre a França e a Espanha, embora pertencera ao reino franco na época de Carlos Magno, foi o histórico algoz de sua retaguarda (Eginhardus, *Vita Karoli Magni*, cap. IX). Antes disso, porém, importa saber que tropas muçulmanas, árabes e berberes também invadiram essa região, na primeira metade do século VIII, até então sob o frágil domínio visigodo, que não consegui-

no seu cor*po*, minha lança lhe meti".
*Res*ponde o duque: "Só posso, rei, vos crer!
Se vivo, be*ne*fício só tereis de mim".
Por amor se uniram e por fé,
junto de*les*, são os francos vinte mil;
nenhum dei*xa* de atacar nem de ferir. AOI.

CCLI

O Almirante cavalga pelo cam*po*,
e ataca o conde Ginemân*cio*.
Contra o co*ra*ção destroça o escudo bran*co*,
da lori*ga* desmantela a fralda em a*ço*.
As coste*las* lhe separa dos dois flan*cos*,
e do destreiro, já o derruba mor*to*.
*D*epois matou *a* Gebuíno e a Lora*no*,
e a Ricar*do, o* velho, senhor dos norman*dos*.
*Gri*tam pagãos: "Preciosa tem tal vul*to*!
Atacai *Ba*rões, estamos protegi*dos*!" AOI.

CCLIII

Quem visse então *os* cavaleiros da Ará*bia*,
os niceus, os Euskara e os da Argé*lia*,
bem ata*cam* e golpeiam com suas lan*ças*.
Em desertar nem cogitam os da Fran*ça*,
muitos de um e de outro lado expi*ram*.
*A*té o poen*te é* muito forte a bata*lha*,
dos barões *fran*ceses é tal a ruí*na*;
quanta dor *an*tes que tudo se defi*na*! AOI.

ra se estabelecer plenamente ante a força dos clãs locais. Com a chegada do reino franco no final do século VIII, as dissensões persistiram até instituírem-se os reinos independentes no século IX. Todo esse incessante movimento de dominação e resistência na história basca justifica que o cantar retrate essas forças entre os esquadrões de Balalão, em que pese a presença de uma personagem cristã como o Engels da Gascunha (vide nota ao v. 1537).

CCLIII

Mult ben i fierent franceiſ y arrabit.
Fruiſſent cez hanſteſ y cil eſpiez furbit.
ki dunc ueiſt cez eſcuz ſi malmiſ.
cez blancſ oſbcſ ki dunc oiſt fremir.
e cez eſcuz ſur cez helmeſ cruiſir.
cez cheualersſ ki dunc veiſtṛcair.
e humeſ braire contre tere murir.
de grant dulor li pouſt ſuuenir.
ceſte bataille eſt mult fort a ſuffrir.
Li amiralz recleimet apolin.
e teruagan y mahumet altreſi.
Mi damnedeu io uoſ ai mult ſeruit.
teſ ẏmageneſ ferai dor fin. AOI.
aſ li deuant un ſoen drut gemalfin.
Maleſ nuueleſ li aportet y dit.
Baligant ſire mal eſteſ oi baillit.
ꝑdut auez malpramiſ urĕ filz.
e canabeuſ urĕ frere eſt ociſ.
a douſ franceiſ belement en auint.
Li emꝑereſ en ∻ lunſ co meſt uiſ.
granz ad le corſ ben reſenblet marchiſ.
Blanche ad la barbe cume flur en aủrill.
Li amiralz en ad le helme en clin.
y en apreſ ſin enbrŭket ſun uiſ.
Si grant doel ad ſempreſ quiad murir.
Sin apelat iangleu lultremarin.

3485. Riquer altera o termo *eſcuz* (escudos) por *espees* (espadas), decerto considerando que a preposição *ſur* (sobre, contra) seja indicativo do lugar-comum de golpe de espada contra elmo. Embora não seja a forma de ataque principal, podemos supor, não raro, um golpe com escudo. De qualquer modo, a despeito da estranheza que possa causar, parece desnecessária a alteração. **3493.** O termo *ẏmageneſ* (imagens), assim como no v. 3268, significa, especificamente, "estátuas", como se os muçulmanos fossem idólatras. Depois

CCLIII

Acome*tem* muitos árabes e fran*cos*,
*a*tacam com lanças de aço poli*do*.
Quem houve*sse* visto escudos destruí*dos*,
e o tremular das lorigas quem, ouvi*do*,
e dos escu*dos* contra os elmos, o rangi*do*!
Quem, pois, vi*sse* cair tanto cavalei*ro*,
*mo*rrer à terra os vassalos dando guin*chos*,
de tanta dor, *lem*brado, haveria si*do*.
Suportar *e*sse combate é muito du*ro*,
o Almirante invoca a deus Apo*lo*;
a Tervagão *e a* Maomé do mesmo mo*do*:
"Meus senho*res* deuses vos servi já mui*to*,
*v*ossas ima*gens* vos farei em ouro pu*ro*". AOI.
Eis dian*te*, seu dileto, Gemalfi*no*,
más notícias lhe traz e vai dizen*do*:
"Balalão, *se*nhor, mal vai vosso desti*no*,
*ha*veis perdi*do* Malpromessa, o vosso fi*lho*,
e está mor*to* vosso irmão, o Canabeu*so*.
Dois france*ses* foram bem favoreci*dos*,
um foi e*sse Im*perador, assim eu crei*o* –
bem pare*ce* um marquês, grande é seu cor*po*,
branca a bar*ba* como as flores de mai*o*".
O seu el*mo o* Almirante inclina tan*to*,
e depois fica muito cabisbai*xo*.
Crê morrer *de* tanta dor nesse momen*to*,
então cha*ma*, de além-mar, o Janglenil*do*.

desse verso, Bédier supõe haver a lacuna de um verso e apresenta reticências. Moignet apenas anota essa hipótese, da qual Riquer conjectura: "Contra Carlos, deveis proteger-me" (*cuntre Carlun devez mei garantir*); seguimos apenas a numeração dos versos, seguindo desse para o v. 3495. **3503.** Em trad. lit.: "Branca tem a barba como a flor de abril".

CLIV

Diʃt lamiraill iangleu uenez auant.
voʃ eʃteʃ ꝑz y urẽ ʃaueir ⁊ grant.
voʃtre conʃeill ai (otriet) tuz tenʃ.
Que uoʃ enʃemblet darrabiz y de francʃ.
aủrum noʃ la uictorie del champ.
y cil reʃpunt morz eʃteʃ baligant.
ia urẽ deu ne uoʃ erent guarant.
carleʃ ⁊ fierʃ y ʃi hume uaillant.
vnc ne ui gent ki ʃi fuʃt cũbatant.
Maiʃ reclamez leʃ baronʃ docciant.
Turcʃ y enfrunʃ arabiz y iaianz.
co que eʃtre en deit nel alez demurant.

CCLV

Li amiraill ad ʃa barbe forʃ miʃe.
altreʃi blanche cume flur en eʃpine.
cument quil ʃeit ne ʃi uoelt celer mie.
Met a ʃa buche une clere buiʃine.
Sunet la cler que ʃi paien loirent.
par tut le camp ʃeʃ cũpaigneʃ ralient.
cil dociant y braient y heniʃʃent.
arguille ʃi cume chen i glatiʃʃent.
Requerent franc par ʃi grant eʃtultie.
el plꝰ eʃpeʃ ʃeʃ rũpent e partiʃʃent.
a iceʃt colp en ietent mort .VII. milie.

3511. A transcrição e a tradução são conjecturas. No manuscrito, há uma raspagem e intervenção de segunda mão, da qual se lê algo como *ocuud* (?). Bédier apresenta reticências na transcrição, enquanto Moignet, também sem transcrever, anota que outras versões do cantar sugerem ler *ai otriet*, conforme transcrevemos – e assim o faz também Riquer. O sentido da tradução segue o consenso entre os editores. **3512.** Em trad. lit.: "Haveremos a vitória nesse campo?" **3517.** Tradução genérica para o que vimos traduzindo por "niceus"; vide nota ao v. 3246. **3529.** Em trad. lit.: "No mais espesso, lhes rompem e partem". A interpretação consensual desse verso não é no sentido de ataques singulares que rompem e partem o mais espesso do corpo do adversário, mas de uma tática militar em que a infantaria é disposta em falange, já usada por Feli-

CLIV

Diz o Emir: “Janglenildo, vinde adian*te*,
sois tão no*bre e* vossa sapiência é gran*de*.
O conse*lho* vosso sempre é pertinen*te*,
dos francos e árabes, o que vos pare*ce*?
*Con*seguire*mos* a vitória nesses va*les*?”
“Balalão, estais morto” – ele respon*de* –
“vossos deuses, já nada vos garan*te*.
Carlos é *fe*roz, seus homens, tão valen*tes*,
jamais vi *tão* lutadora outra gen*te*!
Mas chamai *a* seus barões do orien*te*,
turcos, á*ra*bes e efrunos, os gigan*tes*;
o que será *de* nós não deve estar distan*te*”.

CCLV

O Almiran*te* descobriu a sua bar*ba*,
também bran*ca* como a flor da espinhei*ra*;
não se escon*de*rá o que quer que oco*rra*.
Uma clara corneta leva à bo*ca*,
*pa*ra os pagãos escutarem, forte so*a*.
Por todo o campo, reúne as companhi*as*,
os niceus, ali rugem e relin*cham*.
Como cães, uivam os que são da Argé*lia*,
desafiam os francos co’ arrogân*cia*.
No mais den*so*, rompem e partem a li*nha*,
sete mil, nesse golpe, derruba*ram*.

pe e seu filho sucessor Alexandre, o Grande. A falange consiste em dispor a tropa armada de longas lanças portadas na altura dos ombros dos soldados da frente, de modo a alcançar o inimigo ainda distante de si, e a romper a linha de combate somo se fosse uma seta, disposição que deixa os adversários sempre longe e sem possibilidade de contra-atacar. Excetuando-se as bordas da seta, em que poderia haver algum contato com o inimigo, essas grandes lanças, que poderiam superar os cinco metros, garantiam a segura distância do adversário. No cantar, ao que parece, somente em falange o exército sarraceno conseguiria abater sete mil francos numa mesma investida, o que alarma o conde Ogiero da Dinamarca.

CCLVI

Li quenſ °ger cuardiſe nout unkeſ.
Meillor uaſſal de lui ne ueſtit bronie.
Quant de franceiſ leſ eſcheleſ uit rumpre.
Si apelat tierri le duc dargone.
Gefrei daniou y iozerā le cunte.
Mult fierement carł en araiſunet.
veez paien cū ocient uoz humeſ.
Ja deu ne placet quel chef portez corone.
Sor ni ferez pur uenger urē hunte.
Ni ad icel ki un ſul mot reſpundet.
Brochent adeit lor ceualſ laiſſent cure
vunt leſ ferir la o illeſ encuntrent. AOI.

CCLVII

Mult ben i fiert carlemagneſ li reiſ.
Naimeſ li dux y oger li daneiſ.
Geifreid daniou ki lenſeigne teneit.
Mult par ∻ ꝑz danz ogerſ li daneiſ.
puint le ceual laiſſet curre ad eſpleit.
Si uait ferir celui ki le dragun teneit.
Qᵃmbure crauente en la place deuant ſei.
y le dragon y lenſeigne le rei.
Baligant ueit ſun gunfanun cadeir.
y leſtandart mahumet remaneir.
Li amiralz alqueſ ſen aꝑceit.
Que il ad tort y carlemagneſ dreit.
paien darabe ſen turnent pluſ .c.

3549. O substantivo *ambure* tanto pode significar um numeral, "os dois" ou "ambos" (vv. 1589 e 1650), como pode nos remeter à personagem que aparece no v. 3297, o Amburro, de Alepo. **3555.** Tradução hipotética. Em trad. lit.: "Os pagãos da Arábia se tornam mais de cem". Moignet anota que o verso não apresenta um sentido satisfatório. Seguindo hipótese de Bédier, Riquer corrige esse verso para "Paien d'Arabe s' en cuntinent plus queit" (Os pagãos da Arábia se contêm mais quietamente), justificando a

CCLVI

Nunca foi, conde Ogiero, um covar*de*,
*me*lhor vassa*lo* que ele, a cota ninguém ves*te*.
Quando vê *rom*per a linha dos france*ses*,
*cha*mou Teo*do*rico, o duque de Argo*nne*,
Godofredo e Jozerano, o con*de*,
e interpe*la a* Carlos, tão altivamen*te*:
"Os pagãos, vede, matam nossos ho*mens*!
A coro*a a* Deus não praza por levar*des*,
sem atacar*des* por vingar o vosso ultra*je*!"
Não há quem *se*quer palavra responde*sse*,
*a*guilham bem, *ca*valos largam ao galo*pe*;
*a*tacarão onde quer que os encon*trem*. AOI.

CCLVII

Muito bem lutam o rei Carlos Ma*gno*,
*Ne*mé o duque e o danês, conde Ogie*ro*,
e com a insígnia, d'Anjou, o Godofre*do*.
Ogiero, o danês, é muito bra*vo*,
finca a espo*ra e* faz correr com muito arro*jo*.
Acome*te a* quem o dragão é estampa*do*,
bem ali, *an*te de si, cai o Ambu*rro*
e a insí*gnia* de dragão do sarrace*no*.
Balalão vê o gonfalão caí*do*,
e o estandarte pagão em desprestí*gio*.
O Almiran*te em* algo está apercebi*do*,
que ele está *e*rrado e Carlos Magno cer*to*;
já são os pagãos *so*mente pouco mais de um cen*to*.

alteração por inadequação ao padrão da assonância [sic]; assim anota Moignet: "Les finales plus .C. et parenz n'assonent pas avec le reste de la laisse". Nosso ponto de vista é que o numeral em posição de assonância, ".c". (*cent*), não oferece estranhamento à série por mera ausência do *i* semivocálico presente nos demais versos – essa que é uma perspectiva prosódico-musical, na qual essa alteração não se justifica. No aspecto semântico, por sua vez, acrescentamos os advérbios de quantidade que conferiram o sentido mais "satisfatório", do qual reclamava Moignet.

Li em̧pere recleimet ſeſ parenz.
Dites baron por deu ſi maidereiz.
Reſpundent francſ mar le demandereiz.
treſtut ſeit fel ki ni fierget a eſpleit. AOI.

CCLVIII

Paſſal li iurz ſi turnet a la ueſpree.
Franc y paien i fierent deſ eſpeeſ
cil ſunt uaſſal ki leſ oz aiuſterent.
Lor enſeigneſ ni unt mie ublieeſ.
Li amiralz preciuſe ad criee.
carleſ munioie lenſeigne renumee.
Lun conuiſt laltre aſ halteſ uoiz y aſ clereſ.
en mi le căp amdui ſen trencuntrerent
Si ſe uunt ferir granz colpſ ſen tredunerent
De lor eſpiez en lor targeſ roeeſ.
Fraiteſ leſ unt deſuz cez bucleſ leeſ.
De lor oſḅercſ leſ panſ en deſeűrerent.
Deḍenz cez corſ mie ne ſadeſerent.
Rumpent cez cengleſ y cez ſeleſ uerſerent.
cheent li rei a tere ſe tur beche (ne)rent.
Jſnelement ſur lor piez releuerent.

3556. Bédier corrige o termo *parenz* (parentes) por *franceis* (franceses), pelos mesmos motivos que o levaram à alteração do ".c." no verso anterior. Aqui, porém, Bédier não encontra consenso entre os editores. De nossa parte, mesmo não estando de acordo com a justificativa dessas alterações, nossa tradução segue também princípios de assonância, uma vez que "francos" não se afasta do sentido de *parenz*. Para isso, consideramos ser possível imaginar um amplo sentido de relações parentais, em que os termos não fossem restritos à consanguinidade, como podemos perceber na "Nota Emilianense", em que aparecem enumerados os *neptis* (sobrinhos) de Carlos Magno tombados em Roncesvales, referindo-se aos Doze Pares de França. **3569.** Para *targeſ*, vide nota ao v. 3361. **3570.** A expressão *bucleſ leeſ* (largas brocas) refere-se à parte estrutural e interna do escudo. São eixos de aço que atravessam cavidades sobressalentes, também em aço, afixadas na placa principal de defesa, esta em aço ou madeira, que poderia ainda ser dupla. **3572.** O sujeito desse verso é *eſpiez* (lanças), que apareceu no v. 3569. **3573.** O termo *cengleſ* (chinchas) faz referência a uma cinta de couro com argolas em aço que prendem a sela ao abdome do animal. **3574.** O manuscrito apresenta uma palavra em sobrescrito (*beche*) feita por mão de corretor. O sentido, porém, é muito obscuro e, consensualmente, se corrige a palavra alterada com a sílaba /*ne*/, reconstituindo, assim, o verbo *turnerent*, de *turner*

*O Im*perador invocou todos os fran*cos*,
diz: "Barões! *Por* Deus! Serei eu ajuda*do*?"
*Res*pondem *e*l*es*: "Fazeis mal em demandá-*lo*!
*Por*quanto quem *não* acometa é um vulpi*no*!" AOI.

COMBATE SINGULAR ENTRE CARLOS MAGNO E BALALÃO

CCLVIII

Passa o dia e inicia o poen*te*,
co' as espa*das*, francos e pagãos comba*tem*.
Os que as hos*tes* reuniram são valen*tes*,
dos seus gritos de armas não se esque*cem*.
Grita for*te*, Preciosa, o Almiran*te*,
Carlos, Mon*jo*iê, a insígnia eminen*te*.
Reconhe*cem*-se nas claras, fortes vo*zes*,
pelo meio do campo se perce*bem*.
Acome*tem*-se e darão tão grandes gol*pes*,
com suas lan*ças* nos escudos circula*res*,
as largas brocas de ambos já se rom*pem*.
Os fraldões das lorigas se desfa*zem*,
dentro do *seus* corpos elas não se inse*rem*.
Rompem chin*chas*, selas voam pelos a*res*,
*ro*dopiando, à terra, os reis ca*em*.
Em pé puse*ram*-se, os dois, tão igualmen*te*,

(voltar, virar, girar). **UM COMBATE ENTRE DEUSES** – Embora se possa haver reiteradamente aventado, na pugna teórica acerca da autenticidade deste episódio de Balalão, uma segunda autoria menos liricamente inspirada ou menos refinada do que a suposta primeira autoria daquilo que lhe antecede, é justamente no combate singular entre Balalão e Carlos Magno que o cantar atinge seu ponto alto como propagador de uma ética e moral cristã. A cena é magnífica: entre golpes de espadas nuas e sob centelhas de elmos atingidos, os combatentes tentam mutuamente se dissuadir pela rendição do outro e pela prevalência de sua própria lei, como num duelo judiciário, e é somente reconhecendo-se amplamente a injustiça de uma das partes que se dará fim ao combate (vv. 3587-3588). Não havendo acordo entre os homens, a justiça será disputada entre os deuses muçulmanos e o Deus verdadeiro. Desse modo, no momento decisivo de um combate físico entre os valentes anciãos que incorporam o poder temporal, como imagem viva e representação de leis espirituais opostas, o vencedor não será necessariamente o mais forte ou melhor esgrimista, mas aquele que está com a razão e o direito, porque seu Deus prevalece. Esse combate simboliza todos os combates; esses guerreiros, todos os guerreiros; e a vitória, a vitória de um Deus sobre todos os deuses.

Mult uaʃʃalḿt unt traiteʃ leʃ eʃpeeʃ.
ceʃte bataille nenert maiʃ deʃtornee.
Seinz hume mort ne poet eʃtre acheuee. AOI.

CCLIX

Mult ~ uaʃʃal carł de france dulce.
Li amiralz il nel crent ne ne dutet.
cez lor eʃpeeʃ tuteʃ nueʃ i muʃtrent.
Sur cez eʃcuz mult granz colpʃ ʃen tredunent.
trenchent leʃ quirʃ y cez fuz ki ʃ't dubleʃ.
cheent li clou ʃi pecerent leʃ bucleʃ.
puiʃ fierent il nud a nud ʃur lur bronieʃ.
deʃ helmeʃ clerʃ li fuuʃ en eʃcarbunet.
ceʃte bataille ne poet remaneir unkeʃ.
Joʃque li unʃ ʃun tort i reconuiʃʃet. AOI.

CCLX

Diʃt lamiraill carł kar te purpenʃeʃ.
Si pren cunʃeill que uerʃ mei te repenteʃ.
Mort aʃ mun filz par le men eʃciente.
a mult grant tort mun paiʃ me calengeʃ.
deuen meʃ hom en fedeltet uoeill rendre.
ven mei seruir dici quen oriente.
carleʃ reʃpunt mult grant uiltet me ʃemble.
paiʃ ne amor ne dei a paien rendre.
ReceiF la lei que d'ʃ noʃ aþʃentet.
xpĭentet y pui te amerai ʃempreʃ.
puiʃ ʃerf e crei le rei omĭpotente.
Diʃt baligant maluaiʃ ʃermun cumenceʃ.
puiʃ uunt ferir deʃ eʃpeeʃ quunt ceinteʃ. AOI.

3583-3584. Os couros são as cintas do escudo que ficam cingidas ao braço do combatente. Para as partes do escudo, vide nota ao v. 3570. **3585.** Optamos por traduzir a expressão *nud a nud* por "espadas nuas" (em trad. lit.: nua-nua) preterindo da expressão mais comum em referência aos combatentes, "corpo-a-corpo", como faz Riquer. Tentamos, desse modo, reproduzir o sentido de *nud a nud*, que expressa o

e saca*ram* as espadas, tão valen*tes*.
*E*ssa bata*lha* já não é mais hesitan*te*,
sem homem morto, não há como termi*ne*. AOI.

CCLIX

É valen*te* Carlos, rei da Doce Fran*ça*,
não lhe tem *o E*mir, nem medo, nem hesi*ta*.
Suas espadas, as mostram tão desnu*das*,
nos escu*dos*, grandes golpes eles tro*cam*.
Rompem cou*ros* e também as duplas pla*cas*,
os rebi*tes* caem, quebram-se as bro*cas*,
logo ata*cam es*padas nuas sobre co*tas*.
*F*azem voar, *dos* elmos claros, as cente*lhas*,
já não po*de* prosseguir essa bata*lha*,
sem que um reconheça a injusti*ça*. AOI.

CCLX

O Almiran*te* disse: "Carlos, pensa bem,
*to*mai conse*lho e*, ante mim, arrependei.
O meu fi*lho é* morto, pelo que eu sei,
*in*justamen*te* meu país me requereis.
Meu homem sede e em feudo eu vos darei,
*da*qui ao o*ri*ente, vós me servireis".
Carlos diz: "*Pois*, me parece estupidez!
A um pagão, *paz* ou amor não vou render,
a lei que Deus *nos* revelou, pois, recebei,
o cristianismo, e assim vos amarei;
*cr*ede e servi *de*pois o onipotente Rei".
Balalão *diz*: "Mal sermão já me fazeis!"
Co' as espa*das* voltam logo a acometer. AOI.

horror de uma luta de espadas, sem a proteção dos escudos, quebrados nos versos anteriores; as espadas nuas, uma contra a outra, quando havendo a própria espada como única defensão ao fio do inimigo. Nessa perigosíssima circunstância, *nud a nud*, uma falha qualquer é morte ou mutilação certa.

CCLXI

Li amiralz eʃt mult de grant uertut.
Fier carlemagne ʃur lelme dacer brun.
Deʃur la teʃte li ad frait y fendut.
Met li leʃpee ʃur leʃ cheuelʃ menuz.
prent de la carn grant pleine palme y plus.
Jloec endreit remeint li oʃ tut nut.
carł cancelet por poi quil neʃt caut.
Maiʃ d'ʃ ne uolt q'l ʃeit mort ne uencut.
Seint gabriel eʃt repairet a lui.
Si li demandet reiʃ magneʃ que faiʃ tu.

CCLXII

Qvant carleʃ oit la ʃeinte uoiz del angle.
Nen ad pour ne de murir dutance
Repairet loi uigur y remembrance.
Fiert lamiraill del eʃpee de France.
Lelme li freint o li gĕme reflăbent.
trenchet la teʃte pur la ceruele eʃpandre.
e tut le uiʃ treʃquen la barbe blanche.
Que mort labat ʃenz nule recouůrance.
Munioie eʃcriet pur la reconuiʃance.
a iceʃt mot uenuz i eʃt dux neimeʃ.
prent tencendur muntet i eʃt li reiʃ magneʃ.
paien ʃen turnent ne uolt d'ʃ quil i remainent.
or ʃunt franceiʃ a icelʃ quil demandent.

CCLXIII

Paien ʃen fuient cum damneʃ d'ʃ le uolt.
encalcent franc e lempere auoec.
co diʃt li reiʃ seignurʃ uengez uoz doelʃ.
Si eʃclargiez uoz talenz y uoz coerʃ.

CCLXI

É de tanta virtude o Almiran*te*,
*a*taca Car*los* bem no seu elmo brilhan*te*.
Sobre a sua cabeça, o quebra e fen*de*,
e nos cabe*los* curtos sua espada me*te*.
Um grande pal*mo ou* mais lhe corta da sua car*ne*,
no lugar, *o* osso nu já apare*ce*.
Titubei*a* Carlos, pernas amole*cem*,
mas Deus não quer *su*a derrota ou sua mor*te*.
São Gabriel, para ele, ali ressurg*e*,
e lhe pergunta: "Rei Magno, o que fa*zes*?"

CCLXII

Quando Carlos ouviu a voz do an*jo*,
da morte não teve pânico ou me*do*,
recupe*ra* seu vigor e o seu ti*no*.
Ao Emir *a*taca com seu gládio fran*co*,
onde as pe*dras* brilham, fende o seu el*mo*.
Parte o crânio, esparramam-se os mio*los*,
até a bar*ba* branca, abre todo o ros*to*.
Sem qualquer remissão o derruba mor*to*,
"Monjoiê!" – grita em reconhecimen*to*,
ao que o duque Nemé, presto, é vin*do*.
Toma a Ten*cen*dor e o monta o rei Mag*no*,
*pa*gãos recu*am*, não os quer, Deus, resisti*dos*;
o que buscavam, então alcançam fran*cos*.

A TOMADA DE SARAGOÇA

CCLXIII

Pagãos fo*gem* como quer nosso Senhor,
no encal*ço, os* francos e o Imperador.
Disse o rei: "*Ba*rões, vingai a vossa dor!
Aplacai corações e o ardor,

kar hoi matin uoſ ui plurer deſ oilz.
Reſpondent franc ſire co nuſ eſtoet.
caſcunſ i fiėt tanz granz colpſ cŭ il poet.
poi ſen eſtoerſtrent dicelſ ki ſunt iloec.

CCLXIV

Granz eſt li calz ſi ſe leuet la puldre.
paien ſen fuient y franceiſ leſ anguiſſent.
Li enchalz duret dici quen ſarraguce.
en ſum ſa tur muntee eſt bramidonie.
enſemblod li ſi clerc y ſi canonie.
De falſe lei que d'ſ nen amat unkeſ.
ordreſ nen unt ne en lor cheſſ coroneſ.
Quant ele uit arrabiz ſi cunfundre.
a halte uoiz ſeſcrie aiez noſ mahum
e gentilſ reiſ ia ſunt uencuz noz humeſ.
Li amiralz ociſ a ſi g^a^nt hunte.
Quant lot marſilie uerſ ſa pareit ſe turnet.
pluret deſ oilz tute ſa chere en brunchet.
Morz eſt de doel ſi cŭ pecchet lencumbret.
Lanme de lui aſ uiſſ diableſ dunet. AOI.

CCLXV

Paien ſunt morz alquant cŭfundue
y carł ad ſa bataille uencue.
De ſarraguce ad la porte abatue.
or ſet il ben que ^elle neſt^ maiſ defendue
prent la citet ^od^ ſa gent i eſt uenue.

3631. Em trad. lit.: "Cada um desfere tão grandes golpes quanto pode". **3632.** Em trad. lit.: "Poucos [pagãos] se salvaram dos que estão ali". **3639.** A expressão *cheſſ coroneſ* (cabeças coroadas) faz referência ao rito eclesiástico de primeiro grau do clérigo, realizado pelo bispo. É simbolizado pelo corte de cabelo em círculo no topo da cabeça, restando apenas a forma de uma coroa de cabelo na sua circunferência, corte que também se chama tonsura. **3641.** A palavra *mahum* está em desacordo com o padrão de assonância da série. **3644.** No livro dos Reis (2 Reis 20:2), o rei Ezequias, enfermo, ao ouvir o

pois os vi *cho*rar dos olhos no alvor”.
*Res*pondem francos: “Convém-nos, sim Senhor!”
Cada um *gol*peia ao próprio sabor,
*pou*cos ali se salvaram no fragor.

CCLXIV

Grande é o *ca*lor, levanta-se a poei*ra*,
pagãos fo*gem* e os perseguem os da Fran*ça*,
*che*gou o encalço até em Sarago*ça*.
Em sua torre, subira Bramido*na*,
e os cô*ne*gos e clérigos com e*la*,
são da lei *que* Deus não ama, pois é fal*sa*;
não têm or*dens* nem tonsura na cabe*ça*.
Quando vê *a* gente árabe confu*sa*:
“Ajudai-*nos*, Maomé!” – bem forte gri*ta* –
“Gentil rei, *no*ssa mesnada foi venci*da*,
o Almiran*te* morto com grande vergo*nha*!”
Quando ouviu, *Mar*sílio, ao muro, já se vol*ta*,
*cho*ra dos o*lhos* inclinando a sua ca*ra*;
*mo*rreu de dor, *pe*cados que o sobrepa*ssam*,
que entregou *ao* próprio cão a sua al*ma*. AOI.

CCLXV

Mortos são os pagãos, ou em ru*ína*,
Carlos Magno venceu sua bata*lha*.
De Saragoça já derrubou as por*tas*,
bem sabe ago*ra*, não será mais defendi*da*.
A cida*de* toma e sua gente en*tra*,

anúncio de sua morte pelo profeta Isaías, *convertit faciem suam ad parietem, et oravit Dominum* (voltou sua face à parede e orou ao Senhor). **3648.** A palavra *cũfundue* está escrita por segunda mão. Bédier apresenta reticências; Moignet anota que no manuscrito V4 consta: *ternez en fuie* (postos em fuga) e que *cũnfundue* não convém ao sentido do verso, mas também adota as reticências na transcrição e na tradução. Riquer reconstitui o verso a partir de V4. Na entrada do verbo *confondre* no AND, porém, consta a acepção *to ruin* (arruinar), razão pela qual não adotamos a reconstituição consensual entre os editores.

par poeſtet icele noit i iurent.
Fierſ eſt li reiſ a la barbe canue.
e bramidonie leſ turſ li ad rendueſ
Leſ diſ ſunt grandeſ leſ cinquante menueſ.
Mult ben eſpleitet qui dăneſ d'ſ aiuet.

CCLXVI

Paſſet li iurz la noit eſt aſerie.
clerſ eſt la lune ẏ leſ eſteileſ flambient.
Li empere ad ſarraguce þſe.
a mil franceiſ funt ben cercer la uile.
Leſ ſinagogeſ y leſ mahumerieſ.
a mailz de fer y a cuigneeſ quil tindrent.
Fruiſſent leſ ẏmageneſ y treſtuteſ leſ ẏdeleſ.
Ni remeindrat ne ſorz ne falſerie.
Li reiſ creit ^{en} deu faire uoelt ſun ſerviſe.
e ſi eueſque leſ eueſ beneiſſent.
Meinent paien enteſ qual baptiſterie.
Sor i ad cel q' carł cuntredi^{r}e uoillet
Jl le fait þndre o ardeir ou ocire.
Baptizet ſunt aſez pluſ de .c. milie.
veir xpĭen ne maiſ ſul la reine.
en france dulce iert menee caitiue.
co uoelt li reiſ par amur cunuertiſſet.

3655. As torres constituem a praça de defesa mais forte do castelo, porque o ato de entregá-las e/ou tomá-las, mais do que um grande simbolismo, é objetivo prioritário na estratégia militar. **3668.** O termo

por possessão, *a*quela noite ali repou*sam*.
Orgulho*so es*tá o rei da barba bran*ca*,
entregou-lhe as torres Bramido*na*;
dez são gran*des*, e cinquenta, as miú*das*.
Muito bem obra quem o Deus aju*da*.

CCLXVI

Cai a noite e já passou o di*a*,
clara lua e as estrelas bri*lham*.
*O Im*perador, Saragoça possuí*a*,
*re*censeavam, mil francos, toda a vi*la*;
as sinagogas e as maometeri*as*.
Com marre*tas* e machados que ali tin*ham*,
as ima*gens* e os ídolos rompi*am*;
não resta*ram* farsas nem feitiçari*as*.
O rei crê *em* Deus e cumpre a sua si*na*,
os bispos já, suas águas bendizi*am*,
e levavam pagãos à benta pi*a*.
Se algum *con*tradizer Carlos queri*a*,
*pren*der, queimar ou matar ali fazi*a*.
Batiza*dos*, mais de cem mil já havi*a*,
tal cristãos, mas exceto a rai*nha*;
*s*erá leva*da à* Doce França, por cati*va*,
por amor, *o* rei a quer já converti*da*.

baptiſterie, que traduzimos por "benta pia", trata-se da pia batismal, ou batistério. **3669.** O termo *voillet*, do verbo *voler* (querer, desejar) está grafado por segunda mão e nenhum dos editores consultados o traduzem por considerá-lo supérfluo. Não obstante de sê-lo, convém ao padrão de assonância da tradução.

IV

A Justiça

CCLXVII

Paſſet la noit ſi aꝑt le cler ior.
De ſarraguce carł guarniſt leſ turſ.
Mil cheualerſ i laiſſat puigneurſ.
Guardent la uile a oeſ lemꝑeor.
(Muntet) li reiſ y ſi hume treſtuz.
e bramidonie quil meinet en ſa ꝥſun.
Maiſ nad talent que li facet ſe bien nun.
Repairez ſ't a ioie y a baldur.
Paſſent nerbone par force y par uigur.
uint a burdeleſ la citet de (...)
deſur lalter ſeint ſeurin le baron.
Met loliphan plein dor y de mangunſ.
Li pelerin le ueient ki la uunt.
paſſet girunde a mult granz neſſ q' ſunt
entreſque ablaiue ad Ↄduit ſun neuold.
y oliuer ſun nobilie cumpaignun.
y larceueſque ki fut ſageſ y proz.
en blancſ ſarcouſ fait metre leſ ſeignurſ.
a ſeint Romain la giſent li baron.
Francſ leſ cumandent a deu e a ſeſ nunſ.

3675. Sétimo dia na cronologia do cantar. **3679.** Todos os editores consultados alteram o verbo *mandat*, do verbo *mander* (enviar, comandar, fazer saber), conforme consta no manuscrito, por *muntet* de *munter* (montar, montar a cavalo). **3683.** O trajeto de Saragoça até Bordéus não justifica uma passagem por Narbona, muito próxima à costa mediterrânea francesa, portanto, em sentido oposto a Bordéus. É, não obstante, uma região profusa em lendas carolíngias, *locus* de um cantar do ciclo, *Aymeri de Narbonne*, aspecto que talvez tenha prevalecido à geografia, para o reconhecimento da plateia. **3684.** Verso lacunar no manuscrito, sem rasura, porém. O segundo hemistíquio é, portanto, conjectural. Riquer acrescenta o termo *renum*, que respeita o padrão de assonância e confere sentido ao verso, traduzindo por "cidade de renome", conforme Bédier. Moignet insere as reticências. **3686.** Em trad. lit.: "Deposita o olifante cheio de ouro e de mancusos"; para "mancuso", vide nota ao v. 621. Sobre esse verso, Riquer adverte que o olifante possivelmente não era o de Roldão, e que, provavelmente, se tratasse de uma peça apócrifa, mas é de qualquer modo evidente que os visitantes contemporâneos à redação do cantar, poderiam contemplar a relíquia naquela igreja (Martín de Riquer, *Los Cantares de Gesta Franceses*, p. 60). **3688.** Bordéus e Blaye estão divididas pelo Estuário da Gironda

CCLXVII

Passa a noi*te, o* dia claro amanhe*ce*,
em Saragoç*a* Carlos guarneceu as to*rres*,
*on*de deixou *mil* cavaleiros lutado*res*;
guardam, por *seu* benefício, a cida*de*.
Já montou *o* rei e todos os seus ho*mens*,
e Bramido*na*, quem, aprisionada, se*gue*,
mas fazer *o* bem a ela apenas que*rem*,
e retor*nam* jubilosos e ale*gres*.
*P*assaram por *Nar*bona em tal vitalida*de*,
a Bordéus chegam, famosa a cida*de*;
*no al*tar de São Severino, o sole*ne*,
deixam, em *ou*ro e mancusos, o olifan*te*;
os peregrinos que vão ali o ve*em*.
À Giron*da* passam com as grandes na*ves*,
e conduzi*ram* seu sobrinho até Bla*ye*,
e Oliveiro, seu companheiro no*bre*,
e o Arcebispo, que foi sábio e valen*te*.
Em brancas tumbas, dispostos os senho*res*,
*a*li em São *Ro*mão, onde os barões, pois, ja*zem*;
*fran*cos a Deus os ofertam, e a seus no*mes*.

que desagua no Golfo da Biscaia, no Atlântico Norte e é formado pelos rios Dorgonha e Garona, entre os quais, encontra-se o mesopotâmico departamento de Gironda, na Nova Aquitânia. A travessia direta, portanto, só poderia se dar por via náutica, embora não conste nos anais históricos uma frota entre as forças de Carlos Magno. **3693.** Nessa passagem fica evidente que *O Cantar de Roldão* constitui uma tradição que, evidentemente, transcendeu os limites literários de um cantar de gesta, pois as descrições desses lugares como ponto de adoração de relíquias, como no v. 3686, encontravam-se no *Guia de Peregrinos de Santiago de Compostela* e, conforme ainda anota Riquer, em 1526, Francisco I da França fez exumar o cadáver de Roldão que se encontrava na Basílica de São Romão de Blaye, da qual hoje restam apenas ruínas. **3694.** O sentido de se encomendar alguém aos "nomes" de Deus (*De divinis nominibus*) faz referência a orações que os relacionam em diversas línguas que também aparecem em diversos escritos medievais. A novela occitana *El Román de Flamenca* (vv. 2278-2281) menciona "... una oración pequeña, / que le enseñó un santo ermitaño, / que es la de los setenta y dos nombres de Dios / tal como se dice en hebreo, y en latín y en griego" (Edição em castelhano traduzida pelo professor Antoni Rossell em 2009).

carleſ ceualchet y leſ ualſ y leſ munz.
entreſqua aiſ ne uolt ꝑndre ſuiurn.
tant cheualchat q'l deſcent al ꝑrun.
cume il .ĕ. en ſun paleiſ halcur.
par ſeſ meſſageſ mandet ſeſ iugeorſ.
Baiuerſ y ſaiſneſ loherencſ y Friſunſ.
alemanſ mandet ſi mandet borguignunſ.
y peiteuinſ y normanſ y bretunſ.
de celſ de france deſ pluſ ſaiueſ q' ſunt.
deſ ore cumencet le plait de guenelun.

CCLXVIII

Li empereſ eſt repairet deſpaigne
e uient a aiſ a meillor ſied de france.
Muntet el palaiſ eſt uenut en la ſale.
aſ li alde uenue une bele damiſele.
co diſt al rei o eſt Rolł le catanie
ki me iurat cume ſa per a ꝑndre.
carł en ad e dulor y peſance.
pluret deſ oilz tiret ſa barbe blance.
Soer cher amie de hume mort me demandeſ.
Jo ten durai mult eſforcet eſchange.
co eſt Loewiſ mielz ne ſai a parler.

3697. Blaye, na França, dista de Aquisgrão, na Alemanha, em mais de mil quilômetros, trajeto percorrido por Carlos Magno e sua tropa nesse mesmo dia. **3709.** Em trad. lit.: "Isto disse ao rei: 'Onde está Roldão, o capitão?'" **3715.** Luís I, o Piedoso; ou Luís, o Justo; ou Ludovico Pio, como único filho sobrevivente de Carlos Magno e Hildegarsa de Vinzgouw, segunda esposa do Imperador, foi coroado coimperador com o pai em 813, tornando-se o único em 814, com a morte de Carlos; antes, porém, quando à frente do governo de Aquitânia, já havia tomado a cidade de Barcelona dos muçulmanos em 801. Na Batalha de Roncesvales, contudo, Luís não havia superado as fraldas, pois nascera naquele ano de 778. UMA MANIFESTAÇÃO DO AMOR – Acerca da morde de Alda, Riquer (Martín de Riquer, *Los Cantares de Gesta Franceses*, p. 125) considera que "*O Cantar de Roldão* é uma epopeia de guerreiros, e esses guerreiros são rudes francos, não meigos bretões como Tristão ou Lancelot, que por amores esqueceram tantas vezes de seus deveres de vassalos militares. Precisamente, com refinada arte, o au-

*Ca*valga Car*los* por montanhas e por va*les*,
a Aquisgrão, tomar pouso já não que*rem*;
cavalga*ram a*té no pórtico apea*rem*.
Como estan*do em* seu palácio eminen*te*,
fez chamar seus juízes por mensa*gens*.
Frisões, bá*va*ros, saxões e lorenen*ses*,
e convocou alemães e borgonhe*ses*,
a poitevinos, normandos e gale*ses*,
e os mais sábios que há entre os france*ses*;
de Galalão, o juízo é iminen*te*.

A MORTE DA BELA ALDA

CCLXVIII

*O Im*perador *é* retornado da Espa*nha*,
em Aquisgrão *es*tá a melhor sede da Fran*ça*.
Ao palácio subiu, entrou na sa*la*,
eis ali, Alda, a tão bela donze*la*.
Diz ao rei: "*Ca*dê Roldão, para que eu o ve*ja*?
Pois jurou me tomar por companhei*ra*".
Carlos sen*te* tanta dor e tal triste*za*,
dos olhos chora e arranca a barba bran*ca*:
"Minha irmã, *por* homem morto me pergun*tas*!
Mas te darei uma grande recompen*sa*,
é Luís, *al*guém melhor não haveri*a*;

tor do *Cantar* nos faz ver esse aspecto tão característico de seus heróis, contrapondo a indiferença sentimental de Roldão e a grosseira frase de Oliveiro (vv. 1719-1721) ao profundíssimo amor da bela Alda, que não precisou de poções, como a loura Isolda, para que a levasse à morte". O amor, que aparece em apenas quinze versos do cantar, não é referido ao sentimento de Alda. O amor é pacto (v. 622); é companheirismo de batalha (vv. 1447, 2139, 3460); é fidelidade vassálica (vv. 3107, 3123, 3596, 3770, 3810, 3893); é jura a Deus (v. 3768); é o que une o par épico quando da morte de Oliveiro (v. 2009); é como deverá ser convertida a rainha Bramimonda (v. 3674); e é, finalmente, o que sente Carlos quando busca por seu sobrinho (v. 2897), mas, mesmo ele, o Imperador que também quer a morte ante a falta de Roldão (vv. 2939-2940), em seu lamento (ss. CCVI-CCIX) reclama mais pela diminuição da própria glória. Morrer gratuitamente por amor, como Isolda, apenas Alda, a bela, cujo amor é negligenciado pela ética guerreira do cantar.

Jl ·~· meſ filz y ſi tendrat meſ marcheſ.
alde reſpunt ceſt mot mei eſt eſtrange.
Ne place deu ne ſeſ ſeinz ne ſeſ angleſ.
apreſ Rolł que io uiue remaigne.
pert la culor chet aſ piez carlemagne.
Sempreſ eſt morte d'ſ ait mercit del anme.
Franceiſ baronſ en plurent y ſi la pleignent.

CCLXIX

Alde la bel eſt a ſa fin alee.
Quidet li reiſ que el ſe ſeit paſmee.
pitet en ad ſin pluret lemꝑere
prent la aſ mainſ ſi len ad releuee.
Deſur leſ eſpalleſ ad la teſte clinee.
Quant carł ueit que morte lad truuee.
Quatre cunteſſeſ ſemþſ i ad mandeeſ.
a un muſter de nuneinſ eſt portee.
La noit la guaitent entreſ qua laiurnee.
Lunc un alter belement lenterrerent.
Mult grant hon[a] i ad li reiſ dunee. AOI.

CCLXX

Li emꝑere eſt repairet ad aiſ.
Gueneſ li felſ en caeineſ de fer.
en la citet eſt deuant le paleiſ.
a un eſtache lunt atachet [cil] ſerf.
Leſ mainſ li lient a curreieſ de cerf.
treſ ben le batent a fuz y a iamelz.
Nad deſeruit que altre ben i ait.
a grant dulur iloec atent ſun plait.

é meu filho e terá as minhas mar*cas*”.
*Res*ponde Al*da*: “São palavras tão estra*nhas*!
Nem os anjos, ou santos ou Deus quei*ra*
que depois de Roldão eu reste vi*va*!”
Perde a cor *e, aos* pés de Carlos, estate*la*,
morta já, queira Deus a sua al*ma*;
os barões *da* França choram e lamen*tam*.

CCLXIX

O seu fim já encontrou a bela Al*da*,
crê o rei que ela apenas se desmai*a*.
*O Im*perador, tanto chora e se lasti*ma*,
e toman*do-a* pelas mãos já a levan*ta*;
sobre os om*bros*, inclinava-se a cabe*ça*.
Quando Car*los* viu que então estava mor*ta*,
já mandou *cha*mar a quatro das conde*ssas*,
que a levaram a um claustro de frei*ras*;
toda noi*te a*té o amanhecer a ve*lam*.
*Jun*to ao altar, *tão* belamente a enterra*ram*,
pois o rei *lhe* concedera grandes hon*ras*. AOI.

O JUÍZO DE GALALÃO

CCLXX

A Aquisgrão *o Im*perador é retorna*do*,
Galalão, *o* vil, está em grilhões de fe*rro*,
na cidadela, diante do palá*cio*.
Numa pa*li*çada ataram-no os ser*vos*,
suas mãos *cin*giram com cintas de cou*ro*.
Com porre*tes*, varas é bem açoita*do*,
não mere*ce* melhor coisa do que i*sso*;
com grande dor *es*pera ali o seu proce*sso*.

CCLXXI

Jl eſt eſcrit en lanciene geſte.
Q^e^ carł mandet humeſ de pluſurſ tereſ.
aſemblez ſunt ad aiſ a la capele.
halz eſt li iurz mult par ~ grande la feſte.
Dient alq^a^nz del baron ſeint ſilueſtre.
Deſ ore cumencet le plait y leſ noueleſ.
De guenelun ki traiſun ad faite.
Li emꝑere deuant ſei lad fait traire. AOI.

CCLXXII

Seignorſ baronſ diſt carlemagneſ li reiſ.
de guenelun car me iugez le dreit.
Jl fut en loſt treſque en eſpaigne od mei.
Si me tolit .xx. milie de meſ franceiſ.
e mun neuold que iamaiſ ne uerreiz.
e oliuer li proz y li curteiſ.
Leſ .xii. perſ ad trait por aueir.
Diſt guenelon fel ſeie ſe iol ceil.
Rolł me forfiſt en or & en aueir.
pur que io quiſ ſa mort y ſun deſtreit.
Maiſ traiſun nule nen i otrei.
Reſpundent franc ore en tendrū cunſeill.

3742. Para a *anciene geſte*, vide nota ao v. 1443. **3746.** A grande festa refere-se ao último dia do ano, dia de São Silvestre, data de falecimento de Silvestre I, o 33º papa, que viveu no século IV. **3747.** O termo *noueleſ* (notícias) está aqui empregado no sentido das alegações de acusação e de defesa para o juízo de Galalão. **O PROCESSO DE GALALÃO** – De acordo com Ruggero M. Ruggieri (*apud* Gérard Moignet (ed.), *Chanson de Roland*, p. 267; Martín de Riquer, *Chanson de Roland, Cantar de Roldán y el Roncesvalles Navarro*, p. 346), o juízo de Galalão se reveste de um arcaísmo que remonta o século IX. Nesses moldes, apesar de que Carlos Magno possa mandar torturar Galalão (vv. 1819-1820), como numa espécie de instauração do processo, não lhe é facultado o direito de julgá-lo nem de lhe dar a morte. Seu julgamento se dará por uma alta corte formada por representantes da aristocracia de todo o império. Procedido assim o conselho, mas havendo, porém, um desafio em contrário do seu parecer, o veredito final não caberá a um poder temporal, mas ao próprio Deus. O desafio,

CCLXXI

*Es*crito está numa gesta tão anti*ga*,
que o rei *cha*mou barões de muitas te*rras*.
Em Aquisgrão, *são* reunidos na cape*la*,
*so*lene é o dia, tão grande é a fes*ta*;
São Silves*tre*, dizem que comemora*vam*.
*Co*meçarão *a*legações e as aren*gas*,
de Galalão, que em traição ca*íra*;
*o Im*perador manda que ante si o tra*gam*. AOI.

CCLXXII

"Meus senhores barões" – diz Carlos Ma*gno* –
"*de* Galalão, *jul*gai-me agora seu direi*to*.
*A*té a Espa*nha*, *em* minha hoste, foi comi*go*,
*a*rrebatou-me então vinte mil fran*cos*,
e quem jamais reverei, o meu sobri*nho*,
e o nobre e cortês, o Olivei*ro*,
e, por have*res*, Doze Pares que, tra*ídos*".
Galalão *diz*: "Serei falso se o escon*do*,
*Rol*dão lesou-me em haveres e em ou*ro*,
*bus*quei assim sua ruína e seu dece*sso*;
mas nenhu*ma* traição eu reconhe*ço*".
Francos dizem: "Teremos já conse*lho*!"

conforme anota Velasco (Jesús Demetrio Rodríguez Velasco (trad.), *Daurel y Betón*, Valladolid, Universidad de Valladolid, 2000, p. 119), é um privilégio facultado à nobreza para demonstrar a inocência ou culpabilidade alheia. Esse procedimento legal, chamado de Juízo de Deus ou ordália, pode consistir em combates singulares ou provas atrozes como o caminhar pelo fogo, sustentar de mãos nuas ferros incandescentes, ou até verificar se uma vítima, já morta, ante a presença de seu suposto assassino, sangra ou mesmo o indica fisicamente. Na opção dos combates singulares, como no *Cantar de Mio Cid* com o processo contra os infantes de Carrion (vv. 3533-3707) e como veremos nesse juízo de Galalão, enfrentam-se os representantes de cada parte e, do resultado, pressupõe-se a vontade de Deus, que não consentirá ao justo sofrer dano. Essa arcaica estrutura legal, tanto feudal como monárquica, garantia a autonomia jurídica da nobreza.

CCLXXIII

Deuant le rei la ſeſtut guenelun.
corſ ad gaillard el uiſ gente color.
Sil fuſt leialſ ben reſemblaſt barun.
veit celſ de france y tuz leſ iugeurſ.
De ſeſ parenz .xxx. ki od lui ſunt.
puiſ ſeſ criat halteḿt a grant uoeiz.
pª amor deu car mentendez baronſ.
Seignorſ io fui en loſt auoec lemꝑeur.
Serueie le par feid y par amur.
Rolł ſiſ nieſ me coillit en haur.
Si me iugat a mort y a dulur.
Meſſage fui al rei marſiliun.
par mun ſaueir uinc io a guariſũ
Jo deſfiai Rolł le poigneor.
y oliů y tuiz lur cumpaignun.
carł loid y ſi nobilie baron.
venget men ſui maiſ ni ad traiſun
Reſpundent francſ a conſeill en irumſ.

CCLXXIV

Quant gueneſ ueit que ſeſ gªnz plaiz cuḿcet.
De ſeſ parenz enſemble (en) i out trente.
v nen i ad a qui li altre entendent.
co ≈ pinabel del caſtel de ſorence.
Ben ſet parler e dreite raiſun rendre.
vassals ≈ bons por ſeſ armeſ defendre. AOI.

[…]

Co li diſt gueneſ en uoſ ami
getez mei hoi de mort y de calunie.

3786. No manuscrito, esse verso inicia com letra capitular e é antecedido por AOI, mas não foi considerado, entre os editores, como nova série. O termo *ami* (amigo), ligeiramente afastado e menos nítido, porém legível,

CCLXXIII

Frente ao rei, Galalão ali esta*va*,
*ro*busto o cor*po*, face bela e bem cora*da*;
se leal, um barão pareceri*a*.
Observa os juízes e os da Fran*ça*,
e os seus paren*tes*, que com ele ali são trin*ta*.
A grandes vo*zes*, fortemente, depois gri*ta*:
"Entendei-me, barões, por Deus, ago*ra*!
Com o rei eu estive na arma*da*,
e por fé *e* por amor eu o servi*a*.
Seu sobrinho, Roldão, tomou-se em i*ra*,
e condenou-me à morte e à agoni*a*.
Fui ao rei *Mar*sílio como embaixa*da*,
só logrei garantir-me por astú*cia*,
e a Roldão, *de*safiei, que é dado a lu*tas*,
e a Olivei*ro e* toda sua companhi*a*.
Ouviu Car*los*, e os barões da sua nobre*za*,
*vin*guei-me, mas, traição não há nenhu*ma*".
"*Te*remos o *con*selho!" – dizem os da Fran*ça*.

CCLXXIV

Galalão *viu* começar o seu juí*zo*,
co' ele trin*ta* dos parentes estão jun*tos*.
*Ha*via um *mais* escutado pelos ou*tros*,
o Pinabel, em Sorença é seu caste*lo*;
em falar e manter razão é sá*bio*,
e em ar*mas* defender-se é bom vassa*lo*. AOI.

[...]

Galalão diz: "Sois vós o meu ami*go*,
quem me sal*va*rá da morte e do infortú*nio*!"

deu margem à suposição de corrupção do verso. Assim, Riquer conjectura: *Ço li dist Guenes: "En vos ai ma fiance"* (Galalão disse: "Em vós tenho minha confiança"). Bédier e Moignet apresentam reticências.

Diſt pinabel uoſ ſerez guarit ſempreſ.
Ni ad franceſ ki uoſ iuget a pendre.
v lempe le[r] noz douſ corſ en aſemblent.
al brarant dacer que io ne len deſmente.
Gueneſ li quenſ a ſeſ piez ſe preſente.

CCLXXV

Bauier y ſaiſneſ ſunt alet a conſeill
e peiteuin y norman y franceiſ.
aſez i ad alemanſ y tiedeiſ.
Jcelſ daluerne i ſunt li pluſ curteiſ.
pur pinabel ſe cuntienent pluſ quei.
Diſt lun al altre bien fait a remaneir.
Laiſum le plait y ſi preium le rei.
Que guenelun cleimt quite ceſte feiz
puiſ ſi li ſeruet par amur y par Feid
Morz eſt Rolł ia maiſ nel reuereiz.
Nert recuůret por or ne por aueir.
Mult ſereit folſ ki aa ſe cumbatreit.
Nen i ad celoi nel graant y otreit.
Forſ ſul tierri le frerere dam geifreit. AOI.

CCLXXVI

A charlemagne repairent ſi barun.
Dient al rei ſire nꝯ uoſ prium.
Que clamez quite le cunte guenelun.
puiſ ſi uoſ seruet ꝑ feid y par amor.
viůre le laiſez car mult ~ gentilz hoem.
Ja por murir nen ert veud gerun.

3795. Moignet identifica o gentílico *tiedeiſ* como os tréveros, uma tribo dos povos galos. Embora situada na Alemanha, a região de Tréveris, faz referência aos povos de línguas de *oïl*, como as galo-românicas da França setentrional, em oposição aos valões, de fala germânica, de outra família linguística, portanto. **3809.** Em trad. lit.: "Que declareis inocente o conde Galalão". **3812-3813.** O termo *gerun* tem tradução não consensual. Alguns editores, suprimindo esse termo, leem esses versos como referidos a Roldão,

Pinabel diz: "Sereis vós logo sal*vo*,
que à for*ca* vos condene não há fran*co*.
Quando o Impe*ra*dor nos junte corpo a cor*po*,
que eu não desmin*ta em* minha lâmina de aço".
Galalão, a seus pés, está prostra*do*.

CCLXXV

Foram bá*va*ros, saxões para o conse*lho*,
e franceses, normandos, poitev*inos*;
ali há *mui*to alemão e muito ga*lo*.
Os da Alvernia são os mais educa*dos*,
por Pinabel, se contêm, estão mais cal*mos*:
"Por aqui, *pa*rar, convém" – diz um ao ou*tro* –
"*dei*xemos o *pro*cesso e ao rei rogue*mos*,
dessa vez, *por* Galalão inocenta*do*;
que vá então, por amor e fé, servi-*lo*.
O Roldão *já* não veremos, pois é mor*to*,
não será *re*cuperado nem por ou*ro*;
quem, por e*le*, combater será um to*lo*".
Não há quem não esteja de acor*do*,
*ex*ceto Teo*do*rico, irmão do Godofre*do*. AOI.

CCLXXVI

Os barões voltam ao Imperador,
ao rei dizem: "Rogamo-vos, senhor,
a Galalão *de*clareis quite, sem rancor;
que vos sir*va* já, por fé e por amor.
*Dei*xai-o vi*vo*, pois é homem de valor,
mas se mor*to* não veremos nem sua cor;

recuperando o argumento exposto nos vv. 3802-3803, acrescentando seu nome à tradução, assim faz Bédier. Moignet apresenta reticências no lugar da tradução de *gerun*. Seguimos a leitura de Segre, conforme Riquer e conforme a exemplificação do AND, que traduz *gerun* por *trace* (traço, vestígio). Nesse sentido, entendemos esses versos como uma variação condicional aplicada à Galalão, em paralelismo aos vv. 3802-3803, em referência a Roldão.

Ne por aueir ia nel recuuerum.
co diſt li reiſ uoſ eſteſ mi felun. AOI.

CCLXXVII

Quant carł ueit que tuz li ſunt faillid.
Mult len brunchit y la chere y le uiſ.
al doel quil ad ſi ſe cleimet caitifſ.
aiſ li deuant unſ cheualerſ (tierriſ).
Frere gefrei a un duc angeuin.
heingre out le corſ y gªiſle y eſchewid.
Neirſ leſ cheuelſ y alqueſ bruni.
Neſt guereſ granz ne trop nen eſt petiz.
Curteiſement al empere ad dit.
Belſ ſire reiſ ne uoſ dementez ſi.
Ja ſauez uoſ que mult uoſ ai ſeruit.
par anceiſurſ dei io tel plait tenir.
Que que Rolł a guenelun forſfeſiſt
vrē ſeruiſe len douſt bien guarir.
Gueneſ eſt felſ dico quil le trait.
verſ uoſ ſen ⁓ pariurez e malmiſ.
pur co le iuz io a pendre y a murir.
e ſun corſ metre si cume fel ki felonie fist.
Se or ad parent ki men uoeille deſm̄tir.
a ceſte eſpee que io ai ceinte ici.
Mun iugement uoel ſempreſ guarantir.
Reſpundent franc or auez uoſ ben dit.

3818. Não obstante a clara pressuposição por referência ao parentesco com Godofredo d'Anjou (vide v. 3806), é consenso entre os editores do cantar o acréscimo, no final desse verso, do nome Tierri (Teodorico), o duque de Argona, que convém melhor à assonância e à métrica, do que se infere um lapso do copista. **3826.** Riquer anota a possibilidade de ser facultado à dinastia dos angevinos a apelação judiciária, uma vez que gozavam da dignidade hereditária de serem gonfaloneiros e senescais do rei. **3832 (/3833).** Em trad. lit.: "e a seu corpo subjugar como um pérfido que cometeu perfídia". Esse verso extrapola, no manuscrito, a métrica decassílaba. Todos os editores consultados o particionam:

não o tere*mos* mais nem por qualquer valor!"
"Desleais sois comigo!" – o rei falou. AOI.

COMBATE ENTRE TEODORICO E PINABEL

CCLXXVII

Quando Car*los* vê que todos lhe falha*ram*,
*a*baixa muito o seu rosto e sua cabe*ça*;
de tanta dor, um coitado se acha*va*.
Ante e*le um* cavaleiro, eis que havi*a*,
*ir*mão de Go*do*fredo, o angevino, e*ra*.
*Es*belto, ágil, de compleição magre*la*,
*ca*belos ne*gros* e a pele algo more*na*.
Estatura nem grande nem peque*na*,
cortesmente, ao Imperador fala*va*:
"Belo rei, meu senhor, já não se afli*ja*,
vós sabeis *que* vos servi sobremanei*ra*.
Quero, por *meus* ancestrais, que o pleito si*ga*,
que Roldão, *a* Galalão lesado ha*ja*,
*ser*vindo a vós, *po*rém, guardar-vos deveri*a*.
Galalão *é* falso porque atraiço*a*,
por lesar-*vos* ele assim só vos rene*ga*.
Por tal razão, o condeno à morte e à for*ca*,
e como pér*fi*do, seu corpo subme*ta*.
Se um parente há que desmentir me quei*ra*,
co' essa espa*da* que eu levo aqui cingi*da*,
dou do meu julgamento a garanti*a*!"
"Bem dissestes!" – respondem os da Fran*ça*.

"*e ſun corſ metre... / si cume fel ki felonie fist*" admitindo, com isso, uma possível lacuna depois do verbo *mettre*, *meter* (submeter), e Riquer conjectura: "*e sun cors metre a grant turment tut vif, / si cume fel ki felonie fist*" (e a submeter seu corpo vivo a grande tortura / como pérfido que cometeu perfídia). Bédier e Moignet particionam o verso e apresentam reticências neste v. 3832. Na nossa proposta de tradução admitimos a variação métrica como uma tolerância da oralidade e apenas computamos o verso onde os demais editores acrescentam a hipótese da partição.

CCLXXVIII

Deuant lu rei eſt uenuz pinabel
Granz ⁊ y forz y uaſſalſ y iſnel.
Quil fiert a colp de ſun tenſ ni ad maiſ.
y diſt al rei ſire urĕ ⁊ li plaiz.
car cumandez que tel noiſe ni ait.
ci uei tierri ki iugement ad fait.
Jo ſi li falſ od lui men cumbatrai.
Met li el poign de cerf le deſtre guant.
Diſt li empeſ bonſ plegeſ en demant.
.xxx. parenz li pleuiſſent leial.
co diſt li reiſ e iol uoſ recrrai.
Fait celſ guarder treſque li dreiz en ſerat. AOI.

CCLXXIX

Qvant ueit tierri quor en ert la bataille.
Sun deſtre guant en ad preſentet carle.
Li empere li recreit par hoſtage.
puiſ fait porter .iiii. bancſ en la place.
La uunt ſedeir cil kiſ deiuent cŭbatre.
Ben ſunt malez par iugement deſ altreſ.
Sil purparlat oger de denemarche.
e puiſ demandent lur cheualſ y lur armeſ.

CCLXXX

Puiſ que il ſunt a bataille iustez. AOI.
Ben ſunt cunfeſ y aſolſ y ſeignez

3839-3840. Esse combate foi comparado, pelos comentadores do cantar, com o do jovem David, de gentil aspecto (*Erat enim adolescens, rufus, et pulcher aspecto*) contra aquele que saiu do campo dos filisteus, o bastardo de nome Golias de estatura de 2,83m, cujo peso da loriga era de 57kg (*Et egressus est vir spurius de castris Philisthinorum nomine Goliath... altitudinis sex cubitorum et palme... porro pondus loricae eius, quique milia siclorum eris erat*). Comparem-se esses ao v. 3820 e a 1 Samuel, 17:4-5, 42. **3848.** Ao verbo *recrerai* falta, no manuscrito, a vogal temática /e/. **A DEFESA:** Galalão faz sua própria defesa ao longo de dez versos (vv. 3768-3778) alegando não haver traição em seus atos, pois desafiara publicamente a Roldão, a Oliveiro e aos Doze Pares (vv. 322-326). Sobre esse aspecto jurídico, comenta Menéndez Pidal:

CCLXXVIII

De Carlos Mag*no*, Pinabel está dian*te*,
é valente, ligeiro, grande e for*te*;
não há quem sobreviva a seu gol*pe*.
"Vosso é o pleito" – ao rei ele então di*sse* –
"ordenai *que* já não haja tais rumo*res*.
Teodori*co*, seu juízo já emi*te*,
mas o desminto e combaterei com e*le*".
Com sua luva de cervo a destra ves*te*.
"Boa caução eu exijo!" – o rei di*sse*.
Os paren*tes*, trinta, juram lealda*de*,
disse o rei: "*De*volverei a liberda*de*".
Faz guardá-los até que o pleito jul*gue*. AOI.

CCLXXIX

Teodori*co* vê que haverá bata*lha*,
e apresen*ta a* Carlos sua destra lu*va*.
*O Im*perador *o* deixa livre em garanti*a*,
faz levar quatro bancos lá pra fo*ra*,
*on*de sentar-se, os combatentes po*ssam*.
Estão bem *de*safiados, assim pen*sam*,
os termos pôs *O*giero, que é da Dinamar*ca*,
então pe*dem* os cavalos e as ar*mas*.

CCLXXX

Logo estão, pra batalha, reuni*dos*,
*per*signa*dos* já confessos e absol*tos*.

"Não acho que seja necessário conhecer cientificamente a história do direito francês para afirmar que Galalão confunde injustificadamente o direito público e o direito privado. Galalão poderia executar sua vingança cara a cara com Roldão e os Doze Pares, pois os desafiara, mas ele não pode exercer seu direito causando a morte de vinte mil franceses da hoste do Imperador, o senhor natural daquele que lançou o desafio e daqueles que foram desafiados. Não há necessidade de nenhuma prova jurídica para determinar o caráter criminoso dessa vingança" (*apud* Gérard Moignet (ed.), *Chanson de Roland*, pp. 269 e 271). Nessa perspectiva, é justificado o desafio de Teodorico a Pinabel. Haverá combate, e a justiça de Deus só pode se manifestar em uma direção.

oent lur meʃʃeʃ e ʃunt acuminiez.
Mult granz offrendeʃ metent par cez muʃterʃ.
Deuant carlun andui ʃunt repairez.
Lur eʃpunʃ unt en lor piez calcez.
veʃtent oʃbc blancʃ y forz y legerʃ.
Lur helmeʃ clerʃ unt fermez en lor cheſʃ.
ceinent eʃpeeʃ en heldeeʃ dor mier.
en lur colʃ pendent lur eʃcuz de quarterʃ.
en lur puinz deʃtreʃ unt lur trenchanz eʃpiez.
puiʃ ʃunt muntez en lur curanz deʃtrerʃ.
Jdunc plurerent .c. milie cheualierʃ.
Qui pur Roll de tierri unt pitiet.
d'ʃ ʃet aʃez cument la finʃ en ert.

CCLXXXI

Dedeʃʃuz aiʃ ~ la þe mult large.
deʃ douʃ barunʃ iuʃtee eʃt la bataille.
cil ʃ't produme y de grant uaʃʃelage.
y lur cheualʃ ʃ't curanz y aateʃ.
brochent leʃ bien tuteʃ leʃ reʃneʃ laʃquent.
par grant uertut uait ferir lunʃ li altre.
tuz lur eʃcuz i fruiʃʃent y eʃquaʃʃent.
Lur oʃbcʃ rũpent y lur cengleʃ depiecent.
Leʃ alueʃ turnent leʃ ʃeleʃ cheent a tere.
.c. mil humeʃ i plurent kiʃ eʃguardent.

CCLXXXII

At tere ʃunt ambdui li cheualer. AOI.
Jʃnelement ʃe drecent ʃur lur piez.
pinabelʃ ~ forz y iʃnelʃ y legerʃ.
Li unʃ requiert laltre nunt mie deʃ deʃtrerʃ.
de cez eʃpeeʃ en heldeeʃ dor mer.

Já ouvi*ram* missa e vão, pois, comunga*dos*,
oferen*das* tantas deixam aos mostei*ros*.
Os dois voltam diante do rei Car*los*,
já de espo*ras*, eles vão bem enverga*dos*.
Com lori*gas* brancas, forte e leve o a*ço*,
e bem fir*mes* nas cabeças, elmos cla*ros*.
As espadas cingidas, guarda em ou*ro*,
*es*cudos quar*te*lados pendem dos pesco*ços*.
Afia*das* lanças, no lado direi*to*,
já vão montados em seus ágeis destrei*ros*.
Então choram cem mil dos cavalei*ros*,
que, por Roldão, *têm* compaixão de Teodori*co*;
Deus bem sabe a que fim o leva i*sso*.

CCLXXXI

*An*te Aquisgrão há um prado muito gran*de*,
dos barões *es*tá ajustado o comba*te*.
São de gran*de* valentia os bravos ho*mens*,
e seus cava*los* bem treinados e velo*zes*.
Aguilho*am à* toda brida, as rédeas ce*dem*,
com vigor, um ao outro acome*te*.
Seus escu*dos* tanto esfrangalham, rom*pem*,
arreben*tam* chinchas, lorigas destro*em*.
Os arções volcam à terra, as selas ca*em*,
lá, chorando, os fitam cem mil ho*mens*.

CCLXXXII

À terra estão os dois, ambos cavalei*ros*, AOI.
eles er*guem*-se, já sobre os pés, tão pres*tos*.
Pinabel *é* forte, rápido, ligei*ro*,
um defron*ta o* outro, já não têm destrei*ros*.
Co' as espadas em guarda de ouro pu*ro*,

Fierent e caplent ſur cez helmeſ dacer.
Granz ſunt leſ colpſ aſ helmeſ detrencher.
Mult ſe demtent cil franceiſ cheualer
e d'ſ diſt carł le dreit en eſclargiez.

CCLXXXIII

Diſt pinabel tierri car te recreiz.
teſ hom ſerai par amur y par feid.
a tun plaiſir te durrai mun aueir.
Mais guenelun fai acorder al rei.
Reſpont tierri ia nen tendrai cunſeill.
tut ſeie fel ſe io mie lotrei.
d'ſ facet hoi entre nuſ douſ le dreit. AOI.

CCLXXXIV

Co diſt tierri pinabel mult ieſ ber.
granz ieſ e forz e tiſ corſ ben mollez.
De uaſſelage te conoiſſent ti per.
ceſte bataille car la laiſſeſ eſter.
a carlemagne te ferai acorder.
De guenelun iuſtiſe ert faite tel.
Jamaiſ nert iur que il nen ſeit parlet.
Diſt pinabel ne placet dãnedeu.
Suſtenir uoeill treſtut mun parentet.
Nen recrerrai pur nul hume mortel.
Mielz uoeill murir quil me ſeit repuet.
De lur eſpeeſ cumencent a capler.
Deſur cez helmeſ ki ſunt a or gemez
cuntre le ciel en uolet li fouſ tuz clerſ.
Jl ne poet eſtre quil ſeient deſeurez.
Seinz hume mort ne poet eſtre afinet. AOI.

acometem, golpeiam elmo em aç*o*.
Grandes golpes pra destroçar os el*mos*,
desesp*eram*-se os cavaleiros fran*cos*;
Carlos diz: "*I*luminai, Deus, o direi*to*!"

CCLXXXIII

"*De*tém-vos, Teo*do*rico!" – diz o Pinabel –
"*Va*ssalo vosso eu serei em amor e fé!
Em provei*to* vosso deixo o meu haver,
se a Galalão, reconciliardes com o rei".
Diz Teodorico: "Isso eu não aceitarei,
do contrá*rio*, todo pérfido serei;
a justiça, entre nós, Deus vai fazer!" AOI.

CCLXXXIV

Diz Teodori*co*: "Pinabel, sois muito bra*vo*,
grande e forte e de corpo bem molda*do*.
Sois, por va*len*tia, tão reconheci*do*,
deixar essa batalha nós deve*mos*.
Eu vos po*nho em a*cordo com o Carlos Mag*no*,
de Galalão *jus*tiça tal nós a fare*mos*,
que não haverá dia em que não falem di*sso*".
Pinabel diz: "Não praza a Deus no*sso*!
Defender *a* parentela toda eu que*ro*.
Por nenhum mortal homem retroce*do*,
eu prefi*ro a* morte a ser reprocha*do*".
Co' as espadas golpeiam em due*lo*,
sobre o ouro incrustado dos seus el*mos*.
Contra o céu, *fa*íscas claras voam al*to*,
já não é *po*ssível serem separa*dos*,
nem ao fim *che*gar sem que haja um homem mor*to*. AOI.

3892. Ao contrário dos demais editores consultados, Moignet anota que o verbo *recreire* cumpre aqui o sentido de "cessar a batalha" e não de se declarar vencido ou render-se (vide v. 393), como comumente foi traduzido, mesmo entrando em contradição com o verso seguinte.

CCLXXXV

Mult par eſt pz pinabel de ſorence.
Si fiert tierri ſur lelme de puence.
Salt en li fouſ que lerbe en fait eſprendre.
del brant dacer la mure li preſentet.
deſur le frunt li ad faite deſcendre.
par mi le uiſ li ad faite deſcendre.
La deſtre ióe en ad tute ſanglente.
Loſbc del doſ ioſque par ſum le uentre.
D'ſ le guarit que mort nel acrauentet. AOI.

CCLXXXVI

Co ueit tierriſ que el uiſ eſt ferut.
Li ſancſ tuz clerſ en chiet el pred herbuſ.
Fiert pinabel ſur lelme dacer brun.
Juſqual naſel li ad fait efendut
Del chef li ad le ceruel eſpandut.
Brandit ſun colp ſi lad mort abatut.
a iceſt colp eſt li eſturſ uencut.
eſcrient franc d'ſ i ad fait uertut.
aſez ⁓ dreiz que guneſ ſeit pendut.
e ſi parent ki plaidet unt pur lui. AOI.

CCLXXXVII

Qvant tierriſ ad uencue ſa bataille.
venuz i eſt li empere carleſ.
enſemblod lui de ſeſ barunſ quarante.
Naimeſ li dux oger de danemarche.

3919-3920. O segundo hemistíquio repetido foi considerado por Bédier equívoco do copista e apresenta reticências no v. 3920; Riquer conjectura: "*desur le frunt li ad faite descendre / par mi de vis sun helme li detrenchet*" ([a ponta de aço] fez cair sobre a fronte, corta-lhe o elmo na metade do rosto); Moignet traduz tal como se apresenta no manuscrito, com o que concordamos, mesmo considerando o suposto equívoco apontado por Bédier, mas cabe a inegável possibilidade de que seja uma epístrofe intencional

CCLXXXV

Muito bra*vo é* Pinabel, o de Soren*ça*,
*a*taca em Teo*do*rico, o elmo de Proven*ça*.
Saltam tan*tas* chispas que incendeia a rel*va*,
da sua lâ*mi*na de aço mostra a pon*ta*.
Sobre a fronte, lhe dá a investi*da*,
bem na cara, lhe dá a investi*da*.
A bochecha está toda ensanguenta*da*,
e desde as costas até o ventre, a lori*ga*;
porque não *des*monte morto Deus o guar*da*. AOI.

CCLXXXVI

Teodori*co* vê que o rosto está feri*do*,
seu sangue cla*ro es*corre no herboso pra*do*.
A Pinabel *a*taca no elmo poli*do*,
*a*té o nasal, *o* deixa roto e fendi*do*.
Espalhou da cabeça seus mio*los*,
*bran*diu o gol*pe*, derrubando ele mor*to*;
co' esse golpe, venceu o desafi*o*.
"Deus nos fez um milagre!" – gritam fran*cos* –
"*É* justo que Galalão seja enforca*do*,
e seus paren*tes* que, em fiança, estão guarda*dos*". AOI.

CCLXXXVII

Ao vencer, Teodorico, sua bata*lha*,
Carlos, o *Im*perador, se aproxi*ma*.
Junto de*le*, seus barões, lá vão quaren*ta*,
*N*emé, o du*que*; *O*giero, que é da Dinamar*ca*;

do poeta, especialmente eficiente na transmissão oral. **3931.** O substantivo *vertut* tem aqui o valor de "milagre", como manifestação divina para o resultado do pleito, o que reforça a ideia do Juízo de Deus para essa forma de combate. O fato de esse veredito ser considerado um milagre, se justifica dada a discrepância física dos combatentes, em desfavor a Teodorico (vide nota aos vv. 3839-3840). **3936.** Todos os editores e tradutores consultados corrigem o numeral *quarante* (quarenta) por *quatre* (quatro), visto que são apenas quatro relacionados nos dois versos subsequentes.

Geifrei daniou y wiłłalme de blaive.
Li reiſ ad priſ tierri entre ſa brace.
tert lui le uiſ od ſeſ granz pelſ de martre.
celeſ met iuſ puiſ li afublět altreſ.
Mult ſuauet le cheualer deſarment.
(Muntet l'unt) Fait en une mule darabe.
Repairet ſen a ioie y a barnage.
vienent ad aiſ deſcendent en la place.
Deſ ore cumencet lociſiun deſ altreſ.

CCLXXXVIII

Carleſ apelet ſeſ cunteſ y ſeſ dux.
Que me loez de celſ quai retenuz.
pur guenelun erent a plait uenuz.
pur pinabel en oſtage renduz.
Reſpundent franc ia mar en uiurat unſ.
Li reiſ cumandet un ſoen ueier baſbrun.
va ſiſ pent tuz al arbre de mal fuſt.
(par) ceſte barbe dunt li peil ſunt canuz.
(Se unſ) eſcapet morz iez y cunfunduz.
cil li reſpunt quen fereie io el.
(od) .c. ſerianz par force leſ cunduit.
.xxx. en i ad dicelſ ki ſunt pendut.
ki hume traiſt ſei ocit y altroi. AOI.

3938. Traduzimos *blaive* (Blaye) por Aquitânia, considerando ser essa uma região administrativa daquela.

Mult ſuauet le cheualer deſarment.
Fait en une mule darabe.

Fl. 71r, vv. 3942-3943.

Godofredo, e o Guilherme da Aquitâ*nia*.
A Teodorico, entre os braços, o rei to*ma*,
*en*xuga su*a* face com peles de mar*ta*;
as quais jog*a, e* logo vestem-no de ou*tras*.
O cavalei*ro* suavemente desenver*gam*,
*mon*tar o fa*zem* numa mula da Ará*bia*.
Retornou *o* baronato em alegri*a*,
*che*gando em A*quis*grão, desmontam na praci*nha*;
a matan*ça* dos demais começa ago*ra*.

SUPLÍCIO DE GALALÃO

CCLXXXVIII

Os seus condes e duques chama Car*los*:
"*A*conselhai-*me* sobre os que estão guarda*dos*.
Por Galalão, *e*les vieram ao juí*zo*,
por Pinabel, *co*mo reféns, foram entrega*dos*".
"Que em má ho*ra* viva um só!" – respondem fran*cos*,
O rei diz *pra* vir Babrão, o seu carras*co*:
"Vê, pendu*ra* todos em algum mal tron*co*!
Por essa barba que brancos tem os pe*los*,
*se es*capa um, sejais morto e arruina*do*!"
*Res*ponde ele: "O que mais fazer eu po*sso*?"
Com cem serven*tes* vão, por força, conduzi*dos*,
trinta são os que foram enforca*dos*;
mata a si, o que trai, e mata a ou*tros*. AOI.

3943. Todas as edições consultadas acrescentam, ao primeiro hemistíquio, a conjectura que transcrevemos parentética, embora no manuscrito não haja sinais de rasura ou corrupção.

CCLXXXIX

Puiſ ſunt turnet bauier y aleman.
e peiteuin y bretun y norman.
(Sor tuit) li altre lunt otriet li franc.
Que gueneſ moerget par merueilluſ ahan.
(Quatre) deſtrerſ funt amener auant.
puiſ ſi li lient y leſ piez y leſ mainſ.
Li cheual ſunt orgoilluſ y curant.
Quatre ſerianz leſ acoeillent deuant.
deuerſ un ewe ki eſt en mi un căp.
Guenes eſt turnet a ꝑditiun grant.
treſtuit ſi nerf (mult) li ſunt eſtendant.
y tuit li membre de ſun corſ derŭpant.
(Sur) lerbe uerte en eſpant li cler ſanc.
Gueneſ ~ mort cume fel recreant.
hŏ ki traiſt alt'e neneſt dreiz quil ſen uant.

CCXC

Quant li empereſ ad faite ſa ueniance.
Sin apelat ſeſ eueſqueſ de france.
celſ de bauiere y icelſ dalemaigne.
(en) ma maiſun ad une caitiue franche.
tant ad oit y ſermunſ y eſſampleſ.
creire uoelt deu xpĭentet demandet.
baptizez la pur quei d'ſ en ait lanme.
cil li reſpundent or ſeit fait ꝑ marreneſ.
aſez cruiz y linees dames.

3968. Parece forçada a hipótese de Riquer em ler o termo *ewe*, apenas aqui, como derivação latina de *equa* (égua), traduzindo: "*...cuatro servientes los incitan a avanzar hacia una yegua que hay en el medio del campo*". Concordamos, por outro lado, com Moignet que traduz *ewe* como "curso de água",

CCLXXXIX

Já retor*nam* alemães, também os bá*varos*,
e bretões e normandos, poitevi*nos*.
Sobre os outros, julgaram nossos fran*cos*,
e Galalão, que morra em grave suplí*cio*.
Quatro dos *des*treiros são ali trazi*dos*,
e os pés *e as* mãos a eles são ata*dos*.
São velo*zes* e indomáveis os cava*los*,
por serven*tes*, a avançar foram incita*dos*
sobre um charco no meio de um cam*po*.
Galalão *che*gou ao seu profundo oca*so*,
foram muito estendidos os seus ner*vos*,
*a*té do corpo arrancarem-se seus mem*bros*;
sobre a rel*va* verde espalha o sangue cla*ro*.
Galalão, como pérfido, é mor*to*,
pois quem trai, jactar-se não é jus*to*.

A CONVERSÃO

CCXC

Quando fez, *o Im*perador, sua vingan*ça*,
já chamou os seus bispos lá da Fran*ça*;
os da Ba*vi*era e outros da Ema*nha*:
"*Em* minhas mãos há uma tão nobre cati*va*,
ouviu tantos sermões, tantos exem*pla*.
Crê em Deus *e o* cristianismo quer ago*ra*,
batizai-*a*, que Deus tenha sua al*ma*".
*Res*pondem e*les*: "Seja feito com madri*nhas*,
muitas cruzes e muitas nobres da*mas*!"

como nos vv. 1778, 1831, 2225, 2465, 2640 e 2758. **3979.** O termo *eſſampleſ* tem o sentido de narrativas exemplares, o que traduzimos pelo termo latinizado em plural, como usado na retórica clássica, pois dessa disciplina se tratava quando da provisão cultural desses paradigmas ético-moralizantes.

aſ bainz ad aiſ mult ſunt granz leſ CL.
La baptizent la reine deſpaigne.
truue li unt le num de iuliane.
xpĭene eſt par ueire conoiſance.

CCXCI

Qvant lempere ad faite ſa iuſtiſe
e eſclargiez eſt la ſue grant ire.
en bramidonie ad xpĭentet miſe.
paſſet li iurz la nuit ≈ aſerie.
culcez ſeſt li reiſ en ſa cambre uoltice.
Seint gabriel de part deu li uint dire.
Carleſ ſumun leſ oz de tun empie.
par force iraſ en la tere de bir(e).
Reiſ uiuien ſi ſuccuraſ en imphe.
a la citet que paien unt aſiſe.
Li xpĭen te recleimen(t y) crient.
Li empere ni uolſiſt aler mie.
d'ſ diſt li reiſ ſi penuſe eſt ma uie.
pluret deſ oilz ſa barbe blanche tiret.
ci falt la geſte que turoldꝰ declinet.

Fl. 72r; v. 3984.

3984. Apesar de Bédier e Moignet transcreverem esse verso até a última letra /c/, seguindo com as reticências, entendemos que o verso possa estar completo, uma vez tratando-se do numeral CL, após o qual se vê o ponto de fim de verso. Bédier inclui as reticências, enquanto Moignet conjectura na tradução: "*aux bains, à Aix, grandes sont les piscines* (?)". Riquer, por sua vez, também conjectura: "*As bainz ad Ais mult sunt granz les cumpaignes*" ("En los baños de Aix hay gran concurso de gente"). O sentido, porém, é claro a partir da compreensão de haver entre esse e o verso seguinte, um *enjambement*, sendo CL o sujeito de *baptizent.* Corroborando essa hipótese, Eginhardo narra em *Vita Karoli* (Eginhadus, 1911, p. 23): *Delectabatur etiam vaporibus aquarum naturaliter calentium, frequenti natatu corpus exercens; cuius adeo peritus fuit, ut nullus ei iuste valeat anteferri. Ob hoc etiam Aquisgrani regiam exstruxit ibique extremis vitae annis usque ad obitum perpetim habitavit. Et non solum filios ad balneum, verum optimates et amicos, aliquando etiam satellitum et custodum corporis turbam invitavit, ita ut nonnunquam centum vel eo amplius homines una lavarentur* (Deleitava-se também com os vapores das águas termais, exercitando frequentemente seu corpo com a natação, na qual foi

Nos grandes ba*nhos* de Aquisgrão, cento e cinquen*ta*
batiza*ram* a rainha da Espa*nha*;
encontra*ram*-lhe o nome Julia*na*,
é cristã, por verdade e por ciên*cia*.

A SINA DO IMPERADOR

CCXCI

Quando fez, *o Im*perador, sua justi*ça*,
e mitigar fez a sua grande i*ra*,
e Bramidona deixou cristianiza*da*,
*ca*iu a noite, então passado o di*a*.
Recolheu-*se o* rei na alcova abobada*da*,
São Gabriel, *da* parte de Deus, lhe fala*va*:
“Junta, Car*los*, do império, toda a arma*da*,
*i*rás por força até a terra de Bi*ra*.
*So*correrás o rei Viviano em In*fa*,
a cida*de* que pagãos ainda siti*am*;
os cristãos *in*vocam e a ti recla*mam*!”
*O Im*perador, que acudir mais não queri*a*,
disse então: “Deus, penosa é minha vi*da*!”
Dos olhos chora, a barba branca ti*ra*.
Eis finda a gesta que Turoldus decli*na*!

de tal modo perito que, com justiça, ninguém jamais pôde superá-lo. Por essa razão construiu um palácio em Aquisgrão, onde residiu nos últimos anos de sua vida até sua morte. E não somente seus filhos convidava aos banhos, mas aos nobres e amigos e algumas vezes, inclusive, os guardas pessoais e uma multidão de oficiais, de modo que às vezes banhava-se com ele uma centena ou mais de homens). Não é despropositado supor que Eginhardo narra, em *Vita Karoli*, matéria que se tornou amplamente conhecida e que o cantar faça aqui uma referência a esse notório hábito do Imperador, bem como à dimensão de seus banhos em Aquisgrão (vide nota ao v. 36). O fato de cento e cinquenta batizarem Juliana não quer aqui significar que todos esses dessem o sacramento à viúva, mas que simplesmente participavam da cerimônia. **3986.** Conforme anota Rodríguez Velasco, em sua tradução da gesta *Daurel y Betón* (Jesús Demetrio Rodríguez Velasco (trad.), *Daurel y Betón*, p. 125), o batismo pressupõe a alteração do nome, a fim de mostrar a totalidade da conversão, como uma nova identidade espiritual que esse novo nome carrega. Diferente, porém, ocorre com a Erimena, princesa da Babilônia, quando o jovem *Betos* envia a buscá-la como esposa (v. 2082), “*So nom li laissa, que (no) nolh vol cambier*” (mantém seu nome, pois ela não quer alterá-lo), e também com Guibourc, esposa do conde Guilherme de Orange na *Chanson de Guillaume*, o que revela não ser menos virtuoso o período dessas damas como infiéis. **3988.** Paralelismo com o v. 3975. **3995-3996.** Diversas identificações foram conjecturadas para os topônimos de Bira e Infa, sem que haja alguma definitiva.

Agradecimentos[1]

Cronologicamente, esta obra não existiria *sine quae*:

Lurdinha e João Luiz, meus adorados pais, que protegeram *ex nido* minha saúde mental de todas as intempéries vitais e medicamentosas – amo vocês.

Jessé, colega *en passant* da escola secundária que me apresentou Vinícius de Moraes, pois a poesia não necessita nada além de uma chance.

Elimar Plínio Machado, quem a tantos ensinou que a música e o canto não são uma dádiva a colibris iluminados, mas fruto tangível de muito trabalho.

Professor João Bortolanza, grande latinista, com quem aprendi da enofilia, da ciência política e do latim, o quanto minha juventude, à época, me permitiu.

Professor Frederico Augusto Garcia Fernandes, pois confiou num projeto improvável, *ab initio*, sem poupar incentivos, movimentos e provocações sensíveis, argutas e insuspeitas.

1 A pesquisa que deu origem a esta obra, sob a orientação do professor doutor Frederico Augusto Garcia Fernandes e coorientação do professor doutor Antoni Rossell, na *Universitat Autònoma de Barcelona* pelo Programa de Doutorado-sanduíche no Exterior (PDSE), contou com o apoio institucional da Coordenação de Aperfeiçoamento de Acesso ao Ensino Superior (Capes), do Programa de Pós-Graduação em Letras (PPGL) da Universidade Estadual de Londrina (UEL), e do Instituto Federal do Paraná (IFPR).

Professor Antoni Rossell, pois, *si, d'una banda, no s'ha d'agrair una feina ben feta, perquè és treball, d'altra banda, és bo recordar-ho, perquè eleva: li agraeixo la seva generosa acollida, per cada suggeriment de lectura i per cada crítica i aclariment, sempre precís i ben situat.*

Professor Edenilson Mikuska, colega de doutorado que, a partir da evanescência de um mero relato vislumbrou esta publicação pela Ateliê Editorial, e me dissuadiu, com isso, de sonhos menores.

Professor Amir Limana, camarada Lima, quem primeiro leu esta obra, e tão bem quanto bem possa parecer a riqueza de alguns detalhes não presentes sem tal contribuição.

Professor Ricardo Töws é desses que fariam Simão Pedro corar, pois não nega um camarada no Sinédrio; é quem mapeou as colunas de Carlos Magno na Batalha de Roncesvales e aqui as cartografou.

Professor Felipe Ziliotto, cujos passos e altura profissional me convencem de que a docência ainda vale a pena.

Professores Plinio Martins Filho e João Angelo Oliva Neto, quem, *rara avis*, sobre interesses quaisquer mantêm incólumes a arte literária e a arte do livro.

Helena, Maria e Théo, a tríade que dá sentido a nossa vida, cuja permanência, a cada verso cantado, me fazia lembrar que o trabalho devia ser concluído pois sua infância não espera meu tempo de poder vivê-la, e a vivemos e a amamos e a fruímos, e nela nos encontramos e por ela somos isto: eu e você, Marcela, e eles, sempre eles.

A cada pequena e grande contribuição, pontual ou permanente, deliberada ou adventícia, meu mais profundo agradecimento.

Londrina, de 8 de março de 2025.

Bibliografia

Manuscritos

AGOSTINHO, Santo. *Enchiridion de fide, spe et caritate; Liber questionum / Augustinus [Hipponensis]. Instructionum libri II / Eucherius Lugdunensis.* Madrid, Biblioteca Digital de la Real Academia de História.

CANTAR de Mio Cid: El Manuscrito de Per Abbat. Madrid, Alicante/Biblioteca Virtual Miguel de Cervantes/Biblioteca Nacional.

SIEFRING, Judith (dir.). *Chanson de Roland. Digby 23 Part B.* Bodleian Libraries, University of Oxford (Western Medieval Manuscripts).

TROYES, Chrétien de. *Le Chevalier de la Charrette* (Lancelot, ca. 1180). The Princeton Charrette Project, Princeton University.

Edições do *Cantar*

BÉDIER, Joseph. *Chanson de Roland Commentée par Joseph Bédier.* Paris, L'Édition d'Art, 1927.

GAUTIER, León (ed.). *Chanson de Roland.* Tours, Alfred Mame et fils, 1899.

MOIGNET, Gérard (ed.). *Chanson de Roland.* Trad. Gérard Moignet. Paris, Bordas, 1985.

RIQUER, Martín de (ed.). *Chanson de Roland, Cantar de Roldán y el Roncesvalles Navarro.* Trad. Martín de Riquer. Barcelona, Acantilado, 2003.

VALLCORBA, Jaume. *Lectura de la Chanson de Roland.* Trad. Martín de Riquer. Barcelona, Acantilado, 2012.

VASSALLO, Ligia. *A Canção de Rolando.* Rio de Janeiro, Francisco Alves, 1988.

Dicionários

Cascudo, Luís da Câmara. *Dicionário do Folclore Brasileiro*. Rio de Janeiro, Tecnoprint, 1972.

Martin, Robert (ed.). *Dictionnaire du Moyen Français*. Lorraine, atilf-cnrs/Université de Lorraine, 2015.

Randel, Don Michael (ed.). *The Harvard Dictionary of Music*. Cambridge, ma, Belknap Press, 2003.

Taylor & Francis. *The Anglo-Norman Dictionary*. United Kingdom, mhra, 2000-2006.

Von Wartburg, Walther (ed.). *Französisches Etymologisches Wörterbuch. Le Dictionnaire Étymologique et Historique du Galloroman* (*Français et Dialectes d'Oïl, Francoprovençal, Occitan, Gascon*) (few). Lorraine, atilf-cnrs/Université de Lorraine, 2003.

Estudos sobre *O Cantar de Roldão*

Aebischer, Paul. "Le Gab d'Olivier". *Revue Belge de Philologie et d'Histoire*, t. 34, fasc. 3, pp. 659-679, 1956.

___. "Roland: Mythe ou Personnage Historique?" *Revue Belge de Philologie et d'Histoire*, t. 43, fasc. 3, pp. 849-901, 1965.

___. *Rolandiana et Oliveriana: Recueil d'Études sur les Chansons de Geste*. Genève, Droz, 1967.

___. "Oliveriana et Rolandiana". *Revue Belge de Philologie et d'Histoire*, t. 51, fasc. 3, pp. 517--533, 1973.

Bédier, Joseph. "De l'Autorité du Manuscrit d'Oxford pour l'Établissement du Text de Chanson de Roland". *Romania*, vol. 41, n. 163, pp. 331-345, 1912.

___. "De l'Édition Princeps de Chanson de Roland aux Éditions les plus Récentes. Nouvelles Remarques sur l'Art d'Établir les Anciens Textes". *Romania*, vol. 63, pp. 433-469, 1937.

___. "De l'Édition Princeps de *Chanson de Roland* aux Éditions les plus Récentes: Nouvelles Remarques sur l'Art d'Établir les Anciens Textes". *Romania*, vol. 64, pp. 145-244, 1938.

___. "De l'Édition Princeps de *Chanson de Roland* aux Éditions les plus Récentes: Nouvelles Remarques sur l'Art d'Établir les Anciens Textes". *Romania*, 64, pp. 489-521, 1938.

__. "Les Assonances en -è et en -iè dans *Chanson de Rolando*". *Romania*, t. 47, n. 188, pp. 465--480, 1921.

Carton, Jean-Paul. "Aesthetic Considerations Based on 'Elaborate Style' in the Chanson de Roland: Diminution in Laisses 232-234". *Olifant*, vol. 12, n. 1, pp. 29-45, 1987.

___. "Aesthetic Considerations Based on 'Elaborate Style' in the *Chanson de Roland*: Patterns of Intensification and Narrative Progression in Laisses 40-42". *Olifant*, vol. 15, n. 2, pp. 135-155, 1990.

___. "Aesthetic Considerations Based on "Elaborate Style" in the *Chanson de Roland*: Patterns of Intensification and Narrative Progression in Laisses 83-85". *Olifant*, vol. 20, n. 1-4, pp. 63-108, 1996.

Crowley, Frances & Crowley, Cornelius. "Le Problème de l'Étymologie de aoi dans *Chanson de Roland*". *Cahiers de Civilisation Médiévale*, 3e année, n. 9, pp. 12-13, jan.-mars 1960.

Duggan, Joseph John. "El Juicio de Ganelón y el Mito del Pecado de Carlomagno en la Versión de Oxford de *Chanson de Roland*". *In:* Resina, Joan Ramon (ed.). *Mythopoesis: Literatura, Totalidad, Ideologia*. Barcelona, Anthropos, 1992, pp. 53-64.

Ferreira da Costa, Ronald. "O Cantar de Roldão: Pelas Veredas de uma Tradução Epigenética". *Boitatá – Revista do GT de Literatura Oral e Popular da Anpoll*, vol. 14, n. 28, pp. 43-61, 2019.

François, Guillaume. "L'Émergence de la Majuscule dans *Chanson de Roland*". *Revue de Linguistique Romane*, vol. 70, pp. 41-52, 2006.

Frank, Grace. "aoi in the *Chanson de Roland*". *Modern Language Association of America*, vol. 48, n. 3, pp. 629-635, Sep. 1933.

Heinemann, Edward A. "Composition Stylisée et Technique Littéraire dans *Chanson de Roland*". *Romania*, vol. 94, pp. 1-28, 1973.

Jenkins, Thomas Atkinson. "Why did Ganelos Hate Roland?" *Modern Language Association of America*, vol. 36, pp. 119-133, 1921.

Kinoshita, Sharon. "Pagans are Wrong and Christians are Right: Alterity, Gender, and Nation in the *Chanson de Roland*". *Journal of Medieval and Early Modern Studies*, vol. 31, n. 1, pp. 79-111, 2001.

Le Gentil, Pierre. "A Propos de la Démesure de Roland". *Cahiers de Civilisation Médiévale*, année 11, n. 42, pp. 203-209, 1968.

Lejeune, Rita. "Une Allusion Méconnue à une Chanson de Roland". *Romania*, t. 75, n. 298, pp. 145-164, 1954.

Luquiens, Frederick Bliss. "The Reconstruction of the Original Chanson de Roland". *The Romanic Review*, vol. 4, pp. 112-117, 1913.

Misrahi, Jean & Hendrickson, William. "Roland and Oliver: Prowess and Wisdom, the Ideal of the Epic Hero". *Romance Philology*, vol. 33, pp. 357-372, 1979.

Pidal, Menéndez. Chanson de Roland *y el Neotradicionalismo: Orígenes de la Épica Románica*. Madrid, Espasa-Calpe, 1959.

Rapisarda, Stefano. "Would Another Roland be Possible? Ganelon's Reasons". *L'Immagine Riflessa*, ano xxii, n. 1-2, pp. 151-175, 2013.

Raynaud, Gaston. "Les Assonances du Roland". *Romania*, t. 3, n. 10, pp. 290-291, 1874.

Riquer, Martín de. *Los Cantares de Gesta Franceses*. Madrid, Gredos, 2009.

Roncaglia, Aurélio. "Geografia Storica di Leggende e Fiabe: Da Roland a Aberon". *Cultura Neolatina*, vol. 56, n. 1-2, pp. 45-99, 1996.

___. "Il Silenzio del Roland sur Sant'Iacopo: Le Vie dei Pellegrinaggi e le Vie della Storia". *Coloquios de Roncesvalles: Agosto 1955*. Zaragoza, Institución Príncipe de Viana, 1956, pp. 151-171.

Ross, David John Athole. "L'Originalité de 'Turoldus': Le Maniement de la Lance". *Cahiers de Civilisation Médiévale*, année 6, n. 22, pp. 127-138, 1963.

Waters, E. G. R.. "Gleanings from MS Digby 23". *The Modern Language Review*, vol. 25. n. 1, 1930, pp. 95-99.

Referências Bibliográficas

Agostinho, Pedro. "Império e Cavalaria na Guerra do Contestado". *Ilha*, vol. 4, n. 2, pp. 25--49, 2002.

___. *Vestidos para Matar: O Armamento de Guerra na Cronística Portuguesa de Quatrocentos.* Coimbra, Imprensa da Universidade de Coimbra, 2013.

Aristóteles. *Arte Poética.* São Paulo, Cultrix, 1997.

Avalle, D'Arco Silvio (ed.). *Vie de Saint Léger.* Pavia, Tipografia del Libro, 1967.

Barros, Leandro Gomes de. *A Batalha de Oliveiros com Ferrabrás: Cordel.* São Paulo, Luzeiro, 2012.

___. *A Prisão de Oliveiros e Seus Companheiros. Cordel.* São Paulo, Editora Luzeiro, 2012.

Bédier, Joseph. *Les Légendes Épiques: Recherches sur la Formation des Chansons de Geste.* Paris, Honoré Champion, vol. III, 1912.

___. *Les Légendes Épiques: Recherches sur la Formation des Chansons de Geste*, Paris, Édouard Champion, 1929, vol. IV.

Bodel, Jean & Michel, Francisque (eds.). *La Chanson des Saxons.* Paris, J. Techener Libraire Place du Louvre, 1839.

Borges, Jorge Luís. *Ficciones.* Buenos Aires, Debolsillo, 2011.

Campos, Haroldo de. *Metalinguagem e Outras Metas: Ensaios de Teoria e Crítica Literária.* São Paulo, Perspectiva, 2017.

Cascudo, Luís da Câmara. *Literatura Oral no Brasil.* São Paulo, Global, 2006.

___. *Mouros, Franceses e Judeus.* São Paulo, Perspectiva, 1984.

___. *Vaqueiros e Cantadores.* São Paulo, Global, 2005.

___. *Cinco Livros do Povo: Introdução ao Estudo da Novelística no Brasil.* São Paulo, José Olympio, 1953.

Catalán, Diego. *Siete Siglos de Romancero.* Madrid, Gredos, 1969.

Corbí, Fernando Marín. "Figuras, Gesto, Afecto y Retórica en la Música". *Nassarre: Revista Aragonesa de Musicologia*, vol. 23, n. 1, pp. 11-52, 2007.

CURTIUS, Ernst Robert. *Literatura Europeia e Idade Média Latina.* São Paulo, Edusp, 2013.

DUBY, Georges. *As Três Ordens ou o Imaginário do Feudalismo.* Trad. M. H. Dias. Lisboa, Editorial Estampa, 1982.

ECO, Umberto. *Arte y Belleza en la Estética Medieval.* Barcelona, Debolsillo, 2015.

EGINHARDO. *Vida de Carlomagno.* Trad. Alejandra de Riquer. Madrid, Gredos, 1999.

EGINHARDUS (825-826). "Vita Karoli Magni". *In*: PERTZ, Georg Heinrich (ed.). *Monvmenta Germaniae Historica.* Hannover, Scriptorivm, 1911.

FERREIRA, Jerusa Pires. "A Cavalaria no Sertão". *In:* MONGELLI, Lênia Márcia (org.). *E Fizerom Taes Maravilhas... Histórias de Cavaleiros e Cavalarias.* Cotia, SP, Ateliê Editorial, 2012, pp. 223-232.

___. *Cavalaria em Cordel: O Passo das Águas Mortas.* São Paulo, Edusp, 2016.

FOURQUIN, Guy. *Senhorio e Feudalidade na Idade Média.* Lisboa, Edições 70, 1978.

GRÈS, Micheline de Combarieu du. *L'Ideal Human et l'Expérience Morale chez les Héros des Chansons de Geste des Origines à 1250.* Paris, Université de Provence, 1979.

GUAL, Carlos García. *Primeras Novelas Europeas.* Madrid, Istmo, 1974.

___. *El Redescubrimiento de la Sensibilidad en el Siglo XII.* Madrid, Akal, 1997.

GUTIÉRREZ, Mariano de la Campa (ed.). *Antología de la Épica y el Romancero.* Trad. Mariano de la Campa Gutiérrez. Barcelona, Hermes Editora General, 1998.

HAURÉLIO, Marco. *Breve História da Literatura de Cordel.* São Paulo, Claridade, 2019.

HUIZINGA, Johan. *El Otoño de la Edad Media.* Madrid, Alianza, 2016.

LE CID CHANTÉ PAR ANTONI ROSSELL. Carlos Heusch. France, Ciham, 2017, 90 min, col., sonoro.

LIBER de Miraculis S. Jacobi. In: FITA, P. F. & VINSON, J. (eds.). *Le Codex de Saint-Jacques de Compostelle.* Paris, Bibliothèque Nationale de France, 1882, l. IV.

LUKÁCS, Georg. *A Teoria do Romance: Um Ensaio Histórico-Filosófico Sobre as Formas da Grande Épica.* São Paulo, Duas Cidades, 2000.

MACEDO, José Rivair & ESPIG, Márcia Janete. "De Roncesvales ao Contestado: resignificações da memória carolíngia na Península Ibérica e no Brasil". *Estudos Ibero-Americanos,* vol. 25, n. 1, pp. 135-159, 1999.

MARTIN, Alfred von. *Sociologia de la Cultura Medieval.* Madrid, Instituto de Estudios Políticos, 1970.

MCMILLAN, Duncan (ed.). *La Chanson de Guillaume,* Paris, A. & J. Picard, 1949, vol. 1.

MELLO E CASTRO, Dom António de (Marquês de São Paio). "A Nomenclatura das Signas Medievais". *Armas e Troféus: Revista de História e de Arte,* vol. 1, pp. 21-27, 1932.

MESCHONNIC, Henri. *Poética do Traduzir.* São Paulo, Perspectiva, 2010.

MEYER, Paul (ed.). *Daurel et Beton.* Paris, Firmin Didot, 1880.

MONACHI, Willelmi Malmesbiriensis. *Gesta Regum Anglorum, Atque Historia Novella.* Ed. Thomas Duffus Hardy. London, Sumptibus Societatis, 1840.

Montaner, Alberto (ed.). *Cantar de Mio Cid.* Madrid, Real Academia Española, 2000.

Oustinoff, Michaël. *Tradução: História, Teorias e Métodos.* São Paulo, Parábola, 2011.

Pertz, Georg Heinrich. *Monvmenta Germaniae Historica*, Hannover, Scriptorivm, 1829, t. II.

Piemonte, Nicolás de. *Historia del Emperador Carlo Magno y de los Doce Pares de Francia, y de la Cruda Batalla que Hubo Oliveros con Fierabrás, Rey de Alejandría, Hijo del Grande Almirante Balán.* Dueñas, Simancas Ediciones, 2005.

Pirenne, Henri. *Las Ciudades de la Edad Media.* Madrid, Alianza Editorial, 2015.

____. *Mahoma y Carlomagno.* Madrid, Alianza Editorial, 2017.

Reboul, Olivier. *Introdução à Retórica.* São Paulo, Martins Fontes, 2004.

Reis, Josué Callender dos. "Noções da Arte da Armaria". *Revista de História*, vol. 23, n. 47, pp. 183-218, 1961.

____. "Noções da Arte da Armaria – II". *Revista de História*, vol. 23, n. 48, pp. 501-529, 1961a.

Ricoeur, Paul. *Sobre a Tradução.* Trad. Patrícia Lavelle. Belo Horizonte, Editora UFMG, 2011.

Riosalido, Jesús. "Los Vikingos en Al-Andalus". *Al-Andalus Magreb: Estudios Árabes e Islámicos*, n. 5, pp. 335-344, 1997.

Rossell, Antoni. "Anisosilabismo: Regularidad, Irregularidad o Punto de Vista?" *In*: Nascimiento, Aires A. & Ribeiro, Cristina Almeida (eds.). *Actas do IV Congresso da Associação Hispânica de Literatura Medieval.* Lisboa, Cosmos, 1993.

____. "De Épica, Escansión, Métrica y Música". *In*: Carta, Constance; Finci, Sarah & Mancheva, Dora (eds.). *Antes se Agotan la Mano y la Pluma que su Historia.* Vol. I: *Edad Media.* San Millán de la Congolla, Cilengua, 2016, pp. 269-300 (Instituto Literatura y Traducción, 12).

____. "De la Música de la Épica a la del Romancero: Dos Paradigmas Divergentes pero Recurrentes". *Ínsula*, año LXXVI, n. 900, pp. 10-13, Dic. 2021.

____. "Floripes y Fierabrás: Retrotopía y Contextualización". *In:* Romero, Àlex Gómez (ed.). *Saberes Compartidos: Tradición Clásica, Cultura Hispánica e Identidades Criollas en el Nuevo Mundo (Siglos XVI-XIX).* Barcelona, Centro para la Edición de los Clásicos Españoles/ Universidad Autónoma de Barcelona, 2017, pp. 181-211.

____. "Llengua, Identitat i Estratègies de Poder a l'Edat Mitjana Europea". *Colloqui d'Història Medieval Occitano-Catalana. Eurocongrés 2000.* Barcelona, [s. ed.], 2004, pp. 109-140.

____. (trad.). *El Román de Flamenca: Novela Occitana del Siglo XIII.* Guadalajara, Arlequín, 2009.

Rubio, Joaquín (trad.). *Cantar de Guillermo.* Madrid, Gredos, 1997.

Ruiz-Domenec, José Enrique. "La Chanson de Guillaume: Relato de Frontera". *Medioevo Romanzo*, vol. XXI, n. 2-3, pp. 496-506, 1997.

Rychner, Jean. *La Chanson de Geste: Essai sur l'Art Épique des Jogleurs.* Genève, Droz, 1999.

SAMARAN, Charles. "Lectures sous les Rayons Ultra-Violets: *Chanson de Roland* (Manuscrit d'Oxford). *Romania*, t. 55, n. 219-220, pp. 401-410, 1929.

SISCAR, Marcos. "Traduzir Mallarmé é o Lance de Dados". *In*: MALLARMÉ, Stéphane. *Um Lance de Dados*. Trad. Álvaro Faleiros. Cotia, SP, Ateliê Editorial, 2017.

SOCIETE RENSCESVALS. *Bulletin Bibliographique de la Societe Rencesvals*, Paris, A.-G. Nizet, 1960, fasc. 2.

SPINA, Segismundo. *Manual de Versificação Românica Medieval*. Cotia, SP, Ateliê Editorial, 2003.

STEINER, George. *Depois de Babel: Questões de Linguagem e Tradução*. Trad. Carlos Alberto Faraco. Curitiba, UFPR, 2005.

TRINGALI, Dante. *Introdução à Retórica: A Retórica como Crítica Literária*. São Paulo, Duas Cidades, 1988.

TROYES, Chrétien de. *El Caballero de la Carreta*. Trad. Carlos García Gual & Luís Alberto de Cuenca. Madrid, Alianza Editorial, 2017.

VELASCO, Jesús Demetrio Rodríguez (trad.). *Daurel y Betón*. Valladolid, Universidad de Valladolid, 2000.

ZUMTHOR, Paul. *A Letra e a Voz*. São Paulo, Companhia das Letras, 1993.

____. *Performance, Recepção, Leitura*. São Paulo, Cosac Naify, 2007.

COLEÇÃO CLÁSSICOS COMENTADOS

Aleksandr Púchkin, *Евгений Онегин / Eugênio Onêguin: Um Romance em Versos* – Tomo i. Tradução: Alípio Correia de Franca Neto & Elena Vássina

O Cantar de Roldão. Tradução: Ronald Costa

Christopher Marlowe, *A Trágica História do Doutor Fausto*. Tradução: Luís Bueno, Caetano W. Galindo e Mario Luiz Frungillo

Dante Alighieri, *Divina Comédia*. Tradução: João Trentino Ziller

Elegia Grega Arcaica. Tradução: Giuliana Ragusa e Rafael Brunhara

Engenhos da Sedução – O Hino Homérico a Afrodite. Tradução: Mary de Camargo Neves Lafer

Euclides da Cunha, *Os Sertões: Campanha de Canudos*. Edição: Leopoldo M. Bernucci

Os Evangelhos: Uma Tradução. Tradução: Marcelo Musa Cavallari

Falo no Jardim: Priapeia Grega, Priapeia Latina. Tradução: João Angelo Oliva Neto

Francesco Petrarca, *Cancioneiro*. Tradução: José Clemente Pozenato

Francisco de Moraes, *Palmeirim de Inglaterra*, . Edição: Lênia Márcia Mongelli, Raúl Cesar Gouveia Fernandes & Fernando Maués

François Rabelais, *O Primeiro Livro. A Vida Muito Horrífica do Grande Gargantua, Pai de Pantagruel*. Tradução: Élide Valarini Oliver

François Rabelais, *O Segundo Livro do Bom Pantagruel, Rei dos Dipsodos, Restituído a Seu Natural, com os Feitos e Proezas Espantosas*. Tradução: Élide Valarini Oliver

François Rabelais, *O Terceiro Livro dos Fatos e Ditos Heroicos do Bom Pantagruel*. Tradução: Élide Valarini Oliver

François Rabelais, *O Quarto Livro dos Fatos e Ditos Heroicos do Bom Pantagruel.* Tradução: Élide Valarini Oliver

Henry Fielding, *A História das Aventuras de Joseph Andrews e seu Amigo o Senhor Abraham Adams.* Tradução: Roger Maioli dos Santos

Homero, *Ilíada.* Tradução: Odorico Mendes

Joanot Martorell, *Tirant lo Blanc.* Tradução: Cláudio Giordano

Ludovico Ariosto, *Orlando Furioso* – Tomo i. Tradução: Pedro Garcez Ghirardi

Ludovico Ariosto, *Orlando Furioso* – Tomo ii. Tradução: Pedro Garcez Ghirardi

Obras Poéticas de Alvarenga Peixoto. Organização: Caio Cesar Esteves de Souza

Plínio, o Jovem, *Epístolas Completas* – Vol. i. Tradução: João Angelo Oliva Neto

Plínio, o Jovem, *Epístolas Completas* – Vol. ii. Tradução: João Angelo Oliva Neto

S. T. Coleridge, *A Balada do Velho Marinheiro.* Tradução: Alípio Correia de Franco Neto

Sófocles, *Ájax.* Tradução: Jaa Torrano

Sófocles, *Antígona.* Tradução: Jaa Torrano

Sófocles, *Édipo em Colono.* Tradução: Jaa Torrano

Sófocles, *Édipo Rei.* Tradução: Jaa Torrano

Sófocles, *Electra.* Tradução: Jaa Torrano

Sófocles, *Filoctetes.* Tradução: Jaa Torrano

Sófocles, *As Traquínias.* Tradução: Jaa Torrano

Virgílio, *Bucólicas.* Tradução: Odorico Mendes

Virgílio, *Eneida.* Tradução: Odorico Mendes

Virgílio, *Geórgicas.* Tradução: Odorico Mendes

Título	*O Cantar de Roldão – Chanson de Roland*
Tradução	Ronald Costa
Apresentação	João Angelo Oliva Neto
Prefácios	Antoni Rossell e Frederico Garcia Fernandes
Editor	Plinio Martins Filho
Produção editorial	Carlos Gustavo Araújo do Carmo
Capa	Ateliê Editorial
Editoração eletrônica	Carlos Gustavo Araújo do Carmo
Revisão	Ronald Costa Felipe Ziliotto Plinio Martins Filho
Formato	18 x 27 cm
Tipologia	Times New Roman, Adobe Garamond
Papel	Offset 180g/m² (capa) Chambril Avena 80g/m² (miolo)
Número de páginas	504
Impressão e acabamento	Lis Gráfica